民事執行の実務

第5版

債権執行・財産調査編

［編著］ 中村さとみ ［千葉地方裁判所民事第4部部総括判事・前東京地方裁判所民事第21部部総括判事］

剱持　淳子 ［名古屋家庭裁判所家事第1部部総括判事・前東京地方裁判所民事第21部判事］

一般社団法人金融財政事情研究会

第５版の刊行に当たって

本書の第４版が平成30年11月に刊行されてから３年半余が経ち、この間、民事執行法が令和元年５月に改正され（令和元年法律第２号)、令和２年４月１日から施行された。同改正は、財産開示手続の実効性強化のための見直し、第三者からの情報取得制度の新設、不動産競売における暴力団員の買受防止策の導入、差押禁止債権の範囲変更申立てに関する手続教示の義務化と給与等債権に係る取立権発生時期の見直しなど、民事執行実務に大きな影響を与えるものであった。

本書のこのたびの改訂は、上記改正法に基づく東京地裁民事執行センターの最新実務を紹介するとともに、従前の実務上の論点について本センターの統一的な解釈と実際の運用を再確認し、それを反映させるよう心掛けたものである。上記改正の柱の一つとされた財産調査部分については、その多くを新規に書き下ろし、第４版の「債権執行編（上・下)」を拡充して「債権執行・財産調査編（上・下)」とした。

改訂作業には、本センターに在籍し、あるいは昨年度まで在籍していた裁判官及び裁判所書記官がこれに当たった。改訂作業関与者一覧に記載し切れなかったメンバーにも、多大な協力を得た。一同、本書が旧版と同様に、民事執行手続の利用者や民事執行の実務に携わる実務家の皆様にとってお役に立つものとなることを願っている。

なお、脱稿後である令和４年５月25日、民事訴訟法等の一部を改正する法律が同年法律第48号として公布された。同改正では、民事訴訟法について当事者の住所・氏名等の秘匿制度を創設する改正がされ、民事執行法においてもその規定が準用されている。そして、差押債権者等の住所又は氏名が秘匿されている場合等のために、第三債務者に対する供託命令の制度が設けられた。また、民事訴訟手続と同様に、民事執行手続における電子情報処理組織を用いた申立て等の方法が規定されるとともに、電磁的記録による債務名義について記録事項証明書に基づく申立ての規定も置かれるなどした。民事執行手続のＩＴ化に関しては更なる法改正が予定されており、今後、民事執行手続の利便性が大いに高まることが期待されるところである。これらに関しては、別途、本センターにおける運用をご紹介する機会を持たせていただきたいと考えている。

本センターは、令和４年２月１日をもって開庁20周年を迎えた。本書初版が発刊されたのは本センター開庁の翌年であり、本書第５版までの改訂の経緯はまさに本センターの歩みそのものである。先人に深く感謝を申し上げたい。

合わせて、本書の刊行に当たり温かいお励ましとご尽力をいただいた株式会社きんざい出版部の池田知弘氏ほかの方々に、あらためて謝意を表したい。

令和４年６月

中村　さとみ

（千葉地方裁判所民事第４部部総括判事

前・東京地方裁判所民事第21部部総括判事）

第４版の刊行に当たって

東京地方裁判所民事執行センターは、平成29年２月１日に開庁15周年を迎えたところである。本書の初版は、同センターの開庁を機に不動産執行編が平成15年４月に、債権執行編が同年６月に、それぞれ刊行されたものである。その後、平成15年及び平成16年の民事執行法の一部改正を経て、平成19年11月にそれぞれ第２版が刊行され、平成24年６月にそれぞれ第３版が刊行されてから既に６年近くが経過している。

この間、民事執行実務に大きな影響を与える最高裁判所の判断が多く示されている。加えて、執行実務を取り巻く社会経済状況が変化する中、同センターにおいてはその運用について様々な改善を試みている。また、法制審議会民事執行法部会では民事執行法の一部改正について審議が重ねられ、要綱案の取りまとめに向けた検討が行われている。このような状況を踏まえ、約６年ぶりに第４版として改訂作業を行うこととした。この度の改訂に当たっては、同センターにおける最新の実務の動向を反映させるとともに、同センターにおける統一的な解釈とそれに基づく実際の運用を紹介することを心掛けた。

本書は、同センターに在籍し、あるいは、本年３月まで在籍していた裁判官及び裁判所書記官が、努力を傾注して改訂作業を行ったものである。旧版同様に、民事執行実務に携わる実務家や民事執行手続の利用者の皆様に広く活用していただければ幸いである。

本書の刊行に当たり、多大なご尽力をいただいた株式会社きんざい出版部の池田知弘氏ほかの方々に厚く御礼を申し上げる。

平成30年４月

相澤　眞木

（東京地方裁判所民事第21部部総括判事）

追　　　記

法制審議会民事執行法部会においては、債務者財産の開示制度の実効性の向上（現行の財産開示手続の見直し、第三者から債務者財産に関する情報を取得する制度の新設）、不動産競売における暴力団員の買受け防止の方策、子の引渡しの強制執行に関する規律の明確化、債権執行事件の終了をめぐる規律の見直し（差押債権者が取立権を行使しない場面等における規律、その他の場面（債務者への差押命令等の送達未了）における規律）、差押禁止債権をめぐる規律の見直し（取立権の発生時期の見直し、手続教示）等について議論されていたところ、本校正作業中である平成30年８月31日に開催された法制審議会民事執行法部会（第23回）において、民事執行法制の見直しに関する要綱案が部会資料23のとおりに取りまとめられたので、下巻の巻末に資料として要綱案を掲載することとした。

また、脱稿後であり、要綱案の段階であることから、本文の記載内容に影響が大きいと考えられる事項に限り、該当箇所に、関係する規律の見直し等が要綱案としてまとめられた旨及び本文の記述は現行法に基づく取扱い等を記載している旨を付記することとした。適宜、要綱案を参照していただきたい。

平成30年９月19日

相澤　眞木

（東京地方裁判所民事第21部部総括判事）

第３版の刊行に当たって

東京地方裁判所民事執行センターは、平成24年２月１日をもって開庁10周年を迎えた。本書初版は、同センターの開設を機会に発刊されたものであるが、初版の刊行から４年余り後である平成19年11月に第２版が刊行されてから、既に４年余りを経過している。この間、民事執行の分野では、実務に強い影響を与える最高裁判所の新判断が示されるなど、状況は絶えず変化し続けている。今回の改訂作業は、同センター開庁10周年を記念して企画されたものであり、初版以来の本書のコンセプトを維持し、最新の実務の動向を反映させ、同センターにおける統一的な解釈とこれに基づく実際の運用を紹介するよう心がけた。旧版同様広く活用していただければ幸いである。

本書の刊行の仕事を担当してくださった金融財政事情研究会出版部の田島正一郎氏、佐藤友紀氏に謝意を表する。

平成24年２月

浜　　秀樹
（東京地方裁判所民事第21部部総括判事）

第２版の刊行に当たって

本書の初版が平成15年４月（不動産執行編）及び６月（債権執行編）に刊行されてから４年余りが経過した。この間、民事執行法については、２度にわたり大幅な改正が加えられた。担保物権及び民事執行制度の改善のための民法等の一部を改正する法律（平成15年法律第134号。平成16年４月１日施行）による平成15年改正と民事関係手続の改善のための民事訴訟法等の一部を改正する法律（平成16年法律第152号。平成17年４月１日施行）による平成16年改正である。また、民事執行手続に深く関連する実体法や手続法、例えば民法（担保法）、会社法、破産法、不動産登記法等についても、全面的、あるいは大幅な改正がされた。加えて、金融機関等の不良債権処理が一段落したことなどを受けて、民事執行事件を取り巻く環境にも変化がみられ、実務にも相応の影響が及んでいる状況にある。

本書〔第２版〕は、初版以降の平成15年改正あるいは平成16年改正等の民事執行法その他の主要法律の改正等を反映させるとともに、すべての論点について全面的に見直しをして、東京地方裁判所民事執行センターにおける現行実務の理論上、運用上の到達点に即して、初版に補筆修正を施したものである。改訂作業に際しては、初版の場合と同様に、民事執行センターに所属する裁判官及び裁判所書記官が協議を重ねて結論を導き出し、最終的に協議がまとまらず一致した結論に至らなかった場合には、問題の所在を明らかにするとともに、現時点における民事執行センターの運用を明らかにするようにした。

ところで、本書の初版は、当時東京地裁民事執行センター（民事第21部）に在籍していた西岡清一郎判事（現・東京地裁民事部所長代行者）、畑一郎判事（現・仙台高裁判事）及び上田正俊民事次席書記官（現・最高裁事務総局総務局第三課長）が共同編集人となり、民事執行センターに所属していた裁判官と裁判所書記官が分担執筆して完成させたものであるが、その後、編集人３名を含む執筆担当者の多くは、民事執行センターから転出し、今回の改訂には携われないこととなった。そこで、今回の改訂を機に、今後も法令改正等に伴って本書の改訂が必要となることも考慮し、この第２版以降は、「東京地方裁判所民事執行センター実務研究会」の編著とすることとし、執筆者名については、全執筆者を一括して表示し、各論点ごとの担当者を個別に記載しないこととした。この変更のうち、編集人名については、初版における３名の編集人からご了解をいただいたが、その余については、各執筆者の個別のご了解を得る時間的余裕がないまま、本書〔第２版〕を刊行する運びとなってしまった。初版執筆者各位のご宥恕をお願いする次第である。

本書の初版は、民事執行の理論と実務の全容を解説した書籍として、理論面でも実用面でも優れて有用なものとして高い評価を得て、民事執行の実務に携わる者はもとより、民事執行法を研究する法律家等からも好評をもって迎えられていた。この第２版は、そのような評価が定着している初版の成果の上に乗って刊行するものであることをまず明らかにするとともに、たいへんなご苦労をされて所期の成果を達成された初版の編集人、執筆者各位に心からの感謝を申し上げたい。また、私は、昨年２月に東京地裁民事執行センターから転出し、その後の改訂の編集作業は、飯塚宏判事、角井俊文判事（現・福岡法務局訟務副部長）及び大澤知子判事（現・千葉地方裁判所一宮支部長判事）にもっぱらお願いしていたところであり、本書〔第２版〕の刊行が実現したことについて、飯塚判事らに対し、厚くお礼を申し上げたい。

本書〔第２版〕は、東京地裁民事執行センターに在籍し、あるいは昨年度まで在籍していた裁判官や裁判所書記官が、妥当で安定した民事執行の実務の運用に向けた日頃の工夫と理論面における研究の成果を踏まえ、努力を傾注して改訂作業を担当し、協議と執筆に当たった成果として刊行される。別の機会にも述べたことがあるが、東京地裁民事執行センターは、民事執行の理論と実務の強力な専門家集団であり、民事執行における質の高い事件処理と理論研究が期待されているところである。本書〔第２版〕がその期待に応え、民事執行の実務と理論の発展にも寄与するものとして、初版と同様に、大方の支持を得られると確信している。

本書〔第２版〕の刊行に当たっては、金融財政事情研究会出版部の佐藤友紀氏ほかの方々に、多大なご苦労をおかけした。あらためて謝意を表したい。

平成19年８月

三輪　和雄

（青森地方・家庭裁判所長、
前・東京地方裁判所民事第21部部総括判事）

はしがき

東京地方裁判所民事第21部は民事執行事件を専門に扱う執行専門部であるが、昨年の２月１日、東京都目黒区内に開設された新庁舎「東京地方裁判所民事執行センター」に移転した。本書の執筆者は、いずれも、かつて民事第21部に在籍したか、現在、民事執行センター内で民事執行事件の実務に携わっている者である。

債権執行事件の実務においては、民事執行法を始めとする手続法のほか、民法、商法、供託法等の民事実体法に関する広範囲の法律知識が要求されるところ、実際に債権執行事件の処理を担当していると、必ずしも十分な研究のなされていない問題点に出会うことがしばしばである。そしてそれらの問題の解決に当たっては、大量の事件を迅速かつ画一的に処理することが要請される民事執行事件の特質から、実務的にはできるだけ統一的な解釈が示されることが望ましいと言える。また、債権執行事件においては、当事者である債権者、債務者のほか第三債務者、さらには他の差押債権者といった多数の関係者が存在するため、その手続についてもできるだけ安定した透明性のある運用を確保することが必要である。

本書は、この度の民事執行センターの開設を機会に、既に本年３月に刊行済みの『民事執行の実務－不動産執行編(上)(下)』の続編として、債権執行事件全般について、現時点で実際に考えられる実務上の論点について、各執筆者がそれぞれ解説を加えたものであるが、先に述べたような経緯から、各論点ごとの問題点の指摘と考え方の紹介にとどまらず、これらの論点に関する現在の民事執行センターにおける統一的な解釈とこれに基づく実際の運用について紹介することを心がけたものである。そのために、本書の執筆に当たっては、研究会のメンバーどうしでの検討の機会を重ね、できるだけ解釈を統一するよう努力したつもりである。その結果、各論点ごとに執筆者を割り振ってはいるものの、本書での記述が必ずしも執筆者個人の意見と一致しない場合もあることをお断りしておきたい。

本書が、『不動産執行編』と同様に、民事執行の実務に携わる実務家や民事執行の手続を利用する人達にとって、債権執行事件の実務に対する理解を深めるために少しでも役立てばと願うとともに、本書を活用することにより、債権執行事件の手続がさらに利用しやすくなることを期待するものである。

最後に、本書の刊行に当たり多大なる尽力をいただいた㈳金融財政事情研究会の一色保弘氏、大塚昭之氏ほかの方々に厚くお礼を申し上げる次第である。

平成15年３月

東京地方裁判所民事執行センター実務研究会

西岡清一郎

畑　　一郎

上田　正俊

初版執筆者一覧

（所属・肩書は平成15年３月現在）

●編　集

西岡清一郎　東京地方裁判所民事第21部部総括判事
畑　一郎　東京地方裁判所判事（民事第21部）
上田　正俊　東京地方裁判所民事次席書記官

●執　筆（50音順）

青木　正人　東京地方裁判所主任書記官（民事第21部）
伊澤　文子　東京地方裁判所判事（民事第21部）
伊丹　恭　東京地方裁判所判事補（民事第６部）
伊藤　友昭　東京地方裁判所書記官（民事第21部）
上田　正俊　東京地方裁判所民事次席書記官
内田　義厚　東京地方裁判所判事（民事第21部）
内村　淳志　東京地方裁判所書記官（民事第21部）
江崎　加奈　東京地方裁判所書記官（民事第21部）
大井　章浩　東京地方裁判所書記官（民事第21部）
大石　智　東京地方裁判所書記官（民事第21部）
大部　律男　東京地方裁判所書記官（民事第21部）
岡崎　秀史　東京地方裁判所書記官（民事第21部）
小川　理佳　東京地方裁判所判事補（民事第21部）
尾関　倫子　東京地方裁判所書記官（民事第21部）
甲斐　篤　東京地方裁判所書記官（民事第21部）
工藤　智子　東京地方裁判所書記官（民事第21部）
越塚　浩志　東京地方裁判所書記官（民事第21部）
佐伯　明彦　東京地方裁判所書記官（民事第21部）
酒井　基樹　東京地方裁判所書記官（民事第21部）
佐藤　英二　東京地方裁判所書記官（民事第21部）
柴田　克彦　東京地方裁判所書記官（民事第21部）
菅　純一　東京地方裁判所主任書記官（民事第21部）
瀬戸　啓子　東京地方裁判所判事補（民事第21部）
大門　香織　東京地方裁判所判事補

高橋　賢治　東京地方裁判所書記官（民事第21部）
高本　敬之　東京地方裁判所書記官（民事第21部）
建石　　学　東京地方裁判所書記官（民事第21部）
竹尾　信道　東京地方裁判所判事補（民事第21部）
武田　　学　東京地方裁判所書記官（民事第21部）
谷口　　豊　東京地方・家庭裁判所八王子支部判事
塚田　　正　東京地方裁判所書記官（民事第21部）
塚本真知子　東京地方裁判所書記官（民事第21部）
綱島　光義　東京地方裁判所書記官（民事第21部）
寺尾　　崇　東京地方裁判所書記官（民事第21部）
豊島　　学　東京地方裁判所書記官（民事第21部）
七五三正人　東京地方裁判所書記官（民事第21部）
南須原　薫　東京地方裁判所主任書記官（民事第21部）
西岡清一郎　東京地方裁判所民事第21部部総括判事
田野　総一　東京地方裁判所書記官（民事第21部）
長谷川賢二　東京地方裁判所書記官（民事第21部）
畑　　一郎　東京地方裁判所判事（民事第21部）
畑　美代子　東京地方裁判所書記官（民事第21部）
原　　直樹　東京地方裁判所総括主任書記官（民事第21部）
稗田　俊彦　新潟家庭裁判所三条支部主任書記官
平嶋　洋一　東京地方裁判所主任書記官（民事第21部）
廣瀬　和康　東京地方裁判所主任書記官（民事第21部）
廣戸　　充　東京地方裁判所書記官（民事第21部）
藤岡　真吾　東京地方裁判所書記官（民事第21部）
堀川　　岩　東京地方裁判所書記官（民事第21部）
堀込　清治　東京地方裁判所主任書記官（民事第21部）
増本　晃一　東京地方裁判所書記官（民事第21部）
松本　考司　東京地方裁判所書記官（民事第21部）
水谷里枝子　東京地方裁判所判事補（民事第21部）
宮崎　哲郎　東京地方裁判所書記官（民事第21部）
村田　正臣　東京地方裁判所主任書記官（民事第21部）
桃井　　勲　東京地方裁判所書記官（民事第21部）
森鍵　　一　東京地方裁判所判事補（民事第21部）
湯川　克彦　東京地方裁判所判事補（民事第21部）
吉成　博徳　東京地方裁判所書記官（民事第21部）

第２版の改訂作業関与者一覧（50音順）

（所属・肩書は平成19年８月現在）

青山　恵一　東京地方裁判所書記官（刑事第12部）
秋枝　良治　さいたま地方裁判所主任書記官
阿久津憲司　元東京地方裁判所書記官
浅田　　茂　東京地方裁判所書記官（民事第21部）
飯塚　　宏　東京地方裁判所判事（民事第21部）
池田　知史　徳島地方裁判所判事補
石川　重弘　東京地方裁判所判事（民事第９部）
石川真紀子　山形家庭裁判所米沢支部判事補
今西　和樹　千葉地方裁判所木更津支部主任書記官
内山智恵子　東京簡易裁判所（墨田庁舎）書記官
大澤　知子　千葉地方裁判所一宮支部長判事
大嶋　光春　東京地方裁判所書記官（民事第27部）
大西由里子　東京地方裁判所書記官（民事第21部）
大谷　　太　法務省大臣官房司法法制部付
小川　武寿　東京地方裁判所書記官（民事第17部）
角井　俊文　福岡法務局訟務部副部長
河村　　浩　総務省公害等調整委員会事務局審査官
草野　嘉子　東京地方裁判所書記官（民事第21部）
國吉　俊子　東京地方裁判所書記官（民事第21部）
小松　幸子　東京地方裁判所書記官（民事第21部）
近藤裕美子　東京地方裁判所書記官（民事第８部）
斉藤　恵美　東京地方裁判所書記官（民事第21部）
齋藤　　隆　東京地方裁判所民事第21部部総括判事
酒井　守彦　東京地方裁判所書記官（民事第21部）
坂田　大吾　東京地方裁判所判事補（民事第14部）
櫻井　雄一　東京地方裁判所書記官（刑事第18部）
澤田　兼一　東京地方裁判所書記官（民事第21部）
塩川　博和　東京地方裁判所書記官（民事第21部）
新保　佳功　東京地方裁判所書記官（民事訟廷事件係）
末永　　真　東京地方裁判所書記官（民事第21部）
鈴木　謙也　東京地方裁判所判事（民事第21部）
田中　俊行　東京地方裁判所判事（民事第16部）
田渕　　誠　東京地方裁判所書記官（民事第21部）
戸田　淳子　東京地方裁判所書記官（民事第21部）

長井　清明	東京地方裁判所判事補（民事第24部）
長田　浩和	東京地方裁判所書記官（刑事第15部）
中野　琢郎	札幌地方裁判所判事補
中山　久明	東京地方裁判所書記官（刑事第４部）
仁尾　光宏	東京地方裁判所総務課庶務第一係長
根本　一幸	八丈島簡易裁判所書記官兼庶務課長
野中　高広	在米日本大使館書記官
萩原　浩利	東京地方裁判所主任書記官（民事第21部）
筈井　卓矢	弁護士
萬場　政一	青梅簡易裁判所書記官兼庶務課長
日野　直子	東京地方裁判所判事（民事第22部）
平田　晃史	内閣官房副長官補室参事官補佐
平野　晃弘	東京地方裁判所書記官（民事第21部）
藤田　克芳	さいたま地方裁判所越谷支部主任書記官
富士原耕一郎	東京地方裁判所主任書記官（民事第21部）
古市　文孝	東京地方裁判所判事補（民事第３部）
水野　正則	金沢地方裁判所判事補
三輪　和雄	青森地方・家庭裁判所所長
武藤真紀子	東京地方裁判所判事（民事第７部）
村上　典子	甲府地方裁判所判事補
村越　啓悦	東京地方裁判所判事（民事第11部）
村本　恵美	東京家庭裁判所書記官
目黒　大輔	山形家庭裁判所鶴岡支部判事補
矢代　陽子	最高裁判所事務総局総務局第一課主任
矢作　　健	東京簡易裁判所（墨田庁舎）書記官
弥永　幸男	東京地方裁判所主任書記官（民事第21部）
山田　英貴	東京地方裁判所書記官（民事第21部）
吉川紀代子	東京地方裁判所書記官（民事第14部）
吉川　耕市	東京地方裁判所書記官（民事第21部）
渡邉　方浩	最高裁判所事務総局経理局用度課課長補佐

第３版の改訂作業関与者一覧（50音順）

（所属・肩書は平成24年２月現在）

池田　弥生	東京地方裁判所判事（民事第21部）
伊東　智和	東京地方裁判所判事補（民事第21部）
猪股　直子	東京地方裁判所判事補（民事第21部）
岡村　政志	東京地方裁判所主任書記官（民事第21部）
鴛崎　直子	東京地方裁判所書記官（民事第21部）
岸本　道也	東京地方裁判所主任書記官（民事第21部）
玄長　信一	東京地方裁判所主任書記官（民事第21部）
小池　将和	東京地方裁判所判事補（民事第21部）
光明　伸敏	東京地方裁判所書記官（民事第21部）
近藤　暁美	東京地方裁判所書記官（民事第21部）
塩澤　吉孝	東京地方裁判所主任書記官（民事第21部）
清水　　光	東京地方裁判所判事補（民事第21部）
瀬戸さやか	東京地方裁判所判事（民事第21部）
高橋　淳子	東京地方裁判所書記官（民事第21部）
出牛　一明	東京地方裁判所主任書記官（民事第21部）
戸塚　聡勇	東京地方裁判所書記官（民事第21部）
中橋　正幸	東京地方裁判所主任書記官（民事第21部）
仁科　正一	東京地方裁判所書記官（民事第21部）
野沢　宏樹	東京地方裁判所書記官（民事第21部）
萩原　京子	東京地方裁判所書記官（民事第21部）
長谷川雄司	東京地方裁判所総括主任書記官（民事第21部）
浜　　秀樹	東京地方裁判所民事第21部部総括判事
原田佳那子	東京地方裁判所判事補（民事第21部）
廣瀬　哲夫	東京地方裁判所総括主任書記官（民事第21部）
藤岡　雅子	東京地方裁判所書記官（民事第21部）
藤田美千子	東京地方裁判所書記官（民事第21部）
本田　　晃	東京地方裁判所判事（民事第21部）
味元厚二郎	東京地方裁判所判事補（民事第21部）
行廣浩太郎	東京地方裁判所判事補（民事第21部）

第４版の改訂作業関与者一覧（50音順）

（所属・肩書は平成30年３月現在）

相澤　眞木	東京地方裁判所民事第21部部総括判事
秋枝　良治	東京地方裁判所書記官（民事第21部）
蘆田　礼司	東京地方裁判所主任書記官（民事第21部）
伊藤　英彦	東京地方裁判所主任書記官（民事第21部）
梅澤　邦子	東京地方裁判所書記官（民事第21部）
小津　亮太	東京地方裁判所判事（民事第21部）
片山　　信	東京地方裁判所判事（民事第21部）
希代　重信	東京地方裁判所主任書記官（民事第21部）
木元裕香里	東京地方裁判所書記官（民事第21部）
小池　徳明	東京地方裁判所主任書記官（民事第21部）
後藤　健弘	東京地方裁判所書記官（民事第21部）
木場　正俊	東京地方裁判所主任書記官（民事第21部）
佐藤　秀美	東京地方裁判所書記官（民事第21部）
澁谷　　直	東京地方裁判所主任書記官（民事第21部）
進藤　済臣	東京地方裁判所書記官（民事第21部）
関根　秀和	東京地方裁判所書記官（民事第21部）
瀬古　裕司	東京地方裁判所書記官（民事第21部）
高根澤一弘	東京地方裁判所書記官（民事第21部）
立野みすず	東京地方裁判所判事（民事第21部）
谷池　政洋	東京地方裁判所判事補（民事第21部）
塚原　　聡	東京地方裁判所判事（民事第21部）
土屋　雅昭	東京地方裁判所総括主任書記官（民事第21部）
寺嶋　成人	東京地方裁判所書記官（民事第21部）
長岡　　靖	東京地方裁判所主任書記官（民事第21部）
長谷川武久	東京地方裁判所判事（民事第21部）
二木理都子	東京地方裁判所書記官（民事第21部）
古澤　秀行	東京地方裁判所書記官（民事第21部）
松井　真弓	東京地方裁判所書記官（民事第21部）
水倉　義貴	東京地方裁判所判事（民事第21部）
村井　佳奈	東京地方裁判所判事補（民事第21部）
山﨑　克人	東京地方裁判所判事（民事第21部）
山﨑　武司	東京地方裁判所書記官（民事第21部）
山根　一哲	東京地方裁判所書記官（民事第21部）
渡邉　裕之	東京地方裁判所主任書記官（民事第21部）

第５版の改訂作業関与者一覧（50音順）

（所属・肩書は令和３年３月現在）

秋枝　良治	東京地方裁判所書記官（民事第21部）
生原　　潤	東京地方裁判所主任書記官（民事第21部）
石田　憲一	東京地方裁判所判事（民事第21部）
市川　　浩	東京地方裁判所書記官（民事第21部）
乾　　俊彦	東京地方裁判所主任書記官（民事第21部）
大西　祐子	東京地方裁判所書記官（民事第21部）
小野　啓介	東京地方裁判所判事（民事第21部）
小原　且載	東京地方裁判所書記官（民事第21部）
甲斐　玲乃	東京地方裁判所書記官（民事第21部）
柏戸　夏子	東京地方裁判所判事補（民事第21部）
川口　　藍	東京地方裁判所判事（民事第21部）
金納　達昭	検事（カンボジア王国司法省派遣）
草野　克也	東京地方裁判所判事（民事第21部）
剱持　淳子	東京地方裁判所判事（民事第21部）
坂庭　正将	東京地方裁判所判事（民事第27部）
佐野　悠子	東京地方裁判所書記官（民事第21部）
白井さやか	東京地方裁判所書記官（民事第21部）
鈴木亜紀子	東京地方裁判所書記官（民事第21部）
関根　幸子	東京地方裁判所書記官（民事第21部）
左右木政志	東京地方裁判所書記官（民事第21部）
田中　慶太	東京地方裁判所判事補（民事第21部）
谷藤　一弥	東京地方裁判所判事（民事第21部）
丹野　喜一	東京地方裁判所主任書記官（民事第21部）
中嶋　路彦	東京地方裁判所書記官（民事第21部）
中村さとみ	東京地方裁判所部総括判事（民事第21部）
中山　芳巳	東京地方裁判所主任書記官（民事第21部）
鍋谷　　徹	東京地方裁判所書記官（民事第21部）
畑野　　健	東京地方裁判所総括主任書記官（民事第21部）
満田　智彦	東京地方裁判所判事（民事第21部）
柳沢　美和	東京地方裁判所書記官（民事第21部）
矢作　　健	東京地方裁判所書記官（民事第21部）
吉田知恵子	東京地方裁判所書記官（民事第21部）
米田　実雄	東京地方裁判所書記官（民事第21部）

主な法令・判例・文献等の略記法

1　法令名の表記

民事執行法は「法」、民事執行規則は「規則」とした。ただし、本書においては、令和４年法律第48号による改正前のものをいう。

本文中で引用する法令名は通常の略記によった。例えば、頻出する法令名の略記は次のとおり。

民訴法→民事訴訟法
民訴規則→民事訴訟規則
民執施令→民事執行法施行令
民保法→民事保全法
民保規則→民事保全規則
不登法→不動産登記法
仮担法→仮登記担保契約に関する法律
民訴費法→民事訴訟費用等に関する法律
民訴費規則→民事訴訟費用等に関する規則
民調法→民事調停法
民調規則→民事調停規則
会更法→会社更生法
民再法→民事再生法
民再規則→民事再生規則
滞調法→滞納処分と強制執行等との手続の調整に関する法律
滞調規則→滞納処分と強制執行等との手続の調整に関する規則
滞調令→滞納処分と強制執行等との手続の調整に関する政令
国徴法→国税徴収法
国徴規則→国税徴収法施行規則
国徴令→国税徴収法施行令
税通法→国税通則法

地税法→地方税法
登税法→登録免許税法
労基法→労働基準法
区分所有法→建物の区分所有等に関する法律
信金法→信用金庫法
刑訴法→刑事訴訟法
刑訴規則→刑事訴訟規則
宅建業法→宅地建物取引業法
社債株式振替法→社債、株式等の振替に関する法律
平成15年改正法→担保物権及び民事執行制度の改善のための民法等の一部を改正する法律（平成15年法律第134号）
平成16年改正法→民事関係手続の改善のための民事訴訟法等の一部を改正する法律（平成16年法律第152号）
平成29年民法改正法→民法の一部を改正する法律（平成29年法律第44号）
平成30年民法改正法→民法及び家事事件手続法の一部を改正する法律（平成30年法律第72号）
令和元年改正法→民事執行法及び国際的な子の奪取の民事上の側面に関する条約の実施に関する法律の一部を改正する法律（令和元年法律第２号）
家事法→家事事件手続法
非訟法→非訟事件手続法

なお、本文中（　）内の表記は、原則として、民事執行法は「法」のままであるが、「民事執行規則」は単に「規」、他の法令名のうち、「○○法」については「法」を省略し「○○」（例えば、民事訴訟法であれば「民訴」）、「○○規則」については「○○規」とした。

2　法令の条項の表記

本文中の表記は、「法○○条○項○号」「破産法○○条」とし、（　）内の表記は「規○○条○項」「民○○条」とした。

3　判例・通達の表記

判決・決定は、原則として次のように表記した。登載判例集・法律雑誌は、原則として代表的な１つのみを記載した。

大判大3.12.25（民録20輯1187頁）

最判平9.1.20（民集51巻１号１頁）

東京地決平9.6.19（金法1496号42頁）

なお、（　）内では、次のように表記した。

（東京地八王子支判平13.1.17金法1607号52頁）

通達は、原則として次のように表記した。

平成2.11.13法務省民四第5003号民事局長通達

平成2.11.27全銀協外業第213号

4　判例集・法律雑誌等の表記

《判例集》

民録→大審院民事判決録（明治28年～大正10年）

民集→大審院民事判例集（大正11年～昭和21年）

民集→最高裁判所民事判例集（昭和22年～）

集民→最高裁判所裁判集民事

高民集→高等裁判所民事判例集

下民集→下級裁判所民事判例集

東高時報→東京高等裁判所民事判決時報

新聞→法律新聞

《法律雑誌》

判時→判例時報

判タ→判例タイムズ

金法→金融法務事情

金判→金融・商事判例

労判→労働判例

法時→法律時報

曹時→法曹時報

ジュリ→ジュリスト

銀法→銀行法務21

《判例解説》

最判解平成○年度(上)(下)→法曹会編『最高裁判所判例解説民事篇平成○年度(上)(下)』(法曹会)

5　主要文献の表記

本文中で引用する主要文献名は次の略記によった。

田中康久「新民事執行法の解説」→田中康久『新民事執行法の解説〔増補改訂版〕』(金融財政事情研究会)

中野＝下村「民事執行法」→中野貞一郎＝下村正明『民事執行法〔改訂版〕』(青林書院)

三ケ月章「民事執行法」→三ケ月章『民事執行法』(弘文堂)

林屋礼二「民事執行法」→林屋礼二『民事執行法』(青林書院)

園部厚「民事執行の実務(上)(下)」→園部厚『民事執行の実務(上)(下)』(新日本法規)

深沢利一「民事執行の実務(上)(中)(下)」→深沢利一(園部厚補訂)『民事執行の実務(上)(中)(下)〔補訂版〕』(新日本法規)

基本構造→竹下守夫＝鈴木正裕編『民事執行法の基本構造』(西神田編集室)

民事訴訟法講座(4)→民事訴訟法學會『民事訴訟法講座第四巻』(有斐閣)

新・実務民事訴訟講座(12)→鈴木忠一＝三ケ月章監修『新・民事訴訟法講座12民事執行法』(日本評論社)

裁判実務大系(7)→大石忠生＝岡田潤＝黒田直行編『裁判実務大系第7巻民事執行訴訟法』(青林書院)

現代裁判法大系(15)→井上稔＝吉野孝義編『現代裁判法大系15民事執行法』(新日本法規)

民事執行の基礎と応用→近藤崇晴＝大橋寛明＝上田正俊『法律知識ライブラリー7民事執行の基礎と応用〔補訂増補

版〕』（青林書院）

山﨑＝山田「民事執行法」→山﨑恒＝山田俊雄編『新・裁判実務大系第12巻民事執行法』（青林書院）

担保法大系⑴～⑸→加藤一郎＝林良平編『担保法大系第１巻～第５巻』（金融財政事情研究会）

民事執行実務の論点→竹田光広編著『裁判実務シリーズ10　民事執行実務の論点』（商事法務）

不動産競売申立ての実務と記載例→阪本勁夫（東京地裁民事執行実務研究会補訂）『不動産競売申立ての実務と記載例〔全訂３版〕』（金融財政事情研究会）

齋藤＝飯塚「民事執行」→齋藤隆＝飯塚宏編著『リーガル・プログレッシブ・シリーズ民事執行［補訂版］』（青林書院）

伊藤＝園尾「条解民事執行法」→伊藤眞＝園尾隆司編『条解民事執行法』（弘文堂）

注釈民事執行法⑴～⑻→香川保一監修『注釈民事執行法第１巻～第８巻』（金融財政事情研究会）

注解民事執行法⑴～⑻→鈴木忠一＝三ケ月章編『注解民事執行法⑴～⑻』（第一法規）

浦野雄幸「条解民事執行法」→浦野雄幸『条解民事執行法』（商事法務研究会）

基本法コンメンタール民事執行法→浦野雄幸編『基本法コンメンタール民事執行法〔第六版〕』（日本評論社）

新基本法コンメンタール民事執行法→山本和彦ほか編『新基本法コンメンタール民事執行法』（日本評論社）

民事執行セミナー→ジュリスト増刊民事執行セミナー（有斐閣）

民事執行法判例百選→別冊ジュリスト（127号）民事執行法判例百選

（有斐閣）

民事執行・保全判例百選→別冊ジュリスト（177号）民事執行・保全判例百選（有斐閣）

条解民事執行規則(上)(下)→最高裁判所事務総局編『条解民事執行規則（第四版）上・下』（法曹会）

民事執行事件に関する協議要録→最高裁判所事務総局編『民事執行事件に関する協議要録』（法曹会）

民事執行の実務－不動産(上)(下)→中村さとみ＝劔持淳子編著『民事執行の実務－不動産執行編(上)(下)〔第５版〕』（金融財政事情研究会）

近藤基「債権配当の実務と書式」→近藤基著『債権配当の実務と書式〔第３版〕』（民事法研究会）

伊藤善博ほか「配当研究」→伊藤善博ほか『配当研究』（裁判所書記官研修所）

債権執行の諸問題→東京地裁債権執行等手続研究会編著『債権執行の諸問題』（判例タイムズ社）

供託先例判例百選→別冊ジュリスト（107号）供託先例判例百選（有斐閣）

供託先例判例百選〔第二版〕→別冊ジュリスト（158号）供託先例判例百選〔第二版〕（有斐閣）

供託制度をめぐる諸問題→吉戒修一編著『供託制度をめぐる諸問題』（テイハン）

立花「執行供託の理論と実務」→立花宣男編著『全訂執行供託の理論と実務』（金融財政事情研究会）

執行関係等訴訟に関する実務上の諸問題→司法研修所編『執行関係等訴訟に関する実務上の諸問題』（法曹会）

竹下守夫「民事執行法の論点」→竹下守夫『民事執行法の論点』（有斐閣）

民事執行実務講義案→裁判所職員総合研修所監修『民事執行実務講義案

〔改訂版〕』（司法協会）

民事書記官事務の手引（執行手続―債権編）→最高裁判所事務総局編『民事書記官事務の手引（執行手続― 債権編）』（法曹会）

法務省民事局第四課監修「実務供託法入門」→法務省民事局第四課監修『実務供託法入門』（金融財政事情研究会）

民事執行実務研究会編「問答式民事執行の実務」→民事執行実務研究会編『問答式民事執行の実務』（新日本法規）

書式執行の実務→園部厚『書式債権・その他財産権・動産等執行の実務〔全訂15版〕』（民事法研究会）

改正担保・執行法の解説→谷口園恵＝筒井健夫編『改正担保・執行法の解説』（商事法務）

内野宗揮ほか「Ｑ＆Ａ」→内野宗揮ほか『Ｑ＆Ａ令和元年改正民事執行法制』（金融財政事情研究会）

山本和彦「論点解説」→山本和彦『論点解説令和元年改正民事執行法』（金融財政事情研究会）

内野宗揮ほか「法令解説・運用実務」→内野宗揮ほか『令和元年改正民事執行法制の法令解説・運用実務〔増補版〕』（金融財政事情研究会）

新版注釈民法⑽Ⅰ、Ⅱ→奥田昌道編集『新版注釈民法⑽Ⅰ』、『新版注釈民法⑽Ⅱ』（有斐閣）

新版注釈民法㉘→中川善之助＝加藤永一編集『新版注釈民法㉘』（有斐閣）

執行債務者は我が国に居住しているが、第三債務者が外国に居住する外国人又は我が国に営業所を有しない外国法人の場合、我が国において債権差押命令の申立てができるか。
Q 8　債権執行事件に関する不服申立て……………………………50
債権執行事件に関する不服申立てには、どのようなものがあり、どのような手続によるべきか。また、担保権実行としての債権差押命令、転付命令に対する不服申立てについてはどのような問題があるか。

第2章　申立てと発令

第1節　強制執行

Q 9　強制執行としての債権執行の申立て……………………………66
強制執行としての債権差押命令の申立書に記載すべき事項は何か。当事者の表示について留意すべき点は何か。添付書類等は何が必要か。申立手数料の計算方法はどのようになっているか。
Q10　執行文の要否……………………………………………………98
強制執行として債権差押命令の申立てをする際に債務名義に執行文の付与を要しないのは、どのような場合か。
Q11　引換給付義務履行等の証明……………………………………103
債務名義が引換給付である場合に、債権者の引換給付に係る反対債務の履行又はその提供は、どのように証明すればよいか。
Q12　請求債権の表示…………………………………………………106
請求債権の表示について注意することは何か。また、利息及び損害金の終期及び計算方法はどのようになるか。
Q13　差押債権の特定…………………………………………………117
差押債権の特定は、どこまで必要か。
Q14　将来債権の差押え………………………………………………167
将来債権として差し押さえることができるのは、どのようなものか。また、期限付・条件付債権にはどのようなものがあるか。
Q15　超過差押え……………………………………………………………171
超過差押えになるのは、どのような場合か。請求債権が連帯債務の関係にある場合、また、差押債権が連帯債務の関係にある場合はどうか。
Q16　(根) 抵当権付債権の差押え……………………………………………175
抵当権付債権の差押えを申し立てる場合、どのようなことに注意すればよいか。根抵当権付債権の差押えの場合はどうか。
Q17　共同相続された預貯金債権に対する強制執行…………………………185
共同相続された被相続人名義の預貯金債権について、強制執行をすることができるか。また、その執行手続は、どのようにされるのか。
Q18　外貨建債権に基づく差押え等…………………………………………192
外貨建債権を請求債権とする債権差押命令申立事件の申立て、取立て、配当等の各段階において、どのようなことを注意すればよいか。
Q19　生命保険契約に基づく債権の差押え……………………………………199
生命保険契約に基づく債権のうち、どのような債権を差し押さえることができるか。また、その場合の差押債権の特定は、どこまで必要か。
Q20　債務者名と異なる名義の預金債権の差押え……………………………210
債務者自身の名称と異なる名義の預金債権を差し押さえることができるか。
Q21　養育費その他の扶養義務等に係る債権に基づく差押え…………………215
(1)　期限未到来の養育費その他の扶養義務等に係る定期金債権に基づく差押えはどのような要件で認められるか。どのような点について注意すればよいか。
(2)　養育費その他の扶養義務等に係る債権に基づく差押えにおける給与債権等の差押禁止範囲の特例とはどのようなものか。
Q22　差押禁止債権の種類……………………………………………………235

差押えができない債権には、どのようなものがあるか。
Q23　譲渡禁止特約のある債権……243
当事者間に譲渡禁止の特約のある債権を差し押さえることができるか。また、転付命令の対象とすることができるか。
Q24　差押禁止債権の目的物が預貯金口座に振り込まれた場合における預貯金債権の差押え……248
差押禁止債権の目的物が預貯金口座に振り込まれた場合に、当該預貯金口座に係る預貯金債権に対する差押命令の効力はどうか。

第２節　担保権実行

Q25　債権等についての担保権の実行の申立て……254
債権等を目的とする担保権の実行の申立書に記載すべき事項は何か。また、添付書類は何が必要か。
Q26　共有物の賃料に対する物上代位……269
甲（持分10分の７）及び乙（持分10分の３）の共有物である建物が賃貸されている場合で次のようなとき、抵当権者はどの範囲で賃料に物上代位をすることができるか。当事者目録及び差押債権目録の記載はどうなるか。乙が執行裁判所の管轄外に住所を有する場合はどうか。
⑴　建物全体に抵当権（債務者甲、被担保債権1000万円。以下同じ）が設定されている場合において、甲及び乙が連名で賃貸しているとき
⑵　建物全体に抵当権が設定されている場合において、甲が単独名義で賃貸しているとき
⑶　建物全体に抵当権が設定されている場合において、賃貸人の名義が不明のとき
⑷　甲の共有持分のみに抵当権が設定されている場合において、甲が単独名義で賃貸しているとき
⑸　甲の共有持分のみに抵当権が設定されている場合において、

乙が単独名義で賃貸しているとき
(6) 甲の共有持分のみに抵当権が設定されている場合において、賃貸人の名義が不明のとき
Q27 転貸賃料に対する物上代位……280
抵当権者が物上代位権の行使として抵当権の目的不動産の転貸賃料債権を差し押さえるには、どのような要件を主張、立証する必要があるか。また、誰を当事者とすべきか。
Q28 事業委託型サブリース業者が賃貸している場合と物上代位……286
抵当権の目的となっている建物について、所有者から事業委託を受けたサブリース業者が自己の名義で占有者に対し賃貸している場合、
(1) 抵当権者は、事業委託型契約に基づき所有者がサブリース業者に対して有する債権に物上代位権を行使することができるか。
(2) 抵当権者は、サブリース業者が賃借人に対して有する賃料債権に物上代位権を行使することができるか。
Q29 動産売買の先取特権に基づく物上代位の要証事実と証明資料……290
動産売買の先取特権に基づく物上代位として転売代金を差し押さえたい場合、申立債権者が立証すべき事実は何で、どのような資料により立証すべきか。また、申立債権者が迅速な発令のため留意すべき事項は何か。
Q30 給料等の先取特権に基づく債権差押えの要証事実と証明資料……305
給料等の先取特権に基づき債権差押えをしたい場合、申立債権者が立証すべき事実は何か。また、どのような資料により立証すべきか。
Q31 責任保険契約についての先取特権に基づく債権差押え……313
責任保険契約についての先取特権に基づいて保険金支払請求権の差押えを申し立てる場合に留意すべき事項は何か。
Q32 譲渡担保と物上代位……318
動産の譲渡担保権者が物上代位権を行使することができるの

は、どのような場合か。
Q33　動産競売開始許可の手続と留意点……325
動産競売開始許可制度の手続とその留意点はどのようなものか。

第３節　差押命令の効力

Q34　差押命令の効力……334
差押命令にはどのような効力があり、いつその効力が発生するのか。継続的給付債権に対する差押命令の場合はどうか。また、消滅時効との関係はどのようになるか。

第３章　第三債務者に対する陳述催告

Q35　第三債務者に対する陳述催告……343
債権執行における第三債務者に対する陳述催告の制度及びその効果は、どのようなものか。

第４章　債務者への送達と手続教示

Q36　債務者への送達……353
債務者への債権差押命令の送達がされない場合、債権執行手続の進行はどのようになるか。
Q37　債務者への手続教示……356
債務者への差押命令の送達に際して行われる手続教示の内容はどのようなものか。

第５章　本執行移行

Q38　本執行移行……365
本執行移行とは、どのような意味であり、どのような場合に認められるか。

第6章 他の手続との競合

Q39　破産手続と債権執行……373
債務者に関する破産手続は、債権に対する強制執行手続及び担保権実行手続にどのような影響を及ぼすか。
Q40　民事再生手続と債権執行……392
債務者に関する民事再生手続は、債権に対する強制執行手続及び担保権実行手続にどのような影響を及ぼすか。
Q41　会社更生手続及び特別清算と債権執行……403
債務者（株式会社）に関する更生手続及び特別清算は、債権に対する強制執行手続及び担保権実行手続にどのような影響を及ぼすか。
Q42　国税等の滞納処分と債権執行……406
国税等の滞納処分による差押えと債権執行とが競合した場合、債権執行手続はどのようになるか。

第7章 範囲変更

Q43　差押禁止債権の範囲変更……421
差押禁止債権の範囲変更は、どのような要件の下、どのような手続でされるか。

第8章 取立てと取立未了2年経過取消し

Q44　取立ての方法……439
差押命令によって差し押さえた債権を取り立てるには、どのようにすればよいか。その際、どのような点に留意すべきか。取り立てた後にすべきことは何か。

Q45　取立未了２年経過による債権差押命令の取消し……………………449
長期間取立てが行われていない債権差押命令が取り消されるのはどのような場合か。また、差押債権者は、取消しを免れるためにはどのような届出をしなければならないか。
Q46　第三債務者の抗弁……………………………………………………457
第三債務者は、差押債権者の取立てに対して、相殺等の抗弁を主張することができるか。

第９章　転付命令

Q47　転付命令………………………………………………………………465
次のような債権は、転付命令の対象となるか。
(1)　将来債権（継続的給付債権、停止条件付債権等）
(2)　他人の優先権の目的となっている債権
(3)　譲渡禁止債権
Q48　転付命令の効力……………………………………………………474
転付命令には、どのような効力があるか。
Q49　被転付債権の不存在と転付命令の効力、再執行の方法…………480
転付命令が発令されたが、差押債権（被転付債権）が不存在であった場合、又は相殺等により事後的に消滅した場合、転付命令の効力はどうなるか。また、このような場合、再執行はどうすればよいか。

第10章　その他の換価手続

Q50　転付命令以外の換価手続…………………………………………489
転付命令以外の換価手続には、どのようなものがあり、どのような場合に利用されるか。

事項索引……………………………………………………………………497

《下巻》の主要内容

第11章　供託と事情届（Q51〜61）

第12章　配当要求（Q62〜64）

第13章　配当等の手続（Q65〜71）

第14章　取 下 げ（Q72）

第15章　その他の財産権に対する執行（Q73〜82）

第16章　少額訴訟債権執行（Q83）

第17章　財産調査（Q84〜100）

第1章

総　論

Q1 債権執行の対象とその概要

債権執行の対象となる権利にはどのようなものがあるか。手続の概要はどのようなものか。

1　債権執行の対象となる債権

債権とは、一般的には、特定人（債権者）が特定人（債務者）に対して、一定の給付（作為又は不作為）を請求することを内容とする権利と定義されている。今日の経済活動に象徴されるとおり、自然人、法人を問わず現代社会においては多種多様な取引関係があり、これに伴い種々の債権が形成されている。しかし、これら全ての債権が債権執行の対象となるわけではない。債権執行は、債権者の金銭的満足を実現する手段であることから、その対象となる債権も、自ずと金銭に換価し得る財産的価値を有するものに限定されることになる。そのため、以下の性質等を有することが必要である（なお、差押禁止債権を対象とする差押命令の効力につき〔Q22〕参照）。

⑴　独立財産性

それ自体独立して処分できるものでなければならない。例えば、未発生利息は、元本債権から離れた独立の権利ではないため、元本債権と別に差し押さえることはできないが、弁済期が到来すれば、独立して債権執行の対象となる。法律行為の取消権・解除権等も独立財産性がなく、債権執行の対象とならない。質権や抵当権等の担保権はそれ自体を被担保債権と離れて差し押さえることはできず、保証債務（保証人に対する債権）も、主債務（被保証債権）と分離して差押えの対象とすることはできない。

⑵　換価可能性

債権執行が債権者の金銭的満足を実現する手続である以上、その対象となる権利は、金銭的評価が可能であり、換価により債権者が金銭的満足を得られる可能性があることが必要となる。したがって、例えば、第三者への給付を求める権利は、その給付を差押債権者への弁済に充てることはできないから、差し押さえることはできない。これに対し、換価が事実上容易でなくても、換価の可能性があれば差押えは可能である。

⑶ 譲渡可能性

換価可能性を有する以上、他へ移転できることが当然の前提となる。そのため、法律上又は権利の性質上譲渡することができないものは債権執行の対象とならない（〔Q22〕参照）。これに対し、譲渡制限の意思表示がされた債権は債権執行の対象となる（民466条の４参照。〔Q23〕参照）。

⑷ 差押え時に債務者の責任財産に属すること

原則として、差押えの時点で存在し、債務者の責任財産に属するものでなければならない（債務者名と異なる名義の預金の差押えにつき〔Q20〕参照）。ただし、将来発生することが予想される債権（将来債権）であっても、期限付又は条件付権利は、期限の到来又は条件成就前でも債権執行の対象となり、その他の将来債権も、権利を特定することができ、その発生の確実性が高く、財産的価値が認められるものであれば、債権執行の対象となる（〔Q14〕参照）。

2 民事執行法等で債権執行の対象となる権利

民事執行法及び民事執行規則において債権執行の対象とされている又は債権執行の例によるものとされている権利としては、主に①金銭の支払を目的とする債権（法143条）と②その他の財産権（法167条）を挙げることができる。また、③動産引渡請求権（法143条、163条、規142条の２）、④船舶引渡請求権（法143条、162条）、⑤航空機引渡請求権（規142条）、⑥自動車、建設機械又は小型船舶引渡請求権（法143条、163条１項、規143条）を対象とする手続に関しても定めがある。なお、金銭債権又は船舶若しくは動産の引渡しを目的とする債権であっても、動産執行の目的となる有価証券（法122条１項）が発行されている債権については、債権執行からは除外される。

⑴ 金銭の支払を目的とする債権

例えば、預金債権、貸金債権、売買代金債権、損害賠償債権、請負代金

債権等の金銭債権が差押えの対象となることはいうまでもない。また、給与（俸給）債権、賃料債権等のように、雇用契約、賃貸借契約等によって直ちに成立するが、一定の期日の経過によって初めて具体的な請求権が生ずるもののほか、保釈保証金返還請求権、供託金払渡請求権、社会保険診療報酬債権、会社又は組合に対する将来の利益配当請求権及び財産分配請求権等のように既にその発生の基礎となる法律関係が存在した上で将来におけるその発生が確実又は相当程度に見込めるものについても差押えの対象となる（〔Q14〕参照）。

⑵ その他の財産権

法167条１項によると、不動産、船舶、動産及び債権（法143条にいう債権）以外の財産権（以下「その他の財産権」という。）に対する強制執行は、特別の定めのあるものを除き、債権執行の例によるとされている。その他の財産権についても、債権執行の例による以上、前記１で述べた各性質を備えたものでなければならない。これらの性質をもった財産権であれば、執行の対象となり得る余地があることから、今後の社会の変化に伴う取引関係の変化に応じて、執行の対象となる財産権も変わる可能性がある。

実務上、債権執行の例によるその他の財産権として取り扱われている主な財産権を列挙すると次のとおりである。

① 知的財産権（〔Q75〕参照）
② 出資持分権（〔Q76〕参照）
③ 賃借権、使用借権
④ ゴルフ会員権（〔Q78〕参照）
⑤ 投資信託受益権・不動産信託受益権（〔Q77〕参照）
⑥ 総合ディジタル通信サービス利用権（本書第４版の〔Q72〕参照）
⑦ 株券未発行株式（〔Q79〕参照）
⑧ 株券引渡請求権（〔Q79〕参照）
⑨ 新株引受権
⑩ 暗号資産移転請求権（〔Q82〕参照）

特別の定めのあるものとしては、次のものがある。

① 電話加入権（規146～149条、電気通信事業法。本書第４版の〔Q72〕参

照）

② 振替社債等（規150条の2～8、社債、株式等の振替に関する法律。〔Q80〕参照）

③ 電子記録債権（規150条の9～16、電子記録債権法。〔Q81〕参照）

⑶ 動産引渡請求権

債務者が占有していない動産に対しては、債権者又は提出を拒まない第三者が占有する場合を除き、動産執行はできない（法123条1項、124条）。そこで、債権者は動産そのものではなく、債務者が動産を占有している第三者に対して有する動産の引渡請求権を差し押さえ、その後、執行官に対する動産の引渡執行の申立てをし、引渡しを受けた執行官は、これを動産執行の売却の方法で売却し（法163条、規142条の2）、執行裁判所の配当等手続を通して、その売得金から債権を回収することになる（〔Q73〕参照）。自動車、建設機械又は小型船舶については引渡請求権の差押えをし、法163条1項により、差押債権者が執行官に対して引渡執行の申立てをし、引渡しの執行がされるが、執行官が引渡しを受けた後は、債権者が自動車執行、建設機械執行又は小型船舶執行の申立てをし、これらの手続において売却が実施され（規143条）、債権の回収が図られる。

⑷ 船舶及び航空機の引渡請求権

債務者が占有していない船舶についても、船舶国籍証書等の取上命令の執行ができないことから、船舶執行の手続ができない（法114条1項、120条参照）。そこで、債権者は船舶執行の手続を実施する前提手続として、当該船舶の引渡請求権を差し押さえ、その後、船舶の所在地を管轄する地方裁判所に対し、①船舶の保管人への引渡請求及び②保管人選任請求をし（法162条1項）、保管人が引渡しを受けた後は通常の船舶執行の手続によることになる（同条2項）。航空機の引渡請求権の執行についても同様である（規142条）。

3 手続の概要

債権執行は、債権者が債務者に対して有する債務名義又は担保権に基づいて、債務者が第三債務者に対して有する債権を差し押さえ、これを取立て又は転付命令等によって換価し（〔Q44〕、〔Q47〕、〔Q50〕参照）、それによって得られた金額を自己の債権に充てることにより債権の回収を図る手続である。第三債務者が差し押さえられた債権について供託（〔Q51〕参照）をした場合には、第三債務者が提出する事情届（〔Q60〕参照）に基づき配当等手続（〔Q65〕参照）が実施され、これにより債権の満足が図られる。

Q 2　債権執行における当事者の承継

強制執行としての債権差押命令の発令の前後において当事者に承継が生じた場合、どのような手続を要するか。担保権実行による債権差押命令の場合はどうか。

1　はじめに

当事者の承継の態様は、相続、会社合併等による一般承継と、債権譲渡、弁済による代位、抵当権譲渡等による特定承継に大別される。以下、債権執行における当事者承継の手続について、債務名義に基づく強制執行、担保権実行による債権差押命令（主として抵当権に基づく物上代位を念頭に置く。）の順に、一般承継、特定承継に分けて説明する。

なお、会社分割による債権債務の承継は、一般承継に分類されるものの、通常の一般承継とは別の取扱いを必要とするため、〔Q 3〕において説明する。

2　強制執行における当事者承継（設例前段）

(1)　債権差押命令発令前の承継

債権差押命令発令前の承継については、債権者の承継、債務者の承継いずれも、一般承継、特定承継を通じて、承継執行文制度（法27条2項）があるので、承継の事実を裁判所書記官又は公証人に証明して、債務名義に承継執行文の付与を受け、これを執行裁判所に提出して、強制執行の申立てをすることになる。この場合、執行開始要件として、承継執行文及び証明文書の各謄本の送達証明書の提出も必要となる（法29条後段）。

なお、債権差押命令発令後に、発令前の債務者の死亡による一般承継の事実が判明することがある。この場合、債権差押命令を取り消して申立てを却下すべきであって、手続を続行（法41条1項）することはできないと解され（注釈民事執行法(3)92頁〔三宅弘人〕）、更正決定により当事者の表示を訂正して強制執行を続行することは許されない。発令前の債権者の死亡が発令後に判明した場合も同様と考えられる。

⑵　債権差押命令発令後の承継

ア　債権者の承継

債権差押命令発令後の債権者の承継については、一般承継、特定承継とも、債権者は承継執行文を提出して強制執行の続行を求めることとなり（規22条1項）、これを受けた裁判所書記官は、債務者にその旨通知する（同条2項）。

なお、東京地裁民事執行センターでは、承継執行文付与申請をする際に、元の債務名義正本の添付を要する場合には、その理由を記載した債務名義正本の一時還付申請書と受書を提出することにより、債務名義正本の一時還付に応じる取扱いである（もっとも、一時還付に応じる法的根拠はないし、元の債務名義正本の添付は必須ではないので、実務上の取扱いは分かれている。）。

イ　債務者の承継

債権差押命令発令後の債務者の一般承継については、強制執行においては、中断・受継（民訴124条以下）は観念されておらず、債務者に一般承継があっても、手続はそのまま進行することになる（債務者の死亡について法41条）。しかし、当事者に対する送達・通知が不要となるものではないので、債務者に対する送達・通知を承継人に対してすることとなり、債権者としては、速やかに「承継を証する文書」（戸籍謄本、商業登記事項証明書等）を提出して債務者の承継手続をし、相続人の存在又は所在が明らかでない場合には、執行裁判所に対し、相続財産又は相続人のために特別代理人を選任するよう申立てをする必要がある（同条2項）。東京地裁民事執行センターでは、債権者がとる債務者の承継手続については、相続人の確定を待つまでもなく、相続発生後直ちに承継手続をするよう求める取扱いである。

債権差押命令発令後の債務者の特定承継については、差押えの処分制限効に抵触するものであるから債権執行の手続に影響はない。この点に関し、賃貸借の対抗要件を備えた賃貸不動産が第三者に譲渡されると、原則として、賃貸人の地位も第三者に移転する（民605条の2）とされているところ、最判平10.3.24（民集52巻2号399頁）は、賃料債権の差押えにより目的不動産自体の処分は妨げられないが、賃料債権の帰属の変更を伴う限りにおいて、法145条1項前段にいう「処分」に当たり、目的不動産の譲渡は、その限度において差押命令の処分制限効に抵触し、新所有者は差押債権者に対し賃料債権の取得を対抗することはできない旨判示し（〔Q57〕参照）、この問題は対抗問題として処理されるべきことを明らかにしている。

3　担保権実行による債権差押命令の場合の当事者承継（設例後段）

(1)　債権差押命令発令前の一般承継

ア　債権者の一般承継

担保権実行による債権差押命令の申立てをするには、①担保権の存在を証する確定判決若しくは家事法75条の審判又はこれらと同一の効力を有するものの謄本、②担保権の存在を証する公証人が作成した公正証書の謄本、③担保権の登記（仮登記を除く。）に関する登記事項証明書、④一般の先取特権にあっては、その存在を証する文書のいずれかの担保権の存在を証する文書を提出する必要があり（法193条1項、181条1項)、債権差押命令発令前の相続その他の一般承継については、その承継を証する文書を提出する必要がある（法193条1項、181条3項前段)。ここにいう「承継を証する文書」は、法181条3項後段が証明文書を公文書に限定していることとの対比からしても、私文書でも差し支えないと解されているが、一般的には、登記事項証明書を提出する場合は、承継の事実について付記登記を経由することができるので、付記登記がされた登記事項証明書（前記③）が提出されることがほとんどである。確定判決等謄本若しくは公正証書謄本を提出する場合、又は一般承継に関する付記登記のない登記事項証明書を提出する場合には、例えば、相続については戸籍謄本、会社合併については商業登記事項証明書をそれぞれ提出することとなる。ただし、相続において遺産分割協議があり法定相続分と異なる相続があった場合には、遺産分割協議書（署名した各相続人の印鑑登録証明書付）も提出することになる。

イ　債務者の一般承継

債権差押命令発令前の債務者（物上代位における執行債務者となる所有者を含む。以下同じ。）の一般承継については、民事執行法上、特段の規定はないが、法193条１項、181条３項前段に準じて、戸籍謄本、商業登記事項証明書等で相続、会社合併等を証明する必要がある。

⑵　債権差押命令発令後の一般承継

ア　債権者の一般承継

債権差押命令発令後の債権者の一般承継については、民事執行法上、特段の規定はないが、実務上、法181条３項前段に準じて「承継を証する文書」（戸籍謄本、商業登記事項証明書等）を提出して、承継手続をすることとなり、規則171条もこのことを前提とする。

なお、これを受けた裁判所書記官は、債務者及び所有者に対しその旨通知する（規171条）。

イ　債務者の一般承継

債権差押命令発令後の債務者の一般承継については、担保権実行としての債権執行においては中断・受継（民訴124条以下）は観念されておらず、債務者に一般承継があっても、手続はそのまま続行することになる（債務者の死亡について法194条、41条）。しかし、債務者に対する送達・通知との関係で、債権者としては、速やかに「承継を証する文書」（戸籍謄本、商業登記事項証明書等）を提出して債務者の承継手続をとり、相続人の存在又は所在が明らかでない場合には、執行裁判所に対し、相続財産又は相続人のために特別代理人を選任するよう申立てをする必要があることは（法194条、41条２項）、強制執行の場合（前記**2**⑵イ）と同様である。

⑶　債権差押命令発令前の特定承継

ア　債権者の特定承継

債権差押命令発令前の債権者の特定承継については、法181条３項後段が、担保権の承継を証する裁判の謄本その他の公文書を提出することを求めており（法193条１項）、「その他の公文書」としては、和解調書謄本、公正証書謄本等が考えられる。抵当権に基づく物上代位権を行使する場合、実務上、抵当権の移転を表示する付記登記を経由した上で登記事項証明書を提出して申し立てるのが通例である。

イ　担保権設定者の特定承継

担保権設定者の特定承継は対抗問題として考えればよいところ、例えば抵当権に基づく物上代位権を行使する場合、抵当権を設定した所有者が所有権を移転したときは、所有権移転登記を経由していなければ、新所有者は所有権取得を抵当権者に対抗することができないので、登記記録上の旧所有者を「所有者」として申立てをすれば足り、また、所有権移転登記を経由していれば、登記記録上の新所有者を「所有者」として申立てをすることになる。

(4)　債権差押命令発令後の特定承継

ア　債権者の特定承継

債権差押命令発令後の債権者の特定承継については、民事執行法上、特段の規定はないが、権利承継人による訴訟参加（民訴47条以下）は観念されていないので、承継人は、法181条3項後段に準じて「承継を証する公文書」を提出して、承継手続をとり、それにより被承継人は当然に手続から脱退することになり、規則171条もこのことを前提としている。実務上は、担保権移転の付記登記が経由された登記事項証明書が提出されることが多いが、公正証書の謄本が提出されることもある。

なお、特定承継があった場合、裁判所書記官は、債務者及び所有者にその旨通知する（規171条）。

イ　担保権設定者の特定承継

対抗問題として考えればよいのは前記(3)イと同様であり、抵当権に基づく物上代位による差押え後に所有者が所有権を移転しても、所有権移転登記を経由していなければ、新所有者は所有権取得を抵当権者に対抗することができないので、登記記録上の旧所有者を当事者としてそのまま手続を続行することができる。また、所有権移転登記を経由していても、担保権実行としての債権執行の場合は、不動産そのものを売却する手続ではなく、債権者との関係で所有権自体の処分が制限されるものではないが、物上代位における目的物所有者の地位は賃貸人の地位と不可分の関係にあり、前記**2**(2)**イ**のとおり、差押債権である賃料債権自体は差押えの処分制限効に服するから、やはり登記記録上の旧所有者を当事者としてそのまま手続を続行すれば足りると解される（例えば、弁済金交付段階で剰余金が出ても、新所有者ではなく手続上賃貸人として扱われている旧所有者に交付することになる。）。

〈参考文献〉

山北学「債権執行における当事者の承継」債権執行の諸問題17頁

Q3 会社分割と債権執行

会社分割があった場合、分割後の新設会社又は承継会社が、分割前の分割会社が取得した債務名義に基づき債権差押命令を申し立てる場合には、どのような資料を準備すべきか。債権差押命令が発令された後に会社分割があったときはどうか。抵当権又は根抵当権に基づく物上代位としての債権差押えの場合はどうか。

1 はじめに

会社分割には、新設分割（会社762条以下）と吸収分割（会社757条以下）があるが、いずれも、分割会社は、分割計画書又は分割契約書の定めるところにより、設立会社又は承継会社に営業の全部又は一部を包括承継させることとなる（会社764条１項、759条１項等）。

当事者の承継の態様は、相続、会社合併等による一般承継と、債権譲渡、弁済による代位、抵当権譲渡等による特定承継に大別されるところ（〔Q2〕参照）、会社分割による承継は、法的には一般承継の性質を有するものであるが、特定の権利義務の承継については分割計画書又は分割契約書の内容により承継の有無が定まり、また、分割会社が第三者に対し会社分割により承継された権利を二重譲渡した場合には対抗問題として処理すべきものとされているように、特定承継に類似した側面も有するので、通常の一般承継とは異なった取扱いが必要となる。本設例では、債権執行における債権者の会社分割を説明するが、不動産執行については、民事執行の実務－不動産(上)〔Q31〕を参照されたい。

なお、現実の会社分割においては、会社分割に伴い、分割会社及び承継会社の商号変更や代表者変更があることも多く、その場合には、それに応じた手続も併せてする必要がある。

2　債務名義に基づく強制執行における債権者の会社分割

⑴　債権差押命令発令前の会社分割

債権差押命令発令前の承継については、一般承継、特定承継を通じて、承継執行文制度（法27条２項）があるので、承継の事実を裁判所書記官又は公証人に証明して、債務名義に承継執行文の付与を受け、これを執行裁判所に提出して、強制執行の申立てをすることになるが、会社分割による承継についても、同様である。なお、会社の吸収分割を理由とする承継執行文付与の手続においては、執行債権者は債権譲渡と同様に対抗要件（承継通知又は承諾）の具備を証明する必要があるとした裁判例（東京地判平27.4.20判例秘書登載）がある。

⑵　債権差押命令発令後の会社分割

債権差押命令発令後の債権者の承継については、一般承継、特定承継とも、債権者は承継執行文を提出して強制執行の続行を求めることとなる（規22条１項）が、会社分割による承継についても、同様である。

なお、これを受けた裁判所書記官は、債務者にその旨通知する（規22条２項）。

3　抵当権に基づく物上代位における債権者の会社分割

⑴　債権差押命令発令前の会社分割

設立会社又は承継会社が分割会社から承継した抵当権に基づく物上代位により賃料債権の差押えを申し立てる場合、最も原則的なのは、抵当権移転について付記登記を経由した上で申立てをする方法である。なお、会社分割による承継が一般承継の性質を有することからすると、後記⑵の付記登記を経由する方法以外の承継手続と同様の方法も考えられなくはない（申立て後、債権差押命令発令前の会社分割であれば、債権差押命令発令前に速やかに承継の手続をすることになる。しかし、できる限り、申立債権者において付記登記を経由した上で申し立てることが相当である。）。

⑵　債権差押命令発令後の会社分割

最も原則的なのは、やはり付記登記を経由する方法であるが、この方法は、並行して抵当権実行としての競売手続が進行していた場合で買受人が代金を納付した後にはとることができない（代金納付により抵当権は消滅し物上代位の根拠は失われるが、例えば、それまでに供託された賃料の配当において、設立会社又は承継会社が配当金を受領するには承継手続を経ておく必要がある。）。そこで、この場合には、商業登記事項証明書の記載と分割計画書又は分割契約書の記載により、承継の事実を立証する方法が考えられる。もっとも、分割計画又は分割契約の法定記載事項（会社763条1項5号、758条2号等）の定め方は、特定の権利義務が分割後いずれの会社に帰属するのかが明らかになる程度の記載は必要とされるが、必ずしも、承継の対象となる個々の権利義務を個別に特定して帰属先を明らかにする必要はないとされている（江頭憲治郎『株式会社法〔第8版〕』（有斐閣）937頁）。例えば、その記載が、「分割会社第一営業部が所管する営業を設立会社（承継会社）が承継する。」旨であるとすると、執行裁判所としては、果たして申立てに係る抵当権及び被担保債権が設立会社又は承継会社に承継されているのか否かが判然としない。このように分割計画又は分割契約から承継される営業が対外的に明確でない場合には、「申立てに係る抵当権及び被担保債権が分割会社に承継されている。」旨の分割会社と設立会社又は承継会社作成の証明書（確認書）（**【書式】**参照）も提出する必要がある。分割計画書又は分割契約書が大部である場合には、その抄本を作成し、事実実験公正証書によりその抄本性を立証することも考えられる。

なお、これらの承継の事実を証する文書の提出を受けた裁判所書記官は、債務者及び所有者にその旨通知する（規171条）。

【書式】

令和○○年(ナ)第○○○号事件

令和○○年○月○日

証　明　書

東京地方裁判所民事第21部　御中

○　○　株　式　会　社
代表者代表取締役　○○○○㊞

□　□　株　式　会　社
代表者代表取締役　○○○○㊞

頭書事件について、申立てに係る抵当権及び被担保債権は、令和○○年○月○日付け会社分割計画書（会社分割契約書）（○条○項、○条○項、別表○参照）に基づき、令和○○年○月○日、○○株式会社から□□株式会社に承継されたことを証明します。

4　根抵当権に基づく物上代位における債権者の会社分割

根抵当権に基づく物上代位による債権差押えの場合、申立て前に競売開始決定等（民398条の20第１項各号）により元本が確定していれば、前記３の抵当権実行の場合と同じ取扱いになるが、元本が確定していない根抵当権に基づく物上代位により賃料債権の差押えを申し立てるときには、根抵当権は、分割の時に存する債権のほか、分割後に分割会社と設立会社又は承継会社が取得する債権も担保し（民398条の10第１項）、根抵当権が分割会社と設立会社又は承継会社との準共有状態にあるため、別途の考慮が必要である。

東京地裁民事執行センターでは、根抵当権の準共有者のうち一人の単独の物上代位による債権差押命令の申立てを認める取扱いであるから、設立会社又は承継会社は、付記登記を経由している場合はもちろん、経由していなくとも、商業登記事項証明書の記載により会社分割の事実を立証すれば、分割計画書又は分割契約書を提出することなく、単独で申し立てることが可能である。

なお、根抵当権に基づく担保不動産競売の申立て（不動産執行）の場合、分割会社からの被担保債権がない旨の債権届出（いわゆる「ゼロ届」）に代わるものとして、あらかじめ分割会社の「被担保債権がなく当該根抵当権行使の予定がないので、債権届出の催告等は不要である。」旨の上申書を申立ての際に併せて提出するのが適当とされているが、債権執行の場合には、債権届出等の手続がないため、このような上申書の提出は必要ない。

〈参考文献〉

東京地裁民事執行センター「さんまエクスプレス第5回、6回、15回」金法1640号30頁、1642号50頁、1665号46頁

Q4 執行停止文書の提出と債権執行

執行停止文書が提出された場合、債権執行手続にどのような影響を与えるか。第三債務者の供託の前後で違いはあるか。

1 執行停止文書

債権執行手続は、原則として、一定の法定文書の提出により実施され（法25条、193条1項、181条1項）、実体的な請求債権等の存否は債務名義作成機関の判断、不動産登記事項証明書等に委ね、執行機関たる執行裁判所は形式的判断により迅速に手続を進める仕組みがとられているが、同様の趣旨から、これを停止し、又は取り消す場合についても、一定の法定文書の提出によることとされている（法39条1項、193条2項、183条1項）。

このうち、法39条1項1号ないし6号及び法183条1項1号ないし5号に掲げる文書が提出された場合は、執行裁判所は執行手続を停止するだけではなく、既にした執行処分も取り消さなければならない（法40条1項、193条2項、183条2項）。このように執行処分を取り消すべき文書を「執行取消文書」と呼び、その余の執行手続を停止するだけの文書を「執行停止文書」と呼ぶ。

執行停止文書が提出されると、執行裁判所は、執行手続を停止することになるが（詳細は後記4参照）、執行裁判所による執行手続を停止する旨の裁判は要せず、単に手続の進行を止めればよい。

2 執行停止期間

執行停止文書による執行停止の期間は、執行の一時停止又は担保権実行の一時停止若しくは禁止の裁判の正本の場合（法39条1項7号、183条1項6号、7号。なお、法183条1項6号、7号は、裁判の「謄本」と規定するが、実務上は、正本の提出によるのが通常である。）には、裁判で定められた期間である。もっとも、裁判でその期間が確定期限として明示されることは少なく、例えば、控訴提起に伴う執行停止決定（民訴403条1項3号）では、「仮執行宣言付判決に基づく強制執行は、控訴事件の本案判決があるまで、これを停止する。」とされることが多い。

弁済受領書面（法39条1項8号前段）の提出があった場合の停止期間は、4週間に限られる（同条2項）。また、弁済猶予書面（同条1項8号後段）の提出による執行停止は、2回に限られ、かつ、停止期間は通算で6か月までである（同条3項）。これらの執行停止文書は、請求異議の訴えを提起し、それに伴う執行停止の裁判（法36条1項）を得て、その正本を執行停止文書（法39条1項7号）として提出するまでの暫定措置として認められているものである。

3　執行停止の通知

債権執行手続において、執行停止文書が提出されると、裁判所書記官は差押債権者及び第三債務者にその旨通知しなければならない（規136条2項、179条2項）。

差押債権者は執行停止文書の存在を当然に知り、又は作成に関与しているが、現実にこれらの文書が執行裁判所に提出されたことは知らないこともあるので、執行裁判所から、取立て又は引渡しの請求をしてはならない旨を通知する必要がある。第三債務者は、通常、執行停止文書の存在及び提出を知り得ないから、執行裁判所から、債権者に対する支払又は引渡しをしてはならない旨を通知する必要がある。

また、法規上の根拠はないが、執行停止を取り消す旨の裁判の正本等が提出され、再度、債権執行手続が進行を開始した場合には、実務上、執行裁判所は、執行停止の場合に準じて、執行手続が続行された旨の通知をしている。

4　執行停止文書の提出時期と効果

執行停止文書の提出により債権執行手続は停止されるが、厳密には、提出時期により、執行裁判所がとるべき対応等については、考え方が分かれる場面がある。

なお、債権差押命令の正本が第三債務者に送達されるまでは、事件の密行性の関係から、執行裁判所は、債務者から事件の係属の有無及び事件番号の照会を受けても回答を差し控えるほかないため、執行停止文書を提出する債務者は、事件番号を債権者に問い合わせるなどして、これを執行停止の上申書に記載する必要がある。

⑴ 債権差押命令の申立て前の提出

債権差押命令の申立てがあるまでは、具体的な事件係属がなく、執行裁判所自体が存在しないので、執行停止文書を提出する余地がない。債務者が特定の債務名義について執行停止文書を取得し、申立てが予想される管轄裁判所（国法上の裁判所）に対してこれを提出しても、管轄裁判所はこれを事件書類として受理する必要はないし、仮に、これが司法行政上の書類として受理され、その後、現実に債権差押命令の申立てがあったとしても、この執行停止文書が執行裁判所に引き継がれて債権差押命令の申立てが停止等になることはない。

なお、この点に関する裁判例として、執行停止文書を執行裁判所に持参した際には、いまだ差押命令の申立てはされておらず、執行事件としての係属はなく、執行裁判所は、この段階では執行停止文書を受理することはできなかったから、執行停止文書を執行裁判所に提出し、執行裁判所が事実上これを受領したとしても、そのことは債権差押命令の申立てには何ら影響を及ぼさず、また、債権者が、債権差押命令の申立てをした段階で本件執行停止文書の存在を知っていたとしても、そのことは直ちに差押命令の適法性を左右するものではない、としたもの（東京高決平20.10.1判タ1288号293頁）がある。

⑵ 債権差押命令の申立て後発令前の提出

申立てを受理した状態で停止する発令停止説、債権差押命令の発令及び送達後に停止する発令説、債権差押命令の発令はするが送達を停止する発付説、執行停止文書の提出は執行障害事由に当たると解して申立てを却下する却下説等の諸説がある。実務上、債権差押命令の申立てから発令までに執行停止文書が提出されることはまれであるが、東京地裁民事執行センターでは、法39条１項により停止するとされる強制執行は、執行裁判所の差押命令により開始する（法143条）ことからして、発令前は停止すべき「強制執行」を観念することができないこと、債権差押命令の発令と送達とは一体として初めて意味のある執行処分であることなどから、発令説に立って、差押債権者及び第三債務者に対し、差押命令正本とともに執行停止通知書（規136条２項）を送達した事例がある。もっとも、発令説では第三債務者への送達までしてしまうこととなり、行き過ぎの感があるとして（例えば、債務者が、他の取引について、差押えによる期限の利益喪失等の不利益を被るおそれがある。）、第三債務者への差押命令の送達が不当であると一見して判断できる事情が主張立証されるという特段の事情がある場合には送達を行わないという折衷説も有力である。

この点に関する近時の裁判例として、申立て後発令前に執行停止文書が提出された事案において、執行停止文書の提出をもって執行障害事由が生じたものと解することはできない、発令前は停止すべき強制執行は存在せず、執行停止文書の提出により発令を停止させる効力は生じない、債権差押命令の発令と送達は執行手続として一連一体のものであり、送達のみが停止されるものと解することはできない、債務者の主張する経済上の不利益や影響等によっても、送達を停止すべき法令上の根拠はない、などとして、発令説に立って債権差押命令を発令し第三債務者への送達を行った原審の手続に違法はないとしたものがある（東京高決令2.3.19金法2153号58頁）。

(3) 債権差押命令の発令後正本送達手続着手前の提出

送達を行わない即時停止説と送達を行う送達後停止説とがある。実務上、債権差押命令の発令から送達手続着手までに執行停止文書が提出されることは、発令日に第三債務者に債権差押命令を発送している関係で更にまれである。東京地裁民事執行センターでは、債権差押命令の発令と送達とは一体として初めて意味のある執行処分であるとして、送達後停止説により、取り扱った事例がある。

裁判例としては、債権差押命令の発令後正本送達手続着手前までに執行停止文書が提出された事案において、第三債務者らに対し債権差押命令正本及び執行停止の通知書を同時に発送して送達した手続に違法な点はないとし、送達後停止説に立った原審の手続を適法としたものがある（東京高決平25.3.27判タ1393号356頁）。また、同決定では、法39条1項7号所定の執行停止文書の提出による強制執行の停止は、その後において停止が解除されて強制執行が続行されることも予想されるのであるから、あらかじめ処分制限のための差押えをしておく実益があり、執行停止文書が提出されたことにより差押え自体が行い得なくなると解することはできず、発令された債権差押命令を第三債務者に送達することが違法執行となる余地はないとしている。

⑷　債権差押命令の正本送達後第三債務者の供託前の提出

原則どおり、手続を停止し、差押債権者及び第三債務者に対して執行停止の通知をする。

5　執行停止文書の提出と第三債務者の供託

⑴　第三債務者供託前の提出

ア　法39条1項7号、183条1項6号、7号の書面

執行停止文書の提出後も差押命令の効力は失われず、第三債務者は供託する権利があり、また、他に競合する債権者がいる場合には、依然として供託する義務がある。

法39条1項7号、183条1項6号、7号の書面が提出された後に第三債務者が供託した場合に、供託によって、配当加入遮断効がいつ生ずるかについては、法165条1号の文言どおり、その時点で配当加入遮断効が生ずるとする見解（注釈民事執行法⑹430頁〔富越和厚〕）と、執行停止の効力が失われた時（田中康久「新民事執行法の解説」354頁）又は債務者の供託金還付請求権に対する差押命令の送達が供託所にされた時とする見解がある。しかし、執行停止により配当加入遮断効の生じる時期が変更される旨の明文はなく、また、たまたま執行停止文書が提出されたからといって、差押え等が後れた他の債権者が利益を得ると解すべき事情もないから（配当加入遮断効が問題となるのは、結果として、執行停止の原因となった債務者の主張に理由がなく、執行停止が解けた場合であるから、債務者の実体上理由がなかった執行停止により、差押債権者が不利益を被るいわれはない。）、原則どお

り、供託時に配当加入遮断効が発生するとして差し支えないと思われる。東京地裁民事執行センターにおいても、供託時に配当加入遮断効が発生するものとして取り扱っている。

配当加入遮断効が生ずると解するならば、権利供託の場合には、供託を契機として直ちに配当等手続に進む余地があるが、債権者が一人のときは、弁済金交付手続を実施しても、弁済金の支払が留保され、供託が継続するだけであり、また、債権差押命令が全部又は一部取り消される可能性もあるので、実務上は、弁済金交付手続を見合わせることが多い。他方、権利供託又は義務供託で他に配当等を受ける債権者がいる場合には、配当等の実施を留保すべき実質的な理由がないから、原則どおり、配当等手続が実施される。ただし、執行停止文書を提出された債権者が受けるべき配当等の額は供託が継続する（法166条２項、91条１項３号、４号）。

イ　法39条１項８号の書面

基本的には、前記アのとおりであるが、配当等手続が実施される場合には、法166条２項が準用する法91条１項には、この執行停止文書の提出が配当等の留保事由として規定されていないので、執行停止文書を提出された債権者も配当等の額の交付を受けることができる。したがって、供託により配当加入遮断効が生ずるとの考え方を前提とするならば、まず、他に債権者がいる場合には、執行停止文書が供託前（換価前）に提出されたとしても、配当等手続に入り、執行停止文書の提出があった差押債権者を含め、配当等手続が実施され、現実に配当等の額が支払われることになる。また、これとの均衡からすると、債権者が一人の場合でも、同様に、弁済金交付手続を実施して、現実に弁済金を交付して差し支えないことになる。そうすると、第三債務者が供託してしまうと、債務者がいつ法39条１項８号の書面を提出しても、結局、執行停止の効果が生じないのと同じ結果になるが、そもそも、この書面による執行停止は、同項７号の書面を取得するまでのいわばつなぎであり（前記２参照）、やむを得ないといえる。また、性質上、供託から配当期日等まで一定の期間を要するため、債務者は、第三債務者が供託した場合には、配当期日等までの間に、速やかに同項７号の書面を取得して、改めてこれを執行裁判所に提出すべきことになる。

⑵　第三債務者供託後の提出

ア　法39条1項7号、183条1項6号、7号の書面

執行停止文書を提出された債権者以外に競合する債権者がいるか否かにかかわらず、供託により既に配当加入遮断効が生じているので、その後に執行停止文書が提出されても、配当等手続が実施されるが（法166条2項、84条4項）、前記⑴と同様に、執行停止文書を提出された債権者が受けるべき配当等の額は供託が継続する。ただし、実務上は、競合債権者がいない場合には、弁済金交付手続を実施しても、供託が継続するだけであり、また、債権差押命令が全部又は一部取り消される可能性もあるので、配当等手続に入らない取扱いが通常である。

イ　法39条1項8号の書面

基本的には、前記アのとおりであるが、法166条2項が準用する法91条1項には、この執行停止文書が規定されていないので、配当等手続においては、執行停止文書を提出された債権者も配当等の額の交付を受けることができる。

6　転付命令と執行停止文書の提出

法159条7項は、転付命令発令後に執行停止文書の提出を理由として執行抗告がされたときは、他の理由により転付命令を取り消す場合を除き、抗告裁判所は、執行抗告についての裁判を留保しなければならないとする。これは、執行停止文書の提出を理由とする転付命令に対する執行抗告を認める一方で、独占的満足を得るという債権者の利益に鑑み、執行停止の帰趨が定まるまで転付命令を取り消すことなく、確定が遮断された状態のままにしておく趣旨の規定である。

なお、執行抗告提起時に執行停止文書が提出されていなくても、抗告理由書提出期間（法10条3項により、抗告状を提出した日から1週間）にこれを提出すれば足りる（この期間経過後の提出が許されるかについては裁判例が分かれている。〔Q8〕参照）。

〈参考文献〉

上田正俊「債権執行において執行停止書面が提出された場合の執行手続に及ぼす影響」債権執行の諸問題493頁、書式執行の実務523頁

Q5 債権執行事件の記録の閲覧、謄写

債権執行事件において、事件記録の閲覧、謄写は、どのように取り扱われるか。

1 債権執行事件における記録の閲覧、謄写

民事執行手続は、非公開を原則とする非訟事件（非訟30条参照）の性質を有することから、法17条は、事件記録の閲覧、謄写、正本、謄本若しくは抄本又は事件に関する事項の証明書の交付を請求することができる者を「利害関係を有する者」に限定している。この制限は、事件終了後の閲覧、謄写においても変わるところはない。

法17条における「利害関係を有する者」とは、法律上の利害関係人のことであり、事実上利害関係を有するだけの者は含まれない。例えば、債権執行事件の当事者のようにその民事執行により直接法律上の影響を受ける者はもちろん、間接的に法律上の影響を受ける者も、利害関係人に該当するが、当事者の配偶者、親族等のように単に事実上の利害関係を有するだけの者は、利害関係人に該当しない。

また、利害関係人であっても、事件記録の保存又は裁判所の執務に支障があるときは、事件記録の閲覧、謄写の請求をすることはできない（法20条、民訴91条5項）。

なお、財産開示事件、第三者からの情報取得事件における記録の閲覧、謄写に関しては、〔Q91〕、〔Q99〕参照。

2 債権執行事件における利害関係人

どのような者が利害関係人に当たるかは、事件記録保管者たる裁判所書記官の判断事項となるが、東京地裁民事執行センターで債権執行事件における利害関係人として取り扱われている代表的な例を示せば、以下のようになる。

なお、債権執行事件は、債権差押命令が第三債務者に送達されるまでは密行性を有するため（法145条２項参照）、それまでの閲覧等は申立債権者に限定される。また、債務者については、同人への送達後に閲覧等を認める取扱いである。

⑴　当事者等

ア　申立債権者

申立債権者について破産手続開始決定がされた場合には、破産管財人及び破産者本人の両者が含まれる（以下、破産手続開始決定がされた当事者について同じ。）。

イ　債 務 者

ウ　担保権設定者

質権実行における質権設定者、抵当権に基づく物上代位による賃料差押えにおける所有者等がこれに該当する。抵当権に基づく物上代位による転貸賃料差押え（〔Q27〕参照）における賃借人（転貸人）も、これに含めて差し支えない。

エ　第三債務者

⑵　同一の差押債権について、差押え又は仮差押えの執行をした他の債権者

配当要求の終期（法165条）までに差押え等をした債権者は、競合債権者として利害関係を有する。配当要求の終期後の差押債権者等については、取立訴訟の訴状が第三債務者に送達されたこと（同条２号）により配当要求の終期が到来した場合には、その後の差押債権者等も、取立訴訟の取下げ又は先行事件の取下げ若しくは取消しに利害関係を有するので、利害関係人に当たると解することに問題はない。これに対し、執行供託（同条１号）により配当要求の終期が到来した場合等には、その後の差押債権者等は、先行事件が取下げ又は取消しになっても、供託金は債務者に払い渡されてしまい、いずれにせよ、配当等を受ける余地はないが、配当要求の終期に後れたか否かについて争うなど、配当等を受ける地位を有すると主張する場合には利害関係があるといえるし、先行事件が債権の一部の差押えであった場合には、先行事件による取立て等の後の残額につき利害関

係を有するといえるので、これに含めて差し支えない。

(3) 配当要求又は交付要求をした債権者

みなし交付要求（滞調36条の10第1項）による場合も、これに含まれる。配当要求の終期に後れて配当要求等をした債権者は、配当等を受けるべき債権者とはいえないが、真に配当要求の終期に後れたか否かについて、基本事件の事件記録等を閲覧し、その後の対応を検討することは認められてよい。

(4) 配当要求をする資格を有する者

執行力ある債務名義の正本（執行文の付与を要するものについてはその付与を受けているもの）を有する債権者及び文書により先取特権を有することを証明した債権者のことである（法154条）。ただし、配当要求の終期後は配当要求ができないので、利害関係は認められない。

(5) 交付要求予定の租税官庁

配当要求資格を有する債権者との均衡から、交付要求が未了の場合であっても、利害関係を認めて差し支えない。

(6) 差押債権が不動産に関する賃料債権である場合における当該不動産の抵当権者

抵当権者は、物上代位による賃料債権の差押えをすることができるから、配当要求の終期が到来していない場合（賃料債権は継続的給付債権であるから、いまだ支払期限の到来していない差押賃料が存する場合を含む。）は当該差押事件に利害関係がある。

(7) 差押債権が不動産に関する賃料債権である場合における当該不動産の新所有者

差押え後に所有権を取得した新所有者は、事件の当事者の地位を承継するものではないが、事件が取下げ又は取消しとなることに利害関係を有する。

⑻　債務者の連帯債務者又は（連帯）保証人

⑼　差押えに係る債権又はその他の財産権の準共有者（不可分債権者を含む。）

⑽　差押えに係る債権又はその他の財産権の譲受人

混合供託の供託書に記載の譲受人のほか、譲受債権者であることを証明した者も含まれる。

⑾　差押えに係る債権又はその他の財産権の買受申出人

3　閲覧、謄写の対象となる債権執行事件の記録

利害関係が及ぶ限度において、当該差押事件（事件符号㈼又は㈴）のみならず、その事件に基づく全配当等事件（事件符号㈷）及びその配当等事件に係る全差押事件の記録が対象となる。

4　閲覧、謄写に必要となる書類等

一般的な必要書類は次のとおりであるが、配当要求をする資格を有する者等の事件記録上利害関係が明らかでない者については、このほかに利害関係を証する書面の提出が必要となる。また、弁護士以外については、代理人と本人との間に一定の関係が存する者に限定し、その関係を証する書面の提出を求めているが、これは、法17条の趣旨を全うさせるためのものである（東京高決平元.9.14金法1251号30頁参照）。

⑴　利害関係人が自然人である場合

ア　本人申請の場合

本人であることを証明する書面（運転免許証、パスポート（旅券）、特別永住者証明書、マイナンバーカード（個人番号カード）等、本人の顔写真が入ったものが望ましい。以下同じ）、印鑑（認め印でも可）

イ　代理人申請の場合

㈠　代理人が弁護士の場合

委任状（既に提出しており、かつ内容に変更のない場合は不要。なお、閲覧・謄写票に弁護士の押印があれば、弁護士の事務員は、使者として閲覧等をすることを認めている。）、弁護士の印鑑（職印）

⑷　代理人が親子、兄弟姉妹又は同居の親族の場合

委任状（【書式1】）、本人と代理人との身分関係を証する書面（戸籍謄本、住民票等）、代理人が同居の親族である場合にはその事実を明らかにする書面（住民票、民生委員の証明書等）、本人が閲覧等に来庁できない理由を記載した上申書（【書式1】）及び代理人がその委任状に表示された代理人本人であることを証する書面（運転免許証、パスポート、特別永住者証明書、マイナンバーカード等）、印鑑（認め印でも可）

⑵　**利害関係人が法人・個人事業者等である場合**

ア　代表者本人申請の場合

資格証明書（既に提出しており、かつ内容に変更のない場合は不要）及び代表者本人であることを証する書面（運転免許証、パスポート、特別永住者証明書、マイナンバーカード等。なお、これらの書面の住所地と資格証明書の住所地が異なる場合は、両住所地のつながりがつく住民票の提出を要する。）、印鑑（認め印でも可）

イ　代理人申請の場合

⑺　代理人が弁護士の場合

前記⑴イ⑺のもののほか法人の資格証明書（既に提出しており、かつ内容に変更のない場合は不要）。

⑷　代理人が従業員の場合

委任状（【書式2】）、資格証明書（既に提出しており、かつ内容に変更のない場合は不要）、社員証明書（【書式2】。ただし、事案によっては、健康保険証等の雇用関係を客観的に確認できる資料を求める場合がある。）及び代理人がその委任状に表示された代理人本人であることを証する書面（運転免許証、パスポート、特別永住者証明書、マイナンバーカード等）、印鑑（認め印でも可）

⑼　個人事業者の親族が代理人となる場合

前記⑴イ⑷のもの（委任状【書式1】を除く。）のほか、委任状及び上申書（【書式3】）。

⑽　個人事業者の従業員が代理人となる場合

委任状（【書式4】）、雇用関係を客観的に証する書面（代理人の健康保険

証等)、代理人本人であることを証明する書面、印鑑（認め印でも可）

ウ　サービサーの社員が代理人として申請する場合

(ア)　委託者が申立債権者又は担保権者になっている場合

委託者及びサービサーの資格証明書（既に提出しており、かつ内容に変更のない場合は不要)、委託者とサービサーとの間の委託契約書又は委託者作成の委託証明書、サービサーの社員証明書、委託者からの委任状、代理人本人であることを証明する書面、印鑑（認め印でも可）

(イ)　サービサーが申立債権者になっている場合

委託者及びサービサーの資格証明書（既に提出しており、かつ内容に変更のない場合は不要)、委託者とサービサーとの間の委託契約書又は委託者作成の委託証明書（既に提出しており、かつ内容に変更のない場合は不要)、サービサーの社員証明書、サービサーからの委任状、代理人本人であることを証明する書面、印鑑（認め印でも可）

5　閲覧、謄写を求める手続

閲覧又は謄写を希望する者は、執行裁判所に備え付けてある閲覧・謄写票に必要事項を記入し押印して、申請する。事件係属中に当事者等が申請する場合は無料であるが、それ以外の場合には手数料（収入印紙150円）が必要である（民訴費7条別表第二の1項)。

なお、東京地裁民事執行センターにおいては、関連する差押事件及び配当等手続事件の記録について、同時に申請があった場合には、手数料の算定上、これを1件分として取り扱っている。

【書式1】

記録閲覧謄写委任状（個人用）

代理人の住所＿＿＿＿＿＿＿＿＿＿＿＿＿＿＿＿＿＿＿＿＿＿＿＿＿＿
代理人の氏名＿＿＿＿＿＿＿＿＿＿＿＿＿＿続柄；私の＿＿＿＿＿＿
私は、親族である上記の者を代理人と定め、下記事項を委任します。

記

東京地方裁判所平成・令和　　年（　）第　　　号　　　事件
の事件記録閲覧謄写に関する一切の件
令和　　年　　月　　日
委任者の住所＿＿＿＿＿＿＿＿＿＿＿＿＿＿＿＿
委任者の氏名＿＿＿＿＿＿＿＿＿＿＿＿＿＿　印
（添付資料）□戸籍謄本　□住民票　□戸籍附票　□＿＿＿＿＿＿＿＿＿

上　申　書

代理人の氏名＿＿＿＿＿＿＿＿＿＿＿＿＿＿
私は、下記理由により裁判所に赴くことができないため、親族である上記代理人に事件記録の閲覧謄写を委任したものです。

記

□病気、けが　□高齢　□＿＿＿＿＿＿＿＿＿＿＿＿＿＿＿＿＿＿＿
令和　　年　　月　　日
委任者の住所＿＿＿＿＿＿＿＿＿＿＿＿＿＿＿＿＿＿＿＿＿＿＿＿
委任者の氏名＿＿＿＿＿＿＿＿＿＿＿＿＿＿　印

（注1）□欄は、該当のものにチェックをするか、必要に応じて該当事項を記入してください。
（注2）申立てや入札などで、その事件について既に印鑑を使用している場合には、それと同じ印鑑を押してください。

Q5

【書式2】

記録閲覧謄写委任状（法人用）

代理人の住所＿＿＿＿＿＿＿＿＿＿＿＿＿＿＿＿＿＿＿＿＿＿
代理人の氏名＿＿＿＿＿＿＿＿＿＿＿＿＿＿＿

私（法人代表者）は、当法人の職員（社員）である上記の者を代理人と定め、下記事項を委任します。

記

東京地方裁判所平成・令和　　年（　）第　　　号　　　事件の事件記録閲覧謄写に関する一切の件

令和　　年　　月　　日

法人の住所＿＿＿＿＿＿＿＿＿＿＿＿＿＿＿＿＿＿＿＿＿＿＿＿＿＿＿
法人の名称＿＿＿＿＿＿＿＿＿＿＿＿＿＿＿＿＿＿＿＿＿＿＿＿＿＿＿
代表者の資格氏名＿＿＿＿＿＿＿＿＿＿＿＿＿＿＿＿　印（注）

職員（社員）証明書

職員（社員）の住所＿＿＿＿＿＿＿＿＿＿＿＿＿＿＿＿＿＿＿＿
職員（社員）の氏名＿＿＿＿＿＿＿＿＿＿＿＿＿＿＿
職員（社員）の部署又は担当＿＿＿＿＿＿＿＿＿＿＿＿＿＿＿＿＿＿＿＿

上記の者は、当法人の職員（社員）であることを証明します。

令和　　年　　月　　日

法人の住所＿＿＿＿＿＿＿＿＿＿＿＿＿＿＿＿＿＿＿＿＿＿＿＿＿＿＿
法人の名称＿＿＿＿＿＿＿＿＿＿＿＿＿＿＿＿＿＿＿＿＿＿＿＿＿＿＿
法人代表者の資格氏名＿＿＿＿＿＿＿＿＿＿＿＿＿＿＿　印（注）

（注）申立てや入札などで、その事件について既に代表者の印鑑を使用している場合には、それと同じ印鑑を押してください。

【書式3】

記録閲覧謄写委任状（個人事業者用－その1）

代理人の住所＿＿＿＿＿＿＿＿＿＿＿＿＿＿＿＿＿＿＿＿＿＿＿＿＿＿
代理人の氏名＿＿＿＿＿＿＿＿＿＿＿＿＿＿続柄；私の＿＿＿＿＿＿
私（個人事業者）は、親族である上記の者を代理人と定め、下記事項を委任します。

記

東京地方裁判所平成・令和　　年（　　）第　　　　号　　　　事件
の事件記録閲覧謄写に関する一切の件

令和　　　年　　　月　　　日

委任者の住所＿＿＿＿＿＿＿＿＿＿＿＿＿＿＿＿＿＿＿＿＿＿＿＿
委任者の氏名＿＿＿＿＿＿＿＿＿＿＿＿＿＿＿＿　印
（添付資料）□戸籍謄本　□住民票　□戸籍附票　□＿＿＿＿＿＿＿＿

上　申　書

代理人の氏名
私（個人事業者）は、下記理由により裁判所に赴くことができないため、親族である上記代理人に事件記録の閲覧謄写を委任したものです。

記

□病気、けが　□高齢　□＿＿＿＿＿＿＿＿＿＿＿＿＿＿＿＿＿＿＿＿
令和　　　年　　　月　　　日
委任者の住所＿＿＿＿＿＿＿＿＿＿＿＿＿＿＿＿＿＿＿＿＿＿＿＿＿
委任者の氏名＿＿＿＿＿＿＿＿＿＿＿＿＿＿＿　印

（注1）□欄は、該当のものにチェックをするか、必要に応じて該当事項を記入してください。
（注2）申立てや入札などで、その事件について既に印鑑を使用している場合には、それと同じ印鑑を押してください。

Q 5

【書式 4】

記録閲覧謄写委任状（個人事業者用—その 2）

代理人の住所＿＿＿＿＿＿＿＿＿＿＿＿＿＿＿＿＿＿＿＿＿＿＿＿＿＿

代理人の氏名＿＿＿＿＿＿＿＿＿＿＿＿＿＿

私（個人事業者）は、被用者である上記の者を代理人と定め、下記事項を委任します。

記

東京地方裁判所平成・令和　　年（　　）第　　　　号　　　　事件の事件記録閲覧謄写に関する一切の件

令和　　年　　月　　日

委任者の住所＿＿＿＿＿＿＿＿＿＿＿＿＿＿＿＿＿＿＿＿＿＿＿＿＿

委任者の氏名＿＿＿＿＿＿＿＿＿＿＿＿＿＿＿　印

（注）　申立てや入札などで、その事件について既に委任者の印鑑を使用している場合には、それと同じ印鑑を押してください。

Q6 管轄裁判所とこれを誤ったときの対応

債権執行の申立ては、どの裁判所に行えばよいか。管轄裁判所を誤った申立てがあった場合、執行裁判所はどのように対応すべきか。

1 事物管轄及び土地管轄

債権執行（以下、少額訴訟債権執行を除く。少額訴訟債権執行については、〔Q83〕参照）の執行機関は、執行裁判所である（法143条）。債権執行事件については、原則として債務者の普通裁判籍（民訴4条）の所在地を管轄する地方裁判所が管轄し（以下「第一次管轄」という。法144条1項前段）、この普通裁判籍がないときは、差し押さえるべき債権の所在地を管轄する地方裁判所が管轄する（以下「第二次管轄」という。同条1項後段）。差し押さえるべき債権は、第三債務者の普通裁判籍の所在地にあるものとされているが、船舶又は動産の引渡しを目的とする債権及び物上の担保権により担保される債権は、その物の所在地にあるものとされている（同条2項）。

債権執行の土地管轄が、第1に債務者の普通裁判籍を基準として定められたのは、債務者の権利防御の便宜を図るとともに、債務者の普通裁判籍の所在地の近傍に利害関係人が多いという蓋然性によるものである。

複数の債務者に対する申立てがあった場合、民事執行法には専属管轄の定めがある（法19条）ため、民訴法13条1項（法20条により準用）により民訴法7条（併合請求における管轄）の適用が排除される結果、同法38条（共同訴訟の要件）の適用もないから、債務者ごとに、その普通裁判籍により執行裁判所が定まる。したがって、例えば、抵当権の物上代位（民304条、372条）に基づく賃料の差押えにおいて目的不動産が共有であるなどの事情から賃貸人が複数の場合、執行債務者である賃貸人ごとの普通裁判籍によって、執行裁判所が定められることになる。

債務名義が被相続人に対するもの（遺産債務）であっても、相続が開始されれば、各相続人はその持分に応じて分割された債務を負うことになるので（民899条）、各相続人に対する債権執行の土地管轄は、相続人ごとの普通裁判籍によって定まる。このことは、遺言執行者が選任されている場合も同様である（新版注釈民法㉘297頁〔泉久雄〕参照）。ただし、遺言執行者の管理に付されている相続財産に属する債権に対する強制執行は、遺言執行者に対する債務名義を必要とし（被相続人に対する給付判決に基づいて遺言執行者の管理する相続財産に対して強制執行をする場合には、承継執行文の付与を要する。新版注釈民法㉘298頁〔泉久雄〕参照）、遺言執行者が執行債務者となるから、遺言執行者の普通裁判籍によって土地管轄が定まることになる。

共同相続人が限定承認をした場合に選任される相続財産管理人（民936条１項）は、相続人全員の法定代理人としての地位を有すると解されるから（最判昭47.11.9民集26巻９号1566頁）、同人の普通裁判籍は、土地管轄の基準にはならない。これに対し、相続人が不存在で相続財産管理人が選任された場合（民952条）は、相続財産法人が当事者となるが、主たる事務所又は営業所がないから、その代表者である相続財産管理人の普通裁判籍の所在地を管轄する地方裁判所が執行裁判所となる（民訴４条４項後段参照）。

破産財団に属する債権を差し押さえる場合にも、上記と同様であり、破産管財人の普通裁判籍によって管轄を定めることになる。

2　その他の財産権に対する執行手続における管轄

その他の財産権、例えば、知的財産権（特許権、実用新案権、意匠権、商標権、著作権等）、持分会社（合名会社、合資会社又は合同会社）の社員の持分権、賃借権、ゴルフ会員権、暗号資産移転請求権、電話加入権等に対する執行は、特別の定めがない限り債権執行の例によると定められているので、債権執行手続と同様に、原則として債務者の普通裁判籍の所在地を管轄する地方裁判所が管轄し、この普通裁判籍がないときには、差し押さえるべき財産権の所在地を管轄する地方裁判所が管轄する（法167条１項、144条１項）。規則上定めのある振替社債等、電子記録債権については、その管轄につき法144条を準用しているので同様である（規150条の８、150条の15)。ただし、東京地裁民事執行センターでは、遺産分割審判に基づくその他財産権の形式的競売において、相手方が複数であり、かつ、普通裁判籍を異にしている場合には、形式的競売が、その性質上、申立て段階から相手方全員が当事者となる必要がある手続であると解されることに鑑み、相手方の普通裁判籍の所在地を管轄する各裁判所をもって管轄裁判所となる（最決昭31.10.31民集10巻10号1398頁参照）と解し、申立人は、相手方全員を当事者として、いずれの管轄裁判所にも申立てができるとする取扱いである。

なお、法167条2項は、その他の財産権で権利の移転について登記又は登録（法150条参照）を要するものは、強制執行の管轄については、その登記又は登録の地にある旨規定している。この規定の理解は分かれるが、法167条1項がその他の財産権に対する執行手続は特別の定めのあるもののほか債権執行の例によると規定していること、執行債務者の権利防御の便宜を図る必要性や、債務者の普通裁判籍の所在地の近傍に利害関係人が多いという蓋然性については、金銭の支払を目的とする債権に対する執行と同様であること等から、同条2項は、直接に管轄裁判所を定めたものではなく、法144条2項と同列に位置付けられる第2次管轄についての補足規定であって、差し押さえるべきその他の財産権の所在地のみなし規定であると解する見解（注釈民事執行法(7)44頁〔三村量一〕）が有力である。これによると、権利の移転について登記又は登録を要するその他の財産権に対する強制執行についても、第一次的には債務者の普通裁判籍の所在地を管轄する地方裁判所が管轄権を有することになる。実務上、知的財産権を目的とする差押命令の申立てにつき、債務者の普通裁判籍の所在地を管轄する地方裁判所ではなく、登録地（特許庁長官、文化庁長官の存する東京都）を管轄する東京地方裁判所に申し立てる例があるが、これは、以上に述べた管轄の考え方からすると、相当でない。

3　専属管轄

債権執行に関する管轄は専属管轄である（法19条）。事物管轄及び土地管轄の双方について専属である（注釈民事執行法(1)463頁〔田中康久〕）。したがって、当事者の合意及び応訴によって管轄が生ずる余地はない。

専属管轄にあっては、基本的には競合的な管轄の生ずる余地はなく、執行裁判所の移送の自由は認められない（民訴20条1項参照）。専属管轄の定めに違反して債権執行手続を進めた場合、差押命令に対する執行抗告（法145条6項）において不服を申し立てることができる。ただし、再審事由（民訴338条1項参照）にはなっていないので、執行手続が完了すればこれに対して不服を申し立てることはできず、有効な手続として確定すると考えられる。

事物管轄及び土地管轄の双方について管轄権があることが、執行裁判所として差押命令を発令する前提条件であるから、管轄権の有無については執行裁判所の職権調査事項である。職権調査の結果、管轄権がないと判断したときは、申立てを受けた裁判所は正当な管轄権を有する執行裁判所に移送することを要する（法20条、民訴16条1項）。この移送決定に対して、申立債権者は、即時抗告をすることができる（法20条、民訴21条。伊藤＝園尾「条解民事執行法」122頁〔笠井正俊〕）。他方、差押命令発令前の移送決定を債務者に告知すると債務者による財産処分のおそれがあること（法145条2項参照）、差押命令発令前の移送決定は申立債権者にのみ向けられた裁判であると考えられること、債務者は移送後に発令された差押命令に対して管轄違いを主張して執行抗告をすることができると解されることなどから、東京地裁民事執行センターでは、移送決定を債務者に告知しない取扱いである（注解民事執行法⑷400頁〔稲葉威雄〕参照）。

4　管轄の標準時

管轄は、差押命令申立て時を標準として定まるが（法20条、民訴15条）、差押命令発令時までに管轄が生ずれば申立ては適法なものとして取り扱われる。差押命令発令後、転付命令、譲渡命令、売却命令等の換価までの間に債務者の住所等が移転しても管轄を失うことはない。

5　管轄の認定順序

⑴　自然人の場合

債務者が自然人の場合は、第１順位は住所、第２順位（日本国内に住所がないとき又は住所が知れないとき）は居所、第３順位（日本国内に居所がないとき又は居所が知れないとき）は最後の住所をそれぞれ管轄する地方裁判所である（法20条、民訴４条２項）。この普通裁判籍がないとき（日本国内に住所、居所がなく、最後の住所も不明の場合）は、前記１の第二次管轄の問題となる。

⑵　法人の場合

債務者が法人の場合は、第１順位は主たる事務所又は営業所、第２順位（事務所又は営業所がないとき）は代表者その他の主たる業務担当者の住所、第３順位（上記住所がないとき又は住所が知れないとき）は主たる業務担当者の居所、更に最後の住所の順となる（法20条、民訴４条４項）。この普通裁判籍がないときは、前記⑴と同様である。

6　管轄の認定

実務上、住所、居所、最後の住所等の認定は、債務名義成立時から変動がないものとして、債務名義の表示によって認定するのが一般的である。しかしながら、債務者の現住所と債務名義上の住所が異なる場合や、債務名義成立後相当長期間経過しており、変動がないものとみるのが相当でない場合があり得る。

そのような場合、債務者が自然人であるときは、債権者に対し、住民票、戸籍の附票、不動産登記事項証明書、送達証明書（債務名義の送達場所が記載されている裁判所書記官又は公証人作成のもの）、執行官作成の動産執行調書謄本（ただし、差押動産、立会人の陳述書等から債務者の生活の本拠地が立証できる記載内容のもの）等の公文書の提出を求め、債務名義上の住所から現住所までの転居の経過（つながり）を明らかにさせて、債務名義上の債務者と執行債務者が同一人であることを認定した上で、執行債務者について管轄権があることを認定する（この場合には、当事者目録の債務者の住所の表示について、債務名義上の住所と現住所とを併記する。）のが一般的である。もっとも、実務上、債務名義上の住所から現住所までの転居の経過（つながり）を公文書により明らかにすることが困難な場合もあり、そのような場合には、公文書以外の文書によることを排するものではないが、公文書による場合と同程度の高度な証明を要する。

また、債務名義上、債務者の住所として「○○株式会社内」と記載されている場合は、そのままではそこが住所か送達先かの判断がつかないため、債権者にその点を明らかにするよう求め、住所であるならば上記の住民票等の文書の提出により管轄を認定することになる。

さらに、債務名義上、「住居所不明、就業場所……」、「住居所不明、送達場所……」、「住所秘匿、送達場所……」などと表示されている場合、就業場所や送達場所を住所と扱って管轄を認定することはできないことに注意すべきである。

債務者が法人である場合、債務名義上の所在地から現在の所在地までの移転の経過（つながり）を明らかにする当該法人の登記事項証明書等の提出を求めるなど、自然人と同様の取扱いをしている。

差押命令正本の債務者への送達が不奏功となったため、債権者に対し送達場所の調査結果を報告させたところ、差押命令の申立て前に債務者の住所が執行裁判所の管轄外に移動していた事実が判明することがある。また、転送先で補充送達受領資格者が受け取っているため送達の効力に疑義があるとして、債権者に調査を求めたところ、債務者が申立て前に管轄区域外に転居していた事実が判明する場合もある。このような場合にも、いったん発令された以上、差押命令は有効であり、職権で取り消すまでの必要はなく、管轄違背については、債務者等からの執行抗告に委ねれば足りると解される（後記8参照）。

7　土地管轄に違背した申立てに対する処理

差押命令の申立てが管轄権のない執行裁判所に対してされた場合、執行裁判所は管轄違背を理由に申立てを却下することはできず、職権で管轄裁判所に移送すべきであり（法20条、民訴16条）、第2次管轄も含めて管轄が不明なときに、申立てを却下すべきである。しかしながら、管轄違いによる移送決定に対しては即時抗告が許され（法20条、民訴21条）、確定しないと効力が生じず、また、移送手続には記録送付等にある程度の時間を要するため、迅速性が要求される債権執行にはなじまない側面がある。そこで、実務上は、執行裁判所の窓口において、特段の事情のない限り、債権者に対し、管轄裁判所に申し立てるように促すのが通常であり、債権者も迅速な執行の観点からこれに応じることが多い。また、申立ての審査の段階で管轄違背が判明した場合にも、執行裁判所から債権者に対し、申立てを取り下げた上で管轄裁判所に新たな申立てをするよう勧告する取扱いが一般的である。したがって、実務上、移送の事例はまれである。請求債権の消滅時効が切迫しているような場合、従前は、申立て時に生じた時効中断の効力（平成29年民法改正法による改正前の民147条２号）が取下げにより遡及的に消滅することから、移送をすることが相当と考えられていたが、平成29年民法改正法により、申立ての取下げから６か月を経過するまでは、引き続き時効の完成が猶予されることとされ（民148条１項）、この点の解決が図られた。

なお、本庁と支部は、別個独立の官庁ではないから、裁判権行使の分掌としても、支部に固有のものがあるわけではなく、土地管轄の問題は生じない。したがって、移送の問題も生じない。

8　土地管轄に違背した差押命令

債務者その他の利害関係を有する者は、土地管轄に違背した差押命令に対し、執行抗告ができるし、また、申立債権者も、管轄不明を理由とする申立却下決定に対し、土地管轄があるとして執行抗告ができる（法145条６項）。もっとも、差押命令は、いったん発令された以上、土地管轄に違背があるとしても当然に無効となることはなく、執行抗告により差押命令が取り消されることなく手続が完了したときは、瑕疵が治癒され、適法な差押命令によって手続が行われたのと同じ効果が生ずる。債権執行における土地管轄は、専属管轄とされている（法19条）とはいえ、利害関係人の利益調整の観点から規定されているものであり、債務者が不服を申し立てなければ手続を肯定してよいからである。

したがって、差押命令が第三債務者に送達されることにより、債務者に対する取立禁止、第三債務者に対する支払禁止等の効力が生ずる。

〈参考文献〉

注解民事執行法⑷395頁〔稲葉威雄〕、注釈民事執行法⑹76頁〔田中康久〕

Q 7 第三債務者が外国に居住する外国人又は我が国に営業所を有しない外国法人の場合の申立て

執行債務者は我が国に居住しているが、第三債務者が外国に居住する外国人又は我が国に営業所を有しない外国法人の場合、我が国において債権差押命令の申立てができるか。

1 問題の所在

執行債権者、執行債務者又は第三債務者のいずれかが外国に住所や営業所等を有する場合、いわゆる国際的債権執行として、差押命令の発令の可否が問題になる。本設例は、そのうち、最も議論が多いと思われる第三債務者のみが我が国に住所等を有しない場合である。

国際的債権執行については、国際法上の原則も我が国の民事執行法の規定もなく（同法には、民訴３条の２以下、民保11条、破産４条等のような国際裁判管轄の定めがない。）、学説上も議論が錯綜していた。そこで、まず論点を整理した上で、実務上の処理を検討する。

2 学　　説

⑴ 裁判権の観点から論ずる見解

裁判権と国際裁判管轄の概念的区別は必ずしも明確でないが、国家権力の行使としての裁判権に重点を置いて国際的債権執行を論ずる見解がある。これには、第三債務者が外国に所在するときは、日本の裁判権を行使することは外国主権の侵害となるから、債権差押命令の発令及びその送達は許されないとする説（中田淳一「執行行為の瑕疵」民事訴訟法講座⑷1035頁）と、執行債務者が我が国の裁判権に服している以上、当然に差押命令は可能であり、第三債務者の普通裁判籍の所在や送達その他の問題には立ち入るまでもないとする説（中野＝下村「民事執行法」686頁）がある。

(2) 国際執行管轄の観点から論ずる見解

国際裁判管轄の決定基準については、従前、諸説があったが、民事訴訟の国際裁判管轄については、民事訴訟法及び民事保全法の一部を改正する法律（平成23年法律第36号）により立法的解決が図られた（民訴３条の２以下）。この改正は、最判昭56.10.16（民集35巻７号1224頁）や最判平9.11.11（民集51巻10号4055頁）等により示された判断基準（基本的には民訴法の国内土地管轄の規定に依拠しつつ、各事件における個別の事情を考慮して国際裁判管轄の有無を判断する、その際、我が国で裁判を行うことが当事者間の公平、裁判の適正・迅速を期するという理念に反する特段の事情がある場合には、我が国の国際裁判管轄を否定するという判断枠組み）を踏まえて立案されたものである（平成22年５月21日衆議院法務委員会における政府答弁）。

従前、国際的債権執行を国際裁判管轄の問題として捉え、上記最高裁判例のアプローチを是認する立場からは、債務者が日本国内に居住する本設例においては、法144条１項前段により国際執行管轄が認められるから、差押命令は原則として発令することができるとされていた。この見解からは、上記民訴法の改正を踏まえても、同様に、債務者が日本国内に居住する本設例においては、国際執行管轄が認められ、差押命令は原則として発令することができることになると思われる。

(3) 無益執行禁止の観点から論ずる見解

第三債務者の普通裁判籍が国内に存在しない場合、債務者の第三債務者に対する債権を日本において強制的に実現・行使することはできないことを重視し、これについて差押えを行うことは民事執行手続の基本原理である無益執行禁止の原則に抵触すると解する説がある。この見解によれば、第三債務者が外国に所在する場合、原則として債権執行の申立ては却下すべきであるが、第三債務者が国内に財産を有しているとか、その債権が国内にある担保物によって担保されている場合には、債権執行の実益が認められるから、例外的に発令が可能となる（注釈民事執行法(1)81頁、同(6)90頁〔田中康久〕）。

(4) 送達の観点から論ずる見解

債権差押えの効力は、差押命令が第三債務者に送達された時に生ずる

(法145条5項) ところ、外国に所在する第三債務者には外国が承認しない限り有効な送達ができず、差押えの効力が発生しないから、差押え自体許すべきではないとする考え方もある（注解民事執行法⑷375頁〔稲葉威雄〕)。

3 検　　討

このように、様々な角度から国際的債権執行の可否が論じられているが、日本の裁判所が差押命令を発令しただけで外国主権が侵害されるわけではなく、また、外国における送達が奏功し、かつ外国が差押命令の効力を承認する場合も絶無でない以上、実務的には、国際裁判管轄に関する従前の最高裁判例や民訴法の国際裁判管轄規定と同様の考え方に基づいて差押命令を発令するべきであろう。

次に、前記最判平9.11.11によれば、当事者間の公平、裁判の適正・迅速を害する特段の事情があれば我が国の国際裁判管轄を否定すべきであるとされる。また、民訴法3条の9においても、「当事者間の衡平を害し、又は適正かつ迅速な審理の実現を妨げることとなる特別の事情があると認めるとき」は「訴えの全部又は一部を却下することができる」とされる。そこで、いかなる事情があれば国際的債権執行における「特段の事情」や民訴法にいう「特別の事情」が認められるのかが問題となる。

この点に関しては、前記「特段の事情」について傍論で判断を示した裁判例として、動産売買先取特権に基づく物上代位権の行使としての債権差押命令申立事件についての高裁決定（大阪高決平10.6.10金法1539号64頁）がある。同決定は、当該事案については債権差押命令の発令を肯定しつつ、外国に居住する第三債務者の二重払いの危険、陳述書提出や供託及び事情届の提出の困難を重視し、特段の事情を柔軟に解釈して、第三債務者の日本との接点が、執行債務者が日本に居住している日本人であるという一事のみにある場合は、特段の事情を認めるべきであると判示する。

しかし、第三債務者の不便については、我が国に住所等を有する者に債務を負担している以上、ある程度の負担はやむを得ないとも考えられること、執行裁判所としても、第三債務者の日本との接点が執行債務者の住所・国籍以外にもあるのかどうかを調査するのは必ずしも容易ではないと思われることからすると、特段の事情を柔軟に解釈することには疑問がある。執行債権者・債務者双方が我が国に所在する本設例のような場合、実際上特段の事情が認められることはかなりまれではなかろうか。このことは、民訴法３条の９の「特別の事情」の解釈においても異ならないものと思われる。

以上のような理由から、東京地裁民事執行センターにおいては、強制執行事件、担保権実行事件を問わず、第三債務者が外国に居住する外国人又は我が国に営業所を有しない外国法人であっても、執行債務者が我が国に所在する限り、債権差押命令を発令して差し支えないとの取扱いである。

4　申立て等に当たっての留意点

以上のとおり、第三債務者が外国に居住する外国人又は我が国に営業所を有しない外国法人の場合であっても債権差押命令を発令して差し支えないと考えられるが、仮に発令されたとしても、その送達にそれ相応の時間がかかる（早くて３、４か月、遅い場合は６か月から１年以上かかる場合もある。）ことには留意する必要があるし、その迅速な処理のためには訳文等の提出が相当である（送達に関する具体的手続の詳細については、最高裁判所事務総局民事局編「国際司法共助ハンドブック」（民事裁判資料第225号）、同「民事事件に関する国際司法共助手続マニュアル」参照）。

第三債務者に対する外国送達が奏功しない場合、債権の取立ては不能であることが多く、取下げにより終了するのが通常であろう。第三債務者に対する公示送達の可否については肯定・否定の両説があるが、仮に肯定説をとるとしても、外国にいる第三債務者に対する公示送達を行うことには特に慎重でなければならない。

送達後の具体的な取立てに当たっては、前述したとおり、外国における差押命令の効力の承認の問題が残る（特に、当該外国が差押命令の効力を承認しなかった場合、第三債務者には二重払いの危険が生ずる可能性がある。）。このほか、取立訴訟の国際裁判管轄及び準拠法の問題、取立訴訟において認容判決を得た場合の当該判決の承認の問題等がなお残ることにも留意する必要があろう。

〈参考文献〉

日比野泰久「債権差押えの国際管轄と差押命令の送達」名城法学47巻１号99頁、藤井まなみ「国際的債権執行の諸問題－ドイツの学説状況－」法学政治学論究19号223頁、同「日本国内において債権差押えがなされた場合における外国の第三債務者への送達の適法性－ドイツでの議論を参照して－」法学政治学論究20号241頁、同「外国においてなされた債権執行の効力の内国における承認」法学政治学論究21号131頁、野村秀敏「債権仮差押えに関する国際管轄」民事訴訟雑誌47号59頁、新基本法コンメンタール民事執行法８頁〔山本和彦〕、伊藤＝園尾「条解民事執行法」1253頁〔下村眞美〕

Q8 債権執行事件に関する不服申立て

債権執行事件に関する不服申立てには、どのようなものがあり、どのような手続によるべきか。また、担保権実行としての債権差押命令、転付命令に対する不服申立てについてはどのような問題があるか。

1 総　説

民事執行は、強制執行、担保権の実行等として行われるが、執行機関は、迅速な執行という目的達成のために、原則として債務名義又は法定文書等について形式的に審査をするのみで、債務名義又は法定文書等上の権利の存否について実質的な判断をすることなく、債務名義等に表示された権利の実現のために執行手続を開始する。

この際、債務名義に表示された請求権が実体法上存在しなかったり、その後消滅したり、権利内容に変化が生じたりしていたとしても、執行機関が当該債務名義等に基づいて行った執行手続は、手続要件を満たす限りにおいて民事執行法上適法なものとされる。このように、実体上権利が存しないにもかかわらず、執行が行われ又は債務者以外の第三者の財産に執行が行われる場合のように、民事執行手続上は適法であるが、それを認める実体法上の根拠を欠く執行を、不当執行という。

他方、民事執行は、法律によって規定された手続に従って行われなければならず、執行裁判所や執行官といった執行機関が行った執行行為が、民事執行の手続規定に違背する場合には、違法なものと評価される。このように、執行機関の執行行為がその手続規定に違背し、民事執行手続上違法と評価される執行を、違法執行という。違法執行に対する救済の手段として、民事執行法は、執行抗告（法10条）及び執行異議（法11条）という2種類の不服申立てを規定している。

本設例では、債権執行事件における不当執行に対する救済、違法執行に対する救済を順次説明し、担保権実行としての債権差押命令や転付命令に対する不服申立て固有の問題点についても併せて説明する。

2　不当執行に対する救済

実体上の権利関係については、当事者の主張・立証が十分に行われた上で判断すべきであることから、迅速な手続進行を旨とする執行手続の中で判断するのは相当でなく、不当執行に対する救済は、原則として通常の訴訟手続による。民事執行法は、債務名義についての事実の到来（いわゆる条件成就）の有無又は執行力の拡張の可否に関する執行文付与に対する異議の訴え（法34条）、債務名義の請求権の存否に関する請求異議の訴え（法35条）、民事執行の目的たる財産に対する第三者の権利の存否に関する第三者異議の訴え（法38条、194条）を定めている（これらの救済手続については、民事執行の実務－不動産(上)〔Q1〕参照）。

したがって、請求債権の不存在又は消滅等、実体上の事由に基づく不服は、原則として、請求異議の訴え等、執行手続外の手続において主張されるべきであり、これらの事由は債権差押命令や転付命令に対する執行抗告の理由とはならない（以上につき、最判解平成14年度(上)503頁〔長谷川浩二〕、注釈民事執行法(1)240頁、241頁〔田中康久〕、注解民事執行法(1)134頁、135頁〔竹下守夫〕、注解民事執行法(4)425頁〔稲葉威雄〕、高松高決昭63.3.10金法1205号89頁）。

もっとも、このことは、権利判定機関が作成した債務名義に基づいて行われる強制執行についてのものであって、権利の確定手続を経ていない法定文書等によって実施される担保権実行については、後記4のとおり、債権その他の財産権を目的とする担保権実行における差押命令に対する執行抗告において、担保権の不存在又は消滅を主張することができる（法191条、193条2項、182条）。

強制執行を受けた債務者が、その請求債権につき強制執行を行う権利の放棄又は不執行の合意があったことを主張して裁判所に強制執行の排除を求める場合、請求異議の訴えによるべきであり、執行抗告によることはできない（最決平18.9.11民集60巻7号2622頁）。

承継執行文付与の要件である承継事由の欠缺を主張する場合、執行文付与に対する異議の申立て（法32条）又は訴え（法34条）によるべきであり、やはり執行抗告の理由とはならない（東京高決平21.8.19判タ1312号308頁）。

3　違法執行に対する救済

⑴　執行抗告

ア　執行抗告の対象

執行抗告は、執行裁判所の執行手続に関する裁判のうち、法（又は規則）に執行抗告をすることができる旨の規定がある場合に限り許される（法10条１項）。執行抗告の対象となる裁判を限定しているのは、当事者を手続から排除する、利害関係人の権利変動に重大な影響を及ぼすなどといった性質の裁判（伊藤＝園尾「条解民事執行法」71頁〔笠井正俊〕）については、特に上級審の判断を仰ぐ機会を与える必要があるが、それ以外の裁判については、不服申立てが執行手続の引き延ばしのために濫用的に用いられることを避け、執行手続の迅速性を保持するために執行異議の制度で足りるものとしたからである。債権執行に関して、法が執行抗告をすることができる旨を規定している主なものには、次のようなものがある。

①　執行抗告の原審却下決定（法10条８項）
②　執行手続の取消決定（法12条１項）
③　債権差押命令の申立てについての裁判（法145条６項）
④　差押禁止債権の範囲変更に関する裁判（法153条４項。〔Q43〕参照）
⑤　配当要求を却下する裁判（法154条３項）
⑥　転付命令の申立てについての決定（法159条４項）
⑦　譲渡命令、売却命令又は管理命令などの換価の申立てについての決定（法161条３項）

イ　執行抗告権者

執行抗告をすることができるのは、執行抗告の対象となる裁判によって自己の法的利益を害される者である。したがって、執行抗告の当事者は、必ずしも執行手続の当事者に限定されるものではないが、どのような者が当該裁判によって自己の法的利益を害されるかは、個別に判断されることとなる。

この点に関し、第三債務者も、一般論としては、自己の法律上の利益を害される限りは執行抗告をすることができると解される。

しかし、第三債務者が差押債権の不存在を理由としてする執行抗告については、抗告の利益がないものと解される。なぜなら、差押債権が不存在である又は消滅しているということは、単に執行が功を奏しない（いわゆる空振り）というだけのことであって、債権差押命令が確定しても第三債務者が法律上の不利益を被ることにはならないからである。具体的には、差押債権が不存在であった場合、第三債務者としては、債権差押命令とともに送付される陳述の催告に対して、差押債権が存在しない旨を回答すればよい。この回答によって債権者が取立てを諦めれば、手続はそれで終わることになる。一方、債権者が、なおも差押債権の存在を主張して第三債務者に対しその支払を求めるのであれば、債権差押命令が確定していることが差押債権の存在を意味するわけではないから、債権者において第三債務者を被告とする取立訴訟を提起し、差押債権の存在を主張立証しなければならない。そして、第三債務者は、その訴訟において、債務者に対し主張し得る抗弁（弁済）等を債権者に対して主張し、差押債権の存否を争うことができる。

判例では、抵当権に基づく物上代位権の行使としてされた債権差押命令に対する執行抗告において、差押債権の不存在又は消滅は執行抗告の理由とならないとしたものがある（最決平14.6.13民集56巻5号1014頁）。その判示するところは、担保権の実行による債権差押えや強制執行としての債権差押えにも妥当すると解されており（前掲最判解504頁）、強制執行としての債権差押命令及び転付命令に対する執行抗告において、上記最決を引用して、差押債権の不存在又は消滅は執行抗告の理由とはならないとした裁判例もある（前記東京高決平21.8.19）。

また、抵当権に基づく物上代位による賃料債権の差押えについて、建物の真実の所有者であると主張する者は、仮に真実の所有者であったとしても、当然に賃料債権を有することはないから、執行抗告の利益を有しない（東京高決平8.3.28金法1486号108頁）。

ウ　執行抗告の方法

執行抗告は、裁判の告知を受けた日から1週間の不変期間内に、抗告状を原裁判所（執行裁判所）に提出して行うこととされている（法10条2項）。抗告状が誤って抗告裁判所に提出された場合には、手続の進行が遅れることを防ぐため、抗告裁判所は、これを原裁判所に移送をすることなく直ちに不適法として却下する（最決昭57.7.19民集36巻6号1229頁参照）。

抗告状には、必ずしも抗告の理由を記載することを要しないが、抗告状において理由を記載しなかった場合には、抗告状提出の日から1週間以内に抗告理由書を原裁判所に対して提出しなければならない（法10条3項）。執行抗告の理由には、原裁判の取消し又は変更を求める事由を具体的に記載しなければならず、その事由が法令の違反であるときは、その法令の条項又は内容及び法令に違反する事由を、事実の誤認であるときは誤認に係る事実を摘示しなければならない（規6条）。また、執行抗告では、原裁判時における原裁判の誤りのみでなく、その後抗告理由書提出時までに生じた事由を理由とすることができる。

エ　執行抗告の審理・裁判

原裁判所は、㋐抗告状に執行抗告の理由の記載がない場合で、抗告人が抗告状を提出した日から1週間以内に執行抗告の理由書を原裁判所に提出しなかったとき、㋑執行抗告の理由の記載が明らかに法10条4項（規6条）の規定に違反しているとき、㋒執行抗告が不適法であってその不備を補正することができないことが明らかであるとき、㋓執行抗告が民事執行の手続を不当に遅延させることを目的としてされたものであるとき、のいずれかの事由が存する場合には、執行抗告を却下しなければならない（法10条5項）。これを「原審却下」という。抗告人は、この原審却下決定に対しても、執行抗告をすることができる（法10条8項）。

原裁判所は、当該執行抗告に理由があると判断した場合には、自ら再度の考案により原裁判を取り消し、又は変更することができる（法20条、民訴333条）。

一方、原審却下決定も再度の考案もしない場合には、原裁判所は、事件記録を抗告裁判所に送付し（規15条の2、民訴規205条、174条）、抗告裁判所が当該執行抗告の審理判断を行う。抗告裁判所は、原則として抗告理由に限り調査するが、原裁判に影響を及ぼすべき法令違反又は事実誤認については職権で調査することができる（法10条7項)。

審理は口頭弁論を要せず、裁判は決定でされる。執行抗告が不適法であるときはこれを却下し、理由がないときは棄却し、理由があるときは原裁判を取り消し、さらに何らかの裁判が必要であれば、自判するか原裁判所に差し戻す（法20条、民訴331条、306条、307条、308条)。

なお、債権差押命令申立却下決定に対して執行抗告がされ、抗告審で原決定を取り消す場合、抗告裁判所は自ら差押命令を発令することができるのかという問題がある。この点については、債務者は事前に審尋されておらず（法145条2項)、また、高等裁判所である抗告裁判所が発令した差押命令には特別抗告（民訴336条）又は許可抗告（民訴337条）以外に抗告をすることができないことから（裁判所7条2号)、原審に差し戻して、執行裁判所が差押命令を発令すべきとする見解と（注解民事執行法(4)397頁〔稲葉威雄〕、齋藤＝飯塚「民事執行」275頁〔鈴木謙也〕、中野＝下村「民事執行法」708頁)、自判して差押命令を発令することができるとする見解とがある（注釈民事執行法(6)79頁〔田中康久〕、滝澤孝臣「銀行の複数支店の預金債権に対する差押命令の申立てと差押債権の特定」金法1928号78頁)。

オ　執行抗告に伴う執行停止

執行抗告には、迅速な手続進行の要請から、手続の執行停止の効力が与えられていないが、前記アの執行抗告をすることができる決定のうち、執行手続の取消決定（法12条1項)、転付命令（法159条1項)、譲渡命令等の換価命令（法161条1項）などについては、確定しなければ効力が生じないと定められている（法12条2項、159条5項、161条4項)。確定しなければ効力を生じないとの定めのある裁判以外の裁判についても、抗告裁判所（記録が原裁判所にある間は原裁判所も同様）は、必要があると判断したときには、執行抗告についての裁判が効力を生ずるまでの間、原裁判の執行の停止等の処分を行うことができる（法10条6項)。この処分は裁判所の職権によるものであり、当事者にその申立権はないから、当事者が執行停止を求めたとしても、それは裁判所の職権発動を促すものにすぎない。

⑵ 執行異議

ア 執行異議の対象

執行異議の対象となるのは、執行裁判所の執行処分で執行抗告をすることができないもの並びに執行官の執行処分及びその遅怠である（法11条1項）。

債権執行事件に関しては、次に述べる少額訴訟債権執行における執行異議を除き、執行異議の申立てがされることはほとんどない（執行異議の手続については、民事執行の実務－不動産㊤〔Q2〕参照）。

イ 少額訴訟債権執行手続

少額訴訟債権執行制度（法167条の2以下）は、民訴法368条以下に定められた少額訴訟（訴額の上限額が60万円の金銭の支払請求を目的とする事件につき、簡易裁判所において、原則として、1回で審理を終え、即日判決を言い渡すこととされている訴訟手続）で、債務名義を取得した債権者が、これに基づいて強制執行の申立てをする場合には、金銭債権に対する強制執行に限り、簡易裁判所において債権執行を行うことができるものである（〔Q83〕参照）。

少額訴訟債権執行の手続においては、申立てを受けた簡易裁判所の裁判所書記官が処分を行うこととなるが、裁判所書記官が行う執行処分（法167条の4第2項）、差押処分の申立てについての処分（法167条の5第3項）、費用を予納しない場合の申立却下の処分（法167条の6第3項）、配当要求を却下する旨の処分（法167条の9第3項）については、執行裁判所（その裁判所書記官の所属する簡易裁判所、法167条の3）に対して、執行異議を申し立てることができる。

4 担保権実行としての債権差押命令に対する不服申立て

⑴ 問題の所在

抵当権に基づく物上代位による賃料債権の差押え、動産売買先取特権に基づく物上代位による転売代金債権の差押え、質権に基づく電話加入権の差押えなどのような担保権実行としての債権差押命令に対する債務者の不服申立方法について、法193条2項は、差押命令に対して執行抗告ができるとする法145条６項の規定を準用する一方で、不動産担保権の実行の開始決定に対する執行抗告（不動産収益執行の場合）又は執行異議（不動産競売の場合）の申立てにおいて担保権の不存在又は消滅を理由とすることを認めた法182条の規定も併せて準用している。そのため、担保権の不存在又は消滅という実体上の事由を主張する不服申立てについて、執行抗告によるべきか、それとも執行異議によるべきかが問題となる。

⑵　学説及び裁判例の状況

この問題について、学説は、ⓐ執行抗告のみが認められるが、執行抗告の理由としては手続上の事由だけでなく実体上の事由も理由とすることができるとするもの（中野＝下村「民事執行法」372頁、注解民事執行法⑸315頁〔渋川満〕等）、ⓑ執行抗告及び執行異議の双方が認められるが、執行抗告の理由は手続上の瑕疵に限られ、実体上の事由は執行異議において主張すべきであるとするもの（山木戸克己『民事執行法講義』（有斐閣）256頁等）等に分かれている。

裁判例として、大阪高決昭56.7.7（判タ454号88頁）及び東京高決昭60.3.19（判タ556号140頁）は、いずれも動産売買先取特権に基づく債権差押えの事案について、差押命令の送達の前に差押債権が譲渡されていることから、差押債権の消滅により担保権が存在しないこととなったと判断して執行抗告を認め、原決定を取り消し、差押命令の申立てを却下した。また、根質権に基づく生命保険金債権の差押えにつき、債務者が、執行抗告において、被担保債権の存否及び数額についての不服を主張することができるとした東京高決平23.2.24（金法1936号97頁）がある。これらはⓐ説によるものと理解される。なお、前記最決平14.6.13は、実体上の事由のうち、差押債権の不存在又は消滅という事由が執行抗告の理由とならない旨の判断を示したものであり、担保権の不存在又は消滅という事由を執行抗告の理由とすることができるかに関して判断を示したものではなく、ⓐ説と矛盾するものではない。他方、ⓑ説による裁判例（高松高決平2.10.15判タ753号230頁、福岡高決平6.10.27判タ879号271頁。いずれも質権に基づく電話加入権に対する差押え及び換価命令について質権設定契約の不存在を理由とする不服申立ては、執行異議の方法によるべきであるとしたもの）もある。

(3) 検　討

東京地裁民事執行センターでは、以下の理由により、前記(2)のⓐ説による取扱いをしている。

ⓐ説は、法193条2項が法182条を準用している趣旨につき、担保権実行としての債権差押命令に、実体上の事由による執行異議を認めるものではなく、本来は手続上の瑕疵に対する不服申立方法である執行抗告において、例外的に担保権（物上代位権）の不存在又は消滅という実体上の事由を主張することができるとする特則であると解している。そして、法11条が、執行異議は、執行抗告ができない場合に限って認められる旨規定していることからすると、担保権に基づく債権差押命令という執行処分に対し、執行抗告と執行異議の双方の不服申立てを認めることには無理があり、執行抗告が許される以上は、執行異議はできず、不服の理由についてのみ法182条が準用される、と解するものであり、一つの執行処分に対しては一つの不服申立てという民事執行法の原則を前提とする限りは、法文に素直な解釈といえよう。

また、迅速な換価処分を予定する債権執行手続においては、債権者との関係では早期に手続を安定させる必要があることもⓐ説の論拠となる。なお、ⓑ説は、執行異議を認める方が期間制限のない点で債務者の保護に厚いと考えるようであるが、ⓐ説によれば、再度の考案の機会に加え、発令直後に、債務者に対し、上級審の判断を受ける実質的な機会を与えることができるのであって、必ずしもⓑ説の方が債務者の保護に厚いとはいえないと考えられる。

5　転付命令に対する不服申立て

(1) 総　説

転付命令に対して不服がある者は、執行抗告（法10条）をすることができる（法159条4項。したがって、執行異議の申立てはできない。）。

執行抗告の方法及び審理・裁判は、前記3(1)のとおりである。なお、抗告状が原裁判所ではなく抗告裁判所に提出された場合には、不適法な執行抗告として受理した抗告裁判所で直ちに却下すべきとされているため（前記3⑴ウ）、執行裁判所の裁判所書記官は、高等裁判所に照会することなく、転付命令について確定証明をすることができる（民事裁判資料134号民事執行事件執務資料48頁）。

⑵ 執行抗告権者

執行抗告をすることができるのは、転付命令によって自己の法律上の利益を害される者であり、債務者がこれに当たることは異論がない。なお、転付命令を受けた債務者が、差押えの競合を理由として執行抗告をすることの可否について、同一の金銭債権について差押債権者が競合することによって転付命令が無効となる場合、債務者としては、当該債権について差押えを受けているという地位に変わりはないのであるから、特段の事情のない限り、転付命令が無効であることを主張して抗告を提起することについて法律上の利益はないとした裁判例（東京高決昭60.7.16判タ574号89頁）がある。

第三債務者も、一般論としては、自己の法律上の利益を害される限りは執行抗告をすることができると解されるが、前記3⑴イのとおり、第三債務者が転付債権の不存在を理由としてする執行抗告については、転付債権が不存在であれば、単に、転付命令（及び差押命令）が空振りに終わるだけであるから、抗告の利益がないと解される。

競合する差押債権者及び配当要求債権者については、転付債権に自らの差押え等があることを理由に執行抗告ができるとする考え方もある（中野＝下村「民事執行法」758頁。抗告期間の起算点について、規5条参照）。

申立債権者は、転付命令の申立てが全部又は一部却下された場合には、執行抗告をすることができる。

⑶ 抗告理由

転付命令に対する抗告理由となるのは、転付命令発令の実体上又は手続上の要件の不存在である。

実体上の要件の不存在の代表的なものとしては、差押債権が券面額を有しないことを理由とする執行抗告がある（〔Q47〕参照）。また、悪意による不法行為等の加害者が債権者となり、被害者（債務者）が加害者（第三債務者）に対して有する損害賠償債権について得た転付命令は、相殺禁止の趣旨に反するので、執行抗告理由になると解される（最判昭54.3.8民集33巻2号187頁参照）。

手続上の要件の不存在の代表的なものとしては、他の債権者の差押え、仮差押えの執行又は配当要求があること（法159条3項）を理由とする執行抗告がある。差押命令自体に手続的瑕疵がある（債務名義の不送達、差押命令の不存在等）との理由は、本来、差押命令の執行抗告において主張すべき事由であるが、有効な差押命令の存在は転付命令の有効要件であるから、差押命令が確定した後に申し立てられた転付命令に対する執行抗告においても主張することができると解されている（中野＝下村「民事執行法」757頁）。

なお、この点に関して、抗告理由書提出期間経過後に、既に提出した抗告理由に追加して、執行停止文書を提出したという抗告理由を主張することが許されるか否かが問題になる。特に、差押命令と同時に転付命令が発令された場合に、理由書提出期間内に請求異議訴訟に伴う執行停止決定を取得させるのが債務者にとって酷であるというべきか否かに関わるが、裁判例は分かれている（同抗告理由を主張することが許されるとした裁判例として東京高決昭56.12.11判タ456号72頁、許されないとした裁判例として東京高決昭57.3.15判タ471号122頁・金法1003号67頁がある。）。

⑷ 転付命令発令後の執行停止

転付命令の発令後に、執行停止文書（法39条1項7号、8号）を提出したことを理由として執行抗告がされたときは、他の理由により転付命令を取り消す場合を除いて、抗告裁判所は、執行抗告についての裁判を留保しなければならない（法159条7項）。

これは、転付命令確定前に執行停止の効果が生じている以上、そのまま転付命令を確定させることはできず、かといって、転付命令を一旦取り消し、執行停止が解かれた場合に改めて転付命令を得るものとすると、他の債権者の差押えとの競合等が生じるおそれがあるからである。したがって、この場合の執行抗告は、本案裁判所の判決等により執行停止の原因となった事由の存否が確定するまでの暫定措置としての性質を有するもので、抗告審は、ほかに転付命令取消しの理由がなければ、裁判を留保し、本案判決等により執行停止の原因となった事由の存否が確定した時点で、当該本案判決等の内容に従い、転付命令取消し又は抗告棄却の裁判をすることとなる。

〈参考文献〉

注釈民事執行法(1)226頁〔田中康久〕、三輪和雄「執行抗告・執行異議の事由及び手続」民事執行の基礎と応用75頁、上田正俊「差押命令に対する執行抗告及び転付命令に対する執行抗告」債権執行の諸問題174頁

第 2 章

申立てと発令

第1節

強制執行

Q9 強制執行としての債権執行の申立て

強制執行としての債権差押命令の申立書に記載すべき事項は何か。当事者の表示について留意すべき点は何か。添付書類等は何が必要か。申立手数料の計算方法はどのようになっているか。

1 申立書

強制執行としての債権差押命令の申立ては、書面により（規1条）、債権者及び債務者並びに代理人、第三債務者、債務名義、差し押さえるべき債権の種類及び額その他の債権を特定するに足りる事項（債権の一部を差し押さえる場合にはその範囲）を記載して行う（規21条、133条）。

実務上は、当事者目録、請求債権目録及び差押債権目録を別紙とし、申立書（本文）において引用する形式としている。標準的な様式は、A4判用紙を縦に使用し、左余白を3センチメートル程度とって横書きで記載し、算用数字を使用し、単位を示す文字について、「億、万」の使用はよいが、「千、百、十」は使用しない。

(1) 申立書（本文）の記載事項

債権差押命令申立書には、次の事項を順次記載する（**【書式例】**参照）。

ア 標　題

標題として「債権差押命令申立書」と記載する。

イ 執行裁判所の表示

執行裁判所の表示として、管轄の執行裁判所を記載する（規15条の2、民訴規2条）。債権執行については、原則として債務者の普通裁判籍の所在地を管轄する地方裁判所が執行裁判所として管轄を有する（法144条1項、民訴4条。〔Q6〕参照）。支部が取り扱う事件の場合は、支部名まで記載する。民事執行事件を担当する専門部が置かれている裁判所に申し立てる場合には、担当部名も記載すべきである。東京地裁本庁の場合は、東京都目黒区に「東京地裁民事執行センター」を設置して債権執行事件等を専門に取り扱っているが、担当部名は「民事第21部」である。

ウ　申立年月日

申立年月日を記載する（規15条の2、民訴規2条）。

実務では、申立年月日は、窓口提出の場合は提出日を、郵便提出の場合は発送日を記入するよう求めている。

なお、申立年月日は、実務上遅延損害金等の計算の終期として意味を有するので必ず記載する（後記(3)イ参照）。

エ　申立債権者の表示

申立書には、申立債権者又はその代理人が署名又は記名して押印する（規15条の2、民訴規2条）。印鑑については必ずしも実印である必要はないが、その後の取下げ等の手続で同一の印鑑が必要となるので、紛失等をしないように注意する。

なお、事務連絡等の必要が生じたときのために電話番号（ファクシミリ番号を含む。）を記載し（規15条の2、民訴規53条4項)、併せて、法人等の場合で事務担当者がいる場合はその者の氏名を記載する。

オ　当事者・請求債権・差押債権の表示

当事者の表示は、実務上は、「別紙目録記載のとおり」として、別紙に「当事者目録」と標題を付して作成して添付する取扱いである。債権者、債務者及び第三債務者並びに代理人がある場合には代理人を表示する（規21条1号、133条1項)。個人の場合は郵便番号、住所、氏名を、法人の場合は郵便番号、主たる事務所又は本店の所在地、名称又は商号、代表者の資格及び氏名を記載する。

請求債権の表示や差押債権の表示についても、当事者の表示と同様に、別紙として「請求債権目録」や「差押債権目録」を作成し、添付する取扱いである（後記(3)(4)参照）。

カ　強制執行を求める旨の記載

申立書の本文として、債権者が債務者に対して有する債務名義に表示された請求債権の弁済を受けるために、債務者が第三債務者に対して有する債権の差押命令を求める旨を簡潔に記載する（規21条3号）。

キ　その他

執行文付債務名義正本が数通付与されている場合は、超過差押禁止（法146条２項）に抵触しない旨を明らかにするため、他の債務名義の保管、使用の状況を記載する（記載例「３通付与を受けた執行文付債務名義正本のうち、１通は○○地方裁判所令和○年㈸第○○○号事件で使用中であり、もう１通は紛失した。」）。なお、申立書に記載せず、別途上申書を提出してもよい。

⑵　当事者目録の記載事項

ア　債権者の表示

強制執行の場合、債権者の氏名、住所等は、執行力ある債務名義の正本の表示と一致することが必要である。債務名義成立後、氏名、住所、商号、本店所在地等に変更があったときは、原則として、戸籍謄本、同抄本、住民票、商業登記事項証明書等の公文書を添付し、債務名義上の氏名、住所等との「つながり」をつけ、債務名義上の債権者との同一性を証明する必要がある。その場合の表示は、差押命令申立て時の氏名、住所等と債務名義上の氏名、住所等を併記する。

債権者が本店所在地とは別に支店等に送達を希望する場合、送達場所を記載する。

なお、監査役設置会社と取締役（取締役であった者を含む。）が対立当事者となる民事執行の申立てについて、会社法386条１項１号が執行手続に準用されるかという問題があり得るが、会社法386条１項は「訴え」と規定しており、執行手続に直接適用されるものではないと解されることから、東京地裁民事執行センターでは、代表取締役が会社の代表者となって申立てがされた場合には、原則としてそのまま発令することとしている。ただし、監査役が会社の代表者としてした申立てについて、債務名義が成立した訴訟において監査役が会社の代表者となっている場合には、同債務名義に基づく執行手続においても監査役に代表権を認めるのが相当であると解し、これを認める取扱いをしている。

イ　債務者の表示

債務者についても、債権者の場合と同様である。ただし、債務者について「送達場所」を指定することは認められない。債務名義に表示された債務者の送達場所はその債務名義作成の手続に限られ、債権執行手続において、債務者から送達場所の届出（法20条、民訴104条１項）がない段階では、まず住所に送達すべきだからである。

債務名義上、債務者の住所が「甲株式会社内」と記載されている場合は、就業場所又は送達場所とも考えられるので、この記載をもって直ちに住所とみることは相当でない。このような場合には、住民票又は戸籍附票の提出を求め、「甲株式会社」が債務者の住所であるかどうかを確認する取扱いである。これに対し、「乙株式会社住込み」、「乙株式会社寮内」の表示は、居住していることが明らかであるから、住所の表示として問題がない。

なお、債務名義上、住居所不明であり最後の住所としてＡ地が表示されている場合、執行手続上も、最後の住所としてＡ地を表示すれば足りるのが通常であるが、債務名義作成から一定期間（おおむね３か月程度）を経過している場合、現時点では新住所が判明する可能性があるので、東京地裁民事執行センターでは、改めて債務者の最新の住民票の提出を求める取扱いである。

実務上、債務名義につき住所表示として問題のあるもので更正決定が相当と考えられる場合には、適正な住所表示とするために、受訴裁判所に対して更正決定の申立てをするよう申立債権者に促すことがある。更正決定がされた場合は、更正決定正本とその送達証明書を提出する。

申立債権者が債務者の住所が債務名義上の住所と異なると主張したとしても、そのつながりを住民票等の公文書で証明することができない場合は、債務名義に表示された者と債務者とが同一人物であることを公文書以外の資料で立証しなければならないが、その立証はかなり困難である。これを証明することができない場合は、債務名義上の住所に住所を有する債務者について（すなわち債務名義の記載のとおりの住所を記載して）申し立てることが考えられる。この場合、その住所に送達し、不送達になった場合には、再送達の問題として事務を進めることになる。

ウ　第三債務者の表示

第三債務者とは、差し押さえるべき債権（差押債権）の債務者（法144条2項）をいい、債務者に対し債務を負担している者である。第三債務者の表示は、差押えの効力発生時期（法145条5項）、管轄の基準（法144条1項、2項）、取立訴訟（法157条）等に関連する上、債権執行の手続は第三債務者の協力によるところが大きいので、的確な表示が要求される。

第三債務者の表示も、債権者、債務者の表示と同様に、個人の場合は氏名及び住所、法人の場合はその名称又は商号及び主たる事務所又は本店の所在地のほか、代表者の資格及びその氏名を記載する（規133条1項）。

第三債務者を複数とする申立てを1件の申立てとしてすることができるが、事件によっては、申立書を別にした方が簡便な場合もある。東京地裁民事執行センターでは、別事件として申立てをすることが相当と考えられるときは、窓口でその旨を促す運用である。

第三債務者に対する送達先については、債務者の場合と同様、原則として債権者による指定を認めていないが、第三債務者が法人の場合において、現に業務を担当する事務所、営業所等に送達した方が迅速性の面からもよいことがあり、特に預貯金債権等の差押えで金融機関を第三債務者とするときは、取扱支店を送達先として記載するのが通常である（いわゆるインターネット専業銀行等を除く。）。国が第三債務者の場合は、誰が又はどの機関が債務者の債権の支払事務を担当しているかが問題となるので、現に支払事務を担当する支払担当者に送達することが必要である。

なお、東京地裁民事執行センターにおいては、必要に応じて、債権者に対し、送達先について第三債務者に確認するよう求めている。

⑶　請求債権目録の記載事項（〔Q12〕参照）

標題を「請求債権目録」として、債務名義（規21条2号）、請求債権、執行費用（法42条1項、2項）を記載する。

ア　債務名義の表示

債務名義を表示するには、法22条の債務名義の区別に従い、裁判所作成の債務名義は裁判所名、事件番号等により、執行証書の場合は所属法務局、公証人名、事件番号等により、特定して記載する。

イ　請求債権の表示

請求債権額を明示する。その際、元金、利息、遅延損害金及び費用に項目を分けて記載する。

一部請求をする場合には、その旨と範囲を記載する（規21条4号）。

債務名義に表示された金額よりも請求債権に掲げられた金額の方が少額である場合には、これが内金であるか残金であるかを明示する。

附帯請求については、実務上、第三債務者に具体的な請求債権額が明らかとなるよう、申立日を終期として金額を確定する取扱いである（〔Q12〕参照）。

弁済期の到来は、執行開始要件であるから（法30条1項）、弁済期が到来している旨の記載を要する。約定により分割弁済とされ、かつ期限の利益喪失の特約がある場合であって、弁済期が未到来の分の債権を請求するときには、期限の利益を喪失した事由及びその旨の記載を求めるのが実務の取扱いである（不確定期限の附款がある場合には、その事実の到来を証明して事実到来執行文（いわゆる条件成就執行文）の付与を受けていることを要する。）。

ウ　執行費用の表示

強制執行の費用には、強制執行の準備のための費用である執行準備費用と、強制執行の実施のための費用である執行実施費用があるが、いずれも執行に必要なものは債務者の負担とされている（法42条1項）。

また、差押債権が金銭債権の場合には、差押命令が債務者に送達されてから1週間（ただし、給料債権等の差押えの場合で、請求債権に扶養義務等に係る金銭債権が含まれない場合は4週間）経過すると、差押債権者は差押債権の取立てをすることができるが、取立てをすることができるのは、請求債権及び執行費用の合計額が限度とされている（法155条1項）。そこで、実務では、請求債権目録中に執行費用の費目と金額を記載することによって、差押債権者が取立てをすることができる執行費用を明らかにする取扱いである（この目録は差押命令にも使用されるから、第三債務者にも取立てに応じなければならない限度が明らかになる。）。

強制執行は、国家の負担で行うものであるが、私権の実現のためにされるものであるから、その費用は、国家の負担で行うべき一部の費用（通知書の作成費用等）を除いて当事者が負担すべきである。さらに、強制執行は債務者が債務の履行をしないためにこれを強制的に実現しようとする手続であるから、強制執行に要した費用はその原因を作った債務者の負担とされる。もっとも、強制執行に要した費用であっても全ての費用が執行費用に含まれるのではなく、民訴費法２条各号に掲げられているもののみが執行費用として認められる。主要な執行費用は**【別表１】**記載のとおりである。このうち、民訴費法２条２号に基づく執行費用については、理論的には、実際に支出されたことが証明された金額に限られるべきであるが、定型処理の必要性から、**【別表１】**記載の金額であれば、領収書等の支出金額を証明する資料の提出がなくとも認める取扱いである。

㈠　執行準備費用

執行準備費用は、強制執行の申立てをする以前において、その申立ての準備のために要した費用のことであり、強制執行を行うことを直接の目的とするものではない。強制執行の開始要件を具備するための債務名義の送達（法29条）は、職権で送達される判決（民訴255条）のように債務名義を成立させる手続内で行われる場合を除いて、執行準備費用に含まれる。そのほかに、執行文付与や和解調書、認諾調書、調停調書、執行証書等の各正本の交付等に要した費用が執行準備費用に含まれる。

㈡　執行実施費用

執行実施費用は、強制執行実施のために要した費用である。執行手続が進行する過程で実際に費用を払うのは債権者である。債権者は支出相当額の債権を債務者に対して取得する。

金銭の支払を目的とする債権についての強制執行における執行費用は、別に債務名義を得ないでも請求債権と同時に取立てをすることができる（法42条２項）。差押命令申立て、資格証明書交付申請、差押命令の送達、売却の実施等に要した費用が執行実施費用に含まれる。

⑷　差押債権目録の記載事項

標題を「差押債権目録」として、差し押さえるべき債権の種類及び額その他の債権を特定するに足りる事項を明らかにし、かつ、債権の一部を差し押さえる場合には、その範囲を明らかにしなければならない（規133条2項）。

差し押さえるべき債権の表示は必ず記載しなければならない。その特定は、債権の種類、発生原因、発生時期、弁済期、数額等によってできると考えられるが、債務者や第三債務者が具体的にどの債権が差し押さえられたか判断できなければならない（〔Q13〕参照）。

2　申立書の添付書類

(1)　執行力ある債務名義の正本

債権差押命令申立ての基礎となる執行力のある債務名義の正本を添付する（法25条、規21条）。債務名義の種類は法22条に列挙されている。

(2)　執行開始要件を証明する文書

執行開始の要件を備えることを証する文書の添付が必要である。執行開始要件は事案によって異なるが、おおむね次のとおりである（なお、配当要求における執行開始要件の具備については〔Q62〕参照）。

ア　債務名義の送達証明書等

債務名義の送達は、全ての債務名義の執行開始要件であるから、必ずその送達証明書を添付することを要する（ただし、仮払仮処分命令を債務名義とする場合を除く。民保43条3項）。証明文書を提出して承継執行文又は事実到来執行文の付与を受けたときは、証明文書及び執行文の謄本を債務者に送達したことが執行開始要件となるから、これらの文書が送達されたことを証する送達証明書の添付を要する（法29条）。

イ　担保を提供したことを証する文書

仮執行宣言付判決の仮執行が担保を立てることを条件としている場合で、仮執行宣言付判決に基づいて申立てをするときには、担保を立てたことを証する文書の添付が必要である（法30条2項）。

ウ　反対給付の提供又は履行した事実を証する文書

債務名義に引換給付の附款が付いている場合は、債権者において反対給付を履行し、又はその提供を証する文書を添付する必要がある（法31条1項。〔Q11〕参照）。

エ　本来の給付が執行不能に帰した事実を証する文書

債務名義に表示された給付のうち、代償請求について強制執行を求めるときは、本来の給付が執行不能に帰したことを証する文書の提出を要する（法31条２項）。

⑶　確定証明書

家事審判のように確定しなければ審判の効力を生じない（家事74条２項、85条１項）債務名義の場合には、確定証明書の提出を要する。

⑷　当事者の商業登記事項証明書等（資格証明書）

当事者が法人の場合は、商業登記事項証明書（資格証明書）を添付する。東京地裁民事執行センターでは、証明力の観点から、申立債権者については２か月以内のもの、債務者及び第三債務者については１か月以内のものの提出を求めている。破産管財人等が当事者の場合は、その証明書を添付する。東京地裁民事執行センターでは、マンションの管理組合が申立てをする場合については、当事者能力、代表者の資格等を証明するものとして、管理規約の写し、理事長を選任したことが分かる総会議事録、理事長以外の複数の理事による代表者であることの証明書及び代表者が当該申立てをするにつき必要な授権を受けたことを示す総会議事録又は理事会議事録等の提出を求める取扱いである（民事執行の実務－不動産㊤〔Q21〕参照）。

⑸　代理権限に関する文書

代理人が申立てをする場合、代理権限を証する文書を添付する。代理人が弁護士の場合は委任状を、社員等の場合は、裁判所の許可（法13条１項）を得るために代理人許可申立書を提出する。代理人許可申立書には、委任状、社員証明書を添付し、印紙（500円）を貼付する。

⑹　債務名義が更正決定されている場合

更正決定正本及びその送達証明書を提出する。

なお、東京地裁民事執行センターでは、判決主文の更正決定がされている場合であっても確定証明書の提出は求めていない。

3　申立手数料及び予納郵便切手（令和３年１月１日現在）

債権差押命令の申立手数料は１件4000円である（民訴費３条１項、別表第一の11)。申立手数料は、請求権の数により計算をしている。１通の申立書で債権者又は債務者が数名あるときや複数の債務名義が添付されているときは、請求権が数個になるので、請求権ごとにそれぞれ4000円が必要になる。債務名義１通で、債権者１名、債務者１名の場合は収入印紙4000円を貼付する。貼付した収入印紙には消印せずに申立書を提出する。

例：債務名義１通、債権者１名、債務者１名　4000円
　　債務名義１通、債権者２名、債務者１名　8000円
　　債務名義１通、債権者１名、債務者２名　8000円
　　債務名義２通、債権者１名、債務者１名　8000円

債権者又は債務者が複数で連帯関係にあって請求権が共通している場合は、各債権者、各債務者ごとに手数料を納める。選定当事者が複数の場合は、選定当事者ごとに手数料を納める。

なお、予納すべき郵便切手の数等は、裁判所によって異なるが、東京地裁民事執行センターの場合は、**【別表２】**記載のとおりである。

〈参考文献〉

今井隆一「差押命令の申立て・発令の要件」民事執行の基礎と応用287頁

【書式例】債権差押命令申立書

債権差押命令申立書

東京地方裁判所民事第21部　御中
　　令和○○年○月○日

債　権　者　　　○○○株式会社
代表者代表取締役　○　○　○　○　印
電　話　○○-○○○○-○○○○
FAX　○○-○○○○-○○○○

事務担当者　○○○○

当 事 者 ⎫
請求債権 ⎬ 別紙目録記載のとおり
差押債権 ⎭

債権者は、債務者に対し、別紙請求債権目録記載の執行力のある公正証書の正本に表示された上記請求債権を有しているが、債務者がその支払をしないので、債務者が第三債務者に対して有する別紙差押債権目録記載の債権の差押命令を求める。

□　第三債務者に対する陳述催告の申立て（民事執行法第147条1項）をする。

添　付　書　類

1　執行力のある公正証書の正本　　1通
2　公正証書謄本送達証明書　　1通
3　資格証明書　　3通

当事者目録

〒□□□-□□□□　東京都○○区○○町○丁目○番○号
債　権　者　　○○株式会社
代表者代表取締役　○　○　○　○
電話番号　○○-○○○○-○○○○

〒□□□-□□□□　東京都○○区○○町○丁目○番○号
債　務　者　　○○株式会社
代表者代表取締役　○　○　○　○

〒□□□-□□□□　東京都○○区○○町○丁目○番○号
第三債務者　　株式会社○○銀行
代表者代表取締役　○　○　○　○
送達先　〒□□□-□□□□　東京都○○区○○町○丁目○番

○号
株式会社○○銀行○○支店

※　東京地裁民事執行センターにおいては、第三債務者等による問合せの便宜を図る観点から、当事者目録にも債権者の連絡先を記載するように協力を求めている。

請求債権目録

東京法務局所属公証人○○○○作成令和○○年第○○号○○契約の執行力のある公正証書正本に表示された下記金員及び執行費用

記

1(1)　元　本　　金　○，○○○，○○○円
ただし，令和○○年○月○日の金銭消費貸借契約に基づく貸付金
(2)　利息金　　金　○○，○○○円
上記(1)に対する令和○○年○月○日から同年○月○日まで年○割○分の割合による利息金
(3)　損害金　　金　○○，○○○円
上記(1)に対する令和○○年○月○日から同年○月○日まで年○割○分の割合による損害金
2　執行費用　　金　○，○○○円
（内訳）

本申立手数料	金	○，○○○円
本申立書作成及び提出費用	金	○，○○○円
差押命令正本送達費用	金	○，○○○円
資格証明書交付手数料	金	○，○○○円
送達証明書申請手数料	金	○○○円
執行文付与申立手数料	金	○○○円

合　計　　金　○，○○○，○○○円

【債権者の記載例（特殊な場合）】

A　破産者の場合

〒□□□-□□□□　東京都○○区○○町○丁目○番○号　←　破産管財人の住所
債　権　者　　○○株式会社破産管財人○○○○

※　債務名義の当事者が破産管財人の場合である。資格証明書として破産管財人証明の提出を要するが、破産者の商業登記事項証明書に破産管財人の氏名及び住所の記載があれば、それを提出してもよい。債務名義の当事者が破産者で、破産管財人が承継執行文の付与を受けて強制執行を行う場合は、「D　承継人の場合」と同様である。

B　更生会社の場合

〒□□□-□□□□　東京都○○区○○町○丁目○番○号　←　管財人の住所
債　権　者　　更生会社○○株式会社管財人○○○○

※　債務名義の当事者が管財人の場合である。資格証明書については、「A　破産者の場合」と同様である。債務名義の当事者が更生会社で、管財人が承継執行文の付与を受けて強制執行を行う場合は、「D　承継人の場合」と同様である。

C　民事再生法に基づく再生手続がされている会社の場合

〒□□□-□□□□　東京都○○区○○町○丁目○番○号
債　権　者　　　　○○株式会社
代表者代表取締役　○　○　○　○

※　管財人による財産等の管理を命じる処分（民再64条1項）がされていない場合には、通常の法人の表記と変わらない。

D　承継人の場合

〒□□□-□□□□　東京都○○区○○町○丁目○番○号
債　権　者　○　○　○　○　承継人
　　　　　　□　□　□　□

※　承継執行文の記載から承継人の住所が明らかでないときは、承継人であることを特定できる書面を提出する（一般的には、執行文付与の段階で提出した証明書で足りる。）。

※　サービサーが委託者から委託を受けて自ら債権者として強制執行の申立てをする場合において、債務名義の当事者が委託者のときは、承継執行文の付与が必要となるので、この場合に当たる。委託型の場合は、「Gサービサーによる申立て」参照。

E　整理会社の場合（預金保険77条1項等）

〒□□□-□□□□　東京都○○区○○町○丁目○番○号　←　会社の住所
債　権　者　　　　　　○○株式会社
代表者金融整理管財人　○　○　○　○

※　金融整理管財人が代表者となる。管財人が複数の場合、全ての管財人を併記する。管財人が法人（預金保険機構等）の場合、その法人の商業登記事項証明書を提出し、目録には管財人の法人名及び代表者の表示をする。

F　管理組合の場合（法人登記のある場合又は権利能力なき社団の場合）

〒□□□-□□□□　東京都○○区○○町○丁目○番○号
債　権　者　　○○マンション管理組合
代表者理事長　○　○　○　○

※　資格証明書として、当該管理組合が法人登記されているときは登記事項証明書を、法人登記されていないときは、①管理規約の写し、②理事長を選任したことが分かる総会議事録の写し、③理事長以外の複数の役員による代表者であることの証明書（③の書式例は、民事執行の実務－不動産(上)〔Q21〕**【書式3】**参照）、④管理組合が当該申立てをするにつき必要な授権を受けたことを証する管理規約の写し、区分所有法に基づく集会決議又は規約に基づく理事会決議の議事録等の写しを必要に応じて提出する。

G　サービサーによる申立て

〒□□□-□□□□　東京都○○区○○町○丁目○番○号
(委託者の住所及び氏名)
　東京都○○区○○町○丁目○番○号
　株式会社○○銀行
債権者（受託者）　　○○債権回収株式会社
代表者代表取締役　　○　○　○　○

※　委託型の場合（ただし、債務名義上の権利者がサービサーとなっている場合を除く。）の記載方法である。この場合は、申立書に委託者から委託を受けて申し立てる旨も記載する。サービサーによる申立てのうち、この場合以外の記載については、「D　承継人の場合」及び民事執行の実務―不動産(上)〔Q20〕参照。

【債務者の記載例】

1　基本例

(1)　自然人

ア　通常の場合

〒□□□-□□□□　東京都○○区○○町○丁目○番○号
　　　　債　務　者　　○　○　○　○

イ　住所が不明の場合

住所不明
居所
〒□□□-□□□□　東京都○○区○○町○丁目○番○号
　　　　債　務　者　　○　○　○　○

ウ　住所が外国にある場合

アメリカ合衆国ニューヨーク州……
居所
〒□□□-□□□□　東京都○○区○○町○丁目○番○号

債　務　者　　○　○　○　○

エ　住居所が不明の場合

住居所不明
最後の住所　東京都○○区○○町○丁目○番○号
債　務　者　　○　○　○　○

(2)　法　　人

ア　通常の場合

〒□□□-□□□□　東京都○○区○○町○丁目○番○号
債　務　者　　　　　○○株式会社
代表者代表取締役　　○　○　○　○

イ　法人の実質上の住所が商業登記簿上のものと異なる場合

〒□□□-□□□□　東京都○○区○○町○丁目○番○号
商業登記簿上の住所　東京都□□区□□町○丁目○番○号
債　務　者　　　　　○○株式会社
代表者代表取締役　　○　○　○　○

ウ　法人の実質上の住所が不明の場合

住所不明
商業登記簿上の住所　東京都○○区○○町○丁目○番○号
主たる業務担当者の住所
〒□□□-□□□□　東京都□□区□□町○丁目○番○号
債　務　者　　　　　○○株式会社
代表者代表取締役　　○　○　○　○

エ　法人の住所及び主たる業務担当者（代表者）の住所が不明の場合

住所不明
商業登記簿上の住所　東京都○○区○○町○丁目○番○号
主たる業務担当者の住所不明
居所
〒□□□-□□□□　東京都□□区□□町○丁目○番○号
　　　　債　務　者　　　　○○株式会社
　　　　代表者代表取締役　○　○　○　○

(3)　外国の法人

ア　通常の場合

アメリカ合衆国ニューヨーク州……
日本における営業所
〒□□□-□□□□　東京都○○区○○町○丁目○番○号
　　　　債　務　者　　　　○○カンパニー
　　　　日本における代表者　○　○　○　○

イ　日本における営業所及び日本における代表者の住所が不明の場合

アメリカ合衆国ニューヨーク州……
日本における営業所不明
商業登記簿上の日本における営業所
　　　東京都○○区○○町○丁目○番○号
日本における代表者の住所不明
居所
〒□□□-□□□□　東京都□□区□□町○丁目○番○号
　　　　債　務　者　　　　○○カンパニー
　　　　日本における代表者　○　○　○　○

2　債務者の現住所等が債務名義上の表示と異なる場合

(1)　自 然 人

ア　住所が異動した場合

現住所
〒□□□-□□□□　東京都○○区○○町○丁目○番○号
(債務名義上の住所
東京都□□区□□町○丁目○番○号)
債　務　者　○　○　○　○

イ　住居所が不明であったが、申立ての時には現住所が判明している場合

(債務名義上の住所等
住居所不明
最後の住所　東京都○○区○○町○丁目○番○号)
現住所
〒□□□-□□□□　東京都□□区□□町○丁目○番○号
債　務　者　○　○　○　○

ウ　住所が外国にあったが、申立ての時には転入している場合

(債務名義上の住所等
アメリカ合衆国ニューヨーク州……
居所　東京都○○区○○町○丁目○番○号)
現住所
〒□□□-□□□□　東京都□□区□□町○丁目○番○号
債　務　者　○　○　○　○

エ　住所が外国にあり、日本における居所及び最後の住所が不明であったが、申立ての時には日本に転入してきて現住所が判明している場合

(債務名義上の住所等
アメリカ合衆国ニューヨーク州……
居所及び最後の住所不明)
現住所
〒□□□-□□□□　東京都○○区○○町○丁目○番○号

債　務　者　○　○　○　○

(2)　法　　人

ア　所在地が移転した場合

(債務名義上の住所
　　東京都○○区○○町○丁目○番○号)
現住所
〒□□□-□□□□　東京都□□区□□町○丁目○番○号
　　　　債　務　者　　　○○株式会社
　　　　代表者代表取締役　○　○　○　○

イ　法人の実質上の所在地及び主たる業務担当者（代表者）の住所が不明であったが、申立ての時には法人の現住所が判明している場合

(債務名義上の住所等
　住所不明
　商業登記簿上の住所　東京都○○区○○町○丁目○番○号
　主たる業務担当者の住所不明
　居所　千葉県○○市○○町○丁目○番○号)
現住所
〒□□□-□□□□　東京都□□区□□町○丁目○番○号
　　　　債　務　者　　　○○株式会社
　　　　代表者代表取締役　○　○　○　○

ウ　法人の実質上の所在地及び主たる業務担当者（代表者）の住所が不明であったが、申立ての時には主たる業務担当者（代表者）の現住所が判明している場合

(債務名義上の住所等
　住所不明
　商業登記簿上の住所　東京都○○区○○町○丁目○番○号
　主たる業務担当者の住所不明
　居所　千葉県○○市○○町○丁目○番○号)
主たる業務担当者の現住所

〒□□□-□□□□　東京都□□区□□町○丁目○番○号
　　債　務　者　　　　○○株式会社
　　代表者代表取締役　○　○　○　○

(3)　外国の法人

ア　日本における営業所が移転した場合

（債務名義上の住所等
　　アメリカ合衆国ニューヨーク州……
　　日本における営業所
　　　東京都○○区○○町○丁目○番○号）
日本における現営業所
〒□□□-□□□□　東京都□□区□□町○丁目○番○号
　　債　務　者　　　　○○カンパニー
　　日本における代表者　○　○　○　○

イ　日本における営業所及び日本における代表者の住所が不明であったが、申立ての時には日本における営業所が判明している場合

（債務名義上の住所等
　　アメリカ合衆国ニューヨーク州……
　　日本における営業所不明
　　商業登記簿上の日本における営業所
　　　東京都○○区○○町○丁目○番○号
　　日本における代表者の住所不明
　　居所　東京都○○区○○町○丁目○番○号）
日本における現営業所
〒□□□-□□□□　東京都□□区□□町○丁目○番○号
　　債　務　者　　　　○○カンパニー
　　日本における代表者　○　○　○　○

ウ　日本における営業所及び日本における代表者の住居所が不明であったが、申立ての時には日本における代表者の住所が判明している場合

（債務名義上の住所等

アメリカ合衆国ニューヨーク州……
日本における営業所不明
商業登記簿上の日本における営業所
東京都○○区○○町○丁目○番○号
日本における代表者の住居所不明
最後の住所　東京都○○区○○町○丁目○番○号）
日本における代表者の現住所
〒□□□-□□□□　東京都□□区□□町○丁目○番○号
債　務　者　○○カンパニー
日本における代表者　○　○　○　○

3　差押債権の特定との関係で旧住所の記載が必要な場合
(1)　供託金払渡請求権の差押命令の場合

〒□□□-□□□□　東京都○○区○○町○丁目○番○号
供託書上の住所　千葉県○○市○○町○丁目○番○号
債　務　者　○　○　○　○

(2)　不渡異議申立預託金返還請求権の差押命令の場合

〒□□□-□□□□　東京都○○区○○町○丁目○番○号
手形上の住所　千葉県○○市○○町○丁目○番○号
債　務　者　○　○　○　○

(3)　抵当権付債権の差押命令の場合

〒□□□-□□□□　東京都○○区○○町○丁目○番○号
不動産登記記録上の住所　千葉県○○市○○町○丁目○番○号
債　務　者　○　○　○　○

【第三債務者の記載例】
1　基 本 例

〒□□□-□□□□　東京都○○区○○町○丁目○番○号
　　　　第三債務者　　　　株式会社○○
　　　　代表者代表取締役　○　○　○　○

2　差押債権が国家公務員の職務上の収入の場合

(1)　国会議員及び国会職員の場合

　第三債務者　　国
　代表者　　　　官署支出官　衆（参）議院庶務部長　○　○　○　○
送達先
　〒100-0014　東京都千代田区永田町一丁目7番1号

(2)　各省庁職員の場合

　第三債務者　　国
　代表者　　　　○○省資金前渡官吏　○　○　○　○
送達先
　〒□□□-□□□□　東京都千代田区霞が関○丁目○番○号

※　代表者は「○○省支出官」又は「○○省資金前渡官吏」とし、省庁の所在地を送達先とする。

(3)　税務署職員の場合

　第三債務者　　国
　代表者　　　　東京国税局資金前渡官吏
　　　　　　　　会計課長　○　○　○　○
送達先
　〒104-8449　東京都中央区築地五丁目3番1号
　　　　　　　東京国税局会計課

※　税務署職員の給料について、東京では各税務署を管轄する地方国税局（東京国税局）が一括して取り扱う。

⑷　自衛隊員の場合

第三債務者　　国
代表者　　　　（分任）資金前渡官吏
　　　　　　　陸上自衛隊○○駐屯地第○会計隊長
　　　　　　　○　○　○　○
送達先
〒□□□-□□□□　○○県○○市○○町○番○号

※　部隊によって「分任」の記載が不要な場合があるので、申立てに当たり調査・確認すること。

⑸　裁判所職員の場合

第三債務者　　国
代表者　　　　支出官　○○地方裁判所長　○　○　○　○
送達先
〒□□□-□□□□　○○県○○市○○町○丁目○番○号

※　代表者は、最高裁判所の場合は最高裁判所事務総局経理局長、高等裁判所の場合は高等裁判所事務局長、地方裁判所及び簡易裁判所の場合は地方裁判所長、家庭裁判所の場合は家庭裁判所長とする。

3　差押債権が地方公務員の職務上の収入の場合

⑴　地方議会議員、地方公務員、公立学校職員等の場合

〒163-8001　東京都新宿区西新宿二丁目８番１号
第三債務者　　東京都
代表者　　　　知事　○　○　○　○
送達先
〒163-8001　東京都新宿区西新宿二丁目８番１号

※　市区町村から給与等を受けている場合は、代表者を当該市区町村長とする。

(2) 水道局、下水道局、交通局職員等公営企業体の職員の場合

〒163-8001　東京都新宿区西新宿二丁目８番１号
第三債務者　　東京都
代表者　　　　地方公営企業管理者
　　　　　　　東京都○○局長　○　○　○　○
送達先
〒163-8001　東京都新宿区西新宿二丁目８番１号

4　差押債権が裁判所の保管金の場合

第三債務者　　国
代表者　　　　○○地方裁判所（○○簡易裁判所）
　　　　　　　歳入歳出外現金出納官吏　○　○　○　○
送達先
〒□□□-□□□□　○○県○○市○○町○丁目○番○号

※　これに当たるものとしては、保釈保証金返還請求権、買受申出保証金返還請求権、配当金交付請求権、剰余金交付請求権等がある。

5　差押債権が供託金払渡請求権等の場合

第三債務者　　国
代表者　　　　東京法務局供託官　○　○　○　○
送達先
〒102-8225　東京都千代田区九段南一丁目１番15号九段第二合同庁舎
　　　　　　東京法務局民事行政部供託課

※　代表者は申立て時の供託官とし、法務局所在地を送達先とする。

6　差押債権が社会保険診療報酬の場合

〒105-0004　東京都港区新橋二丁目１番３号

第三債務者　　社会保険診療報酬支払基金
代表者理事長　○　○　○　○
送達先
〒231-8346　横浜市中区山下町34
社会保険診療報酬支払基金
事業統括部資金課債権管理係

※　社会保険診療報酬支払基金法1条、9条1項参照。
※　送達先は、社会保険診療報酬支払基金本部において診療報酬等に係る債権差押命令の受付業務を行う上記担当部署とする。

7　差押債権が国民健康保険診療報酬の場合

〒102-0072　東京都千代田区飯田橋三丁目5番1号
第三債務者　　東京都国民健康保険団体連合会
代表者理事長　○　○　○　○

※　第三債務者は、都道府県の国民健康保険団体連合会となる。

8　差押債権が銀行預金又は預託金返還請求権の場合

〒□□□-□□□□　東京都○○区○○町○丁目○番○号
第三債務者　　株式会社○○銀行
代表者代表取締役　○　○　○　○
送達先
〒□□□-□□□□　東京都○○区○○町○丁目○番○号
株式会社○○銀行○○支店

9　差押債権が会社員の給料の場合

〒□□□-□□□□　千葉県○○市○○町○丁目○番○号
第三債務者　　○○株式会社

代表者代表取締役　　○　○　○　○

※　債務者の具体的な勤務先として支店や営業所等が判明している場合には、差押債権目録にその旨を記載する（〔Q13〕【書式1－1】参照）。

10　差押債権が個人事業主の従業員の給料の場合

〒□□□-□□□□　東京都○○区○○町○丁目○番○号 第三債務者　　○　○　○　○

※　通称を使用している場合は「甲野商店こと甲野太郎」等と記載する。

【別表１】主要執行費用一覧表

※　根拠規定は、民訴費法である。単に「○号」とあるのは、同法２条の号数を示す。「規則」とあるのは、民訴費規則をいう。

1　執行準備費用

行　為　等	費用項目	費用及び根拠規定	費用の額
和解、認諾及び調停調書正本の送達申請	手数料 正本の送達費用	×（不要） ２号	 2178円
判決、和解、認諾及び調停調書並びにこれらの更正決定の正本の送達証明申請	手数料 証明書の受領費用	７号、７条、別表第二の３項 ７号、規則２条の３	 150円 168円
判決、和解、認諾及び調停調書の執行文の付与申立て	手数料 執行文の受領費用 事実の到来又は承継の事実を証する書類の交付を受けるために要する費用 債務者に対する通知費用（数通又は再度付与の場合）	12号、７条、別表第二の４項 12号、規則２条の４ ７号、規則２条の３ ２号	１通につき 300円 603円 168円 手数料（官庁等から交付を受けるための費用） 84円 （債務者１名の場合）
判決、和解、認諾及び調停調書の執行文及び証明書謄本の送達申請（事実到来執行文・承継執行文の場合）	手数料 執行文等の送達費用	×（不要） ２号	 1089円 （債務者１名の場合）

執行文及び証明書謄本の送達証明申請（事実到来執行文・承継執行文の場合）	手数料	7号、7条、別表第二の3項	150円
	証明書の受領費用	7号、規則2条の3	168円
判決の確定証明申請	手数料	7号、7条、別表第二の3項	150円
	証明書の受領費用	7号、規則2条の3	168円
執行証書正本又は謄本の交付申請	正本、謄本の作成手数料	12号	1枚につき250円（公証人手数料令）
	正本、謄本の受領費用	12号、規則2条の4	603円
執行証書正本又は謄本の送達申請	正本、謄本の送達手数料及び費用	3号、13号	手数料1400円（公証人手数料令） 費用はかかった切手代（要領収書）
執行証書正本又は謄本の送達証明申請	証明手数料	7号	250円（公証人手数料令）
	証明書の受領費用	7号、規則2条の3	168円
執行証書の執行文付与申立て（事実到来執行文・承継執行文の場合）	執行文付与手数料	12号	1700円（条件、承継は1700円加算）（公証人手数料令）
	執行文の受領費用	12号、規則2条の4	603円
	事実の到来又は承継の事実を証する書類の交付を受けるために要する費用	14号、規則2条の3	168円 手数料（官庁等から交付を受けるための費用）

	債務者に対する通知費用（数通又は再度付与の場合）	2号	84円（債務者1名の場合）
執行文及び証明書謄本の交付申請（事実到来執行文・承継執行文の場合）	執行文等の作成手数料 証明書の受領費用	12号 7号、規則2条の3	1枚につき250円（公証人手数料令） 168円
執行証書の執行文及び証明書謄本の送達申請（事実到来執行文・承継執行文の場合）	執行文等の送達手数料及び費用	13号	手数料1400円（公証人手数料令） 費用はかかった切手代（要領収書）
執行証書の執行文及び証明書謄本の送達証明申請（事実到来執行文・承継執行文の場合）	証明手数料 証明書の受領費用	7号 7号、規則2条の3	250円（公証人手数料令） 168円

2　執行実施費用

行　為　等	費用項目	費用及び根拠規定	費用の額
差押命令の申立て（法143条、167条）	手数料 申立書の作成及び提出費用	1号、3条、別表第一の11項イ 6号、規則別表第二の3項	4000円 1000円
担保権の実行等の申立て（法193条）	手数料 申立書の作成及び提出費用	1号、3条、別表第一の11項イ 6号、規則別表第二の3項	4000円 1000円
資格証明書、戸籍謄抄本、住民票等交付申請	交付手数料	7号	法務局での資格証明書交付手数料は、法務局で証明する事項そのものから記載

			する代表者事項証明書、履歴事項全部証明書、商業登記事項証明書などは原則600円の手数料がかかる（オンライン請求をして送付されたときは、500円）。履歴事項全部証明書や商業登記事項証明書などは枚数が50枚を超えると50枚ごとに100円の手数料が加算される。これらの手数料は全国的に統一されているので、債権者の証明（領収書の提出）は不要。これに対し、区役所の住民票手数料はほぼ同額の手数料を徴収しているようだが、各地方自治体により異なり得るので、領収書の提出が必要。
	証明書等の受領費用	7号、規則2条の3	168円
代理人選任の許可の申立て（法13条）	手数料	1号、3条、別表第一の17項ロ	500円

差押命令送達等（法145条３項、規134条）	差押命令正本送達費用及び送達通知の送付費用	２号	2941円（陳述催告の申立てがある場合） 債務者送達費用の1099円、第三債務者送達費用1145円、陳述催告に基づく陳述書返送費用（裁判所宛て）519円、債権者への差押命令正本送付費用94円、送達通知送付費用84円が含まれる。 2376円（陳述催告の申立てがない場合） 債務者送達費用1099円、第三債務者送達費用1099円、債権者への差押命令正本送付費用94円、送達通知送付費用84円が含まれる。 （東京地裁民事執行センターの取扱い）
仮差押決定正本の第三債務者への送達証明申請	手数料 証明書の受領費用	７号、７条、別表第二の３項 ７号、規則２条の３	150円 168円

【別表２】予納郵便切手及び目録必要部数一覧表（債権・その他財産権執行）

申立ての種類	予納郵便切手										備考	目録部数（申立書別紙以外）		
	500円	100円	84円	20円	10円	５円	２円	１円	合計	うち申立書に執行費用として計上できる額		当事者	請求	差押え
① 債権・その他財産権差押命令	５枚	４枚	５枚	５枚	５枚	３枚	５枚		3,495円	陳述催告あるとき2,941円、ないとき2,376円		１部	１部	１部
債務者が１名増すごとの加算基準	２枚	１枚	１枚	２枚	１枚	１枚			1,239円	1,099円増加		—	—	—
第三債務者が１名増すごとの加算基準（陳述催告あり）	３枚	２枚	２枚	２枚	２枚	２枚	２枚		1,942円	1,664円増加	第三債務者は、送達先ごとに１名として計算する。	—	—	—
第三債務者が１名増すごとの加算基準（陳述催告なし）	２枚	２枚		２枚	１枚	１枚			1,255円	1,099円増加	同上	—	—	—
② 債権転付命令（差押命令発令後に申し立てる場合）	４枚		３枚	６枚	３枚	５枚		３枚	2,430円		当事者１名増すごとに上記債務者１名増すごとの加算基準を適用する。	—	—	—
③ 売却命令 譲渡命令	８枚	10枚	10枚	10枚	10枚	20枚			6,240円			１部	—	１部
④ 執行異議	８枚		４枚	４枚	４枚	６枚	３枚	８枚	4,500円	※収入印紙500円（申立手数料）	当事者（債権者、債務者）１名増すごとに500円×４枚、84円×２枚、50円×２枚、20円×３枚、10円×５枚、５円×３枚、１円×７枚、合計2,400円を追加			
⑤ 執行抗告										※収入印紙1,000円（申立手数料）				

（注）重量超過や速達等利用の場合には、切手の追納が必要となることがある。また郵便料金の変動に伴う変更がある。

Q 10 執行文の要否

強制執行として債権差押命令の申立てをする際に債務名義に執行文の付与を要しないのは、どのような場合か。

1 執行文の必要性（原則）

強制執行は、原則として執行文が付与された債務名義の正本に基づいて実施される（法25条本文）。法は、債務名義作成機関と執行機関とを分離し、執行証書以外の債務名義については事件の記録の存する裁判所の裁判所書記官が、執行証書についてはその原本を保存する公証人が執行力の有無を審査し（法26条１項）、これが存在する場合には執行文を付与する旨を債務名義の正本の末尾に付記する方法により行い（同条２項）、執行機関は、執行文が付された債務名義の正本に基づく強制執行の申立てがあった場合には、その債務名義につき執行力があるか否かについて実質的に判断することなく、形式的かつ画一的に判断をして執行を実施することになる。

2 執行文を要しない債務名義（例外）

債務名義の全てに執行文が必要となるわけではない。債務名義自体に通常以上に執行の簡易迅速性が求められる場合、債務名義に表示された債権が通常以上の要保護性を有する場合、又は法文で執行力が存在する旨規定する場合には、執行文の付与を要しないと解される。債権執行との関係では、具体的には、①仮執行宣言付支払督促（法25条ただし書）、②少額訴訟における確定判決又は仮執行宣言付判決（同条ただし書）、③金銭の支払を命ずる旨の家事審判（家事75条）、④家事法別表第二に掲げる事項に関する調停調書（家事268条１項）、⑤金銭の仮払いを命ずる仮処分命令（民保52条２項）が、その代表例である。ただし、事実到来執行文（いわゆる条件成就執行文）及び承継執行文（法27条１項、２項）については、性質上、その原因たる事実の有無を執行機関に直接判断させるのは適当でないから、その付与が必要である。

⑴ 仮執行宣言付支払督促

仮執行宣言付支払督促（民訴387条、391条、法22条4号）は、督促手続自体が簡易迅速な権利実現を目的として、民訴法382条所定の請求権に限り認められた制度であり、債務名義自体が、執行力の存在を明らかにしているため、債務名義の成立後は、速やかに強制執行を実施することができるよう、支払督促正本に対し執行文の付与を要しない（法25条ただし書）。

なお、条件付きの支払督促が発せられることはないので、事実到来（条件成就）執行文（法27条1項）が付与される余地はない。

仮執行宣言付支払督促に対する督促異議事件において、仮執行宣言付支払督促を認可する旨の判決は、仮執行宣言付支払督促の効力を維持する旨の宣言であり、債務名義となるのは仮執行宣言付支払督促正本であるから、執行文は不要である。しかし、一部認可判決がされた場合には、仮執行宣言付支払督促の執行力の範囲が変更されているから、執行力の範囲を明確にするために執行文の付与が必要であると解される。この場合、仮執行宣言付支払督促正本と認可判決正本とを合綴したものに執行文を付与することになる。

⑵ 少額訴訟判決

少額訴訟は、訴額が60万円以下の金銭支払請求を目的とする訴えに限定し（民訴368条1項）、原則として、1回の口頭弁論期日で審理を完了し（民訴370条1項）、口頭弁論終結後直ちに判決の言渡しをし（民訴374条1項）、さらに、認容判決には職権で仮執行宣言を付する（民訴376条1項）等、審理手続を簡易化して、簡易迅速な権利実現を目的として設けられた制度であるため、債務名義の成立後は、速やかに強制執行が実施できるよう、判決正本に執行文の付与を要しない（法25条ただし書）。

少額訴訟の終局判決に対する異議（民訴378条1項）があった場合の異議に対する認可判決又は一部認可判決（民訴379条2項、362条）の取扱いについては、仮執行宣言付支払督促に対する督促異議事件における認可判決又は一部認可判決について述べたところ（前記⑴）と同様である。

⑶ 執行力のある債務名義と同一の効力を有するもの

法令により、執行力のある債務名義と同一の効力を有する旨規定されている裁判等については、その裁判等の正本自体が執行力を有しているから、執行文の付与を受けることなく強制執行の申立てをすることができる。

ア ①金銭の支払、物の引渡し、登記義務の履行その他の給付を命ずる家事審判（家事75条）、②家事法別表第二に掲げる事項に関する調停調書（家事268条１項、39条、75条）

㈠ 原　　則

これらについては、家事法の規定の「執行力のある債務名義と同一の効力」との文言から直ちに執行文を不要と解すべき実質的な理由はないとして、執行文を要するとする見解がある（中野＝下村「民事執行法」266頁）が、通説は、特に家事法268条１項が「確定判決と同一の効力」と「確定した審判と同一の効力」とを使い分けていることにも鑑み、形式的文言に従い、執行文の付与を要しないと解しており、実務の取扱いも同様である。実質的にみても、これらの債務名義に表示された債権は、一般的に、その性質上、要保護性が高く、簡易迅速な権利実現が求められるといって差し支えないであろう。家事審判に対する抗告において、抗告審が自判した結果、金銭の支払等を命ずる旨の審判に代わる決定（家事91条２項）がされた場合についても、やはり執行文は不要であると解される。

なお、金銭の支払等を命ずる調停に代わる審判（家事284条１項、３項）のうち、家事法別表第二に掲げる事項についてされたものは、確定した審判と同一の効力を有するため（家事287条）、執行文は不要であるが、その余は、確定判決と同一の効力しか有しないため（同条）、強制執行の申立てには執行文の付与を要する（後記㈡）。

㈡ 家事法別表第二に掲げる事項に関する合意と併せて、これに属しない事項（一般調停事項）について金銭その他の給付に関する合意が成立した場合の調停調書

例えば、離婚に伴う子の養育費の支払と離婚に伴う慰謝料の支払に関して成立した家事調停調書の場合、子の養育費の支払は家事法別表第二に掲

げる事項であるが、慰謝料の支払は家事法別表第二に掲げる事項に該当しない。したがって、子の養育費の支払に関する条項については、執行文の付与を要せず、慰謝料の支払に関する条項については執行文の付与が必要となる。しかし、家事法別表第二に掲げる事項に関する給付とそれ以外に関する給付をまとめた給付条項の場合、例えば、子の養育費と慰謝料を合計した額のみを定め、これを一括払いする旨の条項の場合、執行文の付与を要する範囲を確定することができないから、結局、全部について執行文の付与を要すると解するほかない。また、同一の調書のうち家事法別表第二に掲げる事項に関する条項とそれ以外に関する条項とが別個独立に存在している場合であっても、後者についてのみ執行文を付与すると、前者については強制執行を許さないとの誤解を生ずるおそれがあるため、実務においては、全体について執行文を付与する取扱いが一般的である。

(ウ)　審判前の保全処分

審判前の保全処分の執行及び効力は、民保法等の法令の規定に従う（家事109条３項）。したがって、婚姻費用、扶養料等の給付（仮払い）を命ずる仮処分の執行については、仮処分命令が債務名義とみなされ（民保52条２項）、執行文の付与を要しない（民保43条１項本文）。

イ　仮処分命令（民保52条２項）

物の給付などを命ずる仮処分の執行については、仮処分命令が債務名義とみなされ（民保52条２項）、仮処分における迅速性、密行性等の要請に鑑み、執行文は不要である（民保43条１項本文）。債権執行に関係するものとしては、賃金の仮払いを命ずる仮処分等がある。

仮処分命令に対する保全異議（民保26条）があった場合の異議に対する認可決定又は一部認可決定（民保32条１項）の取扱いについては、仮執行宣言付支払督促に対する督促異議事件における認可判決又は一部認可判決について述べたところ（前記(1)）と同様である。

ウ　罰金、科料、没収、追徴、過料、没取、控訴濫用に対する制裁、刑事訴訟法上の訴訟費用、費用賠償又は仮納付の裁判についての検察官の執行命令（刑訴490条１項、133条、348条、民訴189条１項、303条１項、５項、非訟121条１項）

エ　過料の決定、裁判についての裁判官の執行命令（民調36条、法廷等の秩序維持に関する法律７条４項、家事291条１項）

検察官、裁判官のこれらの執行命令は、執行力のある債務名義と同一の効力を有するものとされるから、執行文は不要である。

オ　受託者に対する金銭支払命令（船舶の所有者等の責任の制限に関する法律22条３項、船舶油濁等損害賠償保障38条）

カ　国庫の立替費用の取立決定（民訴費15条）、訴訟救助の猶予費用の支払命令又は取立決定（民訴費16条、17条）

キ　審判に関する費用の額についての確定決定（特許170条、実用新案41条、意匠52条、商標56条１項）

これらの裁判は、いずれも執行力のある債務名義と同一の効力を有するものとされるから、執行文は不要である。

〈参考文献〉

深沢利一「民事執行の実務(下)」282頁、注解民事執行法(1)437頁、440頁〔丹野達〕、注釈民事執行法(2)73頁、84頁〔大橋寛明〕、注釈民事執行法(2)115頁、123頁〔近藤崇晴〕、田中康久「新民事執行法の解説」66頁、矢尾和子「債務名義」現代裁判法大系(15)１頁、近藤敬夫「執行文の役割・執行文をめぐる訴え」裁判実務大系(7)26頁、齋藤＝飯塚「民事執行」40頁

Q 11 引換給付義務履行等の証明

債務名義が引換給付である場合に、債権者の引換給付に係る反対債務の履行又はその提供は、どのように証明すればよいか。

1 引換給付と強制執行

債務名義上、請求権の内容が「被告は、原告に対し、別紙物件目録記載の建物について売買を原因とする所有権移転登記手続を受けるのと引換えに、○○○万円を支払え。」とされている場合のように、債務者の給付が債権者の反対給付と引換えにすべきものである場合の強制執行は、債権者が反対給付又はその提供があったことを証明したときに限り開始することができる（法31条1項）。

債権者による反対給付又はその提供のあったことを執行文付与の要件とすると実質的には引換給付ではなく、債権者に先給付を強いる形になってしまうため、法は、反対給付の履行又はその提供の証明を、執行文付与の要件ではなく、執行開始要件としたものである。

債務名義に反対給付の履行をする旨が記載されているにもかかわらず、執行開始要件が履行完了ではなく履行の提供でも足りるとされているのは、反対給付が所有権移転登記手続の場合等、そもそも債務者の協力がなければ履行を完了できない場合もあり、また、履行の提供により、債務者は反対給付について受領遅滞に陥り、自己の債務の履行拒絶権を喪失しているということができるからである。

2 反対給付又はその提供の証明方法

⑴ 概　　論

法は、反対給付又はその提供の証明方法を限定していないから、どのような方法によっても差し支えないが、実際には、迅速性と簡便性の観点から文書による証明がされることになる。文書は、私文書でも公文書でもよい。証明方法として、執行裁判所が関係者を審尋することもできるが（法5条）、差押命令が債務者及び第三債務者を審尋しないで発令するものとされている（法145条２項）という債権執行手続の特殊性から、審尋することのできる関係者が限られるため、結局は、審尋のみでは十分な心証がとれない場合が多く、文書による証明を要する場合がほとんどであろう。

⑵　反対給付があることの証明

債務者が反対給付を受領している場合には、債務者という最も利害関係の対立する者が関与しているのであるから、その証明は、反対給付の受領の際に債務者が作成した領収書又は受領書によりすることができ、これで十分である。また、弁済供託（民494条１項）により弁済と同様の効果が発生している場合には、債権者の供託に基づき法務局が作成した供託書正本により証明することができる。

⑶　反対給付の提供があることの証明

反対給付の提供は、債権者自身の一方的な行為であるため、その証明を債権者自身の報告書等でしても、証明力は低いといわざるを得ない。したがって、証明のために反対給付の提供に第三者を関与させる必要がある。そして、その第三者は、証明力をもたせるためには、債権者の親族、友人、従業員等では足りず、公平中立な立場の者でなくてはならない。

第三者の典型例は、公証人であり、その作成による事実実験公正証書（公証人35条）を提出して証明することになる。具体的な公正証書作成の手順は、①債権者において履行の提供の申出を記載した内容証明郵便を配達証明付きで相手方に送付する、②郵便局の内容証明の付記印の押された差出人の控え及び配達証明書を公証人に提示し、公証人の確認を得る、③公証人は、公正証書にこれを確認した旨を記載し、提示された書面の写しを公正証書に添付する、④公証人は、指定日時に、指定場所へ赴き、履行の準備ができている事実を確認し、その結果を公正証書に記載するといったものになる。

もっとも、債権執行は、執行目的となる債権の価額が比較的少額のことも多いため、公証人作成の事実実験公正証書によっていては、費用と効果が経済的に見合わないことも考えられる。そこで、例えば、反対給付が物の引渡しの場合には、大手運送会社のように債権者の依頼により内容虚偽の文書を作成する可能性が低いと認められる者に、配達に行ったが受領を拒絶された旨の文書を作成してもらい、これを提出することも考えられる。

〈参考文献〉

深沢利一「民事執行の実務㈦」490頁、民事執行の実務－不動産㈦〔Q16〕

Q 12 請求債権の表示

請求債権の表示について注意することは何か。また、利息及び損害金の終期及び計算方法はどのようになるか。

1 請求債権の表示の意義等

法及び規則には、債権差押命令に請求債権を表示すべきことを明示する規定はない。しかし、債権差押命令の申立書には「金銭の支払を命ずる債務名義に係る請求権の一部について強制執行を求めるときは、その旨及びその範囲」等を記載すべきとされている（規133条1項、21条4号、170条1項4号）ことにも現れているように、申立債権者がどの債権のどの範囲に基づいて差押えをしようとしているのかを示し、債務者に執行の原因である債権関係を確知させ、不服申立ての手掛かりを与えるために、債権差押命令には請求債権を特定してこれを記載するのが適当である。

実務上は、請求債権の表示は、申立書の別紙「請求債権目録」として作成されたものを、同様に作成された「当事者目録」及び「差押債権目録」とともに、債権差押命令の別紙として引用するのが通例である。担保権実行事件（担保権の実行又はその行使）においては、強制執行事件における請求債権目録に当たるものとして、「担保権、被担保債権、請求債権目録」が作成される。基本的な「請求債権目録」等は、**【記載例1】**及び**【記載例2】**のとおりである。

【記載例1】債務名義（和解調書正本）に基づく強制執行の場合

請求債権目録

東京地方裁判所令和○○年(ワ)第○号事件の執行力ある和解調書正本に表

示された下記金員及び執行費用

記

1　元金　　　　金1,200,000円
　ただし、和解条項1項に記載された金員

2　損害金　　　　金　60,000円
　ただし、上記のうち金1,000,000円に対する令和○○年4月1日から令和○○年3月31日まで年3％の割合による損害金

3　執行費用　　金　　8,541円

(内訳)	本申立手数料	金4,000円
	差押命令正本送達費用	金2,941円
	資格証明書交付手数料	金　600円
	本申立書作成及び提出費用	金1,000円

合　　計　　金1,268,541円

なお、債務者は令和○○年2月28日及び同年3月31日に支払うべき分割金の支払を怠り、かつ、その額が金10万円に達したので、同日の経過により期限の利益を喪失した。

2　標　　題

強制執行事件の場合には、標題は「請求債権目録」と記載する。担保権実行事件の場合には、請求債権のほかに担保権と被担保債権を併せて記載するので（規179条1項、170条1項2号)、標題は「担保権・被担保債権・請求債権目録」と記載する。

当事者が複数の場合又は複数の債務名義による申立ての場合には、請求債権目録は、債権者ごと、債務者ごと又は債務名義ごとに区別して記載する。このとき、当事者が複数の場合には、標題の下に、例えば「(債務者○○分)」などと記載する。

また、請求債権目録が複数にわたる場合には、請求債権目録ごとに、標題に「請求債権目録1」、「請求債権目録2」などと番号も記載する。

【記載例２】担保権（根抵当権）に基づく物上代位の場合

担保権・被担保債権・請求債権目録

1　担保権
　別紙物件目録記載の建物について
　⑴　令和〇〇年〇月〇日設定、令和〇〇年〇月〇日移転の根抵当権
　　　極度額　金15,000,000円
　　　債権の範囲　銀行取引、手形債権、小切手債権
　⑵　登記　東京法務局〇〇出張所
　　　主登記　　令和〇〇年〇月〇日受付第〇〇号
　　　付記登記　令和〇〇年〇月〇日受付第〇〇号

2　被担保債権
　⑴　元金　　　金10,000,000円
　　ただし、令和〇〇年〇月〇日付け金銭消費貸借契約に基づく貸金1,500万円の残元金（最終弁済期　令和〇〇年〇月〇日）
　⑵　損害金　　金　1,000,000円
　　ただし、上記⑴に対する令和〇〇年〇月〇日から同年〇月〇日まで年14.6％の割合による損害金（年365日の日割計算）

3　執行費用　　金17,597円

（内訳）		
	本申立手数料	金4,000円
	資格証明書交付手数料	金2,400円
	差押命令正本送達費用	金9,597円
	本申立書作成及び提出費用	金1,000円
	不動産登記事項証明書交付手数料	金　600円

4　請求債権
　上記２⑴及び⑵並びに３の合計金11,017,597円

3　請求債権の表示

請求債権は、債権者の債務者に対する他の債権と識別することができる程度に特定して記載する。

⑴ 債務名義の表示

強制執行事件の場合には、執行力のある債務名義を、債務名義作成機関名、事件番号（公正証書番号）、債務名義の種類（法22条各号参照）によって特定する。

事件名の記載は不要である。債務名義の種類については、確定判決か仮執行宣言付判決かの区別までは不要である。判決書に代わる調書の場合には、「第○回口頭弁論調書（判決）」とするなど、債務名義の標題に合わせる。前出の**【記載例１】**は、和解調書の場合であるが、執行証書（公正証書）の場合は**【記載例３－１】**、**【記載例３－２】**のように記載する。

少額訴訟の確定判決、仮執行宣言付きの少額訴訟判決、仮執行宣言付きの支払督促、家事審判書等の執行文の付与を要しない債務名義（法25条、家事75条等。〔**Q10**〕参照）については、「執行力ある」との記載はしない。また、執行費用を請求しない場合には、「及び執行費用」の記載は不要である。

【記載例３－１】執行証書（基本型）

「○○法務局所属公証人○○○○作成令和○○年第○○○○号債務弁済契約公正証書の執行力ある正本に表示された下記金員及び執行費用」

【記載例３－２】執行証書（連帯保証人に対する請求の場合）

「○○法務局所属公証人○○○○作成令和○○年第○○○○号債務弁済契約公正証書の執行力ある正本に表示された下記金員。
　ただし、申立外△△△△に対する貸付金○○万円についての連帯保証人である債務者に対する保証債務履行請求権」

※ただし書以降は、単に「（保証債務履行請求権）」との記載でもよい。

⑵　担保権・被担保債権・請求債権の表示

担保権実行事件の場合には、実行又は行使すべき担保権、被担保債権及び請求債権を特定して記載する。請求債権と被担保債権が一致する場合には、「被担保債権及び請求債権」としてまとめて記載すれば足りる（〔Q25〕参照）。

⑶　元金の表示

ア　請求元金の特定（基本形）

強制執行事件の場合には、請求債権の内容は債務名義に表示されているから、原則として、債権の種類、発生原因等を記載する必要はなく、金額のみ記載すれば足りる。例えば、判決主文で「金120万円及び内金100万円に対する令和○○年○月○日から支払済みまで年３分の割合による金員」のように、給付判決の主文中の確定金額が元金（100万円）、確定利息及び損害金（20万円）を含んだ合計額で表示されていて、判決理由中に債権の性質の記載がある場合でも、合計額である120万円を請求元金として記載すれば足りる。

ただし、配当表（法166条２項、85条）ないし弁済金交付計算書（法166条２項、84条２項参照）には、元本と利息その他の附帯の債権の額とが分けて記載されることとなるから（配当表につき法85条１項本文、６項。弁済金交付計算書の記載事項については別段の規定がないが、実務上、配当表に準じて作成されている。）、配当等手続における充当関係を明らかにするためには、別項に分けて記載する方が望ましい。

これに対し、担保権実行事件の場合には、債権の種類及び請求原因を記載して特定する。

イ　給付条項が複数ある場合

債務名義に給付条項が複数ある場合には、どの給付条項に基づいて執行するのかを明らかにするため、金額の下にただし書として、例えば「ただし、和解条項○項記載の金員」と記載する。

ウ　債務名義が執行証書の場合

債務名義が執行証書（公正証書）の場合には、その作成に債務者が直接立ち会っていないときもあり、債務名義の表示のみでは債務者が執行債権を確知するのに十分でないことがあるから、実務上は、**【記載例４】**のように債権の種類及び発生原因を記載する取扱いである。

【記載例４】

> 「元金　金○○円
> 　ただし、令和○○年○月○日付け金銭消費貸借契約に基づく貸付金」

エ　一部請求の場合

債務名義に表示された請求債権又は被担保債権の一部を請求債権とする場合には、一部請求である旨及びその範囲を記載する（規133条２項、21条４号、170条１項４号）。また、残金か内金かの区別も明確にする（**【記載例５】**参照）。担保権実行事件において、被担保債権の一部を請求債権とするときは、**【記載例６】**のとおり、「担保権・被担保債権・請求債権目録」に「２　被担保債権」と「３　請求債権」を分けて表示した上、一部請求であることを明示する（〔Q25〕参照）。

【記載例５】残金の内金請求をする場合

> 「元金　金250,000円
> 　ただし、金100万円の残金50万円の内金」

【記載例６】担保権（根抵当権）の被担保債権の一部を請求債権とする場合

> 担保権・被担保債権・請求債権目録
>
> １　担保権
> 　別紙物件目録記載の建物について
> 　⑴　令和○○年○月○日設定の根抵当権

極度額　金500,000,000円
債権の範囲　銀行取引、手形債権、小切手債権
(2)　登記　東京法務局○○出張所
主登記　　令和○○年○月○日受付第○○号
2　被担保債権
金500,000,000円
ただし、令和○○年○月○日付け金銭消費貸借契約に基づく貸金（弁済期令和○○年○月○日）
3　請求債権
金100,000,000円
ただし、上記被担保債権金500,000,000円の内金

(4)　附帯請求の表示

附帯請求については、利息と損害金に分け、対象元金、期間、利率及び金額を記載する。残金又は内金請求の場合には、その旨記載する。

また、期間の終期について、第三債務者は、債権者と債務者との紛争に無関係であるにもかかわらず、取立ての都度、附帯請求に関する複雑な計算を強いられ、計算を誤ったときには二重払等の危険も負担することから、申立ての日までに限定して請求金額を確定させるのが実務の一般的な取扱いである（福岡高裁宮崎支決平8.4.19及び福岡高決平9.6.26金法1493号56頁。白井千浪「差押命令申立てにおける付帯請求の問題点」債権執行の諸問題34頁。なお、最判平21.7.14民集63巻6号1227頁は、上記のような実務の取扱いについて、「請求債権の金額を確定することによって、第三債務者自らが請求債権中の遅延損害金の金額を計算しなければ、差押債権者の取立てに応ずべき金額が分からないという事態が生ずることのないようにするための配慮として、合理性を有するものというべきである。」として是認した。）。

計算方法は、例えば年利の場合には、起算日から計算して、年に満つる期間を年利計算し、年に満たない期間は日割計算をする。「年365日の日割りによる。」旨の特約がある場合（債務名義上に記載されていることを要する。）には、年利を365で除した利率に全日数を乗じて計算する。計算の過程で円に満たない端数が出た場合には、債務者の不利にならないように、切り捨てて計算する（なお、通貨の単位及び貨幣の発行等に関する法律3条1

項によれば、円未満の端数計算は、原則として四捨五入とされているが、同条は、「債務の弁済を現金の支払により行う場合」の規律であり、債権差押命令の申立てにおける利息、損害金の算定は、債務の弁済を目的とするものではないから、同条の適用はないと解され、実務上も切捨て計算とする取扱いが多い。)。

〔例１〕 元金10万円、利率年１割８分、令和元年８月２日から令和３年７月15日（申立日）の損害金を請求する場合（基本形）

① 100,000×18/100×１＝18,000.0（令元.8.2～令2.8.1）

② 100,000×18/100×152/366＝7,475.4 （令2.8.2～令2.12.31）（閏年※）

③ 100,000×18/100×196/365＝9,665.7（令3.1.1～令3.7.15）（平年）

④ ①＋②＋③＝35,141.1→35,141

※ 年に満たない期間に閏年が含まれている場合には、閏年の部分は年366日として計算する。債務名義上、「１年に満たない期間につき年365日の日割計算による」旨の記載がある場合には、平年と閏年を分けずに年365日として計算する。

〔例２〕 年365日の日割り計算による旨の特約がある場合

100,000×18/100×714/365＝35,210.9→35,210

⑸ 督促手続費用及び仮執行宣言申立手続費用

仮執行宣言付支払督促正本に記載されている金額を記載する。

⑹ 執行費用

強制執行の費用で必要なものは債務者の負担となり、当該執行手続において債務名義を要しないで同時に取り立てることができる（法42条１項、２項)。執行費用を請求する場合には、合計額と内訳（項目及び額）を記載する。執行費用額の根拠となる規定は、民訴費法、民訴費規則、公証人手数料令、執行官の手数料及び費用に関する規則等である（〔Q９〕参照)。

なお、債権者又は債務者が複数の場合、執行費用は連帯負担とならないため、債権者又は債務者ごとに分けて請求する必要がある。例えば、請求債権が連帯債務関係にある場合、複数の債務者に共通してかかった費用(申立書作成及び提出費用、債権者や共通する第三債務者に係る資格証明書交付手数料や差押命令送達費用、送達証明書申請手数料、執行文付与申立手数料など）は、これらの者で案分して計上してもよいし、特定の債務者に全額計上してもよいが、特定の債務者に固有にかかった費用（債務者及び共通しない第三債務者に係る資格証明書交付手数料や差押命令送達費用など）は、当該債務者に計上する必要がある。また、債務名義が複数の場合（例えば、判決と訴訟費用額確定処分など）も、執行費用は債務名義ごとに分けて請求する必要がある。例えば、複数の債務名義に共通してかかった費用（申立書作成及び提出費用、差押命令送達費用など）は、債務名義ごとに案分して計上してもよいし、特定の債務名義に全額計上してもよいが、特定の債務名義に固有にかかった費用（申立手数料、送達証明書申請手数料、執行文付与申立手数料など）は、当該債務名義に係る請求として計上する必要がある。

⑺　合 計 額

元金、附帯請求、執行費用等の合計額を記載する。

⑻　取立金・配当金等の充当関係

債務名義に奥書（規則62条３項）があるが、その奥書に回収された総額の記載しかなく、その奥書によっては充当関係が明らかでない場合には、過剰な執行の防止等の観点から、その奥書に記載された総額が元金、利息、損害金及び執行費用にそれぞれどのように充当されたかを**【記載例７】**のように記載する。

なお、東京地裁民事執行センターでは、最判昭62.12.18（民集41巻８号1592頁）が、不動産競売手続における配当金が同一担保権者の有する数個の被担保債権の全てを消滅させるに足りない場合には、その配当金は平成29年民法改正法による改正前の民法489条ないし491条の規定に従って充当（法定充当）されるとした趣旨に鑑みて、請求債権の一部を取り立てたり配当等を受けたりした後、当該債務名義（奥書付き）に基づき新たな申立てをする際には、取立金・配当金等は民法488条４項、489条１項、491条の規定に従って充当されたものとして請求債権の記載を求める取扱いである。ただし、法定充当の規定に定めるところと異なる充当がされている場合であっても、債務者に有利な充当のとき（先に元本に充当されているとき）は、一部請求として認めている。

【記載例７】取り立てた場合

「債権者は、東京地方裁判所令和○○年(ル)第○○○○号事件にて、債務者につき金○○○○円を取り立て、下記の順に充当した。
1　金○○○○円　(　　　)
2　金○○○○円　(　　　)
3　金○○○○円　(　　　)」

※各（　）の中には、執行費用、損害金、元金などと、充当した金員の種類を記載する。
※なお、取立金を債権差押命令の申立日の翌日以降の損害金に充当した場合には、「ただし、元金○○○○円に対する令和○○年○月○日から令和○○年○月○日まで年○％の割合による損害金○○○○円に充当」などと記載する（請求債権中の損害金を申立日までの確定金額と記載して債権差押命令の申立てをした債権者が、当該債権差押命令に基づく差押債権の取立てとして第三債務者から金員の支払を受けた場合、申立日の翌日以降の損害金も充当の対象とすることができる（最決平29.10.10民集71巻８号1482頁））。

4　弁済期到来（期限の利益の喪失）の主張

弁済期の到来は執行開始要件である（法30条１項）から、債務名義上、請求債権に弁済期の定め（期限の利益喪失条項を含む。）がある場合は、弁済期の到来又は期限の利益の喪失を主張する。具体的には、確定期限は元金のただし書末尾に**【記載例８－１】**、**【記載例８－２】**のように記載し、期限の利益の喪失の主張は目録末尾になお書として**【記載例８－３】**のように記載する。

【記載例８－１】弁済期が到来した場合

「元金　金100万円
ただし、令和○○年○月○日付け金銭消費貸借契約に基づく貸付金（弁済期　令和○○年○月○日）」

【記載例８－２】分割払の約定があるが、最終弁済期が到来した場合

「ただし、和解条項○項記載の金員（最終弁済期　令和○○年○月○日）」

【記載例８－３】期限の利益を喪失した場合

「なお、債務者は令和○○年○月○日及び同年○月○日に支払うべき分割金の支払を怠り、かつ、その額が金○○万円に達したので、同日の経過により期限の利益を喪失した。」

※債務名義上の期限の利益喪失文言に合わせた表現で記載する。

なお、債務名義において、弁済期の定めが「毎月○日」とされている場合であって、返済方法が振込によるとされているとき、又は振込と他の返済方法とが選択的とされているときは、当事者間において、「○日」が土曜日、休日等（以下「土曜日等」という。）に当たるときには返済期日を翌営業日に繰り下げる旨の黙示の合意があったものと推認されるため、土曜日等を返済期日とする期限の利益の喪失の主張を認めない（最判平11.3.11民集53巻３号451頁参照）のが東京地裁民事執行センターの取扱いである。

〈参考文献〉

民事書記官事務の手引（執行手続―債権編）53頁、不動産競売申立ての実務と記載例321頁

Q13 差押債権の特定

差押債権の特定は、どこまで必要か。

1 差押債権の特定の必要性

債権差押命令は、債務者に対し差押債権の取立てその他の処分を禁止するとともに、第三債務者に対し差押債権の債務者への弁済を禁止することを内容とするから（法145条1項）、差押債権は、債務者及び第三債務者にとって他の債権と識別できるものでなければならない。また、執行裁判所は、債権差押命令の発令に先立ち、差押債権が差押禁止債権に当たるか否か（〔Q22〕参照）、超過差押えになるか否か（〔Q15〕参照）等を判断する必要がある。

そこで、債権差押命令の申立書には、債権執行の目的である差押債権を特定しなければならない（規133条2項）。しかも、差押えの効力は差押命令が第三債務者に送達された時点で直ちに生じ（法145条5項）、差押えの競合の有無についてもその時点が基準となる（法156条2項参照）ことに鑑みると、規則133条2項の求める差押債権の特定とは、債権差押命令の送達を受けた第三債務者において、直ちにとはいえないまでも、差押えの効力が前記送達の時点で生ずることにそぐわない事態とならない程度に速やかに、かつ、確実に、差し押さえられた債権を識別することができるものでなければならない（最決平23.9.20民集65巻6号2710頁）。

2 特定の程度

債権執行の目的である債権は、有形物と異なり、法的判断によってのみ覚知し得る観念的存在であり（中野＝下村「民事執行法」683頁）、公示制度もないから、債務者と第三債務者の契約関係と無関係である債権者にとっては、その内容を正確に把握することは困難である。したがって、債権者に差押債権の特定を過度に要求することは、債権執行の実効性確保の観点から適当でない。一方、差押債権の特定が不十分である場合には、債務者及び第三債務者が、差し押さえられた債権を認識することができず、特に、第三債務者が債務の弁済を躊躇し、債務不履行責任の危険、あるいは、二重払の危険を負担する可能性がある。仮に、債権差押命令の送達を受けた第三債務者において一定の時間と手順を経ることによって差し押さえられた債権を識別することが物理的に可能であるとしても、その識別を速やかに確実に行い得ないような方式により差押債権を表示した債権差押命令が発せられると、差押命令の第三債務者に対する送達後その識別作業が完了するまでの間、差押えの効力が生じた債権の範囲を的確に把握することができないこととなり、第三債務者はもとより、競合する差押債権者等の利害関係人の地位が不安定なものとなりかねない（前記最決平23.9.20）。

そこで、特定の程度については、これらの要請を考慮しつつ、具体的な事案に応じて個別に判断されることになる。

債権の特定は、①差押債権の種類を表示する（規133条２項参照）ほか、②発生原因、③発生年月日、④弁済期、⑤給付内容、⑥債権の金額等を表示することにより行うが、どの程度の特定を要するかは、誤認、混同等を生ずるような他の債権の存否の可能性との関連で具体的事情により相対的に判断される。⑥債権の金額は、額面額がある債権の差押えでは、債権額が債権特定の要素としては重要な場合が多いので、可能な限り特定するのが望ましい。

具体的な特定の在り方については、各**【書式】**及びその〔説明〕を参照されたい。

3　不特定による効果

差押債権が特定されていない場合には、差押命令の効力要件を欠くから、申立ては不適法として却下されることとなり、仮に、これを看過して差押命令が発令されたとしても、差押命令及びこれに基づく転付命令等は無効である（最判昭46.11.3集民104号517頁）。差押命令等が差押債権の特定を欠くとの理由で無効であることは、執行抗告の抗告理由になる。また、取立訴訟において、被告である第三債務者は抗弁として主張立証することになる。

〈参考文献〉

書式執行の実務52頁、後藤邦春「差押債権の特定」裁判実務大系(7)367頁、注解民事執行法(4)383頁〔稲葉威雄〕、深沢利一「民事執行の実務(中)」423頁、大澤知子「複数債権の包括的差押えとその限界」判タ1233号105頁、民事執行実務の論点55頁〔鈴木和孝〕

〔書式の索引〕

【書式1】給料債権等
- 【1－1】給料債権及び退職金債権（基本型）
- 【1－2】給料債権及び退職金債権（仮差押え先行型）
- 【1－3】給料債権及び退職金債権（給料支払形態不明型）
- 【1－4】役員報酬債権及び退職慰労金債権
- 【1－5】給料債権及び退職金債権（役員報酬併存型）
- 【1－6】俸給・給料債権及び退職金債権（公務員の場合）
- （注） 養育費その他の扶養義務等に係る債権については〔Q21〕参照。

【書式2】退職年金債権

【書式3】預金債権
- 【3－1】預金債権（基本型）
- 【3－2】預金債権（第三債務者が複数の場合）
- 【3－3】預金債権（口座番号を特定した申立て）
- 【3－4】預金債権（第三者からの情報取得手続で明らかになった特定の口座を差し押さえる場合）
- 【3－5】預金債権（いわゆるヴァーチャル口座の場合）
- （注） 共同相続された預金債権については〔Q17〕参照

【書式4】貯金債権
- 【4－1】貯金債権（通常郵便貯金及び民営化後に株式会社ゆうちょ銀行に預け入れられた貯金）
- 【4－2】貯金債権（定期性の郵便貯金―独立行政法人郵便貯金簡易生命保険管理・郵便局ネットワーク支援機構分）
- 【4－3】貯金債権（農業協同組合）

【書式5】休眠預金等代替金債権
- 【5－1】休眠預金等代替金債権（移管元金融機関が株式会社ゆうちょ銀行以外の場合）
- 【5－2】休眠預金等代替金債権（移管元金融機関が株式会社ゆうちょ銀行の

場合)

【書式6】賃料債権等

【6－1】賃料債権（債務名義に基づく差押え）

【6－2】賃料債権（(根）抵当権に基づく物上代位による差押え）

（注） 賃料債権（(根）抵当権に基づく物上代位による差押え）において個人を含む複数の第三債務者のある場合に係る「分割発令」については〔Q25〕参照

（注） 共有物の賃料について〔Q26〕、転貸賃料について〔Q27〕、サブリース業者が賃貸している場合について〔Q28〕参照。

【6－3】建物の管理委託契約に基づく金員支払請求権

【6－4】敷金返還請求権

【書式7】売買代金債権

【7－1】売買代金債権（単発的売買契約）

【7－2】売買代金債権（継続的売買契約）

【書式8】請負代金債権

【8－1】請負代金債権（単発的請負契約）

【8－2】請負代金債権（継続的請負契約で継続的給付債権に該当する場合）

【8－3】請負代金債権（継続的請負契約で継続的給付債権に該当しない場合）

【書式9】カード代金債権

【書式10】配当金等請求権

【10－1】担保不動産競売手続による配当金交付請求権・弁済金交付請求権

【10－2】不動産競売手続による売却代金剰余金交付請求権

【10－3】供託金還付請求権（担保不動産競売手続による配当留保供託金）

【10－4】供託金還付請求権（債権配当等手続における配当金等）

【10－5】配当金交付請求権（債権等執行手続による売得金）

【10－6】配当金交付請求権（執行裁判所で行う動産執行の配当）

【書式11】供託金還付請求権等

【11－1】供託金還付請求権（債権者不確知による供託金）

【11－2】供託金還付請求権（みなし解放金）

【11－3】供託金取戻請求権（仮差押解放金）

【11－4】供託金取戻請求権（宅建業法25条に基づく営業保証金の供託金）

【書式12】診療報酬債権等

【12－1】診療報酬債権（社会保険）

【12－2】診療報酬債権（国民健康保険）

【12－3】介護報酬債権

【12－4】調剤報酬債権

【書式13】保険金支払請求権（損害保険）

（注） 保険金支払請求権（生命保険）については〔**Q19**〕参照
【書式14】証券会社等の金融商品取引業者に対する金銭返還請求権
【14－１】預り金返還請求権
【14－２】証拠金等返還請求権
【書式15】不渡異議申立預託金
【15－１】不渡異議申立預託金返還請求権（約束手形）
【15－２】不渡異議申立預託金返還請求権（小切手）
（注）暗号資産（仮想通貨）については〔**Q82**〕参照

【書式１－１】給料債権及び退職金債権（基本型）

差押債権目録

金　　　　　円

債務者（○○支店勤務）が、第三債務者から支給される、本命令送達日以降支払期の到来する下記債権にして、頭書金額に満つるまで

記

1　給料（基本給と諸手当。ただし、通勤手当を除く。）から所得税、住民税及び社会保険料を控除した残額の４分の１（ただし、上記残額が月額44万円を超えるときは、その残額から33万円を控除した金額）
2　賞与から１と同じ税金等を控除した残額の４分の１（ただし、上記残額が44万円を超えるときは、その残額から33万円を控除した金額）
なお、１及び２により弁済しないうちに退職したときは、退職金から所得税及び住民税を控除した残額の４分の１にして、１及び２と合計して頭書金額に満つるまで

〔説明〕

1　**【書式１－１】**は、債務者の給料が月払の場合の記載例である。給料の支払形態が不明である場合の記載例は、**【書式１－３】**である。
2　債務者の具体的な勤務先として支店や営業所等の名称が判明しているのであれば、それを冒頭の債務者の次の括弧内に記載する。
3　既発生の未払給料も含めて差し押さえる場合は、その旨を明記する必要がある。

（記載例）
「～下記債権にして、まずは本命令送達時に既に支払期にあるもの（未払分）のうち支払期の古い順から、次いで本命令送達日以降支払期が到来するものから、頭書金額に満つるまで」

【書式１－２】給料債権及び退職金債権（仮差押え先行型）

差押債権目録

金　　　　　円

債務者（○○営業所勤務）が、令和○○年○月○日（○○地方裁判所令和○○年㈲第○○号債権仮差押命令申立事件の仮差押決定正本が第三債務者に送達された日）以降、第三債務者から支給される下記債権にして、まずは本命令送達時に既に支払期にあるもの（未払分）のうち支払期の古い順から、次いで本命令送達日以降支払期が到来するものから、頭書金額に満つるまで

記

1　給料（基本給と諸手当。ただし、通勤手当を除く。）から所得税、住民税及び社会保険料を控除した残額の４分の１（ただし、上記残額が月額44万円を超えるときは、その残額から33万円を控除した金額）
2　賞与から１と同じ税金等を控除した残額の４分の１（ただし、上記残額が44万円を超えるときは、その残額から33万円を控除した金額）
なお、１及び２により弁済しないうちに退職したときは、退職金から所得税及び住民税を控除した残額の４分の１にして、１及び２と合計して頭書金額に満つるまで

なお、本件は、○○地方裁判所令和○○年㈲第○○号債権仮差押命令申立事件からの本執行移行である。

【書式1－3】給料債権及び退職金債権（給料支払形態不明型）

差押債権目録

金　　　　　円

ただし、債務者が第三債務者から支給される、本命令送達日以降支払期の到来する給料債権（基本給と諸手当。ただし、通勤手当を除く。）及び継続的に支払を受ける労務報酬債権（日給、週給、歩合手当、割増金）並びに賞与債権（夏季、冬季、期末、勤勉手当）の額から所得税、住民税及び社会保険料を差し引いた残額の４分の１（ただし、給料債権及び継続的に支払を受ける労務報酬債権から上記と同じ税金等を控除した残額の４分の３に相当する額が、下記一覧表記載の支払期の別に応じ、同記載の政令で定める額を超えるときは、その残額から政令で定める額を控除した金額。また、賞与債権については、上記税金等を控除した残額が44万円を超えるときは、その残額から33万円を控除した金額）にして頭書金額に満つるまで

なお、前記により弁済しないうちに退職したときは、退職金債権から所得税及び住民税を控除した残額の４分の１にして、前記による金額と合計して頭書金額に満つるまで

（一覧表）

支払期	政令で定める額
毎月	330,000円
毎半月	165,000円
毎旬	110,000円
月の整数倍の期間ごと	330,000円に当該倍数を乗じて得た金額に相当する額
毎日	11,000円
その他の期間	11,000円に当該期間に係る日数を乗じて得た金額に相当する額

【書式1－4】役員報酬債権及び退職慰労金債権

差押債権目録

金　　　　　円

1　債務者が第三債務者から支給される、本命令送達日以降支払期の到来する役員報酬及び役員としての賞与から所得税、住民税及び社会保険料を控除した残額にして、頭書金額に満つるまで
2　上記1により頭書金額に満つる前に債務者が退職したときは、役員退職慰労金から所得税及び住民税を控除した残額にして、上記1と合計して頭書金額に満つるまで

【書式1－5】給料債権及び退職金債権（役員報酬併存型）

差押債権目録

金　　　　　円

債務者（○○支店勤務）が第三債務者から支給される、本命令送達日以降支払期の到来する下記債権にして、頭書金額に満つるまで

記

1　給料（基本給と諸手当。ただし、通勤手当を除く。）から所得税、住民税及び社会保険料を控除した残額の4分の1（ただし、上記残額が月額44万円を超えるときは、その残額から33万円を控除した金額）
2　賞与から1と同じ税金等を控除した残額の4分の1（ただし、上記残額が44万円を超えるときは、その残額から33万円を控除した金額）
3　役員として毎月又は定期的に支払を受ける役員報酬及び賞与から1と同じ税金等を控除した残額
4　上記1ないし3により頭書金額に満つる前に退職したときは、
①　退職金から所得税及び住民税を控除した残額の4分の1
②　役員退職慰労金から所得税及び住民税を控除した残額
にして1ないし3と合計して頭書金額に満つるまで

なお、支払期が同日となる最終回分については、上記記載の順序による。

【書式１－６】俸給・給料債権及び退職金債権（公務員の場合）

差押債権目録

金　　　　　円

債務者（　　　　　　　勤務）が、第三債務者から支給される、本命令送達日以降支払期の到来する下記債権にして、頭書金額に満つるまで

記

1　俸給・給料及び諸手当（ただし、通勤手当を除く。）から所得税、住民税及び社会保険料を控除した残額の４分の１（ただし、上記残額が月額44万円を超えるときは、その残額から33万円を控除した金額）

2　期末手当、勤勉手当（その他の賞与の性質を有するものを含む。）から１と同じ税金等を控除した残額の４分の１（ただし、上記残額が44万円を超えるときは、その残額から33万円を控除した金額）

なお、１及び２により弁済しないうちに退職したときは、退職金から所得税及び住民税を控除した残額の４分の１にして、１及び２と合計して頭書金額に満つるまで

【書式２】退職年金債権

差押債権目録

金　　　　　円

債務者が第三債務者に対して有する、本命令送達日以降支払期の到来する下記債権にして、頭書金額に満つるまで

記

1　退職年金のうち、所得税及び住民税を控除した残額の４分の１（ただ

し、上記残額が月額44万円を超えるときは、その残額から33万円を控除した金額）
2　上記1により弁済しないうちに退職年金を解約したときは、解約により第三債務者から債務者に支払われる解約返戻金から所得税及び住民税を控除した残額の4分の1

〔説明〕

1　退職年金債権については、法152条1項2号所定の「退職年金」に該当し、所得税及び住民税を控除した残額の4分の1（ただし、上記残額の4分の3に相当する額が政令で定める額を超えるときは、同残額から政令で定める額を控除した額）については、差押えの対象となると解される。なお**【書式2】**は債務者の退職年金が月払の場合の記載例である。

2　退職年金が途中で解約された場合に発生する解約返戻金については、一般債権と同様の性格であると解し、全額について差押えができるとの考え方もあるが、退職年金は、一定期間の継続的雇用関係にあった職員について、雇主がその者の退職後の生活を保障するために年金として支払われる給与であることから（注解民事執行法⑷521頁〔五十部豊久〕）、解約により一括して一定金額の払戻しを受けたとしても、その性質が変化すると解するのは妥当でない。このように、解約返戻金についても、退職年金と同様の性格を有するものと解されるが、退職年金は、継続的な支払がされることを本質としていることから、一時金として支払われる解約返戻金については退職年金そのものと理解することは合理的でない。そこで、解約返戻金は、法152条2項の退職手当の性質を有する給与に係る債権として、所得税及び住民税を控除した残額の4分の1の限度で差押えの対象となると解される。この場合、法152条1項と異なり、上記残額の4分の3に相当する額が政令で定める額を超えたときでも、上記残額の4分の1の範囲でしか差し押さえることができない。

【書式3－1】預金債権（基本型）

差押債権目録

金　　　　　円

債務者が第三債務者株式会社○○銀行（○○支店扱い）に対して有する下記預金債権及び同預金に対する預入日から本命令送達時までに既に発生

した利息債権のうち、下記に記載する順序に従い、頭書金額に満つるまで

記

1　差押えのない預金と差押えのある預金があるときは、次の順序による。

(1)　先行の差押え、仮差押えのないもの

(2)　先行の差押え、仮差押えのあるもの

2　円貨建預金と外貨建預金があるときは、次の順序による。

(1)　円貨建預金

(2)　外貨建預金（差押命令が第三債務者に送達された時点における第三債務者の電信買相場により換算した金額（外貨）。ただし、先物為替予約があるときは原則として予約された相場により換算する。）

3　数種の預金があるときは、次の順序による。

(1)　定期預金

(2)　定期積金

(3)　通知預金

(4)　貯蓄預金

(5)　納税準備預金

(6)　普通預金

(7)　別段預金

(8)　当座預金

4　同種の預金が数口あるときは、口座番号の若い順序による。

なお、口座番号が同一の預金が数口あるときは、預金に付せられた番号の若い順序による。

〔説明〕

1　預金債権の差押えについては、債権者は預金債権の詳細を把握することができないこともあるから、個別の債権を特定して記載するのではなく、**【書式3－1】**のように、順位付けをした概括的な表記による特定が許容されている。

2　**【書式3－1】**のように順位付けをした概括的な表記の場合は、原則として、取扱店舗となる支店の特定が必要である（東京地裁民事執行センター「さんまエクスプレス第33回」金法1767号26頁参照）。この点、最高裁は、債権者が第三債務者である金融機関の全ての店舗を対象として順位付けをして差押えを求めた事案において、そのような申立ては、第三債務者において、

差押えの効力が差押命令の送達の時点で生ずることにそぐわない事態とならない程度に速やかにかつ確実に差し押さえられた債権を識別することができるとはいえず、差押債権の特定を欠き不適法というべきであると判示した（最決平23.9.20民集65巻6号2710頁）。

しかし、昨今、金融機関の業態も多様化しており、本店において預金口座を一元管理するものも現れているようである。このようなことから、東京地裁民事執行センターでは、第三債務者がいわゆるインターネット専業銀行（実店舗を持たないで、主としてインターネットにより取引を行う銀行。ネット銀行などともいう。）の場合は、支店は物理的な取扱店舗ではなく、支店で取り扱われている預金債権については、実際は本店が一括管理しているものと考えられることから、支店の特定は不要とする取扱いである。それ以外の金融機関についても、第三債務者としての金融機関が預金口座を一元管理しているなどの理由で、差押命令がその本店に送達されれば差押債権を速やかにかつ確実に特定することができることが、債権者の提出した具体的な裏付け資料から確認できれば、支店の特定は不要とする取扱いである。例えば、株式会社新生銀行については、裁判例（東京地判平19.2.28金法1804号59頁）により顧客の預金口座を一元管理していることが確認できるので、支店の特定は不要としている。

3　預金口座の登録住所が当事者目録に記載される債務者の現住所と異なる場合に備え、差押債権目録に債務者の旧住所を記載することができるが、この場合、原則として、住民票等の公文書で旧住所から現住所までの住所の移転を証明する必要がある。また、差押債権目録に債務名義にない債務者の生年月日や旧氏名を記載する場合も、記載する生年月日等が当事者目録上の債務者のものであることを証明するため、住民票等の公文書を提出する必要がある。

4　債務者が、通称名、架空名義、他人名義等を用いて預金をしているときは、当該名義を差押債権目録に「債務者が第三債務者に対して○○名義で有する～」などと記載した上、通称名等と債務者との同一性を証明するか、当該預金口座に係る預金債権が債務者の責任財産に帰属することを証明する必要がある。特に、実在人名義の預金口座については、証明不十分なまま差押命令を発令したところ、それが名義どおりの第三者の預金であったとすると、当該第三者に重大な不利益を与えることになるので、前記証明は慎重に判断すべきである（〔**Q20**〕参照）。

5　差押えの効力は預金元本のみならず、差押命令の効力発生時以後に発生する利息債権にも当然及ぶことになるが、差押命令の効力発生時に既に発生している利息債権は、元本債権から独立したものであり、元本と分離して譲渡、弁済等が可能であるから、既発生利息債権をも含めて差し押さえるには、**【書式3－1】**のようにその旨を差押債権目録に記載する必要がある。「及び同預金に対する預入日から本命令送達時までに既に発生した利息債権」の部分がこれに当たる。

6 **【書式３－１】**により、当該取扱店舗における差押命令送達時の債務者の預金債権を差押債権額の範囲で全て差し押さえたいが、第三者からの情報取得手続において明らかになった口座番号等を明記しておきたい場合には、**【書式３－１】**の下部に「普通預金口座（口座番号○○○○）の預金債権があることについて、○○地方裁判所令和○年（情チ）第○○号第三者からの情報取得事件において情報を得た。」と記載する。この場合、証明資料として情報提供命令の写しと情報提供書の写しの提出が必要である。

　第三者からの情報取得手続によって明らかになった口座のみを特定して差し押さえる場合は**【書式３－４】**を用いる。

7 共同相続された預貯金債権に対する強制執行については〔Q17〕参照。

【書式３－２】預金債権（第三債務者が複数の場合）

差押債権目録

1 第三債務者株式会社○○銀行（○○支店扱い）分　　金　　　円
2 第三債務者株式会社○○銀行（○○支店扱い）分　　金　　　円
3 第三債務者株式会社○○銀行（○○支店扱い）分　　金　　　円
4 第三債務者株式会社○○銀行（○○支店扱い）分　　金　　　円
5 第三債務者株式会社○○銀行（○○支店扱い）分　　金　　　円

　ただし、債務者が上記各第三債務者に対して有する下記預金債権及び同預金に対する預入日から本命令送達時までに既に発生した利息債権のうち、下記に記載する順序に従い、各頭書金額に満つるまで

記

～　以下**【書式３－１】**と同じ　～

【書式３－３】預金債権（口座番号を特定した申立て）

差押債権目録

金　　　　　円

債務者が第三債務者株式会社○○銀行（○○支店扱い）に対して有する下記預金債権及び同預金に対する預入日から本命令送達時までに既に発生した利息債権のうち、頭書金額に満つるまで

記

預金の種類　　普通預金
口座番号　　　○○○○
口座名義　　　シッコウ　タロウ
　　　　　　　執行　太郎
届出住所　　　東京都○○区○○町○丁目○番○号

〔説明〕

1　債権者が債務者の預金口座へ金員を振り込んだことがある場合等には、債権者は、債務者の口座番号を了知しているので、口座番号を特定した申立てができる。

2　単に口座番号のみで特定した債権差押命令が発令されると、第三債務者としての金融機関は、口座名義、届出住所等に関わりなく、差押えの効力が及ぶものとして取り扱うおそれがあり、他人の預金債権を差し押さえてしまう危険性が高くなる。そのようなことがないよう、原則として、預金の種類と口座番号だけでなく口座名義と届出住所を記載する（口座名義人の振り仮名も記載してもよいが不可欠ではない）。債務者の現住所（当事者目録記載の住所）と届出住所が異なる場合、又は債務者の氏名と口座名義が異なる場合には、原則として、公文書により債務者と口座名義人の同一性を証明する必要がある。

もっとも、口座名義と届出住所の一致による証明以外の方法で当該預金が債務者の責任財産に帰属するものであることが高度の蓋然性をもって立証された場合には、届出住所欄は「当事者目録における債務者住所と同一であることを要しない。」とすることができる（〔Q20〕参照）。

【書式３－４】預金債権（第三者からの情報取得手続で明らかになった特定の口座を差し押さえる場合）

差押債権目録

金　　　　　円

債務者が第三債務者株式会社○○銀行（○○支店扱い）に対して有する下記預金債権及び同預金に対する預入日から本命令送達時までに既に発生した利息債権のうち、頭書金額に満つるまで
下記預金債権があることについて、○○地方裁判所令和○年（情チ）第○○号第三者からの情報取得事件において情報を得た。

記

預金の種類　　普通預金
口座番号　　　○○○○

〔説明〕

1　預金債権が第三者からの情報取得手続で明らかになったものである場合は、**【書式３－３】**にはよらず、**【書式３－４】**のとおり記載し、証明資料として情報提供命令の写しと当該預金口座の情報が記載された情報提供書の写しを提出すれば足りる。この場合、同口座は第三者からの情報取得手続において債務者とのつながり（同一性）が立証され、かつ、金融機関も同口座が債務者の口座であると判断して情報提供したものであるため、同口座が債務者の責任財産に帰属するものであることについて、さらなる立証は不要である。

2　第三者からの情報取得手続で明らかになった預金債権を含め、当該取扱店舗における差押命令送達時の債務者の預金債権を差押債権額の範囲で全て差し押さえたい場合は、**【書式３－１】**〔説明〕６参照。

【書式３－５】預金債権（いわゆるヴァーチャル口座の場合）

差押債権目録

金　　　　　円

債務者が第三債務者株式会社○○銀行（○○支店の債務者名義の被振込専用口座（口座番号△△△△）からの債務者名義の入金指定口座がある本支店扱い）に対して有する下記預金債権及び同預金に対する預入日から本命令送達時までに既に発生した利息債権のうち、下記に記載する順序に従い、頭書金額に満つるまで

記

～　以下**【書式３－１】**と同じ　～

〔説明〕

1　多数の小口振込を受ける業態などにおいては、当該業態の顧客からの振込の確認作業に労力を要するため、この確認作業の省力化を図ることを目的としたシステムが開発されており、ヴァーチャル口座（被振込専用口座、振込専用口座、仮想口座などとも呼ばれるようである。）は、このシステムにおいて利用される口座である。ヴァーチャル口座は、実際には存在しないヴァーチャル支店（被振込専用支店などとも呼ばれている。）に設けられるが、ヴァーチャル口座宛てに振込がされてもヴァーチャル口座には入金されず、当該ヴァーチャル口座に関連づけられた入金指定口座に入金される。このヴァーチャル口座と入金指定口座とは、ほとんどの場合において１対１で対応しているようである。また、ヴァーチャル支店の名称は一目でそれと分かるものが使用されていることが多いようである（三上徹「ヴァーチャル口座に対する差押命令」金法1899号４頁以下参照）。

2　東京地裁民事執行センターにおいては、差押債権が**【書式３－５】**のとおりに特定された場合（債務者名義のものに限定し、かつ口座番号の特定を要する。）には、ヴァーチャル口座から振り替えられる入金指定口座がある本支店を取扱店舗とする預金債権の差押えを認める取扱いである。この場合には、差押えの対象となるのは入金指定口座に係る預金債権に限定されず、入金指定口座がある本支店を取扱店舗とする預金債権が、**【書式３－５】**記載の順序に従って、頭書金額に満つるまで差し押さえられる。

3　なお、債権差押命令の第三債務者に対する送達先については、ヴァーチャル支店（商業登記事項証明書に記載されている当該ヴァーチャル支店の所在地）か、債権者が特定したヴァーチャル口座を管理する部署とする取扱いである。申立てに当たっては、送達先に関する資料（前者の場合にはヴァーチャル支店の所在地が記載されている商業登記事項証明書、後者の場合にはヴァーチャル口座を管理する部署に関する上申書）の提出を要する（ヴァーチャル口座に関する預金債権に対する差押えについては、東京地裁民事執行センター「さんまエクスプレス第64回」金法1930号86頁参照）。

【書式4－1】貯金債権（通常郵便貯金及び民営化後に株式会社ゆうちょ銀行に預け入れられた貯金）

差押債権目録

金　　　　円

債務者が第三債務者株式会社ゆうちょ銀行（○○貯金事務センター扱い）に対して有する下記貯金債権及び同貯金に対する預入日から本命令送達時までに既に発生した利息債権のうち、下記に記載する順序に従い、頭書金額に満つるまで

記

1　差押えのない貯金と差押えのある貯金があるときは、次の順序による。
(1)　先行の差押え、仮差押えのないもの
(2)　先行の差押え、仮差押えのあるもの

2　担保権の設定されている貯金とされていない貯金があるときは、次の順序による。
(1)　担保権の設定されていないもの
(2)　担保権の設定されているもの

3　数種の貯金があるときは、次の順序による。
(1)　定期貯金
(2)　定額貯金
(3)　通常貯蓄貯金
(4)　通常貯金
(5)　振替貯金

4　同種の貯金が数口あるときは、記号番号の若い順序による。
なお、記号番号が同一の貯金が数口あるときは、貯金に付せられた番号の若い順序による。

〔説明〕

○　取扱店舗（貯金事務センター）の特定、債務者の旧住所・旧氏名・生年月日を記載する場合の証明、債務者の通称名等名義の口座の差押え、差押命令の効力発生時に既に発生している利息債権の扱い、第三者からの情報取得手

続により明らかになった口座の記載方法については【書式３－１】参照。

【書式４－２】貯金債権（定期性の郵便貯金―独立行政法人郵便貯金簡易生命保険管理・郵便局ネットワーク支援機構分）

差押債権目録

金　　　　　円

債務者が第三債務者独立行政法人郵便貯金簡易生命保険管理・郵便局ネットワーク支援機構（株式会社ゆうちょ銀行○○貯金事務センター扱い）に対して有する下記郵便貯金債権及び同郵便貯金に対する預入日から本命令送達時までに既に発生した利息債権のうち、下記に記載する順序に従い、頭書金額に満つるまで

記

1　差押えのない郵便貯金と差押えのある郵便貯金があるときは、次の順序による。
⑴　先行の差押え、仮差押えのないもの
⑵　先行の差押え、仮差押えのあるもの

2　担保権の設定されている郵便貯金とされていない郵便貯金があるときは、次の順序による。
⑴　担保権の設定されていないもの
⑵　担保権の設定されているもの

3　数種の郵便貯金があるときは、次の順序による。
⑴　定期郵便貯金（預入期間が経過し、通常郵便貯金となったものを含む。）
⑵　定額郵便貯金（預入の日から起算して10年が経過し、通常郵便貯金となったものを含む。）
⑶　積立郵便貯金（据置期間が経過し、通常郵便貯金となったものを含む。）
⑷　教育積立郵便貯金（据置期間の経過後４年が経過し、通常郵便貯金となったものを含む。）
⑸　住宅積立郵便貯金（据置期間の経過後２年が経過し、通常郵便貯金となったものを含む。）

(6) 通常郵便貯金（(1)から(5)までの所定期間経過後の通常郵便貯金を除く。）

4 同種の郵便貯金が数口あるときは、記号番号の若い順序による。
なお、記号番号が同一の郵便貯金が数口あるときは、郵便貯金に付せられた番号の若い順序による。

〔説明〕

1 郵政民営化法（平成17年法律第97号）の施行により、平成19年10月１日から、民営化前に預けられた郵便貯金は、その種類により、株式会社ゆうちょ銀行と独立行政法人郵便貯金簡易生命保険管理・郵便局ネットワーク支援機構（当時の名称は独立行政法人郵便貯金・簡易生命保険管理機構）のいずれかに承継されることになったので、貯金の種類に応じて、**【書式４－１】**及び**【書式４－２】**のとおり、差押債権目録を書き分ける必要がある。

2 取扱店舗（貯金事務センター）の特定、債務者の旧住所・旧氏名・生年月日を記載する場合の証明、債務者の通称名等名義の口座の差押え、差押命令の効力発生時に既に発生している利息債権の扱い、第三者からの情報取得手続により明らかになった口座の記載方法については**【書式３－１】**参照。
なお、独立行政法人郵便貯金簡易生命保険管理・郵便局ネットワーク支援機構に対する差押命令の送達先は、全て同機構の本店となる。

【書式４－３】貯金債権（農業協同組合）

差押債権目録

金　　　　円

債務者が第三債務者○○○○農業協同組合（○○支店扱い）に対して有する下記貯金債権及び同貯金に対する預入日から本命令送達時までに既に発生した利息債権のうち、下記に記載する順序に従い、頭書金額に満つるまで

記

1 差押えのない貯金と差押えのある貯金があるときは、次の順序による。
(1) 先行の差押え、仮差押えのないもの
(2) 先行の差押え、仮差押えのあるもの

2　円貨建貯金と外貨建貯金があるときは、次の順序による。
(1)　円貨建貯金
(2)　外貨建貯金（差押命令が第三債務者に送達された時点における第三債務者の電信買相場により換算した金額（外貨）。ただし、先物為替予約があるときは原則として予約された相場により換算する。）

3　数種の貯金があるときは、次の順序による。
(1)　定期貯金
(2)　積立式定期貯金
(3)　定期積金
(4)　通知貯金
(5)　貯蓄貯金
(6)　納税準備貯金
(7)　普通貯金
(8)　営農貯金
(9)　出資予約貯金
(10)　別段貯金
(11)　当座貯金

4　同種の貯金が数口あるときは、口座番号の若い順序による。
なお、口座番号が同一の貯金が数口あるときは、貯金に付せられた番号の若い順序による。

〔説明〕

○　取扱店舗の特定、債務者の旧住所・旧氏名・生年月日を記載する場合の証明、債務者の通称名等名義の口座の差押え、差押命令の効力発生時に既に発生している利息債権の扱い、第三者からの情報取得手続により明らかになった口座の記載方法については**【書式３－１】**参照。

【書式５－１】休眠預金等代替金債権（移管元金融機関が株式会社ゆうちょ銀行以外の場合）

差押債権目録

金　　　　　円

ただし、債務者が第三債務者預金保険機構（株式会社○○銀行（◇◇支店）扱い）に対して有する下記休眠預金等代替金債権のうち、下記に記載する順序に従い、頭書金額に満つるまで

記

1　差押えのない休眠預金等代替金と差押えのある休眠預金等代替金があるときは、次の順序による。

(1)　先行の差押え、仮差押えのないもの
(2)　先行の差押え、仮差押えのあるもの

2　数種の預金等に係る休眠預金等代替金があるときは、次の順序による。

(1)　定期預金に係る休眠預金等代替金
(2)　定期積金に係る休眠預金等代替金
(3)　通知預金に係る休眠預金等代替金
(4)　元本の補填の契約をした金銭信託に係る休眠預金等代替金
(5)　貯蓄預金に係る休眠預金等代替金
(6)　納税準備預金に係る休眠預金等代替金
(7)　普通預金に係る休眠預金等代替金
(8)　別段預金に係る休眠預金等代替金
(9)　当座預金に係る休眠預金等代替金
(10)　長期信用銀行債等に係る休眠預金等代替金

3　同種の預金等に係る休眠預金等代替金が複数あるときは、預金等に係る口座番号の若い順序による。

なお、口座番号が同一の預金等に係る休眠預金等代替金が複数あるときは、預金等に付せられた番号の若い順序による。

（第三債務者の表示）
〒100-0006　東京都千代田区有楽町１丁目12番１号　新有楽町ビルヂング
9階
第三債務者　　預金保険機構
代表者理事長　○○○○
同代理人兼送達受取人
〒○○○－○○○○　東京都○○区○○町○丁目○番○号
株式会社○○銀行
代表者代表取締役　○○○○
（送達場所）
〒○○○－○○○○　横浜市○○区○○町○丁目○番○号
株式会社○○銀行◇◇支店

〔説明〕

1　休眠預金等とは、預金等であって、最終異動日等から10年経過したものをいう（民間公益活動を促進するための休眠預金等に係る資金の活用に関する法律２条６項）。休眠預金等については、金融機関から預金保険機構に休眠預金等移管金の全額が納付されると、預金者等が有する預金等債権は消滅し、預金者等は、預金保険機構に対し、同人が支払の申出をすることで元本額に支払日までの利子に相当する金額を加えた金銭である「休眠預金等代替金」の支払を請求することができることになる（同法７条１項、２項）。**【書式５－１】**の差押債権目録は、預金者等が預金保険機構に対して有する休眠預金等代替金債権を差し押さえるものである。

2　差押債権目録においては、移管元金融機関の取扱店舗となる支店の特定が必要である。ただし、移管元金融機関が預貯金債権の差押えの際、支店の特定が不要とされている金融機関（インターネット専業銀行等）である場合は不要である。**【書式３－１】**〔説明〕２参照。

3　休眠預金等代替金を差し押さえることにより利子相当額にも当然差押えの効力が及ぶので、差押債権目録に利子を記載する必要はない。

4　書式中の２のうち「⑽長期信用銀行債等に係る休眠預金等代替金」は、長期信用銀行債等を取り扱っている銀行に係る差押えの場合に記載する。

5　第三債務者は預金保険機構であるが、移管元金融機関が代理人兼送達受取人となり、同金融機関の営業所又は事業所が送達場所になる（民間公益活動を促進するための休眠預金等に係る資金の活用に関する法律47条１項、３項）。したがって、その両方の資格証明書を提出する必要がある。

【書式５－２】休眠預金等代替金債権（移管元金融機関が株式会社ゆうちょ銀行の場合）

差押債権目録

金　　　　　円

ただし、債務者が第三債務者預金保険機構（株式会社ゆうちょ銀行○○貯金事務センター扱い）に対して有する下記休眠預金等代替金債権のうち、下記に記載する順序に従い、頭書金額に満つるまで

記

1　差押えのない休眠預金等代替金と差押えのある休眠預金等代替金があるときは、次の順序による。
(1)　先行の差押え、仮差押えのないもの
(2)　先行の差押え、仮差押えのあるもの

2　数種の貯金に係る休眠預金等代替金があるときは、次の順序による。
(1)　定期貯金に係る休眠預金等代替金
(2)　定額貯金に係る休眠預金等代替金
(3)　通常貯蓄貯金に係る休眠預金等代替金
(4)　通常貯金に係る休眠預金等代替金
(5)　振替貯金に係る休眠預金等代替金

3　同種の貯金に係る休眠預金等代替金が数口あるときは、貯金に係る記号番号の若い順序による。
　なお、記号番号が同一の貯金に係る休眠預金等代替金が数口あるときは、貯金に付せられた番号の若い順序による。

【書式６－１】賃料債権（債務名義に基づく差押え）

差押債権目録

金　　　　　円

債務者が第三債務者に対して有する下記物件の賃料債権にして、本命令送達日以降支払期の到来する分から、頭書金額に満つるまで

記

（物件の表示）

東京都○○区○○町○丁目○番○号所在

○○マンション○階○○号室

【書式６－２】賃料債権（(根)抵当権に基づく物上代位による差押え）

差押債権目録

金　　　　　円

債務者兼所有者が第三債務者に対して有する下記物件の賃料債権（ただし、管理費及び共益費相当分を除く。）にして、本命令送達日以降支払期の到来する分から、頭書金額に満つるまで

記

（物件の表示）

所　　在　　東京都○○区○○町○丁目○番○号

家屋番号　　○番○

種　　類　　居宅

構　　造　　木造亜鉛メッキ鋼板葺２階建

床 面 積　　１階　○○.○○平方メートル

　　　　　　２階　○○.○○平方メートル

〔説明〕

1　地代、家賃等の賃料債権については、法151条所定の継続的給付債権であり、差押えの効力は、差押債権者の請求債権及び執行費用を限度として差押金額に満つるまで、将来にわたって及ぶ。また、差押え後に賃料の増額があった場合、その増額分についても差押えの効力は及ぶ。

2　建物の一部を賃貸している場合には、賃貸部分を部屋番号、図面等によって特定する必要がある。建物全体の賃貸借契約であるとして差押命令の発令があったが、実際には建物の一部の賃貸借契約であった場合には、後記3記載の問題が生ずる。

（例1）「別紙物件目録記載の建物の101号室部分の賃料債権にして」

（例2）「別紙物件目録記載の建物の1階部分の賃料債権にして」

（例3）「別紙物件目録記載の建物のうち別紙図面の斜線部分の賃料債権にして」

3　建物に複数の居室がある場合、一室の賃貸借契約として差し押さえたところ、実際は複数室一括の賃貸借契約であったり、逆に、複数室一括の賃貸借契約として差し押さえたところ、実際は個別の賃貸借契約であったりというように、差押債権目録の記載と実際とで契約形態が異なることがある。この場合、差押えの効力は実際の契約上の賃料債権には及ばないことになるから（第三債務者の不利益、差押えが競合する可能性等を考慮すると、重なった居室に関する賃料相当額に効力が生ずるとの取扱いはできない。）、配当時に事情届等でこのような事実が判明すると、差押債権者は配当を受けられない。したがって、このような場合、差押債権者は、従前の申立てを取り下げた上、実際の契約に即した賃料債権の特定をして再申立てをする必要がある。

（一括契約の場合の記載例）

「債務者が第三債務者に対して有する別紙物件目録記載の建物の101号室、102号室及び103号室部分の賃料債権（101号室ないし103号室は一括契約）にして」

※　配当時において競合の有無を判定するための資料にもなるので、賃貸借契約書等の資料を提出するのが望ましい。

4　既発生の未払賃料も含めて差し押さえる場合は、その旨を明記する必要がある。

（記載例）

「～賃料債権にして、まずは本命令送達時に既に支払期にあるもの（未払分）のうち支払期の古い順から、次いで本命令送達日以降支払期の到来するものから、～」

5　（根）抵当権に基づく物上代位による差押えの場合の「（ただし、管理費及び共益費相当分を除く。）」の記載の要否については、管理費及び共益費相当分の法的性質並びに目的不動産維持管理の必要性をめぐって議論があるが、実務上は、その記載を求める取扱いである。
6 （根）抵当権に基づく物上代位による差押えの場合、東京地裁民事執行センターでは、賃料債権のうち消費税相当額についても物上代位が可能であり、「（消費税相当額を除く。）」との記載がない限り、消費税相当額も差押えの範囲に含まれるとする取扱いである。
7 共有物の賃料に関する物上代位の差押債権目録等の記載については、〔Q26〕、転貸賃料については〔Q27〕、サブリース業者が賃貸している場合について〔Q28〕をそれぞれ参照されたい。
8 個人を含む複数の第三債務者のある場合におけるいわゆる分割発令については、〔Q25〕参照。

【書式6－3】建物の管理委託契約に基づく金員支払請求権

差押債権目録

金　　　　　円

債務者と第三債務者との間の下記物件の管理委託契約に基づき、債務者が第三債務者に対して有する金員支払請求権にして、本命令送達日以降支払期の到来する分から、頭書金額に満つるまで

記

（物件の表示）
東京都○○区○○町○丁目○番○号所在
○○マンション○階○○号室

〔説明〕
1 **【書式6－3】**でいう管理委託契約とは、債務者（所有者）が建物の管理会社（第三債務者）との間で締結するものである。債務者（所有者）とサブリース業者との間で締結されるいわゆるサブリース契約は、実質的には賃貸借契約であると解されるので、ここでは除かれる。「金員支払請求権」は、賃料から管理委託手数料等を控除した残額の支払請求権であり、その給付内容は管理委託契約が特定されることで一義的に特定されると解される。
2 債務者の第三債務者に対する金員支払請求権は、賃料を原資とするものであり、管理委託契約という同一の法律関係から継続的に発生する蓋然性が高いものであるから、法151条の継続的給付債権に当たると解される。

3　なお、第三債務者がサブリース業者の場合における（根）抵当権に基づく物上代位については、〔Q28〕を参照されたい。

【書式６－４】敷金返還請求権

差押債権目録

金　　　　　円

ただし、債務者が下記建物の賃貸借契約に際し、第三債務者に差し入れた敷金（保証金名目のものを含む。）の返還請求権にして、頭書金額に満つるまで

記

（物件の表示）
東京都○○区○○町○丁目○番○号所在
○○マンション○階○○号室

【書式７－１】売買代金債権（単発的売買契約）

差押債権目録

金　　　　　円

債務者が第三債務者に対して有する、令和○○年○月○日頃に売り渡した○○○○１個の売買代金債権

【書式７－２】売買代金債権（継続的売買契約）

> 差押債権目録
>
> 金　　　　　円
>
> 債務者と第三債務者間の継続的売買契約に基づき、債務者が第三債務者に対して有する○○○○の売掛代金債権にして、本命令送達日以降６か月以内に支払期の到来するものにして、支払期の早いものから順次頭書金額に満つるまで

〔説明〕

1　単発的な売買契約に係る売買代金は、契約種類（売買契約であること）のほか、契約時期、目的物、代金額、弁済期等により特定する。どの程度の特定を要するかについては、債務者と第三債務者との取引関係、目的物の種類等により、相対的に判断される。

2　継続的売買契約に係る将来分の売買代金債権は、通常は、法151条所定の継続的給付債権に該当するとはいえないが、その場合にも、既にその発生の基礎となる法律関係が存在し、近い将来における発生が確実に見込まれる財産的価値を有する場合には、差押えが可能である。東京地裁民事執行センターでは、反復取引に係る売買代金債権については将来６か月分の差押えを認める取扱いである（〔**Q14**〕参照）。

3　同一当事者間で継続的な売買がされている場合、基本契約が締結されていれば、契約種類（売買基本契約であること）、契約時期、目的物、期間等により基本契約を特定し、これに基づき継続的な売買を特定することが可能であるが、そのような基本契約が明示的に締結されていないとき、又は債権者が基本契約の内容を確知できないときには、**【書式７－２】**のように、契約種類（反復する売買契約であること）及び目的物を中心として特定するほかなく、むしろ、このような方法によらざるを得ないのが通例である。もっとも、この場合、目的物は差押債権を特定する上で極めて重要な要素となるから、商品名をなるべく具体的に記載する必要があり、「商品Ａ等の売買代金債権」のように「等」を付した特定では不十分である。

【書式８－１】請負代金債権（単発的請負契約）

差押債権目録

金　　　　　円

債務者が第三債務者に対して有する債務者と第三債務者との間の下記工事の請負代金債権にして、支払期の早いものから頭書金額に満つるまで

記

工 事 名　　○　○　○　○
契 約 日　　令和○○年○月○日
工事場所　　○　○　○　○
工　　期　　令和○○年○月○日から同年○月○日まで
工事代金　　金　　　　　円

〔説明〕

1　請負代金債権は、当事者の一方が、ある仕事を完成することを約し、相手方がその仕事の結果に対して報酬を支払うことを約することによって発生するものであり（民632条）、通常は、仕事の完成後に支払われる後払債権であるが、仕事の完成によって発生する債権ではないので、仕事の完成前であっても将来債権ではない。

2　単発的な請負契約の場合、請負代金債権は、債権の種類（請負代金であること）のほか、契約時期、目的である仕事の種類及び内容（工事名、工事場所、工期等）、代金額、弁済期等が特定の指標となる。

3　**【書式８－１】**は、工事代金が分割払の約定、出来高払の約定等によって分割される場合にも対応可能な書式である。

【書式８－２】請負代金債権（継続的請負契約で継続的給付債権に該当する場合）

差押債権目録

金　　　　　円

債務者と第三債務者との間の東京都○○区○○町○丁目○番○号所在の第三債務者所有○○ビルに係る継続的な清掃業務請負契約（令和○○年3月1日締結、契約期間令和○○年4月1日から令和○○年3月31日まで）に基づき、毎月○日締め翌月○○日支払の約定で、債務者が第三債務者から支払を受ける請負代金債権にして、支払期の早いものから頭書金額に満つるまで

【書式8－3】請負代金債権（継続的請負契約で継続的給付債権に該当しない場合）

差押債権目録

金　　　　　円

債務者が、東京都○○区○○町○丁目○番○号所在の第三債務者所有○○工場に係る継続的な廃棄物処理請負業務について、令和○○年4月1日から同年9月30日までの間に、第三債務者から支払を受ける請負代金債権にして、支払期の早いものから頭書金額に満つるまで

〔説明〕

1　継続的な請負契約は2種類に分けられる（小野寺規夫「差押命令における継続的請負代金債権の特定等に関する問題」債権執行の諸問題47頁）。一つは、ある特定の種類に属する仕事を一定期間継続的に行う契約を締結し、この契約に基づいて一定期間継続的に当該種類に属する仕事を完成させるが、そのうちの区切られたある程度定期的な期間に完成した仕事の結果に応じて報酬が決められており、その期間ごとに報酬が支払われる形態である。この場合、請負代金はこの1個の契約に基づき発生する（以下「契約1個型」という。）。例えば、ある会社が、ビルの清掃業務を請け負い、その報酬が毎月支払われる場合などがこれに当たる。もう一つは、ある特定の種類に属する仕事を一定期間継続的に行うことの契約を締結するが、これは単なる基本契約であり、実際の業務に際しては、この基本契約に基づいて個別の契約を締結する形態のものである。この場合、請負代金は個別の契約に基づき発生する（以下「契約複数型」という。）。例えば、道路工事の請負を業とする会社（A社）が、自己が請け負った各地の道路工事を下請会社（B社）に対して、

1年間継続的に下請けをさせる基本契約を締結した上で、この期間内にA社が仕事を請け負った都度、B社に下請けをさせるというものである。

2　契約1個型の場合は、同一の法律関係に基づき、ある程度定期的に請負代金の支払がなされ、それが将来の一定期間継続するものであるから、法151条所定の継続的給付債権となり、差押え後に支払期の到来する請負代金債権に対し差押えの効力が及ぶ。このような契約1個型といえるためには、この請負契約が単なる抽象的な基本契約でないことが分かるよう、相当程度具体的に契約内容を特定する必要がある（**【書式8－2】**）。

契約複数型の場合には、①基本契約に着目して特定する方法と②個別の請負契約に着目して特定する方法がある。①の場合は、基本契約を契約時期、目的である仕事の内容、月締めの約定、弁済期等により特定する。②の場合は、契約種類（反復する請負契約であること）及び目的である仕事の内容を中心として特定するほかなく、むしろ、このような方法によらざるを得ないのが通例である。この場合、目的である仕事の内容は差押債権を特定する上で極めて重要な要素となるから、これをなるべく具体的に記載する必要がある。

3　継続的請負契約に係る請負代金債権で法151条所定の継続的給付債権といえないもの（契約複数型）でも、既にその発生の基礎となる法律関係が存在し、近い将来における発生が確実に見込まれ財産的価値を有する場合には差押えが可能である。東京地裁民事執行センターでは、将来6か月分の差押えを認める取扱いである（〔**Q14**〕参照。**【書式8－3】**）。

継続的請負契約に係る請負代金債権で継続的給付債権となるもの（契約1個型）は、理論的には将来分の期間を限定する必要はないが、第三債務者の負担を考慮し、あるいは、債権者が現実にはそのような契約であることを特定するだけの情報を得るのが困難であるため、実務上は、契約複数型に準じて、将来6か月分の差押えを求めることが多い。

【書式9】カード代金債権

差押債権目録

金　　　　　円

ただし、令和○○年4月1日から同年9月30日までの間に支払期が到来する下記の各債権にして、支払期の早いものから、支払期の同じものについては下記記載の順序により、頭書金額に満つるまで

記

1　債権譲渡代金支払請求権

債務者と第三債務者との間の継続的な加盟店契約に基づき、第三債務者発行のカード又は第三債務者が債務者に取扱いを承認したカードを債務者に提示した者に対して、債務者が商品の販売又は役務の提供（信用販売）をしたことによって取得した債権を第三債務者に譲渡することを合意したことにより、債務者が第三債務者に対して有する信用販売に基づく債権譲渡代金の支払請求権

2　立替払金支払請求権

債務者と第三債務者との間の継続的な加盟店契約に基づき、第三債務者発行のカード又は第三債務者が債務者に取扱いを承認したカードを債務者に提示した者に対して、債務者が商品の販売又は役務の提供（信用販売）をしたことによって取得した債権を信用販売の買主に代わり第三債務者が立替払いをすることを合意したことにより、債務者が第三債務者に対して有する信用販売に基づく立替払金の支払請求権

〔説明〕

○　東京地裁民事執行センターにおいては、将来6か月分の差押えを認める取扱いである。

【書式10－1】担保不動産競売手続による配当金交付請求権・弁済金交付請求権

差押債権目録

金　　　　　円

債務者が第三債務者に対して有する下記事件についての配当金交付請求権（弁済金交付請求権）にして、頭書金額に満つるまで

記

債権者○○○○株式会社、債務者□□□□株式会社、所有者△△△△株式会社間の○○地方裁判所令和○○年(ケ)第○○○○号担保不動産競売事件につき、以下の不動産について、抵当権者として受領すべき配当金（弁済金）

なお、売却決定期日〔／配当期日〕は令和○○年○月○日である。

物件番号　3

所在	○○区○○町○丁目○番○号
家屋番号	○番○
種類	居宅
構造	木造亜鉛メッキ鋼板葺2階建
床面積	1階　○○平方メートル
	2階　○○平方メートル

物件番号　4

所在	○○区○○町○丁目
地番	○番
地目	宅地
地積	○○.○○平方メートル

（第三債務者の表示）

第三債務者　　国

代表者　○○地方裁判所歳入歳出外現金出納官吏　○○○○

（送達先）　〒□□□-□□□□　○○県○○市～

〔説明〕

1　配当金の金額は、配当期日に定まるものであり、事前に特定することは不可能なので、「配当金交付請求権にして、頭書金額に満つるまで」との記載で足りる。ただし、配当期日以降の差押えであり、その金額が明らかな場合には特定すべきである。

2　担保不動産競売事件は、執行裁判所、事件番号及び当事者（債権者、債務者、所有者）によって特定する。事件が併合されている場合には、配当手続において対象となる事件番号を全て記載すべきである。

3　債務者が抵当権者で、複数の抵当権を有する場合は、差し押さえるべき配当金交付請求権に係る抵当権及び被担保債権を記載することにより、差押えの対象を特定する。

4　不動産執行手続における配当金交付請求権に対する差押えがいつからできるかについては、様々な考え方があり得るが、東京地裁民事執行センターにおいては、売却許可決定がされれば、その発生の基礎となる法律関係が存在して、近い将来における発生が確実に見込まれ財産的価値を有するといえることから、将来債権として差し押さえることができるとする取扱いである。

5　差押債権目録には、売却許可決定がされたことを明らかにするとともに、同一事件において複数の売却決定期日が指定されている場合において、差押債権目録に売却決定期日の記載がないと、差押債権の特定に欠けることとなるため、売却決定期日の記載が必要である。また、売却単位が複数の場合も考えられるところ、差押債権の特定が欠けることを防ぐため、どの不動産（売却単位）に対する配当金交付請求権であるのか等をも記載することにより、これを特定すべきである（特定の売却単位を構成する不動産の全てを記載する必要がある。）。

　また、配当期日の指定後に申し立てる場合において、配当期日が明らかなときは、配当期日を記載する（売却決定期日を記載する必要はない。）。

6　配当金交付請求権の差押えは、配当受領資格者を債務者、国を第三債務者とし、第三債務者の代表者は当該不動産執行裁判所の歳入歳出外現金出納官吏としてする。

7　配当金交付請求権の差押えが競合した場合、又はこれと抵当権の被担保債権を差押債権とする債権差押え（当該抵当権に法150条に基づく差押登記がある場合又は競売手続に係る執行裁判所に抵当権の被担保債権を差押債権とする債権差押命令正本が提出された場合に限られる。）が競合した場合には、担保不動産競売事件の配当手続の中で差押え等に係る配当額を交付することはできず、法156条２項（類推）に基づき配当額の供託がされ、専ら債権執行における配当手続（法166条）の中で処理されることになるが、供託されずに債権執行裁判所に対して配当額を保管金のまま保管替手続により引き継ぐ取扱いもあり得る（民事執行の実務－不動産㊦〔Q126〕参照）。

8　配当金交付請求権は、配当期日において配当額が定まり、その配当額について配当留保供託事由（法91条１項各号）がないとされたときに現実化する権利であるから、配当期日前においてはいまだ券面額を有していない。したがって、配当金交付請求権は、原則として、被転付適格を有せず、被転付適格を認めるためには、配当期日が経過していることが要件となり、転付命令の申立てに際しては、その旨の主張が必要である（〔Q47〕参照）。

9　弁済金交付請求権を差し押さえる場合も、基本的に、配当金交付請求権の場合と同様に考えて差し支えない。

【書式10－２】不動産競売手続による売却代金剰余金交付請求権

差押債権目録

金　　　　　円

債務者が第三債務者に対して有する下記事件についての売却代金剰余金交付請求権にして、頭書金額に満つるまで

記

債権者○○○○株式会社、債務者□□□□株式会社、所有者□□□□株式会社間の○○地方裁判所令和○○年(ケ)第○○○○号担保不動産競売事件につき、以下の不動産について、所有者□□□□株式会社が受領すべき売却代金剰余金

なお、売却決定期日は令和○○年○月○日である。

～　以下**【書式10－１】**と同じ　～

〔説明〕

1　不動産競売手続において、抵当権者等に配当等をしてなお所有者に交付すべき剰余金が生ずる場合に、執行裁判所から交付される剰余金を差し押さえるためのものであり、売却代金剰余金がいまだ法務局に民法494条１項２号により供託されていないときのものである。

2　差押債権目録の記載事項については、**【書式10－１】**〔説明〕を参照されたい。

3　剰余金受領資格者を債務者、国を第三債務者とし、第三債務者の代表者は当該不動産執行裁判所の歳入歳出外現金出納官吏とする。

4　なお、執行裁判所が売却代金剰余金を法務局に供託した後は、供託金還付請求権及び供託利息払渡請求権を差し押さえることになり、第三債務者の代表者は当該法務局の供託官となる。

【書式10－３】供託金還付請求権（担保不動産競売手続による配当留保供託金）

差押債権目録

金　　　　　円

債務者が第三債務者に対して有する、申立外債権者○○○○、債務者□□□□、所有者□□□□株式会社間の○○地方裁判所令和○○年(ケ)第○○○○号担保不動産競売事件についての下記供託金還付請求権及び供託利息払渡請求権にして、頭書金額に満つるまで

なお、配当期日は令和○○年○月○日である。

記

供　託　者	○○地方裁判所　裁判所書記官　○○○○
法令条項	民事執行法第91条１項○号
供託番号	○○法務局令和○○年度（金）第○○○○号
供託年月日	令和○○年○月○日
供託金額	金　　　　　円

（第三債務者の表示）

第三債務者	国
代表者	○○法務局供託官　○○○○
（送達先）	〒□□□-□□□□　○○県○○市～

〔説明〕

1　配当期日においては、配当表の原案が出頭した債権者等に提示され、配当異議の申出がなければ、配当表の記載に従い債権者等に配当金が交付されることになるのが原則である。しかし、配当を受けるべき債権者の債権について配当を留保する事由がある場合には、裁判所書記官は配当金を供託する（法91条１項）。**【書式10－３】**は、配当を留保する事由により配当金が供託された場合に配当留保供託金還付請求権を差し押さえるためのものであり、国を第三債務者とし、第三債務者の代表者は当該法務局の供託官となる。供託金には、供託法の規定に従って供託利息が付されるが（供託３条、供託規33

条。令和元年10月1日現在年利0.0012%)、差押え時に既に発生していた利息は独立した債権であるので、供託金還付請求権の差押えの効力は差押え前の供託利息払渡請求権には及ばず（これに対し、差押え後の供託利息払渡請求権には当然に効力が及ぶ。)、差押え前の供託利息払渡請求権を差し押さえるためには、供託利息払渡請求権を含めて差押えの対象にする旨を差押債権目録に記載する必要がある。

2　なお、配当を受けるべき債権者が配当期日に出頭せず配当金の交付請求をしていない場合には、配当金が不出頭供託されることになる（法91条2項)。この供託金還付請求権を差し押さえる場合には、差押債権目録に、供託書の記載に従い、法令条項として「民事執行法91条2項」と記載し、被供託者（供託金受領資格者）も記載することになる。この場合、供託金受領資格者を債務者、国を第三債務者とし、第三債務者の代表者は当該法務局の供託官となる。

3　供託番号は、必ずしも必須のものではないが、手続を確実に進行させるため、記載することが望ましい。

【書式10－4】供託金還付請求権（債権配当等手続における配当金等）

差押債権目録

金　　　　　円

債務者が第三債務者に対して有する○○地方裁判所令和○○年(リ)第○○○○号債権配当事件についての下記供託金還付請求権及び供託利息払渡請求権にして、頭書金額に満つるまで

記

供 託 番 号	○○法務局令和○○年度（金）第○○○○号
供託年月日	令和○○年○月○日
供 託 金 額	金　　　　円

〔説明〕

1　債権配当等手続における配当原資は、第三債務者が供託した供託金が配当財団となる場合と、「その他の財産権」に対する強制執行（法167条1項）において執行官から執行裁判所に提出された売得金（規141条4項）や滞納処分庁から受け入れた滞納処分残余金（滞調20条の8第1項、6条1項）等の保

管金が配当財団となる場合がある。実務上は、供託金の場合が多く、**【書式10－4】**は、この場合に配当等事件における債権者（債権執行事件における債務者）が国に対して有する供託金還付請求権等を差し押さえるものである。

2　供託金には、供託法の規定に従って供託利息が付される（供託3条、供託規33条。令和元年10月1日現在年利0.0012％）。供託利息を配当原資に加えるか否かについては、両説あるが、金銭債権に対する差押えを原因として第三債務者が供託した場合には、供託利息も民事執行手続の拘束下にあるとして、執行裁判所の配当等の対象となるとする考え方が一般的であり、東京地裁民事執行センターにおいても、そのように取り扱われている（近藤基「債権配当の実務と書式」115頁）。**【書式10－4】**は、この取扱いを前提として、供託利息払渡請求権を含めて差押えの対象にする場合の記載例である。

3　給料債権、賃料債権等の継続的給付債権を差し押さえた場合、第三債務者の供託は1回で終わることなく継続される。この場合、執行裁判所では、複数の供託についてまとめて配当等の手続を実施するのが通例であるところ、差押債権目録には債権配当等事件及び同事件に対応する供託金を全て表示すべきである。各債権者の配当加入状況が供託金により異なる場合があるためである。

【書式10－5】配当金交付請求権（債権等執行手続による売得金）

差押債権目録

金　　　　　円

債務者が第三債務者に対して有する○○地方裁判所令和○○年(ヲ)第○○○○号事件（基本事件令和○○年(ル)第○○○○号○○差押命令申立事件）についての配当金交付請求権にして、頭書金額に満つるまで

〔説明〕

○　**【書式10－5】**は、債権等執行手続において、配当原資が保管金であり、配当金がいまだ法務局に供託されていない場合のものである。執行官が売却命令に基づいてゴルフ会員権を売却した場合（規141条4項）、動産引渡請求権差押命令により動産の引渡しを受けそれを売却した場合（法163条2項）等には、執行官から執行裁判所に売却調書及び売得金が提出される。売得金は保管金として存在するので、国を第三債務者とし、第三債務者の代表者は執行

裁判所の歳入歳出外現金出納官吏とする。

【書式10－6】配当金交付請求権（執行裁判所で行う動産執行の配当）

差押債権目録

金　　　　　円

債務者が第三債務者に対して有する下記事件についての配当金交付請求権にして、頭書金額に満つるまで

記

債権者○○○○、債務者□□□□間の○○地方裁判所令和○○年（執イ）第○○○○号動産差押事件（同庁令和○○年(リ)第○○○○号配当事件）

〔説明〕

○　動産執行においては、第１次的な配当手続は執行官が行うが、配当について債権者間に協議が調わない場合は、執行官から執行裁判所に事情届、売得金及び事件記録が提出される（法139条３項、規130条、執行官６条、執行官規15条）。売得金は保管金として存在するので、国を第三債務者とし、第三債務者の代表者は執行裁判所の歳入歳出外現金出納官吏とする。なお、上記の配当において、配当を受けるべき債権者の中に仮差押債権者がいる場合には、執行官は配当実施額を供託した上で、その事情を執行裁判所に届け出るとともに、事件記録及び供託正本を提出する（法141条１項、規131条）。執行裁判所はこれを受理し、執行裁判所が配当手続を行うことになる。この場合、売得金は既に執行官によって供託されているので、供託金還付請求権を差押えの対象とすべきであるから、国を第三債務者、第三債務者の代表者を当該法務局の供託官とし、**【書式10－３】**に準じた目録を作成することになる。

【書式11－1】供託金還付請求権（債権者不確知による供託金）

> 差押債権目録
>
> 金　　　　　　円
>
> 申立外○○株式会社が債務者又は○○○○を被供託者とし、債権者不確知を供託原因として第三債務者に供託した○○地方法務局令和○○年度（金）第○○○○号金　　　　　　円の供託金還付請求権及び供託利息払渡請求権にして、頭書金額に満つるまで

〔説明〕

1　民法494条2項による供託金還付請求権の差押えであるが、現実に供託金の取立てをするには、債務者が供託金の還付請求権を有していることを別訴により確定する等の必要がある。
2　**【書式11－1】**は、供託時以降、差押え時までに発生した供託利息を含めて差し押さえる場合の記載例である。

【書式11－2】供託金還付請求権（みなし解放金）

> 差押債権目録
>
> 金　　　　　　円
>
> 債権者と債務者との間の○○地方裁判所令和○○年(ヨ)第○○○号債権仮差押命令申立事件によって、申立外○○○○が、債務者に対して負担する債務を仮差押えされたため、第三債務者に供託した下記供託金還付請求権及び供託利息払渡請求権にして、頭書金額に満つるまで
>
> 記
>
> 供 託 番 号　　○○法務局令和○○年度（金）第○○○○号
> 供託年月日　　令和○○年○月○日
> 供 託 金 額　　金　　　　　　円

【書式11－3】供託金取戻請求権（仮差押解放金）

差押債権目録

金　　　　　円

債権者と債務者との間の○○地方裁判所令和○○年(ヨ)第○○○号不動産仮差押命令申立事件の執行取消し（同庁令和○○年(ヲ)第○○○号執行取消申立事件）のため、債務者が、仮差押解放金として第三債務者に供託した下記供託金取戻請求権及び供託利息払渡請求権にして、頭書金額に満つるまで

記

供託番号　　○○法務局令和○○年度（金）第○○○○号
供託年月日　令和○○年○月○日
供託金額　　金　　　　　円

【書式11－4】供託金取戻請求権（宅建業法25条に基づく営業保証金の供託金）

差押債権目録

金　　　　　円

債務者が、宅地建物取引業法25条に基づき宅地建物取引業の営業保証金として第三債務者に供託した下記供託金取戻請求権及び供託利息払渡請求権にして、頭書金額に満つるまで

記

供託番号　　○○法務局令和○○年度（金）第○○○○号
供託年月日　令和○○年○月○日
供託金額　　金　　　　　円

〔説明〕

○　特定の業種について、その営業によって生じる損害賠償責任等を担保する

ため、特別法により営業保証金の供託が義務付けられているものがあり（宅建業25条、割賦販売16条、旅行業７条）、**【書式11－４】**はそのような供託金の取戻請求権を差し押さえる場合の記載例である。

【書式12－１】診療報酬債権（社会保険）

差押債権目録

金　　　　　円

ただし、債務者が東京都○○区○○町○丁目○番○号所在、○○○○医院（開設者　東京都○○区○○一丁目○番○号、執行太郎）名義で第三債務者から支払を受ける、本命令送達日以降支払期の到来する、債務者の診療に係る診療報酬債権及び公費負担医療費にして、支払期の到来した順序で、支払期が同じ場合は金額の大きい順序で、頭書金額に満つるまで

（第三債務者の表示）
〒105-0004
東京都港区新橋二丁目１番３号
第 三 債 務 者　　社会保険診療報酬支払基金
代表者理事長　　○　○　○　○
（送達先）
〒231-8346
横浜市中区山下町34
社会保険診療報酬支払基金
事業統括部資金課債権管理係

【書式12－２】診療報酬債権（国民健康保険）

差押債権目録

金　　　　　円

ただし、債務者が東京都○○区○○町○丁目○番○号所在、○○○○医院（開設者　東京都○○区○○一丁目○番○号、執行太郎）名義で第三債務者から支払を受ける、本命令送達日以降支払期の到来する、債務者の診療に係る診療報酬債権及び公費負担医療費にして、支払期の到来した順序で、支払期が同じ場合は金額の大きい順序で、頭書金額に満つるまで

（第三債務者の表示－開設場所が東京都内にある場合）
〒102-0072
東京都千代田区飯田橋三丁目５番１号
第三債務者　東京都国民健康保険団体連合会
代表者理事長　○○○○

〔説明〕

1　診療報酬は、保険医療機関、指定医療機関等の指定を受けた病院又は診療所（以下「診療所等」という。）に対して支払われるものであることから、第三債務者が誰に対する診療報酬の差押えなのかを識別することができるよう、診療所等の名称及び開設場所並びに開設者の住所及び氏名を記載する。債務者の氏名又は住所と開設者の氏名又は住所が異なる場合には、これらのつながり（同一性）の立証が必要である。

なお、東京地裁民事執行センターでは、開設者の住所及び氏名を記載した開設証明書を発行しない保健所が増加したことを考慮して、開設場所を管轄する保健所長名の開設証明書による証明を必要としない取扱いである。もっとも、記載した開設者が誤っていた場合、差押命令の効力は及ばないことになる（例えば、**【書式12－２】**において、○○医院の開設者が執行太郎でなかったときには、差押命令の効力は○○医院に係る診療報酬には及ばない。）。したがって、確実な差押えのためには、可能な限り開設証明書又は地方厚生局のウェブサイト上の医療機関一覧表（当該診療所等の開設者が記載されたもの）をプリントアウトしたものを提出するのが望ましい。

2　診療報酬は診療所等ごとに支払がされるため、個人又は医療法人が複数の診療所等を開設している場合には、各診療所等を診療所等の名称及び開設場所で特定する必要がある。なお、差押債権額は診療所等ごとに割り付ける。

3　医療法人の場合で開設証明書が提出できないときは、目的等欄に診療所等の記載のある全部事項証明書を提出する。

4　東京地裁民事執行センターでは、診療報酬債権は「継続的給付に係る債権」(法151条) に該当すると解して、差押債権につき期間による限定を付することなく、頭書金額に満つるまでその差押えを認める取扱いである（最決平17.12.6民集59巻10号2629頁及び〔**Q14**〕参照)。

5　将来分の期間の特定について、東京地裁民事執行センターでは、第三債務者の便宜を踏まえ、診療期間ではなく、支払期間で特定することを求めている。

6　第三債務者が社会保険診療報酬支払基金の場合、送達先は、社会保険診療報酬支払基金本部において診療報酬等に係る債権差押命令の受付業務を行う事業統括部資金課債権管理係宛てとする（〔**Q 9**〕**【第三債務者の記載例】6**参照)。

7　第三債務者が各都道府県の国民健康保険団体連合会の場合、都道府県又は同連合会の発行する証明書が資格証明書となる。

【書式12－3】介護報酬債権

差押債権目録

金　　　　　円

ただし、債務者が、東京都○○区○○町○丁目○番○号所在、○○介護サービス（介護保険事業所番号○○○○○○　開設者　東京都○○区○○町○丁目○番○号、株式会社○○○○）名義で第三債務者から支払を受ける、本命令送達日以降支払期が到来する平成12年厚生省令第20号１条所定の介護給付費及び公費負担医療等に関する費用にして、支払期の早い順序で、支払期が同じ場合は金額の大きい順序で、頭書金額に満つるまで

〔説明〕

1　開設者の記載等については、**【書式12－2】**の場合と同様である。

2　介護保険事業所番号は、第三債務者の便宜のため必須である。これは、10

桁の番号で、URL「https://www.kaigokensaku.mhlw.go.jp」で検索できる。

【書式12－4】調剤報酬債権

差押債権目録

金　　　　　円

ただし、債務者が東京都○○区○○町○丁目○番○号所在、○○○○薬局（開設者東京都○○区○○一丁目○番○号、執行太郎）名義で第三債務者から支払を受ける、本命令送達日以降支払期の到来する、債務者の調剤に係る調剤報酬債権及び公費負担医療費にして、支払期の到来した順序で、支払期が同じ場合は金額の大きい順序で、頭書金額に満つるまで

〔説明〕
○　開設者の記載等については、**【書式12－2】**の場合と同様である。

【書式13】保険金支払請求権（損害保険）

差押債権目録

金　　　　　円

債務者が第三債務者に対して有する下記損害保険契約に基づく保険金支払請求権にして、頭書金額に満つるまで

記

(1) 保険証券番号　○○－○○○－○○○
(2) 契約日　令和○○年○月○日
(3) 保険の種類　○○○○
(4) 保険期間　○○年
(5) 保険金額　金○○○○万円
(6) 保険者　第三債務者
(7) 被保険者　債務者

⑻	契　　約　　者	○○○○
⑼	保　険　の　目　的	債務者所有に係る別紙物件目録 記載の建物
⑽	保険金請求権発生の内容	上記建物が令和○○年○月○日 火災により滅失したもの

〔説明〕

1　損害保険金請求権の差押えについて、**【書式13】**の⑴ないし⑽が記載されていれば、ほぼ特定されていると思われるが、債権者において債務者から保険証書を担保として預かっている場合はともかく、通常は、全てを記載するのは難しいであろう。しかし、①保険証券番号、②契約日、③保険の種類、④保険金額、⑤保険者（第三債務者）、⑥被保険者（債務者）の記載は債権特定のためには必要であろう。もっとも、このうち、①保険証券番号及び②契約日のみ特定できないが他は明らかになっている場合には、その他の事項を明示した上で、「ただし、同種の保険契約が数口あるときは、保険証券番号の最も若いもの」と記載して差押えの対象となる損害保険契約を一つに限定する方法によって、差押えの対象となる損害保険契約を特定することは認められる。

2　なお、保険法により、責任保険契約（損害保険契約のうち、被保険者が損害賠償の責任を負うことによって生ずることのある損害をてん補するもの）に基づき保険給付を請求する権利については、一定の場合を除き、差押えが禁止されている（保険22条３項。〔**Q31**〕参照）。

3　保険金支払請求権（生命保険）については〔**Q19**〕参照。

【書式14－１】預り金返還請求権

差押債権目録

金　　　　　円

債務者が第三債務者に対して有する預り金返還請求権（債務者と第三債務者との間の金融商品取引法に基づく有価証券等の売買に関して、第三債務者が債務者より預託を受けた金銭の返還請求権）のうち、下記に記載する順序に従い、頭書金額に満つるまで（ただし、本店で管理するオンライン取引に関するものに限る。）

記

1　差押えのない預り金と差押えのある預り金があるときは、次の順序による。
⑴　先行の差押え、仮差押えのないもの
⑵　先行の差押え、仮差押えのあるもの
2　円貨建預り金と外貨建預り金があるときは、次の順序による。
⑴　円貨建預り金
⑵　外貨建預り金（差押命令が第三債務者に送達された時点において第三債務者が当該預り金に適用する外国為替レートにより換算した金額（外貨））
3　金額の多い順
4　同額の口座が複数あるときは、第三債務者において口座名義人を識別するために用いている識別コードの記号番号の若い順序による。
　なお、識別コードによる区別ができないときは、第三債務者がその口座に付した口座名の50音順（辞書式順序）による。

〔説明〕

1　債務者が証券会社等の有価証券取引業者に対して有する、有価証券等の売買に関して預託した金銭の返還請求権を差し押さえようとするものである。先物取引等において顧客の債務の履行を確保するため差し入れられた担保としての金銭は「証拠金」と呼ばれ、その返還請求権は本目録による差押えの対象とならない（**【書式14－2】**参照）。

2　差押債権の特定の観点から、差押債権目録は、第三債務者において、差押えの効力が債権差押命令送達の時点で生ずることにそぐわない事態とならない程度に速やかにかつ確実に差押債権を識別できるものでなければならないから、**【書式14－1】**のように差押えの対象を本店で管理するオンライン取引に関するものに限定するか、そうでなければ、「(○○支店扱い)」と記載して取扱店舗を特定する必要がある（**【書式3－1】**参照）。
　なお、取扱店舗による特定がされた場合には、債権差押命令も当該支店に送達する。

3　ただし、暗号資産（仮想通貨）の交換等及び管理に関する契約について、債務者が預託した金銭の返還請求権を差し押さえる場合の目録は、**〔Q82〕【書式2－1】**参照。

【書式14－2】証拠金等返還請求権

差押債権目録

金　　　　　円

債務者が第三債務者に対して有する、債務者が第三債務者に対し委託した指数オプション取引、指数先物取引、外国為替取引、株式信用取引及び商品先物取引に際して第三債務者に預託した取引証拠金、委託証拠金又は委託保証金（ただし、代用有価証券を除く。以下「証拠金等」という。）の返還請求権にして、以下に記載する順序に従い、頭書金額に満つるまで（ただし、本店で管理するオンライン取引に関するものに限る。）

記

1　差押えのない証拠金等と差押えのある証拠金等があるときは、次の順序による。
　(1)　先行の差押え、仮差押えのないもの
　(2)　先行の差押え、仮差押えのあるもの
2　円貨建証拠金等と外貨建証拠金等があるときは、次の順序による。
　(1)　円貨建証拠金等
　(2)　外貨建証拠金等（差押命令が第三債務者に送達された時点において第三債務者が当該取引に適用する外国為替レートにより換算した金額（外貨））
3　金額の多い順
4　同額の証拠金等が複数あるときは、口座番号の若い順序による。
　なお、口座番号による区別ができないときは、第三債務者がその口座に付した口座名の50音順（辞書式順序）による。

〔説明〕

1　証拠金とは、顧客が、先物取引等において、金融商品取引業者等に対し、債務の履行を確保するために差し入れる担保としての金銭であり、**【書式14－2】**はその返還請求権を差し押さえるものである。

2　証拠金等返還請求権の特定要素として、いかなる取引に関するものかを明示しなければならない。

3　差押えの対象を本店で管理するオンライン取引に関するものに限定するか、そうでなければ、「(○○支店扱い)」と記載して取扱店舗を特定する必要がある点については、**【書式14－1】**〔説明〕2参照。

4　ただし、暗号資産に関するデリバティブ取引（先物取引及びオプション取引等）に際し、債務者が預託した証拠金等の返還請求権を差し押さえる場合の目録は、〔Q82〕【書式２－２】参照。

【書式15－１】不渡異議申立預託金返還請求権（約束手形）

差押債権目録

金　　　　　円

債務者が、下記表示の約束手形の不渡処分を免れるため、第三債務者の加盟する銀行協会に提供させる目的で第三債務者（○○支店扱い）に預託した金員の返還請求権にして、頭書金額に満つるまで

記

金　額	金　　　　　円
支払期日	令和　　年　　月　　日
支払地	東京都○○区
支払場所	株式会社○○銀行○○支店
振出地	東京都○○区
振出日	令和　　年　　月　　日
振出人	債務者
受取人	○○○○

【書式15－２】不渡異議申立預託金返還請求権（小切手）

差押債権目録

金　　　　　円

債務者が、下記表示の小切手の不渡処分を免れるため、第三債務者の加盟する銀行協会に提供させる目的で第三債務者（○○支店扱い）に預託した金員の返還請求権にして、頭書金額に満つるまで

記

金　　額　　金　　　　円
支 払 人　　○○○○
支 払 地　　東京都○○区
振 出 地　　東京都○○区
振 出 日　　令和　　年　　月　　日
振 出 人　　債 務 者

〔説明〕

○　手形等の支払義務者が取引停止処分を免れるためには、手形等の支払拒絶が支払能力の欠如によるものではないことを明らかにするため、支払銀行から手形交換所に異議申立提供金の提供をしなければならない。異議申立預託金とは、手形等支払義務者が銀行に対し、この異議申立てを委任するに当たって、異議申立提供金の提供のための委任事務処理費用として預託する金員をいう。

Q 14　将来債権の差押え

将来債権として差し押さえることができるのは、どのようなものか。また、期限付・条件付債権にはどのようなものがあるか。

1　将来債権の差押え

⑴　将来債権の意義等

将来債権とは、差押えの時点では存在していないが、将来発生することが予想される債権である。この中には、現時点で存在する法律関係に基づき将来発生することが予想される期限付・条件付債権と、将来において債権発生の要件事実自体が生ずるような純粋な将来債権がある。これに対し、債権自体は既に発生していて、ただ弁済期が未到来であるにすぎないものは現在債権であり、将来債権には当たらない。

本来、差押えは、その時点における債務者の責任財産に対してされるのが原則であるから、債権差押命令を発するに当たっても、債務者が現に有すると主張される債権を対象とすべきである。しかし、差押えの時点では存在していない債権であっても、「発生の基礎となる法律関係が既に存在し、近い将来の発生が相当の蓋然性をもって見込まれるため財産価値を有するものであれば、その請求権の特定識別が可能な範囲で（債権額の確定は不要）、執行対象となる」とするのが通説的見解であり（中野＝下村「民事執行法」689頁）、実務上の取扱いも通説的見解によっている。

なお、一般に債権差押命令の申立てをする際、差押債権を特定する必要があるが、将来債権については、その性質上、金額の確定は困難なので、差押債権の特定に当たり金額を確定するまでの必要はない（ただし、他の要素により、第三債務者が他の債権と区別できる程度には具体的に特定する必要があることには変わりがない。〔Q13〕参照）。このように、将来債権は、近い将来において発生が確実に見込まれる限度で差押えが可能になるが、一口に将来債権といってもその発生原因等により様々なものがあり、それぞれの特性に応じた検討が必要である。そこで、以下、将来債権を、①同一の法律関係に基づいて継続的に発生する将来債権、すなわち、継続的給付債権と②その他の将来債権とに大別して、差押えの限度等を説明する。期限付・条件付債権については後記２で説明する。

⑵　継続的給付債権

給料その他継続的給付に係る債権に対する差押えの効力は、差押債権者の債権及び執行費用の額を限度として、差押えの後に受けるべき給付に及ぶ（法151条、151条の２第２項）。基本となる法律関係から継続的に現実化する多数の債権は、本来、支払期を異にする別個の債権であるから個別に差し押さえるべきものである。しかし、現実化する都度個別に差押えをすることは、債権者にとって余りに煩わしい上、各債権が現実化した途端に債務者が処分するなどの危険から債権者を保護する必要もある。他方、このような債権については債務者と第三債務者との法律関係が明確かつ安定的であるから、包括的な差押えを認めても、債務者及び第三債務者にとって特段の不利益を与えることもない。そのため、前記のような包括的な差押えが許される。

継続的給付債権には、賃料債権、給料債権（賞与等を含む。）、取締役等の役員報酬債権、議員報酬債権、弁護士・公認会計士・税理士等の顧問料債権、保険医の診療報酬債権（最決平17.12.6民集59巻10号2629頁は、保険医の診療報酬債権につき、法151条の２第２項の「継続的給付に係る債権」に当たるとしている。）等がある（差押債権目録の記載例については〔Q13〕参照）。これらは、賃貸借契約、雇用契約、委任契約、議員たる地位等の同一の法律関係に基づき、ある程度定期的に発生する債権である。なお、退職金債権については、厳密には後記⑶アの単発的な将来債権に当たるが、継続的給付債権である給料と合わせて全体として労働契約に基づく一連の継続的給付債権と目することができるものであることから、給料債権とともに差し押さえるのが実務上の一般的な取扱いである。

⑶　その他の将来債権

継続的給付債権に該当しないその他の将来債権は、１回限りの給付を目的とする単発的な将来債権と継続的な将来債権とに分けることができる。

ア　単発的な将来債権

単発的な将来債権としては、後記2の期限付・条件付債権の類型が重要である。

その他に、不動産競売における配当金交付請求権、弁済金交付請求権又は剰余金交付請求権がある。これらの債権については、その発生時期が配当期日又は弁済金交付日と解されている関係で、債権が発生すると同時に配当金等が現実に交付されてしまい、事実上差押えが功を奏しないために、将来債権としての差押えの必要性が高い。そこで、東京地裁民事執行センターにおいては、売却許可決定がされれば、その発生の基礎となる法律関係が存在して、近い将来における発生が確実に見込まれ財産的価値を有するといえることから、将来債権としての差押えを認める取扱いである（差押債権目録の記載例については〔Q13〕【書式10－1】【書式10－2】参照）。

また、保険契約に基づく解約返戻金請求権は、形成権である解約権を行使することを条件として効力の生ずる権利であるが、これを差し押さえることができ、差押債権者は、取立権の行使として保険契約を解約し、解約返戻金を取り立てることができる（最判平11.9.9民集53巻7号1173頁参照）。

イ　継続的な将来債権

継続的な将来債権の例としては、売買、運送、請負等の反復する取引から生ずる債権がある。

反復する取引から生ずる債権は、債務者と第三債務者との間に何らかの継続的取引に係る契約（基本契約）が存することも少なくないと思われるが、当該契約に具体性が乏しいことも多く、そのような場合には、具体的な債権は各個別契約により生ずると解されるため、この点において、継続的給付債権と区別される（債権者において、債務者と第三債務者との間に相当程度具体的な継続的取引に係る契約があることを特定することができ、当該契約に基づき（個別契約を待たず）直接具体的な債権が発生するのであれば、継続的給付債権として取り扱うこともできるが、そのような事例は実務上多くない。）。

このような継続的な将来債権は、基礎となる法律関係の明確性、安定性等が必ずしも十分ではなく、将来になればなるほど発生が不確実になり、継続的給付債権のような包括的な差押えを認めると、第三債務者は、長期間、極めて不安定な地位に置かれることになりかねない。そこで、実務上は、その発生の確実性等に鑑み、差押命令の送達日から6か月先までに発生するものまで差押えを認めている（差押債権目録の記載例については〔Q13〕【書式7－2】【書式8－3】参照)。

2　期限付・条件付債権の差押え

期限付債権（期限の到来によって発生する債権)、条件付債権（停止条件の成就によって発生する債権）はいずれも将来債権であり、1回限りの給付を目的とする単発的な債権であることが多い。この場合、債務者と第三債務者との間に一定の条件に係る債権債務関係が存在するのであるから、原則として、将来債権を差し押さえることができる要件は満たしていると考えられ、債権者は、一般的な債権差押命令の申立ての場合と同様に、この期限付・条件付債権を特定しさえすれば、これを差し押さえることができる。ただし、第三債務者は債務者に対して有していた抗弁を差押債権者に対しても主張することができるため（〔Q46〕参照)、差押債権者は直ちに取立てをすることはできず、期限到来・条件成就後に取立てをすることになる。

期限付・条件付債権の例としては、将来保険事故が発生した場合の保険金支払請求権、賃貸借契約における敷金返還請求権、手形不渡異議申立預託金返還請求権等が挙げられる（差押債権目録の記載例については〔Q13〕参照)。

〈参考文献〉

今井隆一「将来発生する債権に対する差押えについて」債権執行の諸問題37頁、新基本法コンメンタール民事執行法366頁〔山下真〕、東京地裁民事執行センター「さんまエクスプレス第34回」金法1786号87頁

Q 15　超過差押え

超過差押えになるのは、どのような場合か。請求債権が連帯債務の関係にある場合、また、差押債権が連帯債務の関係にある場合はどうか。

1　超過差押えの禁止

執行裁判所は、差し押さえるべき債権の全部について差押命令を発することができるが（法146条１項)、差し押さえた債権の価額が差押債権者の債権（請求債権）及び執行費用の額を超えるときは、執行裁判所は、他の債権を差し押さえてはならない（同条２項)。法146条２項は超過差押えの禁止を規定したものであるが、これは、債務者の財産権保障の観点から、債権者が差し押さえることができる財産の範囲を自己の債権の満足を受けるのに必要な限度に制限する趣旨である。そのため、超過差押えの禁止は、差し押さえられた債権の価額が外観上明らかで超過か否かの判断が容易なもの、具体的には、金銭債権を中心に適用されることになる（法146条２項が異種執行手続の重複を禁止する趣旨のものとは解されない旨判示した裁判例として、東京高決平23.10.6判タ1373号242頁参照)。東京地裁民事執行センターにおいても、比較するものが債権でなく、不動産や動産、その他財産権の場合には、超過判断の対象としない取扱いである（ただし、株式等に対する差押えについては、〔Q79〕、〔Q80〕参照)。

したがって、差押債権者は、差し押さえた１個又は数個の債権の合計額が請求債権額及び執行費用額の合計を超えるときは、さらに別の債権を差し押さえることはできない。例えば、請求債権額及び執行費用額の合計が100万円の場合に、150万円の１個の売買代金債権を差し押さえること、又は70万円と80万円の２個の売買代金債権を差し押さえることはできるが、100万円の１個の売買代金債権を差し押さえた後、又はこれと同時に他の債権を差し押さえることはできない。ただし、理論的には以上のとおりであるとしても、実務上は、超過差押えの禁止の趣旨を尊重して、１個の債権を差し押さえる場合でも、差押債権の額を請求債権額及び執行費用額の合計を限度として（上記の例でいえば差押債権額を100万円に満つるまでとして）申し立てられ、その限度で差押命令を発令する運用である。差押債権者が別の債権を差し押さえるためには、先行する差押命令の申立ての全部又は一部を取り下げる必要がある。

法146条２項に反する債権差押命令が発令された場合、債務者は、差押命令に対し、手続上の瑕疵を理由に執行抗告（法145条６項）をすることができ、超過して差し押さえられた債権についての差押命令の取消しを求めることができる。

2　超過差押えの禁止の例外の可否（消極）

第三債務者の資力によっては、差し押さえた債権が額面どおりの価値を有しているとは限らないし、一応、額面どおりの価値を有しているとしても、差押債権者が、最終的に額面どおりの債権の満足を受けられるとも限らない（既に差押債権に仮差押え、差押え又は滞納処分がされている場合、既に差押債権が第三債務者の債務者に対する債権との間で相殺適状にある場合、差押債権が他の債権者の優先権の目的となっている場合等）。そこで、差押債権者は、差し押さえた債権のみでは自己の債権の満足を得ることができない具体的事情を明らかにして、さらに他の債権の差押えを申し立てることができるとする見解がある（森公宏「差押えの範囲と超過差押えの禁止」債権執行の諸問題78頁）。

この見解は、法146条２項にいう「債権の価額」を額面額ではなく実質価額と解することを前提にするものと思われるが、法が債権執行手続を債務名義等に基づき形式的、画一的に実施する仕組みとしていることに鑑みると、同項にいう「債権の価額」を実質価額と解することは困難であろう。また、仮に、実質価額と解することが可能であるとしても、例えば、差押えの競合等の場合には、競合した差押えが取下げになる可能性もあり、相殺適状についても、その権利関係自体確定されたものではないことを考慮すると、これらの事情があっても、直ちに自己の債権全額の満足を得られないとはいい難い。そもそも、簡易迅速を旨として証人尋問等を予定していない債権執行手続の過程において、実質価額を的確に立証することができるとは考えにくい。

また、差押債権者が、執行文の再度付与を受けて申し立てた場合には、超過差押えの禁止の適用はないとの見解もある（注釈民事執行法(6)165頁〔田中康久〕）。この見解は、執行文の再度付与に当たって、超過差押えの禁止の趣旨に反するか否かの判断がされることを前提とするものと思われるが、実務上、このような判断はされていないので、東京地裁民事執行センターにおいては、このような場合、債権者に対し他の債務名義の使用状況等につき説明を求め、超過差押えの禁止に反する申立てか否かを審査する取扱いである（〔Q９〕１(1)キ参照）。

3　請求債権が連帯債務関係にある場合

数名の連帯債務者に対し債務名義を有する債権者がこれらの連帯債務者に対し債権差押命令の申立てをする場合に、超過差押えの禁止がどのように適用されるかについては、①連帯債務者全員を通じて請求債権額及び執行費用額の合計を超える差押えをしてはならないとする見解（民事裁判資料45号165頁）と、②超過差押えの禁止は連帯債務者ごとに適用されるべきであるとする見解（深沢利一「民事執行の実務(中)」583頁。大阪高決昭32.12.7判タ79号100頁・金法168号３頁）がある。

①の見解は、連帯債務関係における個々の債務は客観的に単一の目的を達成する手段であって、１個の給付は全ての債務を消滅させるとの考え方によるものであり、②の見解は、連帯債務は連帯債務者の数に応じた複数の債務であって、各債務は全部の給付を内容とするものであるとの考え方によるものである。

東京地裁民事執行センターでは、②の見解に立ち、連帯債務者ごとに請求債権全額について差し押さえることができるとする取扱いである。ただし、この場合でも、差押債権者の取立権の範囲は、連帯債務者全員を通じて請求債権額及び執行費用額に限定される（法155条１項ただし書）。また、換価の一方法である転付命令については、差押債権全額について発令されると、差押債権者は請求債権額及び執行費用額を超えて満足し、その反面、連帯債務者らは全体としてみると二重弁済を強いられる結果となるので、債務者の全員を通じて請求債権額及び執行費用額を限度として発令されることとなる（深沢・前掲583頁、反対説として注解民事執行法⑷432頁〔稲葉威雄〕）。

4　差押債権が連帯債務関係にある場合

例えば、債権者甲が、100万円を請求債権として、債務者乙が第三債務者丙１及び丙２に対して有する各100万円の債権で丙１及び丙２が連帯支払義務を負うものを差し押さえようとする場合、仮に、超過差押えの禁止により第三債務者全員を通じて請求債権額を超える金額の債権を差し押さえてはならないとすると、債権者は、乙が丙１に対して有する債権のうち50万円、乙が丙２に対して有する債権のうち50万円といったように差押債権額を適宜割り付けて申し立てる必要がある。しかし、このような申立てに基づき債権差押命令が発令されると、連帯債務者の一人に対する差押命令の効力は他の連帯債務者には及ばないので（民441条本文）、丙１及び丙２のいずれにおいても、差し押さえられていない50万円の部分を乙に支払うことは妨げられず、その結果として、連帯債務関係にある差押債権は全額消滅してしまうことになる。このような結果となる法の解釈適用は、適切ではない。

そこで、東京地裁民事執行センターでは、連帯債務関係にある複数の第三債務者について同時に債権差押命令の申立てがあった場合については、第三債務者に誤解が生じないように、差押債権目録に連帯債務関係を明示した上で、債務者が第三債務者各自に対して有する債権全額について差押命令を発令する取扱いである。転付命令については、少なくとも前記の差押命令が認められる限度で転付命令を発令したとしても、被転付債権は連帯債務関係を維持したままで債務者から差押債権者（転付債権者）に移転することになるので、差押債権者に請求債権額及び執行費用額の合計額を超えて利得を生じさせることにはならないから、これを認めて差し支えないと思われる。

Q 16　（根）抵当権付債権の差押え

抵当権付債権の差押えを申し立てる場合、どのようなことに注意すればよいか。根抵当権付債権の差押えの場合はどうか。

1　（根）抵当権付債権の差押えの効力

⑴　抵当権により担保された債権の差押え

抵当権により担保された債権を差し押さえた場合、抵当権が金銭債権を担保するために存在し、債権とともに移転し、負担に服する（附従性、随伴性）ことから、債権の差押えの効力は従たる権利である抵当権にも及ぶことになる（民87条2項類推。大判大元.11.26民録18輯1005頁）。したがって、債務者は、抵当権によって担保された債権の差押命令により、当該債権の取立てその他の処分が禁止されるほか、当該抵当権の処分（民376条1項）も禁止される。ただし、抵当権に対する差押えの効力と債務者がした抵当権の処分の効力との優劣は、それぞれの登記の先後により対抗問題として処理される（差押えの登記につき、後記2）。第三債務者が、債務者に対する弁済を禁止される点は、一般の債権差押えの場合と同じである。なお、差押登記がされた後の抵当権の順位の変更については、利害関係人として差押債権者の承諾を要することになる（民374条1項ただし書）。

抵当権付債権の差押命令の申立書の記載例は、**【書式1】**のとおりである。なお、この記載例は、（根）抵当権に対する差押登記の嘱託の申立てを同時に行うものである（後記2⑴参照）。申立てに際しては、抵当権について最新の登記事項証明書（1か月以内に発行されたもの）が必要である。

⑵　根抵当権により担保された債権の差押え

ア　元本確定後の根抵当権により担保された債権の差押え

元本確定後の根抵当権の場合は、確定により根抵当権と被担保債権との関係が固定することから、その附従性及び随伴性について、抵当権の場合と異なるところがない。したがって、被担保債権に対する差押えの効力は確定後の根抵当権に及ぶことになり、差押え後の債権者、債務者及び第三債務者の関係も抵当権の場合と同様である。

イ　元本確定前の根抵当権により担保された債権の差押え

元本確定前の根抵当権については、根抵当権が設定契約で定めた一定範囲に属する不特定の債権を極度額の限度において担保するものであり、抵当権や確定後の根抵当権とは異なり、元本確定前に根抵当権者から債権を取得した者はその債権について根抵当権を行使することができないとされてその随伴性が否定され（民398条の7第1項）、また附従性が緩和されている。そのため、元本確定前の根抵当権により担保された債権の差押えの効力が根抵当権に及ぶか否かについて、消極説と積極説との対立がある。消極説は、元本確定前の根抵当権により担保された債権は、元本が確定した際に被担保債権となり得る資格を有する債権にすぎず、被担保債権そのものではないとするのに対し、積極説は、随伴性が否定されるのは債権の譲渡等の場合に限られるとして、元本確定前の根抵当権の被担保債権となるとする。執行実務では積極説によっており、登記実務においても、昭55.12.24法務省民三第7175号民事局長回答、同日法務省民三第7176号民事局長通達で、従前の取扱いを変更し、元本確定前の根抵当権の被担保債権に対する差押登記が申請された場合には、これを受理するとした（民事月報36巻6号142頁参照）。なお、登記に際しては、公示上の便宜的な措置として、差押債権の内容も併せて登記することが求められている（**【登記記載例】**参照）。

このような積極説に基づく実務を前提とすると、差押え後の債権者、債務者及び第三債務者の関係は、基本的に抵当権の場合と同じである。債務者は、差押債権の取立てその他の処分が禁止されるから、差押え後に差押債権を譲渡しても、民法398条の7第1項を根拠として被担保債権からの離脱を差押債権者に対抗することはできない。これは、差押債権に対する本来の差押えの処分禁止効によるものであるから、差押債権を被担保債権とする根抵当権の差押登記の有無は関係がない。また、被担保債権の範囲の変更及び債務者の変更（民398条の4）並びに根抵当権の処分のうち転抵当（民398条の11第1項ただし書）、全部譲渡（民398条の12第1項）及び一部譲渡（民398条の13）が禁止され、禁止に違反したこれらの行為の効力については、対抗問題として処理される。なお、差押登記後の極度額の減額（民398条の５）及び根抵当権の処分のうち分割譲渡（民398条の12第２項、第３項）については、利害関係人として差押債権者の承諾を要することになる。

2　（根）抵当権に対する差押登記等

⑴　差押登記の嘱託の申立て

差押登記は、執行裁判所の職権ではなく、差押債権者の申立て（差押命令の申立てと同時でよい。）により行われる（法150条）。

申立てに必要な書類等は、①申立書（差押命令の申立てと同時にする場合の記載例として**【書式１】**参照。手数料は不要）、②登録免許税用収入印紙（登録免許税額（100円未満切捨て）＝差押債権額（1000円未満切捨て。ただし、金額全体が1000円未満のときは、課税標準額を1000円とする。）×4/1000）、③登記権利者義務者目録及び物件目録各２部、④差押命令申立て時から間をおいて申し立てる場合には最新の登記事項証明書（１か月以内に発行されたもの）である。

⑵　差押登記手続等

申立てを受けた執行裁判所の裁判所書記官は、執行雑事件（事件符号㋾）として立件し、第三債務者への差押命令の送達（差押命令が効力を生じたこと）を確認した後（法150条、145条５項）、物件の所在地を管轄する法務局に差押えの登記を嘱託する（嘱託書の記載例は**【書式２】**参照）。債務者に対する差押命令の送達の前に当該嘱託の申立てがあったときは、その登記が完了した後に差押命令正本を債務者に送達する。また、裁判所書記官は、第三債務者（（根）抵当権の被担保債権の債務者）と担保不動産の所有者（物上保証人）とが異なる場合には、所有者への差押通知をする必要がある。法及び規則には、物上保証人である担保不動産の所有者に対して差押えの通知をすべき旨の規定はないが、物上保証人も当該差押えに利害関係を有し、執行抗告、第三者異議などの手続で争うことができるからである（中野＝下村「民事執行法」719頁、田中康久「新民事執行法の解説」312

頁)。

3 (根) 抵当権付債権の換価手続

(根) 抵当権付債権の換価方法としては、取立権の行使、転付命令、譲渡命令、売却命令等の手続がある。このうち譲渡命令、売却命令等については、取立て又は転付命令による換価ができないか又は相当でない場合にされるものであり、実務上はほとんど例をみない。

(1) 取立権の行使

ア 第三債務者に対する行使

取立権の行使としては、一般の債権差押えの場合と同様に、債権者は、債務者に差押命令が送達されてから1週間(ただし、給料債権等の差押えの場合で、請求債権に扶養義務等に係る金銭債権が含まれない場合は4週間)が経過した段階で、第三債務者に差押債権の支払を求めることができる(法155条1、2項)。

イ (根) 抵当権に基づく担保不動産競売

債権者は、取立権の行使として、(根) 抵当権が設定されている不動産について担保不動産競売を申し立てることができる(根抵当権については反対説があるが、差押えの効力が及ぶことを積極に解する以上、これも認めて差し支えない。)。この場合、差押登記がされた当該(根) 抵当権の登記事項証明書のほか、被担保債権である差押債権につき取立権が発生したことを証明するために、債権差押命令正本及び債務者に対する送達通知書の提出が必要となる。なお、差押登記が未了の場合、債権差押命令正本及び第三債務者に対する送達通知書がこれに代わる証明文書となる。

ウ 配当手続への加入

差押登記前から競売事件が係属している場合には、不動産執行裁判所に対し、差押登記がされた登記事項証明書、被担保債権の差押命令正本及び債務者に対する送達通知書を添えて届け出ること等により、配当手続時に(根) 抵当権の被担保債権の差押債権者として取り扱われる。

他方、差押登記後に第三者の申し立てた競売事件が開始した場合には、配当等を受けるべき債権者として取り扱われることになる。この場合であっても、被担保債権の差押命令正本及び債務者に対する送達通知書の提出により、取立権が発生していることを証明する必要がある。

エ　差押えの競合

（根）抵当権付債権について差押えの競合が生じた場合については、直接的な規定はないが、不動産執行裁判所は、配当金を供託し、債権執行裁判所に対し、供託書正本を添付した事情届を提出し、これを受けた債権執行裁判所が配当手続を実施することになる（法156条、規138条参照。民事執行の実務－不動産(下)〔Q126〕参照）。また、根抵当権の場合、不動産執行事件の配当における根抵当権付債権の差押債権者と本来の根抵当権者である債務者との優先関係が問題となるが、差押債権者と根抵当権者（債務者）は執行債権者と執行債務者の関係にあることを考慮し、まず差押債権者が差し押さえた債権に配当され、残余が根抵当権者（債務者）の有するその余の債権に配当されるとする考え方が有力である。

なお、元本確定前の根抵当権に関しては、差押債権者の競売申立てにより根抵当権の元本が確定することになる（民398条の20第１項１号）。

⑵　転付命令

ア　（根）抵当権付債権に対する転付命令の効果等

転付命令を申し立てる場合又はこれを予定している場合には、差押命令の申立時に陳述催告の申立て（法147条１項）をしておくのが適当である。

（根）抵当権付債権に対する転付命令が発せられ、第三債務者に送達されるまでの間に他の債権者から差押えや配当要求等がなく、確定すれば、差押債権である被担保債権は、第三債務者に送達された時に遡って債権者に移転し、請求債権及び執行費用が券面額で弁済されたものとみなされる（法159条、160条）。これに伴って、抵当権及び元本確定後の根抵当権も差押債権者に移転する（附従性、随伴性）。これに対し、元本確定前の根抵当権については、転付命令により差押債権が債権者に移転すると、根抵当権の被担保債権から離脱して根抵当権の付着しない債権となり（民398条の７第１項）、根抵当権は差押債権者には移転しない。

イ　差押登記の抹消登記及び移転登記手続

転付命令が確定した場合は、債権者の申立てにより、裁判所書記官が差押登記の抹消及び抵当権又は元本確定後の根抵当権の移転登記の嘱託をする（法164条１項）。債権者は、申立てに際し、記録上明らかな場合を除き、転付命令が第三債務者に送達されるまでに差押えの競合等がないことを証明する必要がある（規144条）。転付命令が第三債務者に送達された後に、第三債務者から陳述の催告に対して「競合する差押え等がない」旨の回答が提出された場合には、原則として「記録上明らかな場合」という除外事由に当たるとみなして差し支えないが、提出されない場合には、別途証明文書（第三債務者作成の文書によることが多いであろう。）を提出する必要がある。申立てを受けた執行裁判所の裁判所書記官は、執行雑事件（事件符号㈷）として立件し、差押えの競合等がないことを確認の上、差押登記の抹消及び抵当権等の移転登記の嘱託をする（嘱託書の記載例は**【書式３】**参照）。

申立てに必要な書類等は、①申立書（手数料は不要）、②登録免許税用収入印紙（移転分の登録免許税額（100円未満切捨て。ただし、金額全体が1000円未満のときは、課税標準額を1000円とする。）＝差押債権額（1000円未満切捨て）×2/1000、抹消分の登録免許税額＝1000円×物件数。ただし、20個を超えるときには嘱託書１通につき２万円）、③登記権利者（＝差押債権者）義務者（＝抵当権者たる債務者）目録及び物件目録各２部、④最新の登記事項証明書（１か月以内に発行されたもの）である。

4　差押えの取下げ等

差押命令の申立てが取り下げられた場合、差押命令の取消決定が確定した場合、差押債権の支払又は供託を証する文書の提出がされた場合には、裁判所書記官は、申立てにより、執行雑事件（事件符号㈷）として立件して、差押登記の抹消登記手続を嘱託する（法164条５項）。差押登記の抹消に要する費用に関しては、取下げ又は取消しを原因とするときには債権者が、支払又は供託を原因とするときには債務者が、それぞれ負担する（同条６項）。

申立てに必要な書類等は、①申立書（手数料は不要）、②登録免許税用収入印紙（登録免許税額＝1000円×物件数、ただし、20個を超えるときには嘱託書１通につき２万円)、③登記権利者（＝債務者）義務者（＝債権者）目録及び物件目録各２部である。

〈参考文献〉

注釈民事執行法⑹266頁〔原敏雄〕、新基本法コンメンタール民事執行法365頁〔谷池厚行〕、古島正彦「抵当権付債権及び根抵当権付債権の差押えの問題点」債権執行の諸問題117頁

【登記記載例】

【乙区】

【順位番号】	【登記の目的】	【受付年月日・受付番号】	【権利者その他の事項】
付記○号	○番根抵当権付債権差押	令和○○年○月○日 第○○○号	原因　令和○○年○月○日○○地方裁判所差押命令 差押債権 令和○○年○月○日付け金銭消費貸借の金○○万円 債権者 ○○市○○町○番地 ○　○　○　○

【書式１】

債権差押命令申立書

東京地方裁判所民事第21部　御中

令和○○年○○月○○日

債　権　者　　　　○○株式会社
代表者代表取締役　○　○　○　○
電　話　○○－○○○○－○○○○
担当者　　□　□　□　□

当 事 者 ⎫
請求債権 ⎬ 別紙目録記載のとおり
差押債権 ⎭

債権者は、債務者に対し別紙請求債権目録記載の執行力のある債務名義正本に表示された請求債権を有しているが、債務者がその支払をしないので、債務者が第三債務者に対して有する別紙差押債権目録記載の債権の差押命令を求める。

なお、差押債権については、別紙差押債権目録記載の抵当権が存在するので、差押登記の嘱託の申立てをする。

添付書類

1	商業登記事項証明書（資格証明）	1通
2	執行力のある債務名義の正本	1通
3	同送達証明書	1通
4	不動産登記事項証明書	1通

差押債権目録

金　　　　円

ただし、下記物件につき○○地方法務局○○出張所令和○○年○○月○○日受付第○○号をもって設定登記を経た抵当権によって担保されている債務者の第三債務者に対する令和○○年○○月○○日付け金銭消費貸借契約（弁済期令和○○年○○月○○日）に基づく金員支払請求権にして、元本、利息、遅延損害金の順序により頭書金額に満つるまで

記

物件の表示

所　在	○○区○○町○丁目
地　番	○○番○
地　目	宅地
地　積	○○.○○平方メートル
所有者	○○○○

【書式2】

令和　　年（ル）第　　号

登記嘱託書

登記の目的	抵当権付債権差押
目的たる債権	令和○○年○○月○○日受付第○○号抵当権の債権
原　　　因	令和○○年○○月○○日○○地方裁判所差押命令
権利者・義務者	別紙目録記載のとおり（別紙省略）
添付書類	差押命令正本

令和○○年○○月○○日
　○○地方裁判所民事第○○部
　　裁判所書記官　　　　　　　　　　印
○○法務局○○出張所　御中

課税価格	債権金額	金　○○○○円
登録免許税		金　○○○○円
不動産の表示	別紙物件目録記載のとおり（別紙省略）	

※　元本確定前の根抵当権付債権の差押えの場合は、差押債権の表記も必要である（例「差押債権　令和○○年○月○日付け金銭消費貸借の金○○万円」）。

※　原因の日付は、第三債務者に差押命令正本が送達された日となる（法145条5項）。

※　差押命令正本には、第三債務者に送達された旨及び送達の日を付記する。
　これは、嘱託書には登記原因を証する情報を添付しなければならないところ、債権差押命令の正本に差押えの効力の及ぶ抵当権の表示があり、かつ、第三債務者に送達された旨及び送達の日が付記されているときは、これが登記原因を証する情報として取り扱われることによる。

※　現在では全ての法務局がオンライン指定庁であるため、嘱託書副本を添付する必要はなくなった。

【書式3】

令和　　年（ル）第　　号

登記嘱託書

登記の目的	○番抵当権移転及び抵当権付債権差押登記抹消
原　　　因	令和○○年○○月○○日転付命令
抹消すべき登記	令和○○年○○月○○日受付第○○号
権利者・義務者	別紙目録記載のとおり（別紙省略）
添付書類	転付命令正本

令和○○年○○月○○日
○○地方裁判所民事第○○部
裁判所書記官　　　　　　　　　　印
○○法務局○○出張所　御中

課税価格	債権金額	金　○○○○円
登録免許税		金　○○○○円
内　訳	移転登記分	金　○○○○円
	抹消登記分	金　○○○○円
不動産の表示	別紙物件目録記載のとおり（別紙省略）	

※　転付命令正本には、転付命令が確定した旨及び確定の日を付記する。

Q 17 共同相続された預貯金債権に対する強制執行

共同相続された被相続人名義の預貯金債権について、強制執行をすることができるか。また、その執行手続は、どのようにされるのか。

1　預貯金債権の共同相続

⑴　従前の取扱い

一般に、複数の相続人がいる場合に、相続財産に金銭債権等の可分債権があるときは、当該可分債権は法律上当然分割され各共同相続人がその相続分に応じて権利を承継するものとされている（最判昭29.4.8民集8巻4号819頁）。

そして、従前、可分債権である預貯金債権は、相続開始と同時に当然に相続分に応じて相続人に分割されて各共同相続人の分割単独債権となり、共有関係に立つものではないとされ（最判平16.4.20集民214号13頁・金法1711号32頁）、執行実務においては、この見解を前提として、各共同相続人の分割単独債権としての預貯金債権を差し押さえることが認められていた。

⑵　最高裁平成28年12月19日決定と最高裁平成29年4月6日判決の概要

最決平28.12.19（民集70巻8号2121頁・金法2058号6頁）は、預貯金一般の性格として、預貯金契約に基づいて金融機関の処理すべき事務の内容や預貯金の決済手段としての性格や現金との類似性等を踏まえつつ、普通預金債権、通常貯金債権及び定期貯金債権の内容及び性質をみると、共同相続されたこれらの預貯金債権は、いずれも、相続開始と同時に当然に相続分に応じて分割されることはなく、遺産分割の対象となるものと解するのが相当であるとの判断を示した。

また、最判平29.4.6（集民255号129頁・金法2064号6頁）は、前記最決平28.12.19を前提として、定期預金債権や定期積金債権についても、その内容や性質からすると、いずれも、相続開始と同時に当然に相続分に応じて分割されることはないとの判断を示した。

最高裁が示した上記二つの判断（以下「本件判例」という。）を踏まえると、共同相続された預貯金債権については当然に分割されることはないことを前提として、これに対する強制執行の可否及び方法等を検討する必要がある。

2　強制執行の可否（執行適格）

本件判例を前提とすると、遺産分割がされるまでの間、共同相続された預貯金債権は相続財産として共同相続人の準共有に属し（民898条、264条本文。その性質はいわゆる「遺産共有」となる。）、各共同相続人は、被相続人名義の預貯金債権について準共有持分を有していると考えられる。そして、相続財産の共有は、基本的には民法249条以下に規定する「共有」とその性質を異にするものではなく（最判昭30.5.31民集９巻６号793頁）、遺産共有下にある不動産については、その共有持分を譲渡すること（最判昭50.11.7民集29巻10号1525頁・金法778号33頁）や差し押さえることも可能である。準共有についてもこうした民法249条以下の共有の規定が準用されているから（民264条本文）、遺産共有下にある不動産と同様に、相続人の債権者が、被相続人名義の預貯金債権について当該相続人が有する準共有持分（持分割合は法定相続分による）を差し押さえることも可能であると考えられる。

3　申立て及び差押えの手続

⑴　強制執行の方法

金銭債権の準共有持分に対する強制執行については明文の規定がなく、預貯金債権の準共有持分に対する強制執行が、「金銭の支払を目的とする債権」に対する強制執行（法143条）となるか、「その他の財産権」に対する強制執行（法167条１項）となるかについては、見解が分かれ得るところである。

この点、預貯金債権は一定額の金銭の引渡しを目的とする金銭債権であり、数量をもって表示された一定の貨幣価値を目的とする抽象的な債権であることから、その準共有持分を有する各共同相続人は、預貯金債権のうち各自の持分割合すなわち法定相続分に相当する額の価値を把握しているということができる。債権の準共有持分については、これを債権とみなす規定はないが（不動産の共有持分については、法43条２項）、このような規定の有無によって強制執行の方法が直ちに決せられるわけではない。また、本件判例は、預貯金債権が相続開始と同時に当然に相続分に応じて分割されることはなく、遺産分割の対象となるとの判断を示したものであり、預貯金債権の性質や執行方法まで変更するものではないと考えられる。このような点を踏まえ、東京地裁民事執行センターでは、金銭の支払を目的とする債権に対する強制執行（債権執行。法143条）によることとしている。

債権執行による場合、執行裁判所は、差押命令において、差押債権目録に記載された準共有持分を差し押さえ、債務者に対し、その取立てその他の処分を禁止するとともに、第三債務者に対し、債務者に対する弁済を禁止する（法145条１項）。

差押命令における差押債権目録の書式は後記**【書式】**のとおりである。

⑵　差押えの効力が及ぶ範囲

差押えの効力は差押命令が第三債務者へ送達された時に生ずる（法145条５項）。前記⑴のとおり、預貯金債権の準共有持分を有する共同相続人は、預貯金債権のうち各自の持分割合に相当する額の価値を把握しているから、差押命令が第三債務者に送達された時における預貯金残高のうち、法定相続分に相当する額（ただし、差押金額に満つるまで）が差押えの対象となり、かつ、その範囲において差押えの効力が及ぶ。なお、差押え後に預貯金残高に変動が生じても、差押えの効力が及ぶ範囲は上記の時点における額に固定され、変動するものではないと考えられる。

4　換価方法

⑴　相続人の債権者が共同相続された預貯金債権の準共有持分を差し押さえた場合

本件判例によれば、共同相続が開始すると、相続人は準共有に属する預貯金債権について、全員で共同しなければ、預貯金債権の払戻しを受けることはできず（民264条本文、251条）、遺産分割がされる前は、自己の法定相続分相当額であっても、各共同相続人が単独で払戻請求をすることはできないと考えられる（前記最判平29.4.6）。

一般に、債権が差し押さえられた場合であっても、差し押さえられた債権の性質・内容が変更されるものではなく、第三債務者は、差押債権に関する実体上の事由を差押債権者に対して主張することができるのが原則である（新基本法コンメンタール民事執行法376頁〔山下真〕））。

このように、共同相続された預貯金債権について各共同相続人が単独で払戻請求することはできず、差押命令によっても権利の性質・内容に変更が生じない以上、差押債権者による取立ては困難であると考えられる。したがって、差し押さえられた準共有持分については、譲渡命令や売却命令によって換価することが考えられる（法161条１項。転付命令を発することができるかどうかについては、議論の余地があるとされている（最判解平成28年度572頁〔齋藤毅〕注57)。)。もっとも、差押債権者による取立ての可否については、最終的には、差押債権者と第三債務者との間の取立訴訟において決せられることとなる。

譲渡命令の申立てがあった場合には、債務者に対する審尋（法161条２項本文）を経た上で、執行裁判所が定める価額により準共有持分を債権者に譲渡することになる。この場合、第三債務者の陳述書に記載された差押命令送達時の預貯金残高に法定相続分を乗じた金額（ただし、差押金額に満つるまで）をもって、「執行裁判所が定めた価額」とすることが考えられる。

譲渡命令等により、預貯金債権の準共有持分が差押債権者又は第三者に移転すると、当該預貯金債権は、差押債権者又は当該第三者と共同相続人との準共有状態になるが、この準共有状態を解消するためには共有物分割手続をとるべきことになると解される（前記最判昭50.11.7）。

⑵　被相続人の債権者が共同相続された預貯金債権の準共有持分を差し押さえた場合

被相続人の金銭債務は、法律上当然に分割され、各共同相続人がその相続分に応じてこれを承継する。そこで、被相続人の債権者は、共同相続人全員に対する債権（相続債務）の満足に充てるため、共同相続人全員の準共有持分を差し押さえることにより、これを取り立てることができるとする見解がある（前掲最判解549頁）。なお、この場合に取り立てることができるのは、差押債権目録に記載された額が限度になると考えられるが、差押債権者による取立ての可否については、最終的には、差押債権者と第三債務者との間の取立訴訟において決せられることは前記と同様である。

5　遺産分割前の預貯金の払戻請求権（民909条の２）の差押えの可否

⑴　遺産分割前の預貯金の払戻制度

本件判例を前提とすると、共同相続人において被相続人が負っていた債務の弁済をする必要がある、あるいは、被相続人から扶養を受けていた共同相続人の当面の生活費を支出する必要があるなどの事情により、被相続人が有していた預貯金を遺産分割前に払い戻す必要がある場合であっても、共同相続人全員の同意を得ることができないときには、払い戻すことができないといった不都合が生じることとなった。

このような不都合を解消するため、平成30年民法改正法により、遺産分割前の預貯金の払戻制度（民909条の２）が設けられ、令和元年７月１日から施行された。同条によれば、各共同相続人は、遺産に属する預貯金債権のうち、相続開始時の債権額の３分の１に、当該払戻しを求める共同相続人の法定相続分を乗じた額については、単独でその権利を行使することができる。なお、一つの金融機関ごとに150万円が上限となる（民法第909条の２に規定する法務省令で定める額を定める省令参照）。

⑵　遺産分割前の預貯金の払戻請求権の差押えの可否（消極）

そこで、このような遺産分割前の預貯金の払戻請求権を差し押さえることができるか否かが問題となる。この点については、立案担当者によれば、民法909条の２の規律は、本件判例による判例変更を踏まえ、新たに規定を設けて預貯金債権のうち一定額については各共同相続人単独での権利行使を可能とするものであって、同条によって性質の異なる複数の預貯金債権を創設するものではないから、同条の規定による払戻請求権それ自体を独自に観念することはできず、払戻請求権自体を譲渡し又は差し押さえることはできないとの見解が示されている（堂薗幹一郎ほか『一問一答新しい相続法』（商事法務）78頁）。また、同条が共同相続人に生ずる不都合を解消するために特に設けられた制度であることからすると、共同相続人の有する準共有持分を差し押さえた債権者が同条に基づいて権利行使をすることはできないし、他方、準共有持分の差押えを受けた共同相続人も、差押えの処分制限効により、同条の規定による払戻しを受けることはできないと考えられる（堂薗ほか・前掲78頁）。

〈参考文献〉

東京地裁民事執行センター「さんまエクスプレス第96回」金法2083号44頁

【書式】

（口座番号を特定する場合）

差押債権目録

金　　　　　円

　ただし、債務者が、第三債務者株式会社○○銀行（○○支店扱い）に対して有する、被相続人○○○○（最後の住所：東京都目黒区目黒本町○丁目○番○号）名義の普通預金口座（口座番号○○○○）の本命令送達時の預金残高に係る預金債権（本命令送達時までの既発生の利息債権を含む。）のうち持分（法定相続分）○分の○にして、頭書金額に満つるまで

（口座番号を特定しない場合）

差押債権目録

金　　　　　円

　ただし、債務者が、第三債務者株式会社○○銀行（○○支店扱い）に対

して有する、被相続人○○○○（最後の住所：東京都目黒区目黒本町○丁目○番○号）名義の本命令送達時の預金残高に係る預金債権（本命令送達時までの既発生の利息債権を含む。）のうち持分（法定相続分）○分の○にして下記に記載する順序に従い、頭書金額に満つるまで

記

（略）

以上

Q 18　外貨建債権に基づく差押え等

外貨建債権を請求債権とする債権差押命令申立事件の申立て、取立て、配当等の各段階において、どのようなことを注意すればよいか。

1　はじめに

外国の通貨（外貨）をもって債権額が指定された債権（以下「外貨建債権」という。）に基づく民事執行手続では、超過差押えの判断や配当又は弁済金の交付（以下「配当等」という。）の基準となる債権額の算定等、手続の様々な場面で請求債権の円貨換算が問題となる。本設例では、外貨建債権に基づく債権執行手続における東京地裁民事執行センターの取扱いについて説明する。

2　外貨建債権に関する円貨換算の規律

⑴　外貨建債権の円貨換算の基準時

外貨建債権について、民法403条は、債務者は履行地における為替相場により、日本の通貨（円貨）で弁済することができる旨規定している。民事執行法上、外貨建債権の円貨換算について、破産法103条２項１号ロや手形法41条１項のような規定は存在しないため、民事執行手続における外貨建債権の円貨換算は、民法403条の規律に従うものと考えられる。同条の円貨換算の基準時については現実の履行をする時であるとする見解（支払時説）が多数説であり、判例も、支払時説を前提として、外貨建債権について円貨により裁判上の請求がされた場合における債権額は、事実審の最終口頭弁論期日の外国為替相場によって円貨に換算した額であるとしている（最判昭50.7.15民集29巻６号1029頁）。

以上のことから、債権執行手続における外貨建債権の円貨換算の基準時は、債権者が請求債権について満足を受ける段階、すなわち取立てや配当等を実施する時の為替相場とする取扱いである。

(2) 円貨換算に用いる為替相場

円貨換算に用いる為替相場は、経済界において実際の為替取引で使用される為替取引相場によることが相当であるところ、為替取引相場には、①為替資金調達のため金融機関同士の間で取引する際に使用される銀行間相場と、②銀行間相場をもとに取引手数料等を考慮した上で金融機関が一般企業や個人等の顧客と取引する際に使用される対顧客相場がある。また、銀行間相場の中にも、先物相場と直物相場がある。これらのうち、対顧客相場は、執行手続において取引手数料等を考慮する必要はないことから採用する根拠は乏しく、また、円貨換算の基準時を請求債権について満足を受ける段階とする支払時説によれば、銀行間相場の中でも、将来の取引レートである先物相場でなく、より支払時に近い相場である直物相場（スポットレート）によることが相当である。

以上のことから、円貨換算に用いる為替相場として、東京外国為替市場における銀行間相場のうち直物相場（スポットレート）を採用している。

3　差押命令の申立て

(1) 請求債権目録（【書式】）

請求債権目録には、外貨による債権額と申立日前日の東京外国為替市場における銀行間相場のうち直物相場（スポットレート）の終値（同日17時のレート）をもって円貨に換算した金額を合わせて記載する。銀行間相場は、通常、買値（ビッド）レートと売値（オファー）レートの気配値が公表されている。買値は仲値から為替銀行の手数料を控除したもの、売値は仲値に為替銀行の手数料を加えたものであるところ、民事執行手続において為替の売買及びその手数料を考慮に入れる必要はないことから、両者の中間の値によるのが適当である（後記(3)の日本銀行の時系列統計データ検索サイトでは、この中間値が公表されている。）。なお、請求債権は円貨建債権ではなく、あくまで外貨建債権であることから、この時点での円貨換算は、申立て時における超過差押えの回避のために行うものである。

なお、東京地裁民事執行センターでは円貨による内金請求（例えば「元金90万円　ただし、主文第１項に記載された１万米ドルを差押命令申立ての日の前日の東京外国為替市場の終値をもって円貨に換算した金100万円の内金」とする執行申立て）については認めない運用をしている。したがって、請求債権の一部について執行を申し立てる場合、外貨による内金請求とし、具体的には請求債権目録に外貨による内金請求額と当該内金請求額を申立日前日の為替相場で円貨換算した額とを併記する必要がある（上記の例でいえば、「元金9000米ドル（金90万円）　ただし、主文第１項に記載された１万米ドルの内金9000米ドルを差押命令申立ての日の前日の東京外国為替市場の終値をもって円貨に換算した額である。」となる。）。

⑵　差押債権目録

差押債権目録には、請求債権目録に記載された請求債権額（併記された円貨換算額）の範囲内で差押債権額を円貨で記載する。

なお、為替相場の変動により、差押債権額が変動すると解することは第三債務者に競合の有無や範囲を判断させる結果となり相当でないことから、差押えの効力は、差押債権目録に記載された額（円貨）について生ずるものと考えられる。

⑶　申立て時の提出資料

債権者は、申立日前日の東京外国為替市場における銀行間相場のうち直物相場（スポットレート）が掲載された資料（日本銀行の時系列統計データ検索サイト（https://www.stat-search.boj.or.jp/）の写し、新聞記事の写し等）の提出をする。

4　取 立 て

差押えの効力は差押債権目録に記載された差押債権額（円貨）について生じる以上、この額を超えて取り立てることはできない。また、差押債権額（円貨）の範囲内であっても、請求債権額（外貨）を超えて取り立てることはできないところ、この請求債権額は、外貨建債権の円貨換算の基準時について支払時説を前提とすれば、取立ての時点による為替相場で円貨に換算された債権額の範囲内となる。したがって、取立てが可能な限度額は、差押債権額（円貨）又は取立ての時点における円貨に換算した請求債権額のいずれか低い方となる。

5　配当等の手続

⑴　初回の配当等

配当期日又は弁済金交付の日（以下「配当期日等」という。）に近接した時点での為替相場、具体的には、配当期日等のおおむね10日前ないし15日前の東京外国為替市場における銀行間相場のうち直物相場（スポットレート）により請求債権額（外貨）を円貨に換算し、配当額を円貨で算出している。外貨建債権の円貨換算の基準時について支払時説によれば配当期日等の為替相場によることが本来的であるが、配当期日等に先立って配当表又は弁済金交付計算書（以下「配当表等」という。）の原案を作成するのが実務の通例であるためである（〔Q65〕参照）。

⑵　第２回目以降の配当等

給料等の継続的給付に係る債権を差し押さえた場合の第２回目以降の配当等における取扱いは次のとおりである。

㋐　まず、前回の配当等が実施された日（原則的に、配当期日等の当日であり、配当等留保供託がされた場合には供託の事由が消滅して裁判所書記官による供託金の支払委託がされた時点をいう。）における為替相場に基づき、前回配当等の額（円貨）を外貨に換算する。

㋑　㋐により換算された額（外貨）を前回の配当等を実施する前の請求債権額（外貨）から控除する。これにより、前回の配当等を実施した後の請求債権額（外貨）が算出される。

㋒　扶養義務等に係る定期金債権を請求債権とする場合には、前回の配当期日等以後に期限が到来した債権額（外貨）を前記㋑で算出された前回の配当等を実施した後の請求債権額（外貨）に加える。

㋓　以上により算出された請求債権の残額（外貨）を、前記⑴と同様に、配当期日等のおおむね10日前ないし15日前の為替相場により円貨に換算し、配当額（円貨）を算出する。

⑶　配当等における提出資料

債権者は、初回の配当等において、債権計算書に加え、当該配当期日等に近接した時点での為替相場の資料を提出する。具体的に当該配当期日等の何日前の為替相場の資料を提出するかについては、配当期日等の呼出し又は通知の際に、事務連絡をもって債権者に知らせている。

給料等の継続的給付に係る債権を差し押さえる場合の第２回目以降の配当等においては、債権計算書及び当該配当期日等に近接した時点での為替相場の資料に加え、前回の配当等が実施された日における為替相場の資料を提出する。

6　再執行の申立て

⑴　請求債権額の計算方法

再執行の申立てに当たっては、債務名義に付された奥書に記載された取立額又は配当等の実施額（円貨）を、取立日又は配当等が実施された日の為替相場により外貨に換算した額を請求債権額（外貨）から控除する。

差押債権について転付命令や譲渡命令がされた場合、これらの裁判は確定により第三債務者に対する送達時に遡って弁済の効力を生ずる（法160条、161条７項）ことから、券面額又は譲渡額（円貨）を、第三債務者に対する送達日の為替相場により外貨に換算した額を請求債権額（外貨）から控除する。請求債権につき、債務者から円貨により弁済（円貨）を受けた場合には、弁済日の為替相場により外貨に換算した額を請求債権額（外貨）から控除する（民403条）。

⑵　提出資料

債権者は、再申立日前日の為替相場の資料に加えて、前記⑴それぞれの場合における満足を得た時点（取立日、配当等が実施された日、第三債務者に対する転付命令又は譲渡命令の送達日、弁済日等）での為替相場の資料を提出する。

〈参考文献〉

新版注釈民法⑽Ｉ債権⑴336頁〔山下末人＝安井宏〕、東京地裁民事執行実務研究会編『不動産執行の理論と実務㈦〔改訂版〕』（法曹会）584頁、東京地裁配当等手続研究会編『不動産配当の諸問題』（判例タイムズ社）86頁、東京地裁民事執行センター「さんまエクスプレス第92回」金法2044号44頁、伊藤善博ほか「配当研究」377頁

【書式】請求債権目録

請求債権目録

東京地方裁判所令和○年(ワ)第○号事件の執行力ある判決正本に表示された下記金員及び執行費用

記

1　元金　　　　○米ドル（金○円）
ただし、主文第○項に記載された元金○米ドルを差押命令申立ての日の前日の東京外国為替市場の終値をもって円貨に換算した額である。

2　遅延損害金　○米ドル（金○円）
ただし、上記1の元金○米ドルに対する、令和○年○月○日から令和○年○月○日まで年3％の割合による損害金○米ドルを、上記1の為替相場をもって円貨に換算した額である。

3　執行費用　　金○円
（内訳）略
合　　計　　金○円

（参考例）

○債務名義
「10,000米ドルを支払え。」

○債権差押命令
【請求債権目録】
10,000米ドル（1,000,000円）
＊申立日前日の為替相場により換算した円貨を併記（1米ドル＝100円）
【差押債権目録】
1,000,000円

○配　　当
【初回】

請求債権　900,000円　(10,000米ドル×90円)
＊配当期日の10～15日前の為替相場により換算（１米ドル＝90円）
配当額　　300,000円

【第２回以降】
前回請求債権　　前回配当額　　請求債権残額
10,000米ドル－3,750米ドル＝6,250米ドル
↑前回配当期日の為替相場により換算（１米ドル＝80円）
請求債権　468,750円　(6,250米ドル×75円)
＊今回配当期日の10～15日前の為替相場により換算（１米ドル＝75円）
配当額　　200,000円

Q19 生命保険契約に基づく債権の差押え

生命保険契約に基づく債権のうち、どのような債権を差し押さえることができるか。また、その場合の差押債権の特定は、どこまで必要か。

1 生命保険契約の保険者に対する各種請求債権について

生命保険契約における用語を簡単に整理する。

保険契約（いわゆる共済契約を含む。）は、平成22年4月1日施行の保険法（平成20年法律第56号により、商法の旧保険編を改正）に定義付けがされており、当事者の一方が一定の事由が生じたことを条件に金銭の支払などの財産上の給付（保険給付）を行うことを約し、相手方がこれに対して保険料（共済掛金を含む。）を支払うことを約する契約をいう（保険2条1号）。保険給付の義務を負う者を「保険者」（同条2号）、保険料の支払義務を負う者を「保険契約者」（同条3号）という。生命保険契約は、保険者が人の死亡又は生存（保険事故（保険37条））に関し保険給付を行うことを約する保険契約であり（保険2条8号）、この場合に保険給付の原因となる者を「被保険者」（同条4号ロ）、保険給付を受ける者を「保険金受取人」（同条5号）という。

債権執行手続では、保険契約者や保険金受取人は債務者として、保険者は第三債務者として登場する。差押対象には、生命保険契約に基づく解約返戻金請求権、満期保険金請求権及び配当金請求権並びに保険金請求権がある。

2 保険契約者の有する解約返戻金請求権の差押え（【書式1】）

生命保険契約に基づく各種請求権のうち、金額が比較的大きく、かつ、差押えが奏功した場合に直ちに取立て可能であることから、差押えの対象とされることが多いのが、解約返戻金請求権である。**【書式1】**は、債権者が、弁護士法23条の２第２項に基づく照会に対する報告等を通じ保険証券番号等を把握している場合に解約返戻金請求権の差押えを求める場合の差押債権目録である。この場合、差押債権目録に保険証券番号、契約日、種類等を記載して差押対象とする生命保険契約を特定する。

解約返戻金請求権は、契約者が保険契約の解約権を行使することを停止条件として発生する条件付権利であり、券面額がないから転付命令の対象とはならない（〔Q47〕参照）。解約返戻金請求権を差し押さえた債権者は、取立権の行使としてその取立てのため、債務者の有する解約権を行使することができる（最判平11.9.9民集53巻７号1173頁・金法1563号49頁）。

3　保険金受取人の有する死亡保険金請求権の差押え（【書式２】）

【書式２】は、債務者が保険金受取人である生命保険契約（死亡保険契約）に基づき、将来発生する被保険者の死亡を不確定期限とする保険金請求権を差押えの対象とする場合の記載例である。この場合の保険金請求権は、将来債権であって券面額がないから、転付命令の対象とはならない（〔Q47〕参照）。

被保険者が死亡していて保険金請求権が既に顕在化している場合は、被保険者の死亡年月日を記載する（「なお、下記の被保険者は、令和○年○月○○日に死亡した。」などと記載する。）。この場合は保険金請求権に券面額が認められ、転付命令の発令が可能である。

4　生命保険契約に基づく各種請求権の包括差押え

⑴　保険証券番号等を特定することができる場合（【書式３】）

生命保険契約に基づき発生する請求権には、配当金請求権及び解約返戻金請求権のほか、被保険者が保険期間中に死亡したことを保険金支払事由とする死亡保険金請求権と、被保険者が保険期間満了時に生存していることを保険金支払事由とする満期保険金請求権があり、これらの請求権はいずれも一つの契約から発生するものであることから、東京地裁民事執行センターでは、債務者（個人）が保険契約者である生命保険契約に基づき保険者に対して有するこれらの請求権を、順序付けて包括的に差し押さえることを許容している。

保険証券番号等で保険契約を特定することができる場合の差押債権目録は、**【書式３】**のとおりである。

⑵ 保険証券番号等を特定することができない場合（【書式４】）

債権者は、債務者を保険契約者又は保険金受取人とする生命保険契約の有無、内容や保険証券番号等を把握していない場合も多い。そこで、保険証券番号等による保険契約の特定をすることなく、債務者が保険者に対して有する生命保険契約に基づく各種請求権を包括的に差し押さえることが考えられる。

東京地裁民事執行センターでは、**【書式４】**により、債務者（個人）が保険契約者である生命保険契約に基づき保険者に対して有する配当金請求権、解約返戻金請求権、死亡保険金請求権及び満期保険金請求権につき、契約が複数ある場合には契約年月日の古い順及び保険証券番号の若い順により順序付けるとともに、差押命令送達時の解約返戻金額を各契約の差押額とすることにより、これらを包括的に差し押さえることを許容している。この場合、保険契約者である債務者については、氏名のみならず、生年月日・住所等を記載して特定する必要がある。この順序付けにおいては、生命保険契約が終了しておらず、差押命令送達時の解約返戻金額の算定が可能であることが前提となる。したがって、差押命令送達時、既に解約されて解約返戻金額が確定している、被保険者が死亡し死亡保険金額が確定している、又は満期を迎えて満期保険金額が確定しているような契約については、包括的差押えの対象外となる。

このような包括差押えが許容されるのは、①生命保険の場合、通常は、契約情報等が本店の一括管理とされていることや、保険会社各社において契約情報照会システムが整備されていることなどにより、氏名・生年月日・住所等の情報があれば、その者を保険契約者とする生命保険契約の有無を比較的容易に調査することができるとされていること、②該当契約が複数あった場合、解約権の行使が将来になることから差押命令送達時にどの契約が差押対象となるか判然としないという点については、配当金の支払期や、各契約について差押命令送達時の解約返戻金額を差押額とした上で、契約年月日などで順序を指定することで差押対象となる契約を特定可能であること、③このような差押命令の場合、各契約の解約返戻金額を算定して差押えの範囲を確定する必要があるが、第三債務者である保険会社各社にはこれを行う専門的能力があること等を考慮したことに基づくものである。

この場合の差押債権目録の書式は**【書式4】**のとおりである。上記のように複数の契約を順序付けて特定するため、差押命令送達時の解約返戻金額を算定することができる契約を差押えの対象とするものとなっている。そして、複数の契約がある場合には、差押命令送達時の解約返戻金額を差押額として固定する取扱いのため、その後実際に解約権が行使されたときに解約返戻金額が増額していたとしても、差押額を超える部分は差押えの効力が及ばず増額部分の取立てはできない。

なお、共済契約については、根拠法や監督官庁が様々であり、上記同様の取扱いが可能であるとは直ちにはいえない。

5　法人債務者が保険契約者である生命保険契約に基づく各種請求権の包括差押え（【書式5】）

生命保険契約の中には、法人等の団体が保険契約者となり、その従業員等を被保険者として締結するもの（以下「法人保険」という。）がある。法人等が保険契約者である場合、配当金請求権等は、形式的には当該法人等に帰属するが、法人保険の中には、保険料を被保険者である従業員等が負担するものが存在する（団体保険のＢグループ保険と呼ばれるものが典型である。）。その場合には、実質的な保険契約者は当該従業員等であると解釈する余地があり、したがって、当該法人保険の配当金請求権等を当該法人等の団体（債務者）の責任財産であるとして差し押さえることが相当でない場合がある。

東京地裁民事執行センターでは、従前は、法人等の団体の代表者を被保険者とする経営者保険に限り、その配当金請求権等を差し押さえることを許容していたが、現在は、法人保険のうち、当該生命保険契約に基づく全ての保険金請求権の保険金受取人が債務者である法人等の団体とされているものについては、被保険者が代表者である場合に限らず、当該法人等の団体の債権者による配当金請求権等の差押えを許容することとしている。これは、保険金受取人が法人等の団体である法人保険については、被保険者がその保険料を負担することは実際上ほとんどないものと考えられるためである。この場合には、氏名・生年月日・住所等を記載して被保険者を１名に特定することが必要であり、仮に複数の取締役等の被保険者に係る法人保険の差押えを求める場合には、差押金額を割り付ける必要がある。

〈参考文献〉

東京地裁民事執行センター「さんまエクスプレス第78回」金法1988号72頁、内田義厚「生命保険契約に基づく解約返戻金請求権の差押え」民事執行実務の論点84頁

【書式１】生命保険解約返戻金請求権

差押債権目録

金　　　　　円

債務者が、第三債務者に対して有する下記生命保険契約に基づく解約返戻金請求権にして、頭書金額に満つるまで。

記

保険証券番号　○○－○○○－○○○
契　約　日　令和○○年○○月○○日
種　　　類　○○○○保険
保 険 期 間　○○年
保険契約者　債務者
被 保 険 者　○○○○

（注）　簡易生命保険契約の場合、平成３年３月31日以前の契約に基づく解約返戻金請求権の差押えは禁止されているが（平成２年法律第50号附則２条５項による改正前の簡易生命保険50条。簡易生命保険法は、郵政民営化法等

の施行に伴う関係法律の整備等に関する法律（平成17年法律第102号）２条により廃止されたが、同法附則16条ないし18条により、平成２年法律50号附則２条５項による改正前の簡易生命保険法50条はなお効力を有する。）、平成３年４月１日以降の契約に基づく解約返戻金請求権は差押禁止の対象とはなっていない。この場合、差押債権目録は、「債務者が、第三債務者に対して有する下記簡易生命保険契約に基づく解約返戻金支払請求権にして、頭書金額に満つるまで」とする。簡易生命保険契約は、郵政民営化に伴い、平成19年９月30日までに加入した契約は独立行政法人郵便貯金・簡易生命保険管理機構に移管され、同年10月１日以降は、簡易生命保険法の廃止によって新規加入することができない。

なお、独立行政法人郵便貯金・簡易生命保険管理機構は、平成30年法律第41号により、平成31年４月１日から名称が独立行政法人郵便貯金簡易生命保険管理・郵便局ネットワーク支援機構に変更された。

【書式２】死亡保険金請求権

差押債権目録

金　　　　　円

債務者が、第三債務者に対して有する下記生命保険契約に基づく死亡保険金請求権にして、頭書金額に満つるまで。

記

保険証券番号	○○－○○○－○○○
契約日	令和○○年○○月○○日
種類	○○○○保険
保険期間	○○年
保険契約者	○○○○
被保険者	○○○○
受取人	債務者

（注）　簡易生命保険は、被保険者が死亡したことによる保険金請求権の差押えが禁止されている（平成17年法律第102号による廃止前の簡易生命保険法81条。なお、平成17年法律第102号附則16条ないし18条により、平成19年９月30日までに効力が生じた簡易生命保険契約に限り簡易生命保険法81条はな

お効力を有する。)。

【書式3】配当金請求権等の包括差押え(保険証券番号等を特定することができる場合)

差押債権目録

金　　　　　円

債務者が、下記生命保険契約に基づき、第三債務者に対して有する、本命令送達日以降支払期の到来する①配当金請求権にして、支払期の早いものから頭書金額に満つるまで。①により完済されないうちに契約が中途解約された場合には、②解約返戻金請求権にして①と合計して頭書金額に満つるまで。①により完済されないうちに被保険者が死亡した場合には、③死亡保険金請求権にして①と合計して頭書金額に満つるまで。①により完済されないうちに契約が満期を迎えた場合には、④満期保険金請求権にして①と合計して頭書金額に満つるまで。

記

保険証券番号	○○－○○○－○○○
契約日	令和○○年○○月○○日
種類	○○○○保険
保険期間	○○年
保険契約者	債務者
被保険者	○○○○

(注) 1　この差押債権目録によって対象となる生命保険契約は、債務者を保険契約者とする死亡保険契約を主たる契約とするものである。そのような契約に当たる例としては、終身保険や養老保険などが挙げられる。

2　この差押債権目録によって差押対象となる死亡保険金請求権は、債務者を保険契約者兼保険金受取人、それ以外の第三者を被保険者とする死亡保険契約に基づくものに限られる。第三者を保険契約者兼被保険者、債務者を保険金受取人とする死亡保険契約は、「債務者を保険契約者とする第三債務者との間の生命保険契約」に当たらない。

3　この差押債権目録によって差押対象となる満期保険金請求権は、債務者が保険契約者であり、かつ、保険金受取人とされているものに限られる。差押えの対象となった生命保険契約の満期保険金受取人が債務者でない場合には、当該満期保険金請求権は、「債務者が第三債務者に対して有する権利」には当たらない。

【書式4】配当金請求権等の包括差押え（保険証券番号等を特定することができない場合）

差押債権目録

金　　　　　円

債務者（○○年○月○○日生）が、債務者を保険契約者とする第三債務者との間の生命保険契約に基づき、第三債務者に対して有する下記債権にして、頭書金額に満つるまで

記

1　本命令送達日以降支払期の到来する配当金請求権にして、支払期の早いものから頭書金額に満つるまで
2　1により完済されないうちに契約が中途解約された場合には、解約返戻金請求権にして1と合計して頭書金額に満つるまで
3　1により完済されないうちに被保険者が死亡した場合には、死亡保険金請求権にして1と合計して頭書金額に満つるまで
4　1により完済されないうちに契約が満期を迎えた場合には、満期保険金請求権にして1と合計して頭書金額に満つるまで

ただし、契約が複数ある場合は、
⑴　契約年月日が古い順序
⑵　契約年月日が同一の契約があるときは、保険証券番号の若い順序
によることとし、これらの順序による各契約について、上記1ないし4の債権。

また、契約が複数ある場合には、本命令送達時に各契約を解約した場合の解約返戻金の金額（以下「送達時解約返戻金額」という。）を各契約の差押額とする（上記⑴⑵の順に各契約の送達時解約返戻金額を合計した額が頭書金額を超えるときは、その超える額を除く。）。この場合において、上記1ないし4の「頭書金額」とあるのは、それぞれ「差押額」と読み替える。

（注）**【書式3】**の（注）のほか、以下のとおり。

1　終了していない生命保険契約を対象とする場合の記載例である。

2　差押債権目録には、差押債権の特定のため債務者の生年月日を記載する（債務者の住所・氏名は当事者目録に記載されている。）。そして、生年月日の証明のため、債務者の住民票等の公文書の提出が必要となる。

3　債務者の旧住所を差押債権目録に記載する場合には、当事者目録記載の住所とのつながりを証明するため債務者の住民票や戸籍附票等の公文書の提出が必要となる。債務者氏名の振り仮名や性別も、第三債務者の調査に有用なものとして差押債権目録への記載を認めている。

4　差押命令送達時点で既に解約されている契約、被保険者が死亡している契約又は満期を迎えている契約については、「送達時解約返戻金額」というものを観念し得ないため、差押えの対象にはならない。また、医療保険契約を主たる契約とするものは、「生命保険契約」ではないため、差押えの対象に当たらない。

5　簡易生命保険に基づく配当金請求権等（第三債務者は独立行政法人郵便貯金簡易生命保険管理・郵便局ネットワーク支援機構となる。）については、この差押債権目録を利用した上で、その全てが差押禁止の対象でなくなった平成3年4月1日以降に契約した簡易生命保険に限定した申立て（「ただし、簡易生命保険契約に基づく平成3年4月1日以降の契約に限る。」などと記載する。）であれば認めている。

6　複数の保険会社に対して同時に申立てをする場合、複数の銀行に対する同時申立ての例に倣った取扱いをしている。具体的には、第三債務者を頭書に列記し、差押金額を第三債務者ごとに割り付ける。

7　この差押債権目録は、債務者（保険契約者）が個人であることを前提としている。

【書式5】法人保険の配当金請求権等の包括差押え

差押債権目録

金　　　　　円

債務者が、第三債務者との間の、被保険者を○○○○（生年月日：○○年○月○日、住所：○○○○）とし、保険契約者及び保険金受取人を債務者とする生命保険契約に基づき、第三債務者に対して有する下記債権にして、頭書金額に満つるまで（ただし、同契約に複数の種類の保険金がある場合には、その全ての保険金受取人が債務者である場合に限る。）。

記

1　本命令送達日以降支払期の到来する配当金請求権にして、支払期の早いものから頭書金額に満つるまで

2　1により完済されないうちに契約が中途解約された場合には、解約返戻金請求権にして1と合計して頭書金額に満つるまで

3　1により完済されないうちに被保険者が死亡した場合には、死亡保険金請求権にして1と合計して頭書金額に満つるまで

4　1により完済されないうちに契約が満期を迎えた場合には、満期保険金請求権にして1と合計して頭書金額に満つるまで

ただし、契約が複数ある場合は、

⑴　契約年月日が古い順序

⑵　契約年月日が同一の契約があるときは、保険証券番号の若い順序

によることとし、これらの順序による各契約について、上記1ないし4の債権。

また、契約が複数ある場合には、本命令送達時に各契約を解約した場合の解約返戻金の金額（以下「送達時解約返戻金額」という。）を各契約の差押額とする（上記⑴⑵の順に各契約の送達時解約返戻金額を合計した額が頭書金額を超えるときは、その超える額を除く。）。この場合において、上記1ないし4の「頭書金額」とあるのは、それぞれ「差押額」と読み替える。

（注）1　この差押債権目録は、債務者（保険契約者）が法人その他の団体であることを前提としている。

2　被保険者情報（氏名・生年月日・住所等）の証明のために、被保険者の住民票等の公文書の提出が必要となる。なお、当該被保険者が債務者の従業員等の団体所属員であることの証明は特段求めていない。

3　この差押債権目録では、被保険者を1名に特定することを求めていることから、法人保険のうち、被保険者を、当該法人の従業員全員など複数人とするいわゆる団体保険に基づく請求権は差押対象にならない。言い換えれば、当該法人（債務者）がその従業員等の1名を被保険者として締結する個人保険契約（このような個人保険は、しばしば事業保険と呼ばれる。）に基づく請求権のみが差押対象となる（団体保険及び事業保険については、山下友信『保険法（上）』（有斐閣）346頁以下参照）。

4　この差押債権目録では、複数の種類の保険金を含む生命保険契約に

ついては、その全ての保険金受取人が債務者である場合に限り、差押対象となる。

Q 20 債務者名と異なる名義の預金債権の差押え

債務者自身の名称と異なる名義の預金債権を差し押さえることができるか。

1 問題の所在

強制執行の実施に際し、執行裁判所は、執行対象財産が債務者の責任財産に属するか否かを審査しなければならない。債務者の責任財産に属するとの一応の外観があれば、この外観に基づいて適法に強制執行をなし得る(強制執行における外観主義)。しかし、債務者自身の名称とは異なる名義の預金債権については、上記外観が存在しないため、差押えの対象とすることができるかが問題となる。

債権差押命令の発令手続は、債務者からの弾劾を経ることなくされるものであることから、この点に関する執行裁判所の判断は慎重にされるべきであるが、預金口座の名義が債務者の通称や屋号であるときなど、債務者と預金口座の名義人の同一性が証明されれば、その預金債権は債務者の責任財産に属するとの外観があるといえる。例えば、通称の記載のある住民票が提出されれば、同一性の証明があったといえる。

また、他人名義の預金債権のように、外形上債務者の責任財産とは認められない場合であっても、真実はそれが債務者の責任財産に帰属することを高度の蓋然性をもって証明した場合には、差押えを認めることができると解される(中野＝下村「民事執行法」707頁。東京高決平14.5.10判タ1134号308頁参照)。ただし、債務者に対する債務名義に基づいて債務者以外の者の名義の預金債権を債務者の責任財産に帰属するものとして差し押さえる場合、名義人は、債務名義作成手続において手続保障はされておらず、執行手続においても必ずしも手続保障はされないことからすると、権利主張の手段として第三者異議の余地があるにしても、自らの名義の預金が差し押さえられた事実を知り得る機会が保障されているとはいえない。また、ある者の名義の預金債権に対し、外観主義に基づいて行われた同人の債権者による差押えと、同人名義の預金債権が真実はそれ以外の者の責任財産に帰属することの立証に成功した債権者による差押えの双方がされる可能性があり、その場合の競合の有無等の問題も生じ得る。したがって、他人名義の預金債権の差押えに関しては、これらの点を踏まえてもなお債務者以外の者の名義の預金債権を債務者の責任財産に帰属するものとして差し押さえることが許容されるかという観点から、慎重な判断がされるべきである。この点に関し、「A代理人弁護士B」名義の預金口座につき、その外形的表示等からは、当該口座に係る預金がAに帰属することも一応考えられるとしつつ、当該口座の開設趣旨や管理者が誰であるか等の事実関係を考慮して、債務者の責任財産に帰属するものであることが証明されているとはいえないとした裁判例（東京高決平22.8.17判タ1343号240頁）がある。

以下では、実務上よく見られる前記の二つの事例について検討する。すなわち、一つ目は、AがBという通称や屋号を有している場合のようにAとBの同一性が問題となるもの（後記2）、二つ目は、Aとは別人格のB名義の預金を差し押さえる場合のように当該B名義の預金がAの責任財産に帰属するか否かが問題となるもの（後記3）である。

2　債務名義の債務者が「BことA」の場合に「B」名義の預金を差し押さえるとき

債務名義上の債務者が「BことA」となっている場合、債務名義上にBはAの通称であることが表示されているといえる。したがって、債務名義の作成過程である訴訟において、実質的な審理が行われた上で上記表示がされているときには、執行段階において、AとBとのつながり（同一性）についての別段の立証は不要である。これに対し、債務名義上に「BことA」の表示があっても、例えば、欠席判決、支払督促等、債務名義の作成過程に債務者の実質的関与がないときや、債権者と債務者とが通謀して第三者の財産を差し押さえようとしていることが疑われるとき、その他つながり（同一性）に問題があることがうかがわれるときには、債務名義作成段階でＡとＢとのつながり（同一性）に関する立証があったとはいい難いから、執行段階で別途立証を要する。この場合、通称の記載のある住民票のような公文書がないときは、Ｂが実在の人物でないことが明らかであるか否か、「目黒商店こと目黒太郎」のようにＡとＢの主要部分が一致するか否か、Ａがどのような場面でどの程度の頻度でＢ名義を使用しているのか等が、つながり（同一性）の有無の判断要素となる。

ＡとＢとのつながり（同一性）が立証された場合におけるＡの責任財産に属する預金口座の名義としては、「ＢことＡ」、「Ａ」、「Ｂ」といったものが考えられるが、これらを全て差押えの対象とする場合の差押債権の特定方法については、これらを単に列記して特定することで足りると解される。単に列記しても、預金債権の場合は、「口座番号の若い順による」といった特定がされ、これにより順序付けができていることが通常であるからである。

なお、東京地裁民事執行センターにおいては、債務名義上の債務者が「ＢことＡ」となっているがＡとＢとのつながり（同一性）の立証が不十分な場合の債権差押命令について、当事者目録には、送達等の便宜を考慮し「ＢことＡ」と表示するが、差押債権目録には、「債務者が第三債務者（○○支店扱い）に対しＡ名義で有する下記の預金債権」などと表示し、Ａ名義の預金のみを差押えの対象とすることを明記する取扱いである。

3　債務名義の債務者が「Ａ」の場合に「Ｂ」名義の預金を差し押さえるとき

⑴　債務者が個人の場合

ア　預金名義人が実在する可能性がある場合

まず、預金債権の差押えには、取引停止、期限の利益喪失等の銀行取引上の重大な効果があるので、差押命令の発令には慎重に対処する必要がある。特に、預金名義人がＢになっている場合は、Ａの責任財産に属しない外観になっているから、名義人Ｂの保護を図る必要があることを考慮し、Ｂ名義の預金がＡの責任財産に帰属することを高度の蓋然性をもって立証した場合に限り、差押えが認められる。具体的には、単にＡの指示でＡに対する債務の弁済金をＢ名義の口座に振り込んだことがあるというのみでは、通常はなお立証不十分と考えられる。また、Ｂが幼児でＡがその親権者であるというのみでは、預金額等によっては名実ともＢの口座である可能性があるから、同じく通常は立証不十分と思われる。

なお、東京地裁民事執行センターでは、Ｂ名義の預金を口座番号で特定した申立てがされ、当該預金口座に係る預金債権がＡの責任財産に帰属すると立証された場合には、債権差押命令の差押債権目録に、口座番号を表示するほか、届出住所欄を設け、そこに「当事者目録における債務者住所と同一であることを要しない。」旨表示する取扱いである（〔**Q13**〕【**書式3－3**】参照）。

イ　預金名義人が実在しないことが明らかな場合（人名でない場合）

銀行預金ではまずみられないが、郵便貯金においては人名ではない屋号のみを名義とする口座が散見される。この場合も、ＡとＢとのつながり（同一性）を立証したときに、差押えが認められる。

なお、東京地裁民事執行センターにおけるＢ名義の預金を口座番号で特定した申立てについての債権差押命令の記載の取扱いは、前記**ア**と同じである。

⑵　債務者が法人の場合

ア　預金名義人が通称等の場合

ＢがＡ会社の通称等であることを立証した場合に限り、差押えを認めることができる。実務上、比較的多く見かけるものとしては、会社が、その経営に係るゴルフ場の呼称である「○○カントリークラブ」名義の預金口座を開設している事例がある。

なお、東京地裁民事執行センターにおけるＢ名義の預金を口座番号で特定した申立てについての債権差押命令の記載の取扱いは、前記⑴**ア**と同じである。

イ　預金名義人（Ｂ会社）と債務者（Ａ会社）が別人格の場合

この場合、いわゆる法人格否認の法理の適用によりＢ会社の法人格を否定して、預金債権がＡ会社に帰属するとして差押命令を発令することができるか否かが問題になるが、執行手続の明確性と安定性の要請から、法人格否認の法理の適用はできないと解される（最判昭53.9.14集民125号57頁）。しかしながら、執行債務者が個人の場合と同様に、Ｂ名義の預金がＡの責任財産であることを高度の蓋然性をもって立証した場合には、差押えを認めることができる。前記東京高決平14.5.10は、ＡとＢの各代表者間の人的関係、Ｂの本店所在地にＢを示す案内板、郵便受け等がないこと、Ｂ名義の電話番号登録がないこと、Ｂ名義の預金口座の預金の原資、同預金口座の預金債権に対する滞納処分におけるＡの自認状況等の事情を認定し、これらの事情からすれば、Ｂはいわゆるペーパーカンパニーであり、Ｂ名義の預金口座への入金は執行免脱目的にされたものであるとして、Ｂ名義の預金債権がＡの責任財産に帰属することの証明があるとした。

Q21 養育費その他の扶養義務等に係る債権に基づく差押え

(1) 期限未到来の養育費その他の扶養義務等に係る定期金債権に基づく差押えはどのような要件で認められるか。どのような点について注意すればよいか。
(2) 養育費その他の扶養義務等に係る債権に基づく差押えにおける給与債権等の差押禁止範囲の特例とはどのようなものか。

1 はじめに

平成15年改正法により、従前は、他の一般の債権（以下「一般債権」という。）と特に異なる扱いがされていなかった養育費その他の扶養義務等に係る金銭債権（以下「扶養義務等債権」という。）に基づく強制執行について、いくつかの特例が設けられた。本設例では、このうち、期限未到来の定期金債権による差押えの特例（法151条の２）及び差押禁止債権の範囲の特例（法152条３項）を適用した申立てについて述べる。

2 期限未到来の定期金債権による差押えの特例（法151条の２）

法30条１項は、「請求が確定期限の到来に係る場合においては、強制執行は、その期限の到来後に限り、開始することができる。」と定め、債務名義における請求権が確定期限付きである場合には、確定期限の到来を執行開始の要件としている。しかしながら、扶養義務等債権については、定期金債権であることが多く、また、その額も月数万円程度と少額であることが通常であるため、各定期金債権の確定期限が到来するごとに強制執行の申立てをしなければならないとすると、債権者の手続的負担は金額に不相応に重いものとなる。一方で、扶養義務等債権は、債権者の日常生活に費消されることが予定されるものであって、各期限到来後速やかに権利を現実化すべき要請が認められる。

そこで、扶養義務等債権を有する債権者の手続的負担を軽減するため、平成15年改正法による改正により、債権者が、扶養義務等債権で、かつ、確定期限の定めのある定期金債権であるものを有する場合において、その定期金債権の一部が不履行になっているときは、いまだ期限が到来していない分の定期金債権についても一括して、給料その他継続的給付に係る債権に対する強制執行を開始することができることとし（法151条の２）、将来分の定期金債権に基づく差押えを可能とする特例を設けた（以下「定期金債権についての特例」という。）。

3　定期金債権についての特例が適用されるための要件

⑴　請求債権の種類

ア　特例が適用される債権

請求債権とすることができる債権は、法151条の２第１項各号に掲げられている、①夫婦間の協力扶助義務（民752条）、②婚姻費用分担義務（民760条）、③子の監護費用分担義務（民766条等）、④扶養義務（民877条ないし880条）に係る債権に限定されている。これは、定期金債権についての特例が期限未到来の強制執行の開始という重大な例外を認めるものであることから、この特例を設けた趣旨が妥当し、債権者の手続的負担を軽減するべき必要性が特に高いものに限定するのが相当であるからである。

なお、実務上、過去の未払分の扶養義務等債権について、支払総額を合意するとともに、これを将来分の支払と併せて分割して支払う旨の合意がされることがあるが、東京地裁民事執行センターでは、このような場合でも、特段の事情がない限り、定期金債権についての特例の適用があるとして取り扱っている。

イ　特例が適用されない債権

財産分与請求権（民768条）については、その法的性質として、離婚後における夫婦の一方の生計維持という要素が含まれ得るが、その他に夫婦の共同財産関係の清算、離婚に伴う損害賠償という要素も含まれていると解されていること、具体的に定められる金額も通常少額であるともいえないことから、扶養義務等債権からは除外されている。同様に離婚に伴う慰謝料請求権もこれに該当しない。

また、民法上扶養義務を負わない者が、扶養契約により他者の生計維持を目的とする金銭債務を負担する場合は、その額が通常定型的に少額であるとはいえないこと、金銭給付の契約の目的が扶養の実質を有していると定型的にいえる債権とは限らないことを理由に除外されている。

ウ　債務名義の表示によって債権の法的性質が明らかであること

定期金債権についての特例を利用しようとする債権者は、債権差押命令の申立て時に、請求債権が法151条の２第１項各号に掲げられている民法上の義務に係る定期金債権であることを証明する必要がある。

債務名義上必ずしも扶養義務等債権であることが明らかでない場合に、法29条ないし31条に定められている強制執行開始要件について証明すべき場合と同様に、他の資料によって証明することが許されるか否かが問題となる。強制執行は、債務名義に表示された請求債権の存在及び範囲を前提に手続を進行させるものであって、請求債権の実質について執行機関は判断しない仕組みをとっているのであるから、請求債権の実体上の法的性質についても債務名義において一義的に定められていることが必要である。したがって、定期金債権についての特例の適用を求める債権者は、債務名義の表示によってのみ請求債権の法的性質を証明することができ、他の資料による証明は基本的には認められないと解される。具体的には、和解調書、家事調停調書、公正証書等の給付条項に、「婚姻費用として」、「養育費として」、「扶養料として」等の記載があれば、その記載自体から各条項に定める義務に係る債権であることが明らかである場合が多い（ただし、扶養料については、前記**イ**のとおり扶養契約に基づく債権は除外されているので、民法877条ないし880条の扶養義務に基づく債権であることが明らかになるよう、相手方と申立人とが一定の親族関係にあること等民法上の扶養義務を有する者であることが債務名義の記載から明らかになる必要があろう。)。

これに対して、「本件和解金として」、「本件解決金として」との記載では権利の性質が扶養義務等債権であるか否かは不明であるから、定期金債権についての特例による差押えは認められない。また、「婚姻費用未払金及び慰謝料として○円」との記載では、婚姻費用の額が不明であるといわざるを得ず、やはり定期金債権についての特例の適用を受けることはできない。

さらに、判決、家事審判等における給付条項（主文）の記載は、抽象的な金銭の一定額についての支払を命ずるものであるから、その事件名や理由中の記載から当該債権が扶養義務等債権であることが明らかになることが必要である。

⑵ 確定期限の定めのある定期金債権

定期金債権についての特例を適用するためには、「確定期限の定めのある定期金債権」であることが必要である。通常、養育費の給付条項は、例えば、「長男○○が満20歳に達する日の属する月まで毎月○日限り○○万円を支払う。」などと定められており、この条項は、上記特例が適用される。

また、債務名義に、養育費の支払終期を「子が22歳に達する日の属する月まで」、「子が22歳に達した翌年の3月まで」とする定めがある場合についても、このような支払終期は、一般的な大学卒業見込み時期と理解することができ、家庭裁判所においても、当事者の合意があればその内容で調停を成立させるという実情があることから、東京地裁民事執行センターでは、定期金債権についての特例の適用があるものとして取り扱っている。

なお、扶養義務等債権自体に条件又は不確定期限が付された場合（例えば、「長男○○が大学に入学したときは、その入学の日の属する月から4年の間、毎月○○日限り、通常の養育費の支払に加算して金○○万円を支払う。」という給付条項）には、一般債権の場合と同様に、債権者において事実の到来（条件の成就）又は期限の到来を証明して事実到来執行文（いわゆる条件成就執行文）の付与を受けて、定期金債権についての特例による強制執行の申立てをすることになる。

この点に関し、養育費の支払終期を「子が大学を卒業するまで」とする定めがある場合がある。このような定めは、子が大学に進学するか否か、卒業するか否かが不確定であり、入学又は卒業するまで何年かかることを想定しているのか等について当事者の認識が一致していないこともあり得、後に紛争を残すおそれが大きいことから、可能な限り支払終期を確定期限とすることが望ましい。もっとも、このような定めがされた債務名義に基づく申立てがあった場合には、東京地裁民事執行センターでは、同定めは「少なくとも子が20歳になる日の属する月までは養育費を支払う。子が大学に入学したときは、子が大学を卒業する日まで支払う。」との趣旨であると理解し、子が大学に入学する前の申立ての場合は、原則として、子が20歳になる日の属する月を支払終期として差押命令を発令している。また、子が大学に入学し、20歳に達した後の養育費を請求する場合は、子の大学入学の事実に係る事実到来（条件成就）執行文の付与を受ける必要があり、そのような申立てがされたときは、養育費の支払終期を「子が大学を卒業する日まで」として発令することになる。なお、後記**6**の成年年齢を引き下げる法律の施行日後、終期を「子が大学を卒業するまで」とする債務名義が作成された場合についても、成年年齢の引下げが直ちに養育費の支払期間の終期を早めることにはならないとの立案過程における理解を前提にすると、上記運用を変えるべき事情はないと思われるが、疑義を生ぜしめないためにも、債務名義を作成するに当たっては、明確な文言を用いるべき要請がより高まるといえる（東京公証人会「平成30年度東京地方裁判所民事部と東京公証人会との連絡協議会（協議結果）」会報令和元年６月号34頁参照）。

また、扶養義務等債権のうち、例えば、婚姻費用について「離婚する（日の属する月）まで」毎月一定額を支払う旨の債務名義が作成される場合がある。この場合、定期金債権の終期が不確定となることから、これを請求債権とする差押えを許容し得るかが問題となるが、終期が不確定期限である場合、その到来の事実が請求異議事由となるものであるから、不確定期限を終期として表示しても、定期金債権についての特例による差押えの申立てができると解される（したがって、終期が到来したことを差押命令発令後に主張する場合、債務者は請求異議訴訟を提起すべきこととなる。）。

⑶　一部債務不履行

法151条の２第１項は、扶養義務等債権について「その一部に不履行があるときは」債権執行を開始することができるものとし、定期金債権についての特例による強制執行の開始の要件として、定期金債権の一部に不履行があることを必要としている。

これは、これまでに全く不履行がない場合や、過去に不履行があった場合でもその不履行が解消している場合にまで強制執行が開始されるとするのでは、債務者の利益を不当に害することになるからである。

もっとも、債権差押命令申立ての段階では、債権者の側において弁済がないことを立証する必要はなく、定期金債権の一部の確定期限が経過したことを主張すれば足り、弁済があったことは債務者の不服申立ての事由となる。

債務者が債務不履行を争う場合の不服申立方法は次のとおりとなる。まず、期限が到来している定期金の全てについて債権差押命令の発令までに弁済している場合で、期限未到来の定期金債権を請求債権とする部分について、定期金債権についての特例に基づく強制執行開始の要件を欠くことを理由とするときは、執行抗告（法10条、145条６項）をすることができる。他方、期限が到来している定期金債権を請求債権とする部分については、弁済の時期が債権差押命令の発令の前か後かを問わず、請求債権の不存在を理由として請求異議の訴え（法35条）によることとなる。また、債権差押命令の発令の時点で一部不履行の要件を満たしており、法151条の２に基づき債権差押命令が発令されたものの、その後の事情変更により差押えの必要性が消滅した場合には、債務者は、法153条１項による取消しの申立てをすることができる。

⑷　差押債権

ア　定期金債権に係る期限の到来後に弁済期が到来する債権

法151条の２第２項は、「前項の規定により開始する債権執行においては、各定期金債権について、その確定期限の到来後に弁済期が到来する給料その他継続的給付に係る債権のみを差し押さえることができる。」とし、定期金債権についての特例により差し押さえることができる財産を、請求債権である各定期金債権について、その確定期限の到来後に弁済期が到来する継続的給付債権に限定している。

すなわち、令和３年４月１日の時点で、同年２月分以降の扶養義務等債権（弁済期毎月末日）を請求債権として、債務者の給与債権（弁済期毎月25

日）の差押えをする場合、同年２月分、３月分の扶養義務等債権（弁済期各月末日）については同年４月分以降の給与債権を（２月分及び３月分については定期金債権についての特例の適用によるものではないので、３月分以前の給与債権に未払のものがあればこれを差押債権に含めることも可能である。）、同年４月分の扶養義務等債権（弁済期４月30日）については５月分（弁済期５月25日）以降の給与債権を、同年５月分の扶養義務等債権（弁済期５月31日）については６月分（弁済期６月25日）以降の給与債権をそれぞれ差押債権とすることができる。

イ　給料その他継続的給付に係る債権

法151条の２第２項は「給料その他継続的給付に係る債権のみ」を差し押さえることができるとする。これは、継続的給付に係る債権に対する差押えの効力は差押え後に受けるべき給付についても及ぶ旨を規定する法151条における「継続的給付に係る債権」と基本的には同義と解され、同一の法律関係に基づいて、継続的に発生する債権であることが必要である。具体的には、給料債権のほか、取締役等の役員報酬債権、議員報酬債権、賃料債権及び保険医の診療報酬債権（最決平17.12.6民集59巻10号2629頁参照）などがこれに該当する（〔Q14〕参照）。

なお、一時払の退職金債権、退職慰労金債権については、それ自体としては退職を発生原因とするものではあるが、これらが給料又は役員報酬の後払的性格をも有しており、退職金債権が発生するまでの給与等債権と併せて考えれば、全体として労働契約に基づく一連の継続的給付債権とみることができること、定期金債権の差押えにおいてこれを否定し、各定期金債権の期限が到来するたびに将来債権として差押えをしなければならないとすることは、債権者にとって余りに利便性に欠けること、従前の一般債権による給料等の差押命令申立事件においては、給与債権や役員報酬債権と併せ退職金債権ないし退職慰労金債権を差し押さえる方法が一般的であり、債権者の権利実行の利便性を図るべき定期金債権においてこれを否定することはバランスを失することからすると、給与債権又は役員報酬債権とともに差し押さえる場合には、継続的給付債権に準ずるものとして定期金債権についての特例による差押えを認めることができると解され、東京地裁民事執行センターにおいても、この解釈を前提に運用している。

4　差押禁止債権の範囲についての特例（法152条3項）及びその要件

⑴　趣　　旨

法152条1項は、同項各号に掲げる給与債権等の債権については、「その支払期に受けるべき給付の4分の3に相当する部分（その額が標準的な世帯の必要生計費を勘案して政令で定める額を超えるときは、政令で定める額に相当する部分）は、差し押さえてはならない。」とし、一律に差押禁止とする範囲を定めている。その上で、債務者及び債権者の具体的な状況を考慮する必要がある場合には、当事者の申立て及び立証により、差押禁止債権の範囲の拡張又は減縮ができるものとしている（法153条）。

この原則に対し、平成15年改正法により、扶養義務等債権に基づく強制執行においては、この法律上一律に差押禁止とする範囲がその給付の「4分の3」に相当する部分から「2分の1」に相当する部分に減縮された（法152条3項）。

これは、請求債権が扶養義務等債権である場合には、標準的な世帯の必要生計費には、扶養等を受けるべき者の必要生計費も含まれているはずであるから、扶養義務等債権の性質上、法152条において差押えが禁止されている範囲をも対象として実現されるべきものと考えられること、扶養義務等債権の額は、債務名義作成段階において債権者の必要生計費と債務者の資力とを主要な考慮要素として定められるものであるから、その額の算定に当たっては、差押禁止債権の範囲変更において考慮すべき事情が既に織り込まれていると考えることが可能であり、債権者の、差押禁止債権の範囲の変更の申立て及び立証に要する手続的負担を軽減する必要があることによる。

⑵　適用範囲

この差押禁止債権の範囲についての特例は、定期金債権についての特例により差押えをする場合に限らず、法151条の2第1項各号に定める扶養義務等債権について、その各期限到来後に給与債権等の差押えをする場合にも適用され、また、扶養義務等債権が定期金債権とされていない一括支払の場合でも適用される。

⑶　具体的な差押可能範囲

差押禁止債権の範囲についての特例及び差押禁止額の引上げ（平成16年4月1日施行の民事執行法施行令の改正による。）により、債権者が扶養義務等債権を請求債権として債務者の給与及び賞与を差し押さえた場合、具体的には、債務者の月給又は賞与の額（所得税、住民税及び社会保険料を控除した残額）が、①66万円以下のときは、その2分の1相当額まで、②66万円を超えるときは、その額から33万円を差し引いた額まで差し押さえることができる（〔Q22〕参照）。

5　事情変更を理由とする増減額の審判・調停がされた場合

⑴　減額の審判・調停がされた場合

扶養義務等債権の額の定めについて、家庭裁判所において、その後の事情変更を理由として減額する旨の審判がされた場合、減額審判により変更・取り消された部分については従前の債務名義の執行力は失われると解されることから、当該減額審判に係る審判書正本は、法39条1項1号の取消文書に該当する。また、減額調停がされた場合、当該減額調停に係る調停調書正本は、従前の債務名義に基づく強制執行をしない旨又はその申立てを取り下げる旨記載されているときは、同項4号の取消文書に該当することが明らかであるし、その旨記載されていなくても、減額の合意をした当事者の合理的意思解釈などからして、同項4号の取消文書に該当すると解するのが相当である。したがって、東京地裁民事執行センターでは、扶養義務等債権の額の定めを減額する旨の家庭裁判所における審判書正本や調停調書正本が提出された場合には、減額前の債務名義に基づく債権差押命令を（一部）取り消す取扱いである。

⑵　増額の審判・調停がされた場合

扶養義務等債権の額の定めについて、家庭裁判所において、その後の事情変更を理由として増額する旨の審判や調停がされた場合、債権者としては、当該増額審判・調停に係る審判書正本又は調停調書正本に基づき、㋐

従前の債務名義に基づく差押命令の申立てを取り下げるのと同時に、又はこれを取り下げた後に、増額後の扶養義務等債権全額を請求債権として差押命令を申し立てる方法と、㋑従前の債務名義に基づく差押命令の申立てを維持しつつ、扶養義務等債権の増額分のみを請求債権として差押命令を申し立てる方法とが考えられる。このうち、㋐については、従前の債務名義に基づく差押命令の申立てを取り下げた後、新たな債務名義に基づく差押命令の送達時までに時間差が生じると、債務者が有する給料等債権のうち差押えの効力が及ばない部分が生じる可能性があることに留意する必要がある。また、㋑については、債務者が有する給料等債権のうち差押可能な範囲（法152条参照）が増額後の扶養義務等債権の額に満たない場合、自身の前後の差押えが競合することになるため、債権者は、弁済期に第三債務者から債務者の給料等を直接取り立てることができなくなることに留意する必要がある（法149条、156条２項参照）。

このように、㋐及び㋑の方法にはそれぞれ留意すべき点があるが、これらの留意点を踏まえ、債権者においていずれかの方法を選択することとなる。

6　成年年齢引下げと「成年に達するまで」の解釈

子の養育費について、「子が成年に達する（日の属する月）まで養育費を支払う」との取決めがされていることがある。

成年年齢を18歳に引き下げることを内容とする民法の一部を改正する法律（平成30年法律第59号）の施行日（令和４年４月１日）前に、養育費の支払期間の終期についてこのような取決めがされていた場合、成年年齢の引下げに伴い、養育費の支払期間の終期も18歳までと変更されるのか否かが問題となる。

これは、「成年に達するまで」という文言をどのように解釈するかの問題であるが、この解釈に当たっては、取決めが成立した時点での当事者の意思を推測することとなる。

そうすると、当該取決めがされた時点では成年年齢が20歳であったこと、養育費は、子が未成熟であって経済的に自立することを期待することができない場合に支払われるものであり、子が成年に達したとしても、経済的に未成熟である場合には、養育費を支払う義務を負うことになると解されること等からすると、一般的には、同法により成年年齢が引き下げられたからといって、「成年に達するまで」の解釈が当然に「18歳に達するまで」に変更されるものではなく、従前どおり「20歳に達するまで」を意味するものと解するのが相当である。

もっとも、同法の施行後に「成年に達するまで」とする取決めをした場合には、通常は「18歳に達するまで」を意味するものと解されるなど、支払期間の終期に疑義が生じ得るため、新たに養育費に関する取決めをする場合には、「20歳に達する日の属する月まで」といった形で、明確に支払期間の終期を定めることが望ましいと考えられる。

7　申立書の記載例

⑴　扶養義務等に係る定期金債権による差押え（定期金債権についての特例による差押え）

ⓐ期限未到来の扶養義務等に係る定期金債権と、ⓑ期限が到来した扶養義務等に係る債権とを請求債権とする場合（前記3⑶のとおり、定期金債権についての特例による申立ての場合、一部債務不履行が要件となるため、通常は期限未到来の債権に併せて期限の到来した債権を請求債権とすることとなる。）、差押禁止債権の範囲はいずれの債権を請求債権としても異ならないものの、前記3⑷アのとおり、ⓐの債権を請求債権とする場合に差押債権とできるのは、各定期金債権の確定期限到来後に弁済期が到来する継続的給付債権に限られる。したがって、請求債権目録及び差押債権目録のそれぞれにおいて、期限未到来の定期金債権とそれ以外の債権とを別項目に分け、差押債権目録には、前者の債権を請求債権とする分については、その確定期限到来後に支払期が到来する債権に限る旨を記載する（**【書式例1】**参照）。

⑵　扶養義務等に係る債権及び一般債権による差押え（差押禁止債権の範囲についての特例による差押えと一般債権による差押え）

扶養義務等に係る債権を請求債権とする場合と、それ以外の一般債権を請求債権とする場合とでは、差押禁止債権の範囲が異なるため、これらの両方の債権を請求債権とする場合、差押命令の申立てを行う債権者は、扶養義務等に係る債権とそれ以外の債権とを区別して、それぞれの債権ごとに請求債権目録及び差押債権目録を別に作成する必要がある（**【書式例２】**参照。当事者目録は、**【書式例１】**と同様である。）。

⑶　扶養義務等に係る確定債権による差押え（差押禁止債権の範囲についての特例による差押え）

扶養義務等に係る債権を請求債権とする場合であれば、それが定期金債権でないとき（例えば、「婚姻費用分担金として、100万円を令和３年９月１日限り支払う。」旨の債務名義、あるいは、養育費について定期金として定めたが、期限の到来したもののみを請求債権とするときなど）であっても、前記４⑵のとおり、差押禁止債権の範囲についての特例による申立てが可能であり、一般債権を請求債権とする場合とは、差押債権の記載が異なる（**【書式例３】**参照。当事者目録は**【書式例１】**と同様である。）。

⑷　申立書の表題部分の記載

いずれの場合にも各特例の適用がある申立てであるか否かが一見して明らかになるよう、東京地裁民事執行センターにおいては、申立書の表題部分に、どの債権による差押えであるかを付記するよう求めており、債権差押命令にも同様の付記をしている。

〈参考文献〉

改正担保・執行法の解説100頁、中野＝下村「民事執行法」698頁、708頁、東京地裁民事執行センター「さんまエクスプレス第25回、80回」金法1704号44頁、1994号36頁

【書式例１】

債権差押命令申立書
（扶養義務等に係る定期金債権による差押え）

東京地方裁判所民事第21部　御中

令和○○年○○月○○日

債権者　　乙　野　花　子 印
電　話　○○-○○○○-○○○○
FAX　○○-○○○○-○○○○

当事者
請求債権
差押債権
　　　　｝別紙目録記載のとおり

債権者は、債務者に対し、別紙請求債権目録記載の執行力ある債務名義の正本に記載された請求債権を有しているが、債務者がその支払をしないので、債務者が第三債務者に対して有する別紙差押債権目録記載の債権の差押命令を求める。

添付書類
1　執行力ある債務名義の正本　1通
2　同送達証明書　1通
3　資格証明書　1通
4　戸籍謄本　1通
5　住民票　1通

当事者目録

〒□□□-□□□□　東京都○○区○○町○丁目○番○号
(債務名義上の住所)　東京都△△区○○町○丁目○番○号
債　権　者　　乙　野　花　子
(債務名義上の氏名)　　甲　野　花　子
電話番号　　○○－○○○○－○○○○

〒□□□-□□□□　東京都△△区○○町○丁目○番○号
債　務　者　　○　○　○　○

〒□□□-□□□□　東京都□□区○○町○丁目○番○号
第三債務者　　○○株式会社

代表者代表取締役 ○ ○ ○ ○

請求債権目録

○○家庭裁判所令和○○年（家イ）第○○○号事件の調停調書正本に表示された下記金員及び執行費用

記

1 確定期限が到来している債権及び執行費用 金708,691円

(1) ア 金350,000円

ただし、債権者、債務者間の長男○○についての令和○○年○○月から令和○○年○○月まで1か月5万円の養育費の未払分（支払期毎月末日）

イ 金350,000円

ただし、債権者、債務者間の長女○○についての令和○○年○○月から令和○○年○○月まで1か月5万円の養育費の未払分（支払期毎月末日）

(2) 金8,691円

ただし、執行費用

（内訳）	本申立手数料	金4,000円
	本申立書作成及び提出費用	金1,000円
	差押命令正本送達費用	金2,941円
	資格証明書交付手数料	金 600円
	送達証明書申請手数料	金 150円

2 確定期限が到来していない各定期金債権

(1) 令和○○年○○月から令和○○年○○月（債権者、債務者間の長男○○が満20歳に達する日の属する月）まで、毎月末日限り金5万円ずつの養育費

(2) 令和○○年○○月から令和○○年○○月（債権者、債務者間の長女○○が満20歳に達する日の属する月）まで、毎月末日限り金5万円ずつの養育費

差押債権目録

1　金708,691円（請求債権目録記載の１）
2　⑴　令和○○年○○月から令和○○年○○月まで、毎月末日限り金５万円ずつ（請求債権目録記載の２⑴）
⑵　令和○○年○○月から令和○○年○○月まで、毎月末日限り金５万円ずつ（請求債権目録記載の２⑵）

債務者（○○支店勤務）が第三債務者から支給される、本命令送達日以降支払期の到来する下記債権にして、頭書１及び２の金額に満つるまで
ただし、頭書２の⑴及び⑵の金額については、その確定期限の到来後に支払期が到来する下記債権に限る。

記

1　給料（基本給と諸手当、ただし通勤手当を除く。）から所得税、住民税及び社会保険料を控除した残額の２分の１（ただし、上記残額が月額66万円を超えるときは、その残額から33万円を控除した金額）

2　賞与から１と同じ税金等を控除した残額の２分の１（ただし、上記残額が66万円を超えるときは、その残額から33万円を控除した金額）

なお、１及び２により弁済しないうちに退職したときは、退職金から所得税及び住民税を控除した残額の２分の１にして、１及び２と合計して頭書金額に満つるまで

【書式例２】

債権差押命令申立書
（扶養義務等に係る確定債権及び一般債権による差押え）

東京地方裁判所民事第21部　御中
令和○○年○○月○○日

債権者　乙　野　花　子 印
電　話　○○-○○○○-○○○○
ＦＡＸ　○○-○○○○-○○○○

当 事 者
請求債権　｝別紙目録記載のとおり
差押債権

債権者は、債務者に対し、別紙請求債権目録記載の執行力ある債務名義の正本に記載された請求債権を有しているが、債務者がその支払をしないので、債務者が第三債務者に対して有する別紙差押債権目録記載の債権の差押命令を求める。

添付書類
1　執行力ある債務名義の正本　1通
2　同送達証明書　1通
3　資格証明書　1通
4　戸籍謄本　1通
5　住民票　1通

請求債権目録(1)
（扶養義務等に係る確定債権）

○○家庭裁判所令和○○年（家イ）第○○○号事件の調停調書正本に表示された下記金員及び執行費用

記

1　金700,000円
ただし、調停条項第2項記載の令和○○年○○月から令和○○年○○月まで1か月5万円の養育費の未払分（支払期毎月末日）

2　金8,691円
ただし、執行費用
（内訳）本申立手数料　金4,000円
本申立書作成及び提出費用　金1,000円
差押命令正本送達費用　金2,941円

資格証明書交付手数料　　　　金　600円
送達証明書申請手数料　　　　金　150円

合計　　金708,691円

請求債権目録(2)
（一般債権）

○○家庭裁判所令和○○年（家イ）第○○○号事件の執行力ある調停調書正本に表示された下記金員及び執行費用

記

1　金1,000,000円
　ただし、調停条項第5項記載の150万円の慰謝料の残金（支払期令和○○年○○月○○日）

2　金300円
　ただし、執行費用
　　（内訳）執行文付与申立手数料　　金300円

合計　　金1,000,300円

差押債権目録(1)
（請求債権目録(1)の債権について）

金708,691円

債務者（○○支店勤務）が第三債務者から支給される、本命令送達日以降支払期の到来する下記債権にして、頭書金額に満つるまで

記

1　給料（基本給と諸手当、ただし通勤手当を除く。）から所得税、住民税及び社会保険料を控除した残額の2分の1（ただし、上記残額が月額66

万円を超えるときは、その残額から33万円を控除した金額）

2　賞与から1と同じ税金等を控除した残額の2分の1（ただし、上記残額が66万円を超えるときは、その残額から33万円を控除した金額）

なお、1及び2により弁済しないうちに退職したときは、退職金から所得税及び住民税を控除した残額の2分の1にして、1及び2と合計して頭書金額に満つるまで

差押債権目録(2)
（請求債権目録(2)の債権について）

金1,000,300円

債務者（○○支店勤務）が第三債務者から支給される、本命令送達日以降支払期の到来する下記債権にして、頭書金額に満つるまで

記

1　給料（基本給と諸手当、ただし通勤手当を除く。）から所得税、住民税及び社会保険料を控除した残額の4分の1（ただし、上記残額が月額44万円を超えるときは、その残額から33万円を控除した金額）

2　賞与から1と同じ税金等を控除した残額の4分の1（ただし、上記残額が44万円を超えるときは、その残額から33万円を控除した金額）

なお、1及び2により弁済しないうちに退職したときは、退職金から所得税及び住民税を控除した残額の4分の1にして、1及び2と合計して頭書金額に満つるまで

【書式例３】

債権差押命令申立書
（扶養義務等に係る確定債権による差押え）

東京地方裁判所民事第21部　御中
令和○○年○○月○○日

債権者　　乙　　野　　花　　子　印
電　話　○○-○○○○-○○○○
ＦＡＸ　○○-○○○○-○○○○

当 事 者
請求債権　　別紙目録記載のとおり
差押債権

債権者は、債務者に対し、別紙請求債権目録記載の執行力ある債務名義の正本に記載された請求債権を有しているが、債務者がその支払をしないので、債務者が第三債務者に対して有する別紙差押債権目録記載の債権の差押命令を求める。

添付書類
1　執行力ある債務名義の正本　１通
2　同送達証明書　１通
3　資格証明書　１通
4　戸籍謄本　１通
5　住民票　１通

請求債権目録

○○家庭裁判所令和○○年（家イ）第○○○号事件の調停調書正本に表示された下記金員及び執行費用

記

1　金700,000円

ただし、令和○○年○○月から令和○○年○○月まで１か月５万円の養育費の未払分（支払期毎月末日）

2　金8,691円

ただし、執行費用

（内訳）	本申立手数料	金4,000円
	本申立書作成及び提出費用	金1,000円
	差押命令正本送達費用	金2,941円
	資格証明書交付手数料	金　600円
	送達証明書申請手数料	金　150円

合計　　金708,691円

差押債権目録

金708,691円

債務者（○○支店勤務）が第三債務者から支給される、本命令送達日以降支払期の到来する下記債権にして、頭書金額に満つるまで

記

1　給料（基本給と諸手当、ただし通勤手当を除く。）から所得税、住民税及び社会保険料を控除した残額の２分の１（ただし、上記残額が月額66万円を超えるときは、その残額から33万円を控除した金額）

2　賞与から１と同じ税金等を控除した残額の２分の１（ただし、上記残額が66万円を超えるときは、その残額から33万円を控除した金額）

なお、１及び２により弁済しないうちに退職したときは、退職金から所得税及び住民税を控除した残額の２分の１にして、１及び２と合計して頭書金額に満つるまで

Q 22 差押禁止債権の種類

差押えができない債権には、どのようなものがあるか。

1 概　　要

債権執行手続においては、債務者及びその家族の生活保障等の社会政策的配慮その他の目的から差押えが禁止される債権がある。これを大きく分けると、①民事執行法上差押えが禁止されている債権、②特別法上差押えが禁止されている債権、③権利の性質上差押えができない債権に分類することができる。

2 民事執行法上差押えが禁止されている債権

(1) 種　　類

民事執行法上差押えが禁止されている債権としては、㋐債務者が国及び地方公共団体以外の者から生計を維持するために支給を受ける継続的給付に係る債権（法152条1項1号）、㋑給料、賃金、俸給、退職年金及び賞与並びにこれらの性質を有する給与に係る債権（同項2号）、㋒退職手当及びその性質を有する給与に係る債権（同条2項）がある。

㋐に該当する債権としては、私的年金契約に基づき生命保険会社、信託銀行等から生計を維持するために継続的に支払を受けている金銭債権等が挙げられる。国及び地方公共団体から生計を維持するために支給を受ける継続的給付に関しては、個々の法律に差押禁止規定が定められている（後記3、**【別表】**参照）。㋑は、雇用契約等に基づく継続的労（役）務に対する報酬として継続的に支払われる金銭債権である。国会議員の歳費、地方公共団体の議員報酬、取締役の役員報酬等がこれに該当するかが問題となるが、このような契約は委任的要素が強く、かつ、収入によって生活の大部分が維持されているとは考えにくいことから、実務上、いずれも、その全額について差押えが認められている（地方議員報酬債権について、大阪高決昭33.8.19下民集９巻８号1645頁、最判昭53.2.23民集32巻１号11頁参照)。㋒は、債務者が退職又は死亡したときに、それまでの継続的雇用関係に基づく賃金の一種として、本人又はその遺族に一時金の形で支給される金銭債権である。

(2) 差押禁止の範囲

前記(1)の㋐及び㋑の債権については、給付又は給与に係る債権の４分の３を差し押さえることが禁止されている。ただし、給付又は給与に係る債権の４分の３の額が、民執施令２条に定める額を超える場合には、後記**ア**及び**イ**のとおり、その額を超える額全額の差押えが認められる。給与に係る債権の場合、差押えの範囲は、法152条の趣旨が債務者の生計を保護することにあることに鑑み、給与債権の名目額から所得税、住民税、社会保険料、通勤手当を控除した手取額を基準として算定するのが、実務上確立した取扱いである。前記(1)の㋒の債権については、民執施令による調整はなく、一律に４分の３に該当する金額の差押えが禁止される。

ア 給与等（賞与以外）の場合

後記**イ**以外の給与に係る債権及び生計を維持するための継続的給付に係る債権については、次表の差押禁止額欄記載の金額の差押えが禁止され、これを超える金額の差押えが認められている（民執施令２条１項)。

支払期	収入額	差押禁止額
毎　月	44万円超	33万円
毎半月	22万円超	16万5000円
毎　旬	14万6667円以上	11万円
月の整数倍の期間ごと	（44万円×当該倍数）超	33万円×当該倍数
毎　日	１万4667円以上	１万1000円
その他の期間	（１万4667円×期間日数）以上	１万1000円×期間日数

＊　各支払期に応じて収入額欄記載の金額がある場合には、差押禁止額を除いた残金が差押えの対象となる。

イ 賞与の場合

賞与及びその性質を有する給与に係る債権については、その額が44万円を超える場合には、33万円の差押えが禁止され、33万円を超える全額の差押えが認められている（民執施令２条２項）。

⑶　扶養義務等に係る金銭債権を請求する場合の差押禁止の範囲

平成15年改正法による改正により、債権者がⓐ民法752条の規定による夫婦間の協力及び扶助の義務、ⓑ民法760条の規定による婚姻から生ずる費用の分担の義務、ⓒ民法766条の規定による子の監護に関する義務、ⓓ民法877条から880条までの規定による扶養の義務に係る金銭債権（法152条３項においては、定期金債権に限らない。）を請求する場合、前記⑴の㋐及び㋑の債権については、給付又は給与に係る債権の２分の１を差し押さえることが禁止された（法152条３項、151条の２第１項。〔Q21〕参照）。ただし、給付又は給与に係る債権の２分の１の額が、民執施令２条に定める額を超える場合には、後記ア及びイのとおり、その額を超える額全額の差押えが認められる。給与に係る債権の場合、差押えの範囲は、前記⑵と同様に、給与債権の名目額から所得税、住民税、社会保険料、通勤手当を控除した手取額を基準として算定する取扱いである。前記⑴の㋒の債権については、民執施令による調整はなく、一律に２分の１に該当する金額の差押えが禁止される。

ア　給与等（賞与以外）の場合

後記イ以外の給与に係る債権及び生計を維持するための継続的給付に係る債権については、次表の差押禁止額欄記載の金額の差押えが禁止され、これを超える全額の差押えが認められている（民執施令２条１項）。

支払期	収入額	差押禁止額
毎　月	66万円超	33万円
毎半月	33万円超	16万5000円
毎　旬	22万円超	11万円
月の整数倍の期間ごと	（66万円×当該倍数）超	33万円×当該倍数
毎　日	２万2000円超	１万1000円
その他の期間	（２万2000円×期間日数）超	１万1000円×期間日数

＊　各支払期に応じて収入額欄記載の金額がある場合には、差押禁止額を除いた残金が差押えの対象となる。

イ　賞与の場合

賞与及びその性質を有する給与に係る債権については、その額が66万円を超える場合には、33万円の差押えが禁止され、33万円を超える全額の差押えが認められている（民執施令２条２項）。

3　特別法上差押えが禁止されている債権

特別法に基づく給付のうち、受給者の生活保障等の社会政策的配慮が求められるものについては、特別法上に差押禁止規定が定められている。その主なものは、**【別表】**のとおりである。

4　権利の性質上差押えができない債権

法律に差押えを禁止する旨の明文の規定がなくても、譲渡性がない債権、他人が代わって行使できない債権等は換価することができないから、結果として、差押えができない債権となる（〔Q１〕参照）。これを大別すると、ⅰ債務者の一身専属的な債権、ⅱ公権力の主体のみが行使できる公法上の債権、ⅲ特定の債権者に弁済又はその間で決済することを要する債権、ⅳ債権者の変更によって権利の行使に著しい差異を生ずる債権になる。

ⅰに該当する債権としては、氏名権及び商号権や、本人が行使する前の扶養請求権（民881条）、財産分与請求権（民768条）及び遺留分侵害額請求権（民1046条）等がある。ⅱに該当する債権としては、租税、負担金、経費等の徴収権がある。ⅲに該当する債権としては、交互計算に組み入れられた債権、国、地方公共団体等の補助金で特定の事業等の遂行の資金に充てられるものの交付請求権（石油試掘奨励金交付請求権、地方鉄道補助金交付請求権等）、受任者の費用前払請求権等がある。ⅳに該当する債権としては、終身定期金債権（民689条以下）、契約上の扶養請求権、委任者の委任契約上の債権、使用借権等があるが、これらの債権は、債権者と債務者との個人的関係に基礎を置くものであるから、債務者の承諾があれば譲渡が可能であり、差押えも可能となる。

このほか、通勤費や出張旅費、宿泊費など給与の性質を有しない実費支給金も性質上差押えができない債権であり、国会議員が受ける文書通信交通滞在費もこれに当たると解されている。これに対し、使途が限定されない政党交付金請求権は差押え自体が禁止されているとはいえないと解されている。

5　差押禁止に反して発令された差押命令の効力

この点については、差押命令は裁判としてされた以上、当然無効といえず、取り消されるまでは有効であるといわざるを得ないが、差押禁止が法律上又は権利の性質上債務者に処分権を認めない（任意譲渡をも禁止する。）ことに基づく場合は、当然に無効である（実体法上、差押えの効力は生じない。）とする見解（無効説。中務俊昌「取立命令と転付命令」民事訴訟法講座⑷1179頁、三ケ月章「民事執行法」385頁）と、そのような区別をする必要はなく、差押命令は取り消されるまでは有効であるとする見解（有効説。中野＝下村「民事執行法」701頁、704頁、注解民事執行法⑷532頁）がある。

無効説によると、当然無効の場合には、差押命令発令当初から差押えの効力が生じていないので、純理論的には、債務者は、差押債権を自ら行使するため、執行抗告（法145条6項、10条1項）等により差押命令を取り消す必要はないが（東京高決昭58.4.22金法1056号46頁）、第三債務者としては、債務者からの差押債権の請求を拒絶すると債務不履行の責任を負うことになり、差押債権者の取立てに応じると二重払いの危険を負うことになる（受領権者としての外観を有する者に対する弁済（民478条）として救済される余地はある。）。他方、有効説によると、債務者は執行抗告により差押命令の取消しを求める必要が生じ（転付命令が同時に発令されていたとしても、その効果を発生させないためには差押命令の取消しさえ得られれば十分であるので、転付命令自体に対しては執行抗告は不要である。）、執行抗告についての判断が効力を生ずるまでの間の債権者による取立権の行使を止めるために執行停止を求めることになる（法10条6項）。また、既に執行抗告期間が経過している場合には、法153条により、差押禁止債権の範囲変更を求めることになる。

差押禁止債権を定めた趣旨からすると、債務者に執行抗告等の負担を負わせるのは相当でないとの見方もあろうが、特に、民事執行法上の差押禁止債権のように、制度上、差押禁止債権の範囲変更が認められているものを想定すると、第三債務者に有効無効の判断の負担を負わせるのは適当でなく、また、裁判である差押命令を当然に無効と認めるべきではないとの指摘もあることから（注釈民事執行法⑹337頁〔宇佐見隆男〕）、東京地裁民事執行センターにおいては、有効説に立った運用をしている。

〈参考文献〉

上田正俊「差押禁止債権とこれを看過した場合の効力及び救済方法」債権執行の諸問題93頁

【別表】主な特別法上の差押禁止規定

1　社会保険としての公的年金
- ①　国民年金法（24条）
- ②　厚生年金保険法（41条１項）
- ③　中小企業退職金共済法（20条）
- ④　恩給法（11条３項）
- ⑤　小規模企業共済法（15条）
- ⑥　国家公務員共済組合法（48条）
- ⑦　地方公務員等共済組合法（51条）
- ⑧　私立学校教職員共済法（25条）
- ⑨　（旧）農林漁業団体職員共済組合法（33条１項）
- ⑩　（旧）国会議員互助年金法（６条２項）
- ⑪　船員法（115条）
- ⑫　社会福祉施設職員等退職手当共済法（14条）

2　医療保険その他の部門の社会保険
- ①　健康保険法（61条）
- ②　国民健康保険法（67条）
- ③　雇用保険法（11条）
- ④　介護保険法（25条）
- ⑤　（旧）簡易生命保険法（81条）
- ⑥　船員保険法（51条）
- ⑦　独立行政法人農業者年金基金法（26条）

⑧　確定給付企業年金法（34条１項）
⑨　確定拠出年金法（32条１項）

3　公的扶助、援助に関する給付

①　生活保護法（58条）
②　生活困窮者自立支援法（19条）
③　児童福祉法（57条の５第２項、３項）
④　児童扶養手当法（24条）
⑤　児童手当法（15条）
⑥　子ども・子育て支援法（17条）
⑦　高等学校等就学支援金の支給に関する法律（12条）
⑧　母子保健法（24条）
⑨　高齢者の医療の確保に関する法律（62条）
⑩　難病の患者に対する医療等に関する法律（38条）
⑪　原子爆弾被爆者に対する援護に関する法律（45条）
⑫　石綿による健康被害の救済に関する法律（28条）
⑬　ハンセン病問題の解決の促進に関する法律（23条２項）
⑭　戦傷病者戦没者遺族等援護法（47条）
⑮　戦傷病者等の妻に対する特別給付金支給法（９条）
⑯　戦傷病者特別援護法（26条）
⑰　戦没者等の妻に対する特別給付金支給法（９条）
⑱　戦没者の父母等に対する特別給付金支給法（11条）
⑲　引揚者給付金等支給法（20条）
⑳　引揚者等に対する特別交付金の支給に関する法律（11条）
㉑　未帰還者に関する特別措置法（11条）
㉒　未帰還者留守家族等援護法（31条）
㉓　戦後強制抑留者に係る問題に関する特別措置法（８条）
㉔　戦没者等の遺族に対する特別弔慰金支給法（11条）
㉕　労働施策の総合的な推進並びに労働者の雇用の安定及び職業生活の充実等に関する法律（21条）
㉖　特定障害者に対する特別障害給付金の支給に関する法律（23条）
㉗　被災者生活再建支援法（20条の２）
㉘　令和二年度特別定額給付金等に係る差押禁止等に関する法律（１項）
㉙　令和二年度ひとり親世帯臨時特別給付金等に係る差押禁止等に関する法律その他の特別給付金に係る差押禁止等に関する法律（各１項）

4　災害補償、損害賠償等の請求権

①　労働基準法（83条２項）
②　労働者災害補償保険法（12条の５第２項）
③　保険法（22条３項）

④　自動車損害賠償保障法（18条、74条）
⑤　公害健康被害の補償等に関する法律（16条）
⑥　国家公務員災害補償法（７条２項）
⑦　地方公務員災害補償法（62条２項）
⑧　警察官の職務に協力援助した者の災害給付に関する法律（10条）
⑨　海上保安官に協力援助した者等の災害給付に関する法律（７条）
⑩　公立学校の学校医、学校歯科医及び学校薬剤師の公務災害補償に関する法律（８条２項）
⑪　予防接種法（20条）
⑫　刑事収容施設及び被収容者等の処遇に関する法律（102条１項）
⑬　刑事補償法（22条）
⑭　死刑再審無罪者に対し国民年金の給付等を行うための国民年金の保険料の納付の特例等に関する法律（４条１項）
⑮　証人等の被害についての給付に関する法律（10条）
⑯　連合国占領軍等の行為等による被害者等に対する給付金の支給に関する法律（23条）
⑰　土地収用法（45条の３第２項）
⑱　ハンセン病療養所入所者等に対する補償金の支給等に関する法律（８条）
⑲　犯罪被害者等給付金の支給等による犯罪被害者等の支援に関する法律（17条）
⑳　犯罪被害財産等による被害回復給付金の支給に関する法律（32条）
㉑　犯罪利用預金口座等に係る資金による被害回復分配金の支払等に関する法律（23条）
㉒　国外犯罪被害弔慰金等の支給に関する法律（17条）
㉓　原子力損害の賠償に関する法律（９条３項）
㉔　災害弔慰金の支給等に関する法律（５条の２第１項）
㉕　東日本大震災関連義援金に係る差押禁止等に関する法律その他の各災害関連義援金に係る差押禁止等に関する法律（各１項）
㉖　自然災害義援金に係る差押禁止等に関する法律（３条１項）
㉗　特定石綿被害建設業務労働者等に対する給付金等の支給に関する法律（14条）

5　その他
砂防法（37条２項）

Q 23 譲渡禁止特約のある債権

当事者間に譲渡禁止の特約のある債権を差し押さえることができるか。また、転付命令の対象とすることができるか。

1　平成29年民法改正法による改正前における問題の所在

いわゆる債権法改正に関する平成29年民法改正法による改正前において、債権譲渡と譲渡禁止特約の関係については、以下のように解されていた。

(1)　譲渡禁止特約

債権は、その性質が許さない場合を除き、譲渡することができるが（民466条1項)、債権の譲渡を禁止する旨の当事者間の特約（譲渡禁止特約）がある場合には同項は適用されず（平成29年民法改正法による改正前の同条2項)、譲渡禁止特約に違反してされた債権譲渡は無効である。ただし、譲渡禁止特約の存在について善意の譲受人に対しては特約を対抗することができない（平成29年民法改正法による改正前の同項ただし書)。譲渡禁止特約の存在につき譲受人に重過失がある場合は悪意と同視される（最判昭48.7.19民集27巻7号823頁)。

譲渡禁止特約が付された債権の具体例としては、金融機関に対する預貯金債権、公共団体に対する建設工事請負代金債権等がある。これらの債権に譲渡禁止特約が付されているのは、債権者を固定することにより、譲渡に伴う事務の煩雑化（例えば、預金通帳の名義書換え等）や過誤払いの危険を避け、相殺の利益を確保するためとされている。

ところで、債権差押命令及び転付命令は、国家の強制的権限により、債務者に差押債権の処分を禁止し、差押債権者に差押債権の取立てを許し、又は差押債権者に差押債権自体を移転させるものであり、いずれも譲渡又はこれに準ずる効果を生じさせるため、民法の定める譲渡禁止特約がこれらを制約するか否か、差押債権者の特約に関する主観的態様がその解釈に影響するか否かが問題となっていた。

⑵　差押命令の場合

差押命令は、差押債権について、債務者の取立て等の処分を禁止した上、差押債権者に差押債権の取立ての権能を与えるものであるから、債務者及び第三債務者からすれば、債権譲渡がされた場合と類似の状況が生じることになる。

しかし、この場合に譲渡禁止特約の効力が差押命令にも影響を及ぼすと解することは、当事者間の自由な意思により差押禁止財産を創設するのを許すことに等しいから、当事者間に譲渡禁止特約があっても、その効力は差押命令には及ばないと考えるべきである。したがって、債権者は、その善意悪意を問わず、当事者間に譲渡禁止特約がある債権を差し押さえることができると解され、実務上及び学説上、異論をみなかった。このように解しても、民事執行手続として差押命令の内容が明らかであるから、前記の譲渡禁止特約が付された趣旨が損なわれることはないとされていた（差押えと相殺については、〔Q46〕参照）。

なお、知的財産権の持分（著作権65条１項、特許73条１項）、持分会社（合名会社、合資会社又は合同会社）の社員持分（会社585条）、賃借権（民612条１項）等は、法律上、譲渡について同意が必要とされているが、差押え自体は禁止されず、換価段階の問題として処理されることになる（〔Q75〕、〔Q76〕参照）。

⑶　転付命令の場合

転付命令は、支払に代えて、差押債権者に差押債権をその券面額で移転させるものであって、いわば代物弁済としての債権譲渡であるから、差押命令の場合以上に、特約が禁止する債権譲渡がされたのと同じ法律関係が生ずることになる。そして、譲渡禁止の特約が転付命令に影響を及ぼすとしても、差押命令自体が妨げられないのであれば、およそ民事執行ができない財産になるわけではないので、当事者間に譲渡禁止の特約がある債権を転付命令の対象とすることが可能であるか否かが差押命令自体の可否とは別に問題とされていた。

判例は、かつて、譲渡禁止特約のある債権については、差押債権者が転付命令を取得したときに善意であった場合に限り、転付命令は有効であるとし（大判大4.4.1民録21輯422頁ほか）、学説上も、これを支持するものがあった。債権者と債務者との間の債権債務関係は当事者の意思に基づき自由に定められるのが原則であるとの考え方を強調し、任意譲渡の場合のみならず、強制移転の場合にも、同様に考えようとするものである。

しかし、債権の移転を受ける者の善意悪意により移転の有効無効を決することは、任意の債権譲渡の場合には合理的であるといい得るが、国家の強制的権限に基づく債権の移転についてまで、このように考えるべき合理性は乏しい。また、転付命令の有効無効が、差押債権者の主観的態様により左右されるのでは、民事執行の手続的安定性の観点から問題がある。例えば、譲渡禁止特約がある債権について、一人の債権者が差押命令及び転付命令を得た後、他の債権者がこれを差し押さえた場合、転付命令の有効無効が差押債権者の主観的態様により左右されるとすると、第三債務者としては、どのように対応してよいかがわからないため、供託をせざるを得なくなる（転付命令が有効であれば、転付債権者に支払えばよいが、転付命令が無効であれば、差押えの競合が生じることになる。）。しかし、その場合、事情届の提出を受けた執行裁判所としても、差押えの競合が生じているか否かが不明のため、直ちに配当手続に入ることができなくなる。

このように考えると、譲渡禁止特約のある債権は、一律に転付命令の対象となるとするか、ならないとするかのいずれかが適当であることになる。その後最高裁は、従前の判例を変更し、譲渡禁止特約のある債権であっても、差押債権者の善意悪意を問わず、転付命令により有効に差押債権者に移転し、これについて、平成29年民法改正法による改正前の民法466条２項を適用ないし類推適用すべきではないとした（最判昭45.4.10民集24巻４号240頁）。実務上も、この考え方に基づき運用されていた。譲渡禁止特約の効力を転付命令に及ぼすことは、当事者間の合意により、民事執行における換価方法を制限することを認めることになるため、民事執行をし難い財産を創設することになりかねないことを踏まえた考え方と思われる。このように解しても、民事執行手続として転付命令の内容が明らかであるから、譲渡禁止特約が付された趣旨が損なわれることはないとされていた。

2　平成29年民法改正法による改正後の規定

平成29年民法改正法による改正では、譲渡制限特約が付されていても、これによって債権譲渡の効力は妨げられないことを原則とし、強制執行との関係においては、前記1の各判例の趣旨が明文化された。すなわち、債権の譲渡性を認める民法466条1項は、平成29年民法改正法による改正の前後を通じて変更されず、当事者間に債権の譲渡を禁止し又は制限する旨の意思表示（譲渡制限の意思表示）があっても債権譲渡の効力は妨げられないものとされたが（同条2項。ただし、預貯金債権は除外されている。民466条の5第1項）、債務者は、譲渡制限の意思表示の存在について悪意又は重過失のある譲受人その他の第三者に対し、債務の履行を拒むことができ、かつ、譲渡人に対する弁済その他の債務を消滅させる事由をもって第三者に対抗することができることとされた（民466条3項）。

そして、民法466条の4第1項は、前記最判昭45.4.10の趣旨を踏まえ、譲渡制限の意思表示がされた債権に対して強制執行をした差押債権者には民法466条3項が適用されない旨を定め、差押債権者が譲渡制限の意思表示の存在について悪意又は重過失であっても、第三債務者から履行を拒まれないこと、及び執行債務者に対する弁済その他債務を消滅させる事由をもって対抗されることがないことを明らかにしている。もっとも、譲渡制限の意思表示がされた債権が悪意又は重過失の譲受人に譲渡された後、譲受人の債権者がその債権に対する強制執行をしたときは、第三債務者は、債務の履行を拒むことができ、かつ、譲渡人に対する弁済その他債務を消滅させる事由をもって差押債権者に対抗することができることとされている（民466条の4第2項）。

また、預貯金債権については、譲渡制限の意思表示は、民法466条2項の規定にかかわらず、悪意又は重過失の譲受人その他の第三者に対して対抗することができるとされており（民466条の5第1項）、譲渡制限の意思表示に反する債権譲渡は無効となると解されるが、強制執行をした差押債権者に対しては、同項の規定は適用しないこととされており（同条2項）、結論においては、預貯金債権についても、差押債権者が第三債務者から譲渡制限の意思表示があることを理由に履行を拒まれるといったことはない。

〈参考文献〉

新基本法コンメンタール民事執行法357頁〔池田弥生〕、筒井健夫＝村松秀樹編著『一問一答民法（債権関係）改正』（商事法務）161頁

Q 24 差押禁止債権の目的物が預貯金口座に振り込まれた場合における預貯金債権の差押え

差押禁止債権の目的物が預貯金口座に振り込まれた場合に、当該預貯金口座に係る預貯金債権に対する差押命令の効力はどうか。

1　問題の所在

債権執行は、債務者の有する債権を差し押さえ、これを債権者が取り立てることにより、債権者の金銭債権を満足させる手続であるが、差し押さえられる債権によっては、債務者の生活保障的要素が強いものがあり、そのような債権については、社会政策的配慮から、民事執行法その他の法律により、差押えが禁止されている。

差押禁止債権の種類・内容は、〔Q22〕のとおりであり、民事執行法上の差押禁止債権としては、①私的契約に基づく生計維持目的の継続的給付債権、②給料、退職年金、賞与等の給与債権、③退職手当等一時金としての給与債権があり、これらの４分の３（ただし、扶養義務等に係る金銭債権を請求債権とする場合は２分の１。また、①及び②についてはこれらが政令で定める額を超えるときは政令で定める額）に相当する部分が差押禁止とされている（法152条１項、２項)。また、特別法によって差押えが禁止されている債権として、④公的年金、⑤医療保険その他の社会保険、⑥生活保護費その他の公的扶助、⑦災害補償、損害賠償等の請求権などが挙げられる。これらは、いずれも債務者及びその家族の生活保障等の社会政策的配慮から差押えが禁止されているものであることから、後記２、３のとおり、これらが債務者の預貯金口座に振り込まれた場合に当該口座に係る預貯金債権の差押えが禁止されるか否かが問題となる。

なお、権利の性質上差押えができない債権のうち、その行使が債務者の一身に専属する債権（本人の行使前の扶養請求権、財産分与請求権、遺留分侵害額請求権等）については、これが債務者によって行使された時点において既に一身専属性は失われているから、その後預貯金口座に振り込まれたものについても差押えは当然に可能である。

2　差押禁止債権の目的物が預貯金口座に振り込まれた場合における預貯金債権の差押え

前記1に列挙されたものに代表される差押禁止債権の目的物は、預貯金口座に振り込まれる方法により受給権者に給付されることが多い。また、これらの給付が現金で受給権者に手渡されたとしても、受給権者がこれを預貯金口座に預け入れることも少なくない。

このように預貯金口座に振込・入金された金員に係る預貯金債権（なお、定義につき民466条の5第1項参照）は、これが差押禁止債権を原資とするものであっても、形式的にみるならば、預貯金者と金融機関との消費寄託契約に基づく債権にすぎず、外形的に生活保障的要素等がみられるわけではない。換言すれば、差押禁止債権であっても、その目的物が一旦受給権者の預貯金口座に振り込まれた場合には、その法的性質は、通常の金融機関に対する預貯金債権に変わってしまう。この場合、なお従前の差押禁止債権としての性質が維持されるのか否かが問題となり得るが、最判平10.2.10（金法1535号64頁）は、年金等の給付金が受給者の預金口座に振り込まれると、それは受給者の預金債権に転化し、受給者の一般財産になるから、差押等禁止債権の振込によって生じた預金債権は、原則として差押等禁止債権としての属性を承継しない旨の原審の判断について、正当として是認することができる旨判示している。

したがって、預貯金債権は、その原資が差押禁止債権であったとしても、差押禁止債権にはならないのが原則である（なお、広島高松江支判平25.11.27金商1432号8頁は、児童手当が預金口座に振り込まれた9分後の時点では、預金債権のうち児童手当相当額はいまだ児童手当としての属性を失っていなかったとして、児童手当の振込日であることを認識しつつ差し押さえた処分行政庁の差押処分を違法であると判断したが、同判決においても、前記最判平10.2.10が引用され、一般に、差押禁止債権に係る金員が金融機関の口座に振り込まれることによって発生する預金債権は、原則として差押禁止債権としての属性を承継するものではないことを前提とした判断がされている。)。具体的には、給料、公的年金、生活保護費等が預貯金口座に振り込まれると、原則としてその全額を差し押さえることが可能となる。

3 差押禁止債権の目的物が振り込まれた預貯金口座に係る預貯金債権を差し押さえられた債務者の救済方法

(1) 差押命令に対する救済方法

前記2のとおり、差押禁止債権の目的物が振り込まれた預貯金口座に係る預貯金債権は、原則として差押禁止債権とはならず、差し押さえることができるものであるところ、これに対する債務者の救済としては、法153条による差押禁止債権の範囲変更の申立て(〔Q43〕参照)によるべきであるとするのが通説であり、実務においてもそのように解されている(東京高決平22.4.19判タ1339号280頁・金法1904号119頁、東京高決平22.6.29判タ1340号276頁・金法1912号100頁。なお、近時のものとして、神戸地伊丹支決令2.11.19金法2157号63頁)。

具体的に、どのような場合に差押禁止債権の範囲変更が認められるかについては、差押禁止債権が転化したと認定できる範囲で差押命令を取り消す限度では、債務者及び債権者側の個別の事情を考慮するまでもなく、申立てを認容すべきとする見解もあり得るが、執行実務においては、法153条1項が「債務者及び債権者の生活の状況その他の事情を考慮して」差押命令の全部又は一部を取り消すことができるとしていることから、預貯金口座の収支状況、差押禁止債権の入金状況等を証する資料(預貯金口座の通帳等)により、預貯金口座の原資が差押禁止債権であることを認定した上で、範囲変更を相当とする債務者及び債権者の生活の状況その他の事情についても考慮する運用がされているといえる。

このように、差押禁止債権の範囲変更の判断に当たって、債務者及び債権者の生活の状況その他の事情が考慮されるとすると、差押禁止債権の目的物が振り込まれた預貯金口座に係る預貯金債権を差し押さえられた債務者は、差押禁止債権の範囲変更の申立てをし、預貯金口座の収支状況、差押禁止債権の入金状況等を証する資料(預貯金口座の通帳等)を提出するなどして、差し押さえられた預貯金債権の全部又は一部が差押禁止債権を原資とするものであることを主張・立証するとともに、債務者及び債権者の生活の状況その他の事情についても主張・立証する必要がある。当該預貯金口座が差押禁止債権の目的物のみが振り込まれる専用の口座であれば、預貯金債権の原資が差押禁止債権であることの証明は比較的容易であろうが、それ以外の入金もある口座であれば、口座残額のうちどの範囲が差押禁止債権の目的物に相当する部分かを主張・立証する必要がある。

執行裁判所は、判断に当たり必要があると認めるときには、利害関係を有する者その他参考人を審尋することができる（法５条）。実務上は、債権者に反証の機会を与えるために債権者を書面で審尋することが多い。また、差押禁止債権の範囲変更の申立てがあっても、当然に債権者の取立権がなくなるわけではないので、執行裁判所は、申立てに対する裁判が効力を生ずるまでの間、担保を立てさせ、又は立てさせないで、第三債務者に対し、支払その他の給付の禁止を命ずることができる（法153条３項）。預貯金債権が差し押さえられた場合、債権者は、差押命令が債務者に送達された日から原則として１週間を経過したときは、執行裁判所の仮の支払禁止命令があるまで、いつでも取立てが可能であり、取立てがされてしまうと差押禁止債権の範囲変更の申立ては申立ての利益が失われてしまうから（法155条１項）、差押えを受けた債務者は、速やかに差押禁止債権の範囲変更の申立てをする必要がある。

⑵　転付命令に対する救済方法

債権者は、預貯金債権について差押命令の申立てをすると同時に、転付命令の申立てをすることができる（法159条）。この場合、債務者は、単に、差押禁止債権の範囲変更の申立てをしただけでは、この申立てに差押命令の確定を遮断する効力がないことから、差押命令及び転付命令が確定すれば、差押債権は債権者に転付されてしまい、以後、範囲変更の申立ての利益は失われることになる。差押命令確定後に転付命令の申立てがあった場合も、同様である。

そこで、債務者は、差押禁止債権の範囲変更の申立てをするとともに、執行裁判所に対し仮の支払禁止命令の職権発動を求め、これが発令されていることを理由として、転付命令に対し執行抗告をする必要がある。この場合、抗告裁判所は、執行停止文書を提出したことを理由とする執行抗告の場合に準じて、他の理由により転付命令を取り消す場合を除き、執行抗告についての裁判を留保することになる（法159条７項。〔Ｑ４〕参照）。

〈参考文献〉

注解民事執行法⑷513頁〔五十部豊久〕

第 2 節

担保権実行

Q 25 債権等についての担保権の実行の申立て

債権等を目的とする担保権の実行の申立書に記載すべき事項は何か。また、添付書類は何が必要か。

1　債権等についての担保権の実行等

担保権実行としての債権差押命令の申立てには、①債権を目的とする担保権の実行としての申立て（法193条1項前段）、②担保権者が目的物の売却、賃貸、滅失若しくは損傷又は目的物に対する物権の設定等によって債務者が受けるべき金銭その他の物に対する物上代位権（民304条等）の行使による申立て（法193条1項後段）がある。①の例としては、雇用関係の先取特権に基づく債権差押命令の申立て等があり、②の例としては、抵当権に基づく物上代位としての賃料債権差押命令の申立て、動産売買先取特権に基づく物上代位としての転売代金債権差押命令の申立て等がある。その他の財産権を目的とする担保権の実行についても、特別の定めがあるもののほか、債権を目的とする担保権の実行の例による（法193条2項、167条1項）。

2　申立書の記載事項

債権等についての担保権の実行の申立ては、書面でしなければならない（規1条）。その記載事項及び添付書類は次のとおりである（規179条1項、170条1項。**【書式1】**参照）。

(1)　標　　題

どのような担保権に基づく申立てであるのかを明らかにするため、その実行担保権の区別に応じて「債権差押命令申立書（雇用関係に基づく一般先取特権）」、「債権差押命令申立書（抵当権に基づく物上代位）」等のように、標題を記載する。

⑵　当事者の表示

実務上、「当事者目録」に記載するのが通例である。当事者の表示は、担保権の目的である権利の権利者（以下「担保権設定者等」という。）が付加されるほかは、強制執行の申立ての場合と同じである（〔Q 9〕参照）。すなわち、債権者、債務者、担保権設定者等及び第三債務者を記載し、その代理人も表示する。自然人は住所及び氏名で特定し、法人等は、本店（主たる事務所）の所在地、商号（名称）並びに代表者の資格及び氏名を記載して表示する。代理人は、法定代理人、特別代理人、訴訟代理人等を含み、その住所（事務所）及び氏名を記載する。これは手続追行者を明示するとともに、書類送達の宛先を明らかにするためである。住所には、送達の便宜を考慮して、郵便番号を記載するほか、事務連絡の必要上、債権者（代理人）の電話番号及びファクシミリ番号を記載し（規15条の２、民訴規53条４項）、また債権者が法人の場合は担当者名を記載するのが望ましい。

当事者の氏名又は名称及び住所は、当事者を特定するのに必要な事項であるから、その記載がない場合、不明確な場合等は、補正命令の対象となり、補正命令に対して補正がされない場合は、申立書が却下される（法20条、民訴137条）。

ア　債権者・債務者・担保権設定者等の表示（規179条１項、170条１項１号）

申立てをする担保権者は、執行手続上、債権者と呼ばれる。抵当権に基づく物上代位の場合には、債権者、第三債務者の表示は共通であるが、差押債権を有する者（通常は、担保権設定者）も執行債務者となるため、債務者と差押債権を有する者が同一の場合には、債務者の表示としては「債務者兼所有者」と記載し、同一でない場合（物上保証の場合等）には、「債務者」のほかに「所有者」、「転貸人」等を当事者として掲げる必要がある。質権設定者の場合は、肩書を「質権設定者」として記載する。なお、債務者等が申立て時に既に破産している場合には、破産管財人が担保権の目的物を放棄した場合の所有者を除き、申立書に表示すべき当事者は破産管財人となる。

イ　第三債務者の表示（規179条１項）

第三債務者は、差押債権の債務者のことであるが、知的財産権の差押えのように、第三債務者が存在しないこともある。第三債務者は、当事者ではないが、差押命令は第三債務者に送達された時にその効力が生ずる（法145条５項）など、民事執行法上その占める地位の重要性から、準当事者として扱われ、「当事者目録」に記載される。申立書における特定方法は、当事者と同様である。

(3) 担保権・被担保債権・請求債権の表示（規179条１項、170条１項２号）

実務上、「担保権・被担保債権・請求債権目録」に記載されるのが通例であり（**【書式２】**参照）、多数の動産に関する動産売買先取特権に基づく物上代位としての債権差押命令の申立ての場合のように複雑なものについては、さらに別紙として「商品目録」等を使用することがある。担保権の表示は、担保権実行の基礎となる担保権を記載する。被担保債権の表示は、担保権を特定するためだけでなく、請求債権の範囲を画する機能も有するので、元本のみならず、利息及び損害金についても請求をするときは、その金額及びその算出根拠となる始期、終期、利率等も記載する。ただし、実務上、第三債務者の負担を考慮し、利息及び損害金は申立日までに限定するのが一般的な取扱いである（**〔Q12〕**参照）。被担保債権全額をそのまま請求債権とする場合は、被担保債権及び請求債権を一括して記載して差し支えない。

なお、原則として、弁済期の到来を証する文書の提出は不要であるが、弁済期の到来自体は担保権実行の開始要件なので、その旨の主張は必要となる。例外として、動産売買先取特権に基づく物上代位としての債権差押命令の申立ての場合がある（**〔Q29〕**参照）。

(4) 被担保債権の一部について担保権の実行又は行使をするときは、その旨及びその範囲（規179条１項、170条１項４号）

被担保債権の一部を請求債権とする場合は、被担保債権と請求債権を必ず別に記載し、債権者が、どの債権につき、どの範囲で弁済を受けようとするかを明示する必要がある。これも「担保権・被担保債権・請求債権目録」に記載するのが通例である。

なお、被担保債権の一部を請求債権として担保権の実行又は行使をした場合、担保権が消滅するまでは（担保権が消滅する例としては法188条、59条

１項の場合がある。)、残部を請求債権としてさらに担保権の実行又は行使をすることができる。

このほか、一部請求の場合、配当段階において残部を加える形で請求債権を拡張することができるか否かが問題となるが、実務上は、差押命令における請求債権の記載が他の債権者が同一債権を差し押さえるか否か等の行動基準となり、その期待等を保護する必要があるため、許されないとされている。

⑸　担保権の実行又は行使に係る財産権の表示（規179条１項、２項、170条１項３号、133条２項）

強制施行でいえば「差押債権の表示」であり、実務上、「差押債権目録」に記載するのが通例である（**【書式３】**参照)。一般先取特権に基づく債権差押命令の申立ての場合には、一般先取特権が債務者の総財産を目的とするから、この財産権の表示は、強制執行における「差押債権の表示」と同じになる。物上代位権の行使による債権差押命令の申立ての場合には、担保権の目的となる元の不動産又は動産を特定した上で、差押債権を特定する必要がある。

⑹　申立ての趣旨及び理由

申立書本文に債権の差押えを求める旨を記載する。申立ての理由は、債務者が請求債権の支払をしないといった程度の記載でよい。

⑺　添付書類の表示

申立書に添付した書類の標目と通数を記載する。

⑻　年月日の表示

申立書を作成した年月日を記載することになるが、申立書を執行裁判所の受付に直接提出する場合には、提出日を記載するのが通常である。

⑼　裁判所の表示

事件を申し立てるべき管轄裁判所（〔Ｑ６〕参照）の名称を記載する。支部に申し立てる場合は、支部名も記載する。

なお、担保権実行としての債権差押えにおいて、債務者と担保権設定者等が異なる場合には、担保権設定者等の住所地を管轄する地方裁判所が管轄裁判所となる点に注意する。したがって、共有に係る不動産について抵当権に基づく物上代位としての債権差押命令の申立てをする場合には、差押債権ごとに管轄裁判所が異なることがある（〔Q26〕参照）。

⑽　申立債権者（代理人）の記名及び押印

申立書には、申立債権者又はその代理人が記名押印をする（規15条の2、民訴規2条1項）。押印は認め印で足りるが、実務上、申立書に押捺したのと異なる印鑑を使用して申立てを取り下げる場合には、取下書に実印を押捺した上、印鑑登録証明書（弁護士の場合には、所属弁護士会発行の印鑑登録証明書で足りる。）を添付する必要があるので、同一の執行手続においては特定の印鑑を使用するのが望ましい。

3　分割発令について

東京地裁民事執行センターでは、賃料債権の差押命令申立事件で、第三債務者が複数であり、その中に自然人（個人）が含まれる場合には、個人情報保護の観点から、原則として第三債務者ごとに裁判書を作成して発令する（分割発令）取扱いである（東京地裁民事執行センター「さんまエクスプレス第88回」金法2026号58頁）。この場合の当事者目録及び差押債権目録の記載例は、**【書式4】**のとおりである。

4　添付書類

⑴　資格証明書

当事者が法人の場合は、その資格を証する商業登記事項証明書等を提出する。東京地裁民事執行センターでは、証明力の観点から、債権者については申立日から2か月以内、債務者及び第三債務者については1か月以内のものに限定する取扱いである。

⑵　代理権を証する書面

代理人により申立てをする場合は、代理権を証する書面が必要となる。弁護士の場合には委任状、法定代理人の場合には戸籍謄本等を提出する。担保権実行も、許可代理の規定（法13条）が適用されるが、許可前の代理人による申立ても、代理人許可がされることを条件とする申立てとして許容するのが実務の取扱いである。代理人許可の申立ては、所定の事項を記載し、委任状及び本人と代理人となるべき者との関係を証する書面を添付してする（規9条。民事執行の実務－不動産(上)〔Q 4〕参照）。

⑶　担保権の存在を証する文書（法193条1項）

担保権の実行としての債権差押えは、原則的に債権に対する強制執行に準じて行われる（法193条2項、規179条2項）が、担保権の実行は、担保権に内在する換価権に基づいて行われるため、担保権の存在を証する文書の提出を要することになる。権利の移転について登記等を要するその他の財産権を目的とする担保権で一般の先取特権以外のものに基づく担保権実行については、法181条1項1号ないし3号、2項又は3項所定の文書が必要となる。抵当権に基づく物上代位としての債権差押命令の申立てもこれと同様に扱われるが、実務上は不動産登記事項証明書が提出されることがほとんどである。その他の場合については、担保権の存在を証する文書の種類について特に制約はなく、公文書に限らず、私文書でも差し支えない。動産売買先取特権に基づく物上代位としての債権差押命令の申立て及び給料の一般先取特権に基づく債権差押命令の申立てについては、性質上、担保権の存在について高度の証明が必要とされている（〔Q 29〕、〔Q30〕参照）。

5　申立手数料、予納郵便切手及び目録等

⑴　申立手数料

申立手数料として、担保権一つにつき4000円の収入印紙を貼付する。共同担保の場合は、担保権を一つとして数える。動産売買先取特権に基づく物上代位としての債権差押命令の申立ての場合、厳密にいえば、動産一つ一つに担保権が生じているが、この種の事件は、さほど高価でない動産について多数同時に申し立てられるのが実情であり、その場合に厳密な考え方に基づき手数料を算定するのは非現実的なことから、一連の取引については全体として担保権は一つとみなす取扱いである。納付した申立手数料は、執行費用となるので、請求債権に表示することにより、執行手続内で取立て等ができる。

⑵ 予納郵便切手

申立て時に予納すべき郵便切手（民訴費12条、13条）の額及び組合せは、執行裁判所によって異なるが、通常は、強制執行の場合と同じである（〔Q 9〕参照）。予納した郵便切手については、現に使用された分（ただし、補正命令送達に必要となったもの等、申立債権者の事情により支出が必要となった分を除く。）が執行費用となる。

⑶ 目録等

東京地裁民事執行センターでは、迅速な手続進行のための協力依頼として、申立債権者に対し申立書に添付された各種目録を、それぞれにつき余部を1部提出することを求めている。これらの目録は、債権差押命令の原本及び正本等に利用している。

〈参考文献〉

書式執行の実務74頁、中野＝下村「民事執行法」721頁、東京地裁民事執行センター「さんまエクスプレス第40回、88回」金法1840号28頁、2026号58頁

【書式1】抵当権に基づく物上代位としての債権差押命令申立書

債権差押命令申立書
（抵当権に基づく物上代位）

東京地方裁判所民事第21部　御中
令和○○年○月○日

債権者　○○○○株式会社
代表者代表取締役　○　○　○　○　印
電　話　○○-○○○○-○○○○　（内）○○○○
ＦＡＸ　○○-○○○○-○○○○
担当者　○　○

当 事 者
担保権、被担保債権、請求債権
差押債権
　｝別紙目録記載のとおり

債権者は、債務者に対し、別紙担保権・被担保債権・請求債権目録記載

の請求債権を有しているが、債務者がその支払をしないので、別紙担保権・被担保債権・請求債権目録記載の抵当権（物上代位）に基づき、所有者が第三債務者に対して有する別紙差押債権目録記載の債権の差押命令を求める。

添　付　書　類

1　不動産登記事項証明書　　1通
2　商業登記事項証明書　　2通

（注）　債務者と所有者が同一人である場合は、「債務者」、「所有者」とあるところを「債務者兼所有者」と記載する。

当事者目録

〒□□□-□□□□　東京都○○区○○町○丁目○番○号
債　権　者　　　○○○○株式会社
代表者代表取締役　○　○　○　○

〒□□□-□□□□　東京都○○区○○町○丁目○番○号
債　務　者　○　○　○　○

〒□□□-□□□□　東京都○○区○○町○丁目○番○号
所　有　者　○　○　○　○

〒□□□-□□□□　東京都○○区○○町○丁目○番○号
第三債務者　○　○　○　○

（注）　1　債権者、債務者及び所有者は、原則として、不動産の登記記録に記載されているとおりに記載する。
2　住所の移転等があるときは、不動産の登記記録上の住所等と現在の住所等を併記し、住民票等の公文書でその同一性を証明する。

【債権者の記載例（担保権実行の特殊な場合）】

担保権実行の特殊な場合における債権者の記載例は次のとおり。なお、そのほかは〔Q 9〕参照。

A　破産者の場合

〒□□□-□□□□　東京都○○区○○町○丁目○番○号　←　破産管財人の住所
(破産会社の住所　東京都○○区○○町○丁目○番○号)
　債権者　　○○株式会社破産管財人
　　　　　　○　○　○　○

※　破産管財人証明と破産会社の商業登記事項証明書が必要である（不動産登記事項証明書とのつながりの確認のため。破産会社の住所を記載するのもそのためである。)。ただし、破産会社の商業登記事項証明書に破産管財人の氏名及び住所の登記があれば破産管財人証明は不要である。

B　更生会社の場合

〒□□□-□□□□　東京都○○区○○町○丁目○番○号　←　管財人の住所
(更生会社の住所　東京都○○区○○町○丁目○番○号)
　債権者　　更生会社○○株式会社管財人
　　　　　　○　○　○　○

※　管財人証明と更生会社の商業登記事項証明書が必要である（不動産登記事項証明書とのつながりの確認のため。更生会社の住所を記載するのもそのためである。)。ただし、更生会社の商業登記事項証明書に管財人の氏名及び住所の登記があれば管財人証明は不要である。

【書式２】担保権・被担保債権・請求債権目録
（執行費用を計上しない場合の記載例）

担保権・被担保債権・請求債権目録

1　担保権
　別紙差押債権目録記載の建物について
　令和○○年○月○日設定の抵当権
　○○法務局○○出張所
　令和○○年○月○日受付第○○○○号

2　被担保債権及び請求債権
(1)　元　金　金○○，○○○，○○○円
債権者と債務者間の令和○○年○月○日付け金銭消費貸借契約に基づく貸金○○円の残元金（最終弁済期令和○○年○月○日）
(2)　利　息　金○，○○○，○○○円
上記(1)に対する令和○○年○月○日から令和○○年○月○日まで年○割○分の割合による利息
(3)　損害金　金○○，○○○，○○○円
上記(1)に対する令和○○年○月○日から令和○○年○月○日まで年○割○分の割合による損害金

合　計　金○○，○○○，○○○円

（執行費用を計上する場合の記載例）

担保権・被担保債権・請求債権目録

1　担保権
別紙差押債権目録記載の建物について
令和○○年○月○日設定の抵当権
○○法務局○○出張所
令和○○年○月○日受付第○○○○号

2　被担保債権
(1)　元　金　金○○，○○○，○○○円
債権者と債務者間の令和○○年○月○日付け金銭消費貸借契約に基づく貸金○○円の残元金（最終弁済期令和○○年○月○日）
(2)　利　息　金○，○○○，○○○円
上記(1)に対する令和○○年○月○日から令和○○年○月○日まで年○割○分の割合による利息
(3)　損害金　金○○，○○○，○○○円
上記(1)に対する令和○○年○月○日から令和○○年○月○日まで年○割○分の割合による損害金

3　請求債権

(1) 元金、利息及び損害金
上記２と同じ
(2) 執行費用　　　　　　　　　　　　　金　○，○○○円
内訳　本申立手数料　　　　　　　　　　金　○，○○○円
本申立書作成及び提出費用　　　　金　○，○○○円
差押命令正本送達費用　　　　　　金　○，○○○円
資格証明書交付手数料　　　　　　金　○，○○○円
不動産登記事項証明書交付手数料　金　○，○○○円

合　計　　金○○，○○○，○○○円

（被担保債権の一部を請求する場合の記載例）

担保権・被担保債権・請求債権目録

1　担保権
別紙差押債権目録記載の建物について
令和○○年○月○日設定の抵当権
○○法務局○○出張所
令和○○年○月○日受付第○○○○号

2　被担保債権
(1) 元　金　金○○，○○○，○○○円
債権者と債務者間の令和○○年○月○日付け金銭消費貸借契約に基づく貸金○○円の残元金（最終弁済期令和○○年○月○日）
(2) 利　息　金○，○○○，○○○円
上記(1)に対する令和○○年○月○日から令和○○年○月○日まで年○割○分の割合による利息
(3) 損害金　金○○，○○○，○○○円
上記(1)に対する令和○○年○月○日から令和○○年○月○日まで年○割○分の割合による損害金

3　請求債権
(1) 元　金　金○，○○○，○○○円
ただし、上記２(1)の被担保債権元金の内金
(2) 利　息　金○○○，○○○円

ただし、上記(1)の内金に対する令和〇〇年〇月〇日から令和〇〇年〇月〇日まで年〇割〇分の割合による利息

(3) 損害金　金〇，〇〇〇，〇〇〇円

ただし、上記(1)の内金に対する令和〇〇年〇月〇日から令和〇〇年〇月〇日まで年〇割〇分の割合による損害金

合　　計　　金〇〇，〇〇〇，〇〇〇円

(注) 1　担保権を、目的不動産、担保権の種類及び登記で特定する。担保権が根抵当権の場合は、被担保債権の範囲及び極度額も記載する。

2　元金を、日付、種類、金額で特定する。また、請求債権が残金又は内金であるときは、その旨を記載する。

3　利息、損害金は、申立日までの期間を計算して、確定額を記載する。

4　登記記録上、弁済期が到来していることが分からない場合は、弁済期の到来の主張を記載する。

(例)「なお、債務者は、令和〇〇年〇月〇日の分割金の支払を怠ったので、約定により、同日の経過により、期限の利益を失った。」

【書式3】差押債権目録

差押債権目録

金〇〇，〇〇〇，〇〇〇円

ただし、所有者が第三債務者に対して有する下記建物の賃料債権（管理費及び共益費相当分を除く。）にして、本命令送達日以降支払期が到来するものから頭書金額に満つるまで

記

(一棟の建物の表示)

所　　在　　〇〇区〇〇町〇丁目〇番地〇

建物の名称　〇〇マンション

(専有部分の建物の表示)

家屋番号　　〇〇区〇〇町〇丁目〇番〇の210

建物の名称　210

種　　類　　居宅

構　　造　　鉄筋コンクリート造１階建
床 面 積　　２階部分　○○.○○平方メートル

（注）１　第三債務者が複数の場合は、「第三債務者○○分」と記載し、請求債権を各第三債務者に割り付け、差押債権額の合計が請求債権額を超えないようにする。その際、差押債権目録が複数になるときは、「差押債権目録１」、「差押債権目録２」などと区別した上で記載する。
なお、第三債務者が複数の自然人の場合において分割発令をする場合は**【書式４】**参照。
２　債務者と所有者が同一の場合は、「債務者兼所有者」と記載する。
３　登記記録のとおりに不動産の表示を記載する。
４　登記記録の一棟の建物の表示の欄に「建物の名称」の記載がある場合は、一棟の建物の構造及び床面積の記載はしなくてもよい。
５　敷地権の表示は、記載しない。

【書式４】分割発令の場合

当 事 者 目 録

〒□□□-□□□□　東京都○○区○○町○丁目○番○号
債 権 者　　　○○株式会社
代表者代表取締役　○　○　○　○
電話番号　○○－○○○○－○○○○

〒□□□-□□□□　東京都○○区○○町○丁目○番○号
債 務 者　　○　○　○　○

〒□□□-□□□□　東京都○○区○○町○丁目○番○号
所 有 者　　○　○　○　○

第三債務者　　別紙差押債権目録に表示のとおり

差押債権目録
（第三債務者　○○○○分）

金○，○○○，○○○円
　ただし、所有者が下記１の第三債務者に対して有する別紙物件目録記載の建物のうち下記２の使用居室等の賃料債権（管理費及び共益費相当分を除く。）にして、本命令送達日以降支払期が到来する分から上記差押金額に満つるまで

記

1　第三債務者
　〒□□□-□□□□
　　東京都○○区○○町○丁目○番○号　○○マンション201号室
　　○　○　○　○

2　使用居室等　　201号室

差押債権目録
（第三債務者　□□□□分）

金○，○○○，○○○円
　ただし、所有者が下記１の第三債務者に対して有する別紙物件目録記載の建物のうち下記２の使用居室等の賃料債権（管理費及び共益費相当分を除く。）にして、本命令送達日以降支払期が到来する分から上記差押金額に満つるまで

記

1　第三債務者
　〒□□□-□□□□
　東京都○○区○○町○丁目○番○号　○○マンション202号室
　□　□　□　□

2　使用居室等　　202号室

物　件　目　録

所　　在	○○区○○町○丁目○番地○
家屋番号	○番○
種　　類	店舗・共同住宅
構　　造	鉄筋コンクリート造4階建
床 面 積	1階　○○.○○平方メートル
	2階　○○.○○平方メートル
	3階　○○.○○平方メートル
	4階　○○.○○平方メートル

Q 26 共有物の賃料に対する物上代位

甲（持分10分の7）及び乙（持分10分の3）の共有物である建物が賃貸されている場合で次のようなとき、抵当権者はどの範囲で賃料に物上代位をすることができるか。当事者目録及び差押債権目録の記載はどうなるか。乙が執行裁判所の管轄外に住所を有する場合はどうか。

⑴　建物全体に抵当権（債務者甲、被担保債権1000万円。以下同じ）が設定されている場合において、甲及び乙が連名で賃貸しているとき

⑵　建物全体に抵当権が設定されている場合において、甲が単独名義で賃貸しているとき

⑶　建物全体に抵当権が設定されている場合において、賃貸人の名義が不明のとき

⑷　甲の共有持分のみに抵当権が設定されている場合において、甲が単独名義で賃貸しているとき

⑸　甲の共有持分のみに抵当権が設定されている場合において、乙が単独名義で賃貸しているとき

⑹　甲の共有持分のみに抵当権が設定されている場合において、賃貸人の名義が不明のとき

1　問題の所在

抵当権の目的物である不動産が賃貸されている場合、抵当権の効力は、不動産の所有者が賃借人に対して有する賃料債権に対しても及ぶ（民372条、304条。最判平元.10.27民集43巻9号1070頁）。しかし、抵当権の目的物が共有に係る場合は、抵当権の設定対象が不動産全体か一部の共有持分か、賃貸人が共有者全員か共有者の一部かという点で様々な類型が考えられる。賃料債権の法的性質、共有の法的性質、物上代位の制度趣旨等の理解により、物上代位の可能な賃料債権の範囲、当事者として当事者目録に記載すべき者及び差押債権目録の表示内容について、単独所有の場合とは

異なった考慮が必要となる。

具体的には、①賃貸人が複数の場合の賃料債権を連帯債権として扱うことができるか否か（後記2）、②一部の共有持分に抵当権の設定を受けた抵当権者が物上代位権を行使することのできる賃料債権は、当該抵当権設定者である共有者が賃貸人である賃料債権に限定されるか否か（後記3）、③一部の共有持分に抵当権の設定を受けた抵当権者が物上代位権を行使することのできる賃料債権の範囲は、抵当権の設定を受けた共有持分の割合に限定されるか否か（後記4）により、結論が異なってくる。

2　賃料債権の連帯債権性

⑴　平成29年民法改正法

平成29年民法改正法による改正前においては、賃貸人が複数の場合の賃料債権については、不可分債権か否かが問題とされ、当事者間で契約上定められていればそれに従うことになるが（上記改正前の民法428条は、当事者の意思表示によって不可分とすることを認めていた。）、契約上の定めがない場合については学説上争いがあり、裁判例も分かれていた。この点に関し、最判平17.9.8（民集59巻7号1931頁）は、共同相続された賃貸不動産に係る賃料債権につき、当該不動産は「相続開始から遺産分割までの間、共同相続人の共有に属するものであるから、この間に遺産である賃貸不動産を使用管理した結果生ずる金銭債権たる賃料債権は、遺産とは別個の財産というべきであって、各共同相続人がその相続分に応じて分割単独債権として確定的に取得するものと解するのが相当である。」旨判示し、不可分債権であることを否定したと解されている（最判解平成17年度㈦573頁、582頁（注）31〔松並重雄〕）。

平成29年民法改正法は、不可分債権をその目的が性質上不可分であるものに限る（民428条）一方、「連帯債権」の規定を新設し、債権の目的が性質上可分であるが複数の債権者それぞれが全部の履行を請求することを許す債権を連帯債権とし、連帯債権は法令の規定又は当事者の意思表示によって成立するものとした（民432条）。

前記最判平17.9.8によれば、共有不動産の賃貸人である共有者が有する賃料債権は、性質上不可分であるということはできず、平成29年民法改正法の下では、これを当事者の意思表示による連帯債権とみるべきか否かが問題となる。上記改正法の立案過程においても、共有物の賃料債権の性質につき、不可分債権ではなく、連帯債権として整理するとの理解が示されており（法制審議会民法（債権関係）部会第43回会議議事録54頁〔金関係官発言〕）、学説上も同旨の見解が示されている（潮見佳男『新債権総論Ⅱ』（信山社）625頁、内田貴『民法Ⅲ第４版債権総論・担保物権』（東京大学出版会）470頁）。これらは、賃貸人である共有者が有する賃料債権は、性質上可分であることを前提とし、当事者の明示又は黙示の意思表示によって連帯債権（複数の債権者それぞれが全部の履行を請求することを許す債権）とすることができるとするものといえる。

⑵　連帯債権としての差押えの許容

共有物に設定された抵当権に基づく物上代位権の行使として賃料債権を差し押さえる場合の取扱いにつき、東京地裁民事執行センターにおいては、平成29年民法改正法による改正を受け、同改正前には不可分債権であることを前提とする申立てを許容していたのと同様、同改正後は、連帯債権であることを前提とする申立てを許容している。

すなわち、上記改正前は、賃料債権の性質につき争いはあったものの、賃貸人が誰であるか不明である場合や、賃貸人が複数であって賃料債権の性質等が不明である場合は、共有者全員が賃貸人であり、その賃料債権は不可分債権であるとの前提で申し立てることを許容し、仮に、共有者の一部が賃貸人になっていない場合、又は当事者間の合意により分割債権とされている場合は、その分は空振り（差押債権の不存在）の問題として取り扱うこととしていた。その理由は、執行実務上、共有物に設定された抵当権に基づく物上代位の申立てに当たっては、誰が賃貸人となっているのか、当事者間に賃料支払に関する特約があるのか等が必ずしも明らかではないことが多く、そのような場合に賃料債権を分割債権として取り扱うものとすると、抵当権者は、とりあえず、共有者全員を賃貸人とした上、賃貸人の共有持分割合の比率又は賃貸人の人数割りで差押債権を分割して申し立てた上、第三債務者に対する陳述催告の結果を踏まえ、申立ての一部取下げと追加申立てを余儀なくされることになり、抵当権者の負担が重くなり過ぎるきらいがあること、また、賃料債権が分割債権であるとの前提で差押えをしたところ、これが不可分債権であった場合には、理論的には、第三債務者は、ある賃貸人について差し押さえられていない部分を他の賃貸人に支払えば免責されることになり、不合理であること等にある。

そして、平成29年民法改正法によれば、当事者の意思表示によって連帯債権（複数の債権者それぞれが全部の履行を請求することを許す債権）とされているかが問題となるところ、これを連帯債権ではなく分割債権として取り扱うことによる不都合は従前と変わりはない。したがって、東京地裁民事執行センターでは、これを連帯債権であるとの前提で申し立てることを許容することとしている。

なお、前記最判平17.9.8は、共同相続された賃貸不動産の賃料債権は「各共同相続人がその相続分に応じて分割単独債権として確定的に取得する」旨判示しているものの、契約当事者間でこれを連帯債権としている場合もあり得るのであり、そのような合意の存否を必ずしも知り得ない抵当権者の負担等は、通常の共有の場合と変わらないのであるから、遺産共有であるか否かによって取扱いに差異は設けていない。

3　抵当権設定者以外の共有者が賃貸人である賃料債権に対する物上代位の可否

一部の共有持分に抵当権の設定を受けた抵当権者が物上代位権を行使することのできる賃料債権は、当該抵当権設定者である共有者が賃貸人である賃料債権に限定されるか否かについては（前記1②)、次の二つの立場が考えられる（東京地裁民事執行センターでは、後記のとおり限定説に基づく取扱いをしている。)。

非限定説は、不動産共有持分の抵当権者は、不動産の使用収益の対価としての賃料債権であれば、どの共有者が賃貸借契約の当事者（賃貸人）であるかを問わず、物上代位をすることができるとする立場である。この考え方は、後記4の物上代位が可能な割合についての割合説を前提とした上、民法249条について、各共有者は共有物をその共有持分に応じて使用及び収益することができると解されていることからすると、抵当権を設定していない共有者がした賃貸借契約に基づく賃料債権も、契約上誰に帰属しようとも不動産の価値代替物であり、かつ、本来、各共有者の共有持分割合に応じて各共有者に帰属すべきものであるから、賃貸人となっていない共有者から抵当権の設定を受けた抵当権者も、抵当権の設定を受けた共有持分割合に応じて物上代位ができると説明される。後記の限定説が論拠とする最決平12.4.14（民集54巻4号1552頁・金法1585号30頁）については、共有は互いに制限された所有権であり、共有者は互いに自己の共有持分割合を超えて生じた収益を保持できないという特別な関係があるから、事案を異にするものであると理解することになろう。

これに対して、限定説は、一部の共有持分について抵当権が設定されている場合、抵当権者は、抵当権を設定した共有者（これと同視すべき者を含む。）以外の共有者がした賃貸借に基づく賃料債権については、物上代位ができないとする立場である。この考え方は、各共有者は、それぞれ共有物全体を使用及び収益することができるところ、他の共有者から償金又は不当利得金の請求を受けることはあっても、賃料債権自体は独自の権利であることを理由とし、また、転貸人の賃料債権に関する物上代位を原則として否定した前記最決平12.4.14が、「民法372条によって抵当権に準用される同法304条1項に規定する「債務者」には、原則として、抵当不動産の賃借人（転貸人）は含まれないものと解すべきである。けだし、所有者は被担保債権の履行について抵当不動産をもって物的責任を負担するものであるのに対し、抵当不動産の賃借人は、このような責任を負担するものではなく、自己に属する債権を被担保債権の弁済に供されるべき立場にはないからである。」と判示しているところ（〔Q27〕参照）、自己の共有持分に抵当権を設定していない共有者は、被担保債権の履行について目的不動産をもって物的責任を負担するものではない点に論拠がある。

東京地裁民事執行センターでは、前記最決平12.4.14の趣旨を共有物の特殊性で覆すことは困難であると考えられることから、限定説に基づく取扱いをしている。

4　一部の共有持分にのみ抵当権が設定されている場合の物上代位のできる範囲

前記3で非限定説を採用すると、一部の共有持分に抵当権の設定を受けた抵当権者は、賃貸人が誰であるかにかかわらず賃料債権に対する物上代位が可能であり、その場合、当然に共有持分割合についてのみ物上代位が可能であると解することになる。他方、限定説を採用すると、一部の共有持分に抵当権の設定を受けた抵当権者は、当該抵当権設定者が賃貸人となっている場合のみ賃料債権に対する物上代位が可能であるが、その場合、当該賃料債権の全額に物上代位が可能であると解するか（全額説）、抵当権の設定を受けた共有持分割合のみに物上代位が可能であると解するか（割合説）が問題となる。

全額説は、各共有者はそれぞれ共有物全体を使用及び収益することができるので、抵当権を設定した共有者が共有物全体を賃貸することにより得られる収益は全て物上代位の対象となり、共有持分割合は内部的求償関係等の基準となるにすぎないとの考え方であり、割合説は、抵当権者が共有持分割合についてのみ目的不動産の交換価値を把握していることからすれば、その価値代替物たる賃料債権についても、共有持分割合についてのみ物上代位ができるとの考え方である。

東京地裁民事執行センターでは、限定説の根底にある考え方は全額説になじみやすいことや、限定説に立ちつつ割合説によると、各共有者がそれぞれ別の者に対し自分の持分に抵当権を設定している場合において、共有者の一人が賃貸人になっていると、これらの抵当権者を併せても物上代位ができない賃料債権部分が生じるとの問題があることから（例えば、本設例において、甲がその持分についてＡに対し抵当権を設定し、乙がその持分についてＢに対し抵当権を設定していた場合で、甲が単独で賃貸しているとき、限定説及び割合説によると、Ａは賃料債権の10分の７について物上代位ができ、また、Ｂは賃料債権に対して物上代位ができないが、そうすると、賃料債権の10分の３については、Ａ、Ｂいずれも物上代位ができないこととなる。）、全額説に基づく取扱いをしている。

5　東京地裁民事執行センターの運用下における各設例の取扱い

以上のとおり、東京地裁民事執行センターにおいては、共有物が賃貸されている場合の各共有者が有する賃料債権について、分割債権としての申立てはもちろんのこと、申立債権者において連帯債権としての申立ても認める運用をしている。後者の場合の、本設例における具体的な物上代位の可否及び範囲並びに当事者目録及び差押債権目録の記載は、次のとおりである。

⑴　建物全体に抵当権が設定されている場合において、甲及び乙が連名で賃貸しているとき（設例⑴）

ア　甲及び乙の住所が管轄内のとき

建物全体に抵当権が設定されている場合は、建物の共有者各自が取得する収益の全てについて物上代位をすることができる。この場合の当事者目録及び差押債権目録の記載は、次のとおりである。

（当事者目録）
　　債務者兼所有者（共有者）兼賃貸人　　甲
　　所有者（共有者）兼賃貸人　　　　　　乙
（差押債権目録）
　金1000万円
　　ただし、賃貸人甲（又は乙）が、第三債務者に対して有する別紙物件目録記載の建物の賃料債権（管理費及び共益費相当分を除く。）にして、本命令送達日以降弁済期の到来するものから頭書金額に満つるまで
　　なお、賃貸人各自の賃料債権はそれぞれ全部の履行を請求することが許されるもの（連帯債権）として差し押さえるものである。

なお、従前の実務では、差押債権を割り付ける取扱い（例えば、概要、甲について賃料債権の10分の７で差押債権額700万円に満つるまで、乙について賃料債権の10分の３で差押債権額300万円に満つるまでとする取扱い。連帯債権であっても、論理必然的に割付けができなくなるわけではない。）が主流であ

った。しかし、この取扱いによれば、第三債務者にとって分かりやすい反面、理論的には、前記2の分割債権との前提で差し押さえた場合と同様に、第三債務者は、ある賃貸人について割り付けられていない部分を他の賃貸人に支払えば、免責されることになってしまうため、東京地裁民事執行センターでは、現在、第三債務者が誤解をしないよう連帯債権である旨を表示することを条件に、各賃貸人につき賃料債権全額の差押えを認める取扱いである（仮に、当事者間の合意がなく、分割債権となっていれば、一部空振りの問題となる。）。

イ　乙の住所が管轄外のとき

当事者目録に乙を記載せず、次のような当事者目録及び差押債権目録の記載により、抵当権者は、甲が有する連帯債権としての賃料債権全額を差し押さえることができる。

（当事者目録）
債務者兼所有者（共有者）兼賃貸人　　甲
（差押債権目録）
金1000万円
ただし、賃貸人甲が、第三債務者に対して有する別紙物件目録記載の建物の賃料債権（管理費及び共益費相当分を除く。）にして、本命令送達日以降弁済期の到来するものから頭書金額に満つるまで
なお、他に賃貸人がいる場合には、賃貸人各自の賃料債権はそれぞれ全部の履行を請求することが許されるもの（連帯債権）として差し押さえるものである。

この場合、第三債務者は、甲に対する債権差押命令によっては乙に弁済することが禁止されないので、抵当権者が確実な債権回収を図るためには、乙の管轄裁判所に、別途、乙の有する賃料債権に対する物上代位の申立てをする必要がある。

上記差押債権目録のなお書は、前記アと同様、第三債務者の誤解を防ぐために連帯債権である旨を表示するためのものであり、甲について賃料債権全額の差押えを認めるための条件でもある。

⑵　建物全体に抵当権が設定されている場合において、甲が単独名義で賃貸しているとき（設例⑵）

前記⑴イと同じ当事者目録及び差押債権目録の記載により、抵当権者は、甲が有する賃料債権全額を差し押さえることができる。この場合、賃貸人が甲のみであることを証する資料（甲単独名義の賃貸借契約書）が提出されるならば、第三債務者の誤解を防ぐための連帯債権に関する「なお書」は不要になるが、この記載があっても抵当権者としてとりたてて不利益はないので、あえて「なお書」を削除するために資料を提出するほどのことはないと思われる。

⑶　建物全体に抵当権が設定されている場合において、賃貸人の名義が不明のとき（設例⑶）

賃貸人名義が不明の場合には、設例⑴と同じ当事者目録及び差押債権目録の記載により申し立てることになる。この場合、仮に、賃貸人になっていない共有者がいても、その共有者に関する差押えが空振りとなるのみである。

⑷　甲の共有持分のみに抵当権が設定されている場合において、甲が単独名義で賃貸しているとき（設例⑷）

限定説によれば、抵当権者は、抵当権を設定した甲が建物から取得する収益については物上代位が可能であり、さらに、全額説によれば、その全額に物上代位が可能となる。したがって、当事者目録及び差押債権目録の記載は、前記⑴イと同じである。この場合には、理論的には、連帯債権に関する記載は不要となるが、あえて削除するまでもないのは前記⑵と同様である。

なお、設例⑷として実務上現れるものとしては、例えば、甲と乙が共同出資をして、10階建ての商業ビルを建築し、１階から７階までを甲が自由に単独名義で賃貸して収益を上げ、残りの８階から10階までを乙が自由に単独名義で賃貸して収益を上げている場合において、甲が賃貸している１階から７階までの賃料債権全体を差し押さえるときがある。

⑸　甲の共有持分のみに抵当権が設定されている場合において、乙が単独名義で賃貸しているとき（設例⑸）

限定説によれば、抵当権者は、抵当権を設定していない乙が建物から取得する収益については、物上代位をすることはできない。そうすると、甲は、抵当権を設定していない乙を形式的に賃貸人にすることにより容易に執行潜脱が可能になる。このような場合に対応するためには、理論的には、前記最決平12.4.14によって示された転貸賃料債権に対する物上代位を例外的に許容する要件である「所有者の取得すべき賃料を減少させ、又は抵当権の行使を妨げるために、法人格を濫用し、又は賃貸借を仮装した上で、転貸借関係を作出したものであるなど、抵当不動産の賃借人を所有者と同視することを相当とする場合」と同様の場合（乙を甲と同視することを相当とする場合）であることを主張、立証することにより、抵当権を設定していない乙が有する賃料債権について物上代位権を行使することが考えられる（〔Q27〕参照）。

また、いわゆる所有者代理の構成（例えば、乙が甲及び乙を代表して賃貸人の地位にあるとする構成）も考えられるが、この構成も、「抵当権を設定していない共有者を抵当権を設定した共有者と同視することを相当とする場合」の一場面と考えられる。

もっとも、乙も建物の共有者の一人であって、賃借人兼転貸人とは異なり、独自に建物を賃貸する権限を有していることからすると、甲と乙を同視するという認定には慎重とならざるを得ない。

そこで、抵当権を設定した甲が乙から受けるべき償金等について、共有持分の交換価値が具体化したものとして、賃料に準じて物上代位を肯定することを考えてよいと思われる。ただし、現に乙が甲に対して償金を支払っているといった事情がなければ、結果として空振りに終わる可能性が高いものと考えられる。

⑹　甲の共有持分のみに抵当権が設定されている場合において、賃貸人の名義が不明のとき（設例⑹）

限定説によれば、抵当権を設定した甲（及びこれと同視すべき者）が賃貸人でない限り物上代位をすることはできないから、賃貸人名義が不明な場合には、甲が賃貸人であるとして、設例(4)と同じ当事者目録及び差押債権目録の記載により申し立てることになり、乙のみが賃貸人であることが判明すれば、空振りに終わることとなる。

Q 27 転貸賃料に対する物上代位

抵当権者が物上代位権の行使として抵当権の目的不動産の転貸賃料債権を差し押さえるには、どのような要件を主張、立証する必要があるか。また、誰を当事者とすべきか。

1 問題の所在

抵当権に基づく賃料債権に対する物上代位の可否については、学説上は、物上代位が可能となる時期の問題とも絡み、無条件肯定説、限定肯定説、否定説等の見解があるが、実務上は、最判平元.10.27（民集43巻9号1070頁）により、民法372条が準用する304条1項に基づき、賃貸借契約の締結時期に関係なく、また、競売申立ての前後に関係なく、物上代位が可能であるとするのが確立した取扱いである。

他方、転貸賃料債権に対する物上代位については、賃料債権に対する物上代位を免れるために、形式的に転貸借契約を作出するなどの執行妨害の実態が指摘される一方で、民法の文言上、物上代位の対象が「目的物の売却、賃貸、滅失又は損傷によって債務者が受けるべき金銭その他の物」（民304条1項）とされているため、転貸人が債務者に当たるのかが問題とされ、また、転貸賃料債権が価値代替物といい得るかについても疑義があるため、前記最判平元.10.27の後も、実務上その可否及び要件をめぐり、取扱いが分かれていた。

2 転貸賃料債権に対する物上代位の可否

転貸賃料債権に対する物上代位の可否については、従前、実務及び学説上、大きく分けて、原賃貸借契約が抵当権設定登記後に締結されていれば、これが短期賃貸借としての要件を満たすか否かにかかわらず、物上代位を肯定する積極説（後順位賃借権限定説）と、執行妨害としての転貸借の場合以外には物上代位を否定する消極説（執行妨害要件説）とがあった。

積極説は、執行妨害に対抗する現実的必要性があることのほか、転貸賃料であっても客観的には抵当不動産の価値代替物に変わりはなく、賃借人（転貸人）も抵当権が公示されているため物上代位を予測できるとし、消極説は、転貸賃料債権は抵当不動産の価値代替物とはいい難く、民法304条１項の「債務者」は「抵当不動産の所有者」を意味することを理由とするが、所有者と賃借人とが特別な人的関係にあり実質的に同視できる場合、又は詐害的な賃貸借契約の場合は、所有者と転借人の間に直接賃貸借契約が締結されたものと評価できるとしていた。もっとも、実務では、積極説の立場による場合でも、執行妨害の事案以外では、抵当権者は原賃貸借契約の賃料債権に対し物上代位をするのが通例であったので、結果として、さほどの違いはなかった。

このような状況の中、最決平12.4.14（民集54巻４号1552頁・金法1585号30頁）は、「民法372条によって抵当権に準用される同法304条１項に規定する「債務者」には、原則として、抵当不動産の賃借人（転貸人）は含まれないものと解すべきである。けだし、所有者は被担保債権の履行について抵当不動産をもって物的責任を負担するものであるのに対し、抵当不動産の賃借人は、このような責任を負担するものではなく、自己に属する債権を被担保債権の弁済に供されるべき立場にはないからである。同項の文言に照らしても、これを「債務者」に含めることはできない。また、転貸賃料債権を物上代位の目的とすることができるとすると、正常な取引により成立した抵当不動産の転貸借関係における賃借人（転貸人）の利益を不当に害することにもなる。もっとも、所有者の取得すべき賃料を減少させ、又は抵当権の行使を妨げるために、法人格を濫用し、又は賃貸借を仮装した上で、転貸借関係を作出したものであるなど、抵当不動産の賃借人を所有者と同視することを相当とする場合には、その賃借人が取得すべき転貸賃料債権に対して抵当権に基づく物上代位権を行使することを許すべきものである。」として、原則として消極説に立つことを明らかにし、この問題は実務上一応の決着をみることとなった。

3　転貸賃料に対する物上代位権行使の要件

前記最決平12.4.14によれば、賃借人（転貸人）を所有者と同視することを相当とする場合と認められることが、転貸賃料債権に対する物上代位権行使の要件となる。

ところで、民事執行手続は、強制執行について、債務名義作成手続と執行手続を分離し、その開始、停止及び取消しに法定文書の提出を求め（法22条以下、39条、40条）、担保権実行についても、その開始、停止及び取消しに法定文書の提出を求める（法181条、183条、193条）など、定型的かつ迅速に手続を進行させることができるようにしているが、執行裁判所が、抵当権の物上代位に基づく債権差押命令の発令段階において、「賃借人を所有者と同視することを相当とする場合」の要件の存否を厳格に判断していては、迅速な手続進行が図られなくなる上、執行妨害排除の要請に配慮した前記最決平12.4.14の趣旨を損なうことにもなりかねない。

そこで、東京地裁民事執行センターでは、できるだけ迅速かつ画一的な判断ができるよう、以下のような事例の分類基準を設け、これらの事例に該当することを証する一応の資料が提出されれば、転貸賃料債権に対する債権差押命令を発令する運用としている。この発令に問題があれば、債務者からの執行抗告の段階において、債務者提出分を含めたより豊富な資料に基づき、再度の考案により同命令を取り消すこともある。

⑴　人的同視型

人的同視型としては、賃借人（転貸人）が、自然人である所有者が代表者を務める又は実質的に経営する小規模で閉鎖的な法人（以下「小規模法人」という。）である場合、小規模法人である所有者と主たる役員が共通する小規模法人である場合（両法人の実質的経営者が同一人である場合等）、自然人である所有者の家族等の世帯員である又は世帯員が経営する小規模法人である場合等がある。

人的同視型については、主として、戸籍謄本、住民票の写し、戸籍の附票の写し、商業登記事項証明書（役員構成のみならず、会社の目的、本店所在地、資本等も参考になる。）等を提出して立証することになる。

⑵ 濫用型

濫用型は、①賃借権の設定時期（競売による差押え後に新たに転貸借契約が設定された場合、競売による差押え前であっても被担保債務の履行遅滞後に転貸借契約が設定された場合等）、②原賃料額と転貸賃料額との差額（差額が極端に大きい場合、原賃料が全額前払の場合等）、③賃借人を権利者とする担保権設定登記、賃借権設定仮登記等の有無（さらに、賃料前払、譲渡転貸自由等の特約が登記されている場合等）、④所有者と転貸人との関係（所有者の一般債権者、関連会社、知人等。なお、所有者の一般債権者が、所有者が経済的に破綻した時期に、所有者と従前の賃借人との間に割り込み、賃借人兼転貸人となって、債権回収を図る割り込み型の事例は、債権回収目的の濫用型の典型である。）等の事情を総合的に判断した上で、執行潜脱目的、債権回収目的等を認定することができる場合である。

濫用型の立証方法としては、所有者と賃借人（転貸人）との人的関係について、前記⑴の人的同視型と同じ資料の提出が考えられるほか、不動産登記事項証明書、所有者から入手した原賃貸借契約書、転借人から入手した転貸借契約書、所有者又は転借人からの聴取報告書、抵当不動産について既に競売が申し立てられている場合には、その現況調査報告書、抵当不動産について既に賃料債権に対する物上代位をしたが功を奏しなかった場合には、その事件における債権差押命令及び第三債務者の陳述書等を提出することが考えられる。

なお、濫用型であると判断し、転貸賃料債権に対する物上代位権の行使を認めた近時の裁判例として、東京高決平21.7.8（判タ1315号279頁）、東京高決平25.4.17（判タ1393号353頁）がある。

⑶ 債務者型

債務者型は、賃借人（転貸人）が、行使された物上代位に係る抵当権の債務者である場合である。人的同視型との複合形態として、物上代位に係る抵当権の債務者と実質的に同一であると評価できる個人又は小規模法人が転貸人である場合もある。いずれの場合も、債務者等が抵当権設定前からの賃借人である場合も含め、物上代位が認められる。これは、物上代位に係る抵当権の債務者は、その債務不履行により所有者が物上代位を甘受しなければならないこととの衡平に鑑みると、自ら債務不履行をしながら転貸賃料の享受が保障されるとするのは著しく正義に反すると考えられるためである。

賃借人が物上代位に係る抵当権の債務者であることは、不動産登記事項証明書から明らかになるが、賃借人が債務者と同視できる者であることは、前記(1)と同様の資料を提出して立証することになる。

4　所有者と賃貸人との間に賃貸借関係がなく、所有者と賃貸人との間に管理受託関係や使用貸借等の他の利用権関係がある場合

所有者以外の者が賃貸人として目的建物の賃貸を行っていて、所有者との間に賃貸借関係がなく、所有者と賃貸人との間に管理受託関係や使用貸借等の他の利用権関係がある場合も、正常な取引から成立するものがある一方、転貸借と同様に、所有者との特別な人的関係に基づき賃貸人を実質的に所有者と同一人と評価できる場合、執行妨害目的等の濫用的な賃貸借関係が作出されている場合、賃貸人が債務者であるか又は債務者と同視できる場合があることは、転貸借の場合と同様である。したがって、所有者と賃貸人の間の法律関係が管理受託関係や使用貸借等の他の利用権関係である場合についても、原則として賃貸人の賃料債権に対する物上代位を否定しつつ、賃貸人を実質的に所有者と同一人と評価できる場合、執行妨害目的等の濫用的な賃貸借関係がある場合、賃貸人が債務者であるか又は債務者と同視できる場合には、前記3の(1)ないし(3)と同様の基準により、物上代位を認めて差し支えないと解される。

5　申立てにおける留意事項

(1)　管　　轄

賃借人（転貸人）の普通裁判籍の所在地を管轄する地方裁判所が専属管轄を有し、所有者（原賃貸人）がその管轄外に普通裁判籍を有していても差し支えない。法144条1項が、債務者の普通裁判籍の所在地を管轄する裁判所の専属管轄としたのは、現実に債権の差押えを受ける者の権利防御

の機会を保障するためであり、転貸賃料債権に対する物上代位の場合には、差押債権の債権者である賃借人（転貸人）の権利防御の機会を尊重すべきだからである。

⑵ 当事者目録の記載

執行債務者は、差押債権の債権者である賃借人（転貸人）（前記４の場合は、賃貸人）である。東京地裁民事執行センターでは、その表示として「転貸人」（前記４の場合は「賃貸人」）と記載するよう求めている。そのほか、抵当権の「債務者」及び「所有者」についても、通常の賃料債権に対する物上代位の場合と同様に、その不服申立権を保障しなければならないから、これらの者も当事者目録に記載する必要がある。

⑶ 「賃借人（転貸人）を所有者と同視することを相当とする場合」の主張

転貸賃料債権に対する物上代位権行使の要件である「賃借人（転貸人）を所有者と同視することを相当とする場合」については抽象的概念であることから、申立債権者は、これを基礎づける具体的事実を主張する必要がある。単純な事実関係であれば、申立書に簡単に記載すれば足りるが、内容が詳細になる場合には、別途上申書等に記載してこれを提出するのが相当である。

〈参考文献〉

松本明敏「転貸賃料債権に対する物上代位権の行使について－最高裁平12・４・14決定を踏まえて－」金法1585号６頁

Q 28 事業委託型サブリース業者が賃貸している場合と物上代位

抵当権の目的となっている建物について、所有者から事業委託を受けたサブリース業者が自己の名義で占有者に対し賃貸している場合、

⑴ 抵当権者は、事業委託型契約に基づき所有者がサブリース業者に対して有する債権に物上代位権を行使することができるか。

⑵ 抵当権者は、サブリース業者が賃借人に対して有する賃料債権に物上代位権を行使することができるか。

1 問題の所在

建物の抵当権者は、所有者が建物を第三者に賃貸した場合には、その賃料債権に対し、物上代位権を行使することができる（最判平元.10.27民集43巻9号1070頁）。また、賃借人が転貸借契約を締結した場合には、その転貸賃料債権に対し、原則として、物上代位権を行使することはできないが、所有者の取得すべき賃料を減少させ、又は抵当権の行使を妨げるために、法人格を濫用し、又は賃貸借を仮装した上で、転貸借関係を作出したものであるなど、抵当不動産の賃借人を所有者と同視することを相当とする場合には、物上代位権を行使することができる（最決平12.4.14民集54巻4号1552頁・金法1585号30頁。〔Q27〕参照)。

ところで、サブリース契約は、一般に、サブリース業者が、建物を第三者に賃貸することを目的として所有者から建物賃貸権限の付与を受けることを中核とし、これに付随する建物の建築、管理等をも含めて、所有者と締結する事業契約を総称する。サブリース契約として選択される法形式としては、所有者とサブリース業者との賃貸借契約の形式（賃貸借型）が選択されることも少なくなく、この場合、転貸借自由条項及び（空室が存した場合の）賃料保証条項が設けられるのが通例である。このような契約は、賃貸借契約を中心とした複合契約ないしは混合契約と解することになり、物上代位の可否及び対象についてさほど異論は生じない。他方、法形

式上、事業委託契約（委任契約）の形式（事業委託型）が選択されることもあるが、このような場合における物上代位の可否及び対象には争いがある。

2　所有者がサブリース業者に対して有する債権に対する物上代位の可否（設例(1)）

(1)　賃貸借型のサブリースの場合

前記1のとおり、所有者とサブリース業者との間の契約は、賃貸借契約を中心とした複合契約ないしは混合契約と解することができるので、所有者がサブリース業者から支払を受ける金銭は賃料にほかならないものとして、前記最判平元.10.27に従い、物上代位ができると解される。

(2)　事業委託型のサブリースの場合

これに対し、事業委託型のサブリースの場合、サブリース業者は、所有者に対し、保証賃料等の名目で一定額又はサブリース業者が取得する賃料の一定割合の額を支払うのが一般的である（この場合は、管理委託契約との名称が付されることも多いが、物上代位に関する考え方は同じである。）から、賃貸借型のように、「賃貸によって債務者が受けるべき金銭」には該当しないのではないかとの疑問が生ずるし、従前の実務では、そのような理由から物上代位を否定する取扱いも多かったようである（山﨑敏充「抵当権の物上代位に基づく賃料債権の差押えをめぐる執行実務上の諸問題」民事訴訟雑誌42号121頁）。

しかし、所有者がサブリース業者から支払を受ける金銭は、サブリース業者が賃料として得た金銭を原資としてその一部が支払われるものであって、その意味で、不動産が第三者の使用に供されたことにより生じたものであることに疑いはないから、賃料が「不動産の交換価値の実現」に当たるとするならば、これも同様に「不動産の交換価値の実現」に当たるといってよいであろう。また、所有者は、まさに抵当権者に対してその責任財産をもって弁済すべき責任を負うものであるのに、契約形式を事業委託型とすることにより、その責任の一部を免れることは相当ではない。抵当権者の側からみても、後記3のとおり、サブリース業者が有する賃料債権に物上代位ができるのは例外的な場合に限られることからすると、建物が第三者の使用に供されその対価としての金銭の流れがあるにもかかわらず、サブリース業者が有する賃料債権にも、所有者がサブリース業者に対して有する債権にも、物上代位ができないとするのは相当ではない。

したがって、所有者がサブリース業者に対して有する債権については、実質的あるいは法律的には賃料債権にほかならないとして、物上代位を認めるのが相当であり、東京地裁民事執行センターにおける近時の取扱いも肯定説に立っている。

なお、東京地裁民事執行センターにおいては、この場合の差押債権目録の表示については、実質的あるいは法律的には賃料債権であることを明らかにする趣旨のほか、第三債務者に対する分かりやすさの観点も踏まえ、次のとおりとする取扱いである。

差押債権目録

金○○,○○○,○○○円

ただし、所有者と第三債務者との間に締結された下記物件の事業委託契約（管理委託契約）に基づき、所有者が第三債務者に対して有する○○名目（注）で支払を受ける賃料債権にして、本命令送達日以降支払期が到来するものから頭書金額に満つるまで

記

（一棟の建物の表示）
所　　　　在　　○○区○○町○丁目○番地○
建 物 の 名 称　　○○マンション
（専有部分の建物の表示）
家 屋 番 号　　○○区○○町○丁目○番○の210
建 物 の 名 称　　210
種　　　　類　　居宅
構　　　　造　　鉄筋コンクリート造１階建
床　 面　 積　　２階部分○○.○○平方メートル

（注）「○○名目」の内容としては、保証賃料、事業委託料等の表現があり得る

ので、事案に応じた表現とする（契約書等があれば、それに合わせる。）。

3　サブリース業者の有する賃料債権に対する物上代位の可否（設例(2)）

(1)　賃貸借型のサブリースの場合

前記1のとおり、所有者とサブリース業者との間の契約は、賃貸借契約を中心とした複合契約ないしは混合契約と解することができるので、サブリース業者の有する賃料債権に対する物上代位の可否は、転貸賃料債権に対する物上代位の可否と同じ基準（〔Q27〕参照）で判断することになる。このように解すると、現実に物上代位が認められるのは、サブリース業者が、所有者と経済的に同一と認められる関連会社である場合等の極めて例外的な場合に限られることとなる。

(2)　事業委託型のサブリースの場合

この場合も、サブリース業者の有する賃料債権に対し広く物上代位を認めることとすれば、サブリース業者の独自の経済的利益が損なわれ相当でないことは、結論として異論がないところであろう。すなわち、このようなサブリース業者にも、前記最決平12.4.14が、民法372条によって準用される304条1項に規定する「債務者」には、原則として抵当不動産の賃借人（転貸人）は含まれない理由として述べる「所有者は被担保債権の履行について抵当不動産をもって物的責任を負担するものであるのに対し、抵当不動産の賃借人はこのような責任を負担するものではなく、自己に属する債権を被担保債権の弁済に供されるべき立場にはない」ことが当てはまるから、原則として、サブリース業者の有する賃料債権には物上代位ができず、例外的に、サブリース業者を所有者と同視することを相当とするときに物上代位ができると解することになろう。

〈参考文献〉

野村豊弘「サブリース契約」稲葉威雄ほか編『新借地借家法講座第3巻借家編』（日本評論社）365頁

Q 29 動産売買の先取特権に基づく物上代位の要証事実と証明資料

動産売買の先取特権に基づく物上代位として転売代金を差し押さえたい場合、申立債権者が立証すべき事実は何で、どのような資料により立証すべきか。また、申立債権者が迅速な発令のため留意すべき事項は何か。

1　動産売買先取特権に基づく物上代位

動産の売主（債権者）は買主（債務者）に対する代金債権に関して目的動産につき先取特権（民311条5号）を有するところ、その先取特権の目的動産が売却等により、債務者が受けるべき金銭その他の物に変形した場合、具体化された交換価値（代位物）に対しても先取特権の効力を及ぼし得る制度が物上代位であり、その行使によって債権者は転売代金等から優先弁済を受けることができる（民304条1項）。

2　申立債権者が立証すべき事実

⑴　総　　説

動産売買の転売代金債権に対し、先取特権に基づく物上代位権の行使としてする債権執行は「担保権の存在を証する文書」が提出されたときに開始される（法193条1項）。その文書の種類、内容等については、後記3で説明するとして、要証事実は、担保権実行の実体的要件である①担保権の存在、②被担保債権の存在及び③弁済期の到来に加え、物上代位権の要件として、④債権者から債務者に対し売却された動産が第三債務者に転売された事実である。より具体的には、動産に関する売買契約締結の事実及び売買代金弁済期の到来の事実並びに同一動産に関する転売契約締結の事実及び当該動産の引渡しの事実を立証すべきことになる。

⑵ 債権者が債務者との間で、ある動産を目的とする売買契約を締結したこと（先取特権の存在、被担保債権（請求債権）の存在）

ア 動産ごとの売買契約の締結

動産売買先取特権の成立要件は、㋐動産の売買により生じた債権を有すること及び㋑債権者から債務者へ所有権が移転したことである（民311条5号）。㋐の債権の発生原因事実は、債権者と債務者とが目的動産について売買契約を締結したことであり、その事実が先取特権の存在とその被担保債権（請求債権である売買代金請求権）の額の範囲を画することになる。動産売買先取特権に基づく物上代位の事案においては、とりわけ、売買契約締結の事実に関して、ⓐ目的物の特定とⓑ代金額の定めの合意の立証が重要となる。

動産売買先取特権は、動産ごとに成立すると解される。このように担保権が動産ごとに成立することの効果として、債権差押命令申立書（**【書式例1】**）のうち、担保権・被担保債権・請求債権目録については、動産ごとの記載を要し、一般の債権差押命令の申立てのように合計額を記載することは正確ではないことになる。

イ 売買代金の弁済期の到来

売買代金の弁済期の到来の事実の立証については、必要説と不要説が対立するが、実務上は、東京地裁民事執行センターを含め、必要説に基づく運用が支配的である。これは、後記**3**のとおり、動産売買の先取特権に基づく物上代位による債権差押えが法定文書ではなく私文書による証明を許していること、債権者が提出する証拠のみをもって差押命令が発令されること等からすれば、債務者が弁済期の未到来を理由に執行抗告をすることでしか救済されないのは権利保護に欠け、一般債権者の利益も害することになるからである。

ウ 消費税相当額の取扱い

被担保債権（請求債権）に消費税相当額を含めることができるか否かについては、これが「動産の代価」（民321条）に該当するか否かによることになるところ、そもそも消費税の納税義務者は事業者（売主）であって、消費者（買主）が売主との間で消費税相当額を支払う旨合意している場合には、消費者（買主）は上乗せされた消費税相当額を代金の一部として支払う意思で売買契約を締結していると解されることから、消費税相当額を「動産の代価」の一部として被担保債権に含めると取り扱って差し支えないと考えられる。この場合、買主と売主との間で消費税相当額を支払う旨合意している事実を立証する必要がある。

エ　目的動産の所有権移転

債権者から債務者への目的物の所有権の移転については、債権者と債務者との間の売買契約締結時において、債権者が目的物を所有していたことを立証すれば足りる。

(3)　債務者が第三債務者に対し、債権者と債務者との間の売買の目的動産と同一の目的動産を転売したこと（物上代位権の発生）

ア　転売事実の立証の要否（積極）

転売の事実の立証については、目的動産が転化した転売代金債権を差押債権として特定して主張すれば足りるとする不要説もあるが、実務上は、物上代位に名を借りた不当な執行を防止する必要があること、差押債権が「目的物の売却……によって債務者が受けるべき金銭その他の物」（民304条１項）に該当して初めて物上代位権が発生することから、転売の事実について立証を要するとする必要説が支配的である（民事執行事件に関する協議要録187頁、上田正俊「動産売買の先取特権に基づく物上代位」民事執行の基礎と応用306頁以下参照）。とりわけ目的動産が種類物の場合、不要説を徹底すると、例えば、債務者が申立債権者以外の取引先から仕入れた同一種類の動産を転売した場合の転売代金債権に対する差押えを許すことになりかねない。このような事態を避けるためにも、必要説に立って、差押債権が先取特権の目的動産の代償物であることを証明することを要すると解すべきである。東京地裁民事執行センターの取扱いも必要説によっている。

イ　転売事実の立証の具体的な内容

目的動産の同一性の立証については、「物（目的動産）の流れ」に沿った立証が必要となるが、「物の流れ」は、当事者間の契約関係、取引形態等によって様々である。債権者が債務者に目的動産を売却したが、債務者を経由せずに債権者から第三債務者へ直接送付する場合（直送型）と、債権者が債務者に目的動産を納入し、その動産を債務者が第三債務者に納入する場合（基本型）の二つに大別される。

目的動産の転売の事実は、その立証を求める趣旨（前記**ア**）に照らし、動産の引渡しが一定の代金の支払と対価関係にあることが立証されれば足り、具体的な代金額の証明は要しないとされている。この限りにおいて、一般的な債権差押命令申立てにおいて、差押債権の存在の立証が不要とされているのと共通する。

先取特権自体と同様に物上代位権も動産ごとに成立するため、債権差押命令申立書のうち差押債権目録については、動産ごとの記載を要し、一般の債権差押命令申立てのように合計額を記載することは正確ではない。仮に合計額を差押債権額とすると、例えば、10万円で売買された動産Ａが15万円で転売され、５万円で売買された動産Ｂが10万円で転売され、動産売買先取特権に基づく物上代位による債権差押命令が発令されたが、動産Ｂの転売代金は既に弁済済みであった事例において、本来、差し押さえられるのは、動産Ａの転売代金中10万円にすぎないのに、合計額を差押債権額とすると、動産Ａの転売代金15万円全部に債権差押命令の効力が及んでしまうという問題を惹起することになる。

ウ　消費税相当額の取扱い

差押債権に消費税相当額を含めることができるか否かについては、これが「売却……によって債務者が受けるべき金銭」（民304条１項）に該当するか否かにかかるが、前記⑵**ウ**で説明したのと同様に、消費税相当額は転売代金の一部であって目的動産の交換価値が現実化したものとして、差押債権に含めると取り扱って差し支えないと考えられる。

なお、前記**イ**のとおり、転売代金額の立証は要求されないため、消費税相当額を支払う旨の合意の存在も立証する必要はない。

3　申立債権者が立証すべき事実のための具体的資料

⑴　準名義説と書証説

動産売買先取特権の存在は「文書」によって証明しなければならない

(法193条１項)。この「担保権の存在を証する文書」については、当該文書自体から担保権の存在が高度の蓋然性をもって直接証明される文書（典型的には、実印の押捺された売買契約書）であるとする準名義説と、文書の種類、内容等には制限がなく、複数の文書を総合して証明することも許されるとする書証説の二つの立場があるが、我が国における動産取引の実情等に照らし、東京地裁民事執行センターを含む実務では、書証説による運用が支配的である。

⑵　証明の程度

ア　厳格な証明

書証説を前提とすると、先取特権の存在を証明するためにどのような文書を提出すべきかは、具体的事案によって差異があり、その認定は裁判官の自由な心証に委ねられるべきものである。しかし、書証説によるとしても、先取特権の存在は疎明ではなく証明が必要とされており（法193条１項)、動産売買の先取特権に基づく物上代位としての債権差押命令は、債務者等を審尋することなく発せられる上（同条２項、145条２項)、他の債権者が知らないうちに発令され、かつ、執行が完了してしまい、これらの者が不服申立てをすることができない場面が多いという特殊性を有することから、債務者のみならず、一般債権者その他の債権者の存在にも留意すべきであって、債権者側の一方的な資料のみに依拠して証明があったとすることは相当とはいえない。また、「担保権の存在」の証明度は厳格な証明の程度に至っている必要があるのであって、発令に誤りがあれば債務者側からの担保権の不存在又は消滅を理由とする執行抗告（法193条２項、145条６項、182条）により是正することができるからといって、「担保権の存在」の証明度もそれ相応の限度で足り、とりあえず発令してよいとすることはできない（後記イのとおり、債務者が適切に不服申立てをすることはあまり考えられない。)。

イ　事後文書・確認書等の証拠価値

担保権の存在の証明文書として、具体的には、取引当時に債務者が作成に関与した取引関連資料の提出が求められる。債権者のみによって作成された資料、債務者が倒産状態に陥った後に債務者によって作成された資料

（いわゆる「事後文書」）のほか、第三債務者が申立債権者の依頼に基づき作成した確認書等の文書は、原則として、証拠価値は低いものと取り扱われ、いわば補強証拠的に利用されることになる（東京高決平10.1.23判タ1103号194頁、東京高決平14.6.3判タ1103号226頁）。「事後文書」の証拠価値が低いとされるのは、倒産状態に陥った債務者は債権者の言いなりになることが少なくないことを反映したものである。実際上も、客観的に事実に反すると認められる事実関係について申立債権者代理人弁護士が作成した事後文書の原案に、債務者が内容を確認せずに署名押印している事例がみられる。第三債務者作成の確認書等について原則として証拠価値が低いとされるのも、債権者と債務者と第三債務者との人的関係によっては、第三債務者が必ずしも中立的な第三者とはいえない事例があることを反映したものである。実際上も、第三債務者が、自ら知っているはずのない事実関係について申立債権者代理人弁護士が作成した確認書の原案に、内容を確認せずに署名押印している事例があるので、注意が必要である。ただし、債務者が破産管財人の場合に、申立債権者と破産管財人との間での和解の一方法として、破産管財人が確認書等を作成することがあるが、破産管財人が一般債権者のためにもその職務を行う立場にあることに照らし、このような確認書等は事後文書ではあるが例外的に証拠価値が高いものとして取り扱われる。

また、私文書であれば、その成立の真正の立証も必要となる。

ウ　書証の原本の提示

書証は、原本の提示が原則である。具体的には、社判又は会社代表者印が押捺された文書、ファクシミリの送受信日時が記録された発注書、納品先の会社の受領印が押された受領書等が提出される必要があり、原本の存在は事実認定に大きな影響を与える。

なお、東京地裁民事執行センターにおいては、申立債権者が書証の原本の返還を希望する場合、書証番号を明記した受領書の提出を求めている。

(3)　売買の事実

ア　売買契約書又はこれに代わる資料

売買契約の成立は、売買基本契約書や個別の売買契約書が基本的な資料となるが、実際の取引の際には契約書が作成されないことも多い。このような場合、債務者作成の発注書、受取書等と、これに対応する債権者作成の受注書、納品書、請求書（控）等の資料を複数提出することで売買の事実を立証することになる。前記(2)の求められる証明の程度からすると、取引当時に債務者が作成に関与した文書の提出が立証への第一歩となるので、発注の際の電話又は口頭のやりとりがあった旨の報告書等では立証は困難であろう。

以上に関連して、実務上しばしば見受けられるのは、取引当時に債務者が作成に関与した契約書、発注書等には、目的動産の商品名は記載されているものの、その価格（単価）が記載されておらず、価格について債権者作成の請求書（控）の記載しか手掛かりがないため、売買代金額の合意の立証が不十分とされる事例である。東京地裁民事執行センターでは、このような場合、価格変動のないことを前提として、申立てに係る取引以前に行われた過去の取引で同一動産が同一の価格で決済されていれば、この事実をもって債務者が売買代金額を合意していたとして補充立証を認めている。過去の取引における単価・数量等の記載のある債権者作成の請求書とこれに対応する金額の債務者からの入金履歴等の資料がその一例である。

イ　弁済期の到来の事実の立証資料

売買代金請求権の弁済期到来の事実については、売買基本契約書等に定められた条項（期限の利益喪失約款）に基づくものであれば、当該文書により立証することになる。ただし、実務上、多くみられる債務者を破産管財人とする事例においては、破産の事実が債務者の期限の利益を喪失させる（民137条１号）ので、破産の事実以外に特段立証の必要はないことになる。

ウ　消費税相当額の立証資料

消費税相当額を被担保債権（請求債権）とするには、申立債権者と債務者とが消費税相当額を支払う旨合意した事実を立証する必要がある（実務上、消費税相当額の支払を求めない、いわゆる内税取引の事例も相当程度存在することから、当然に外税取引であるとの推定はしていない。）。具体的には、売買基本契約書等にその旨の記載がある場合等が該当する。

エ　債権者による目的動産所有の立証資料

債権者と債務者の売買契約締結時に債権者が目的物を所有していたことの立証としては、債権者の自社製品であればその目的物のパンフレット等や陳述書で立証することになる。

⑷　転売の事実（目的動産の同一性）

転売の事実は、代金額が問題とならないため、売買契約書のほか、発注書、受注書、請求書（控）等により、債務者と第三債務者との間の目的動産の取引契約が売買契約であることを立証できれば足りる。立証に困難を来すことがあるのは、むしろ、目的動産の同一性である。発注書、受注書、請求書（控）、受領書、納品伝票等に記載されている発注及び納品の年月日、商品名、発注番号、数量、単価等によって、目的動産の同一性の立証をすることになる。

ところで、前記２⑶イの「直送型」では、第三債務者が当該動産を受領した事実から目的動産の同一性が立証し得ることから、運送会社の配送伝票、受領書が重要な資料となる。この場合、第三債務者が受領したことを示すものとしては、会社名及び日付入りの受領印が押されていることが望ましく、個人の認印や署名である場合は、受領者と第三債務者との関係の説明が必要である。

これに対し、前記２⑶イの「基本型」では、債権者と債務者との間の売買の目的動産と、債務者と第三債務者との間の転売の目的動産が同一であることの立証が必要である。目的動産の特定は、特定物であれば容易であろうが、種類物では、発注番号、伝票番号等が三者間で連続する場合、目的動産が梱包単位のままで第三債務者に納品されている場合等でなければ立証は困難であろう（東京高決昭62.3.4判タ657号249頁・金法1192号30頁参照）。

このほか、申立債権者の子会社又は取引先から直接第三債務者に納入している場合や、納入先が第三債務者の指定する現場又はエンドユーザーである場合には、申立債権者と納入者との契約関係、第三債務者と納入先との契約関係等を立証する必要がある。

4　迅速な発令のために留意すべき事項

動産売買の先取特権に基づく物上代位としての債権差押えについては、そもそも先取特権が動産ごとに成立し、1個1個についてその要件の審査が必要な上、申立て1件当たりの動産数が極めて多数にのぼることも少なくないため、一般の債権差押えと比べると、申立てから発令までに長期間を要する傾向にある。

そこで、第三債務者が多数の場合、物件が多数の場合、取引形態が錯綜している場合等は、第三債務者ごと、期間ごと、取引類型ごとに申立書を整理するのが望ましく、場合によっては、分割して申し立てる方が早期に発令できることがある。また、迅速な審査のためには、申立債権者において、適切な申立書、書証、取引関係図（**【書式例2】**）、書証対照表（**【書式例3】**）、証拠説明書等を整理して提出することが不可欠となる。各書証には、通常の民事訴訟と同様に書証番号（規則性をもったもの）を明記し、各書証の記載中で要証事実との関連がある部分についてはラインマーカー又は付せんで「物件番号」を明示するのが望ましい。また、取引関係図、証拠説明書等は、当事者間の取引経過、目的動産の流れ等を把握することができ、書証の立証趣旨を容易に理解することができるようなものが望ましい。

なお、東京地裁民事執行センターにおいては、一時期に大量の申立てを予定している場合、執務態勢を整備する等の観点から、予定日、事件数、目的動産数等について事前に書記官室へ連絡するよう協力を求めている。

このほか、債務者が申立て時に既に破産していた場合、申立書に表示すべき当事者は破産管財人となることに注意を要する。

5　その他

⑴　請負代金債権に対する物上代位

最決平10.12.18（民集52巻9号2024頁・金法1540号47頁）は、請負工事に用いられた動産の売主は、原則として、請負人の注文者に対して有する報酬請求権に対しては、動産売買の先取特権に基づく物上代位権を行使することができないとし、例外的に、請負代金全体に占める前記動産の価額の割合、請負人の仕事の内容等に照らして、請負代金債権の全部又は一部を前記動産の転売による代金債権と同視するに足りる特段の事情がある場合には、同部分の請負代金債権に対して物上代位権を行使することができるとした。請負代金債権に対する物上代位による債権差押命令を申し立てる場合には、このような特段の事情も立証する必要がある。

⑵ 製作物供給契約における代金債権を被担保債権（請求債権）とする物上代位

製作物供給契約は、一般に売買と請負の双方の面をもつ混合契約であると解され、これに売買契約に関する規定である動産売買先取特権の規定が適用されるか否かが問題となる。この点については、動産売買の先取特権が認められる趣旨は、動産売買の売主は相手方の信用をあらかじめ確かめることができない場合が多いことから、先取特権によって売主を保護し、動産売買を容易かつ安全に行わせる点にあるとの理解を前提に、製作物供給契約においては、事前に相手方と交渉の上、契約に至るのが通常であることや、代金支払の確保手段を講ずることが可能であること等から、動産売買先取特権の規定を準用する合理的理由はないとされている（大阪高決昭63.4.7判タ675号227頁参照）。もっとも、製作物供給契約の中でも極めて売買契約としての要素が強く、不特定多数の顧客に、相手方の信用状況を確かめることができないまま契約を締結するような事情がある場合には、動産売買先取特権の規定の準用を認める余地もあり得ると解される（否定例であるが、東京高決平15.6.19金法1695号105頁参照）。

〈参考文献〉

東京地裁民事執行センター「さんまエクスプレス第８回」金法1647号60頁、内山宙「東京地裁執行部における動産売買先取特権に基づく物上代位事件の取扱い」金法1632号18頁、前澤功「動産売買先取特権」山﨑＝山田「民事執行法」319頁、秋吉仁美「先取特権に基づく差押えとその優先関係」債権執行の諸問題368頁、中野貞一郎「担保権の存在を証する文書（民執193条１項）―動産売買先取特権に基づく物上代位権の行使をめぐる裁判例―」判タ585号８頁、上田正俊「動産売買の先取特権に基づく物上代位」民事執行の基礎と応用304頁、西野

喜一「先取特権の証明文書」小野寺規夫編『現代民事裁判の課題③』（新日本法規出版）52頁

【書式例１】

債権差押命令申立書
（動産売買先取特権に基づく物上代位）

東京地方裁判所民事第21部　御中
令和○○年○月○日

債権者　　○○○○株式会社
上記代理人弁護士　　○ ○ ○ ○　印

当事者
担保権、被担保債権、請求債権　｝別紙目録記載のとおり
差押債権

債権者は、債務者に対し、別紙請求債権目録記載の債権を有するが、債務者がその支払をしないので、別紙担保権目録記載の動産売買の先取特権（物上代位）に基づき、債務者が第三債務者に対して有する別紙差押債権目録記載の債権の差押命令を求める。

添　付　書　類

1　書証　　各１通
売買基本契約書（甲１）、注文書（甲２）、請求書（甲３）、注文書（甲４）、請求書（甲５）、配送伝票（甲６）、破産手続開始決定通知書（甲７）
2　証拠説明書　　１通
3　取引関係図　　１通
4　書証対照表　　１通
5　資格証明書　　３通
6　破産管財人選任証明書　　１通
7　委任状　　１通

当事者目録

〒□□□-□□□□　　東京都○○区○○町○丁目○番○号
債　　権　　者　　○○株式会社
代表者代表取締役　　○　○　○　○

〒□□□-□□□□　　東京都○○区○○町○丁目○番○号　○○ビル
債権者代理人弁護士　　○　○　○　○
電　話　03－○○○○－○○○○
ＦＡＸ　03－○○○○－○○○○

〒□□□-□□□□　　東京都○○区○○町○丁目○番○号　○○ビル
○○法律事務所
（破産者の住所　東京都○○区○○町○丁目○番○号）
債　　務　　者　　△△株式会社破産管財人
○　○　○　○

〒□□□-□□□□　　神奈川県○○市○○町○丁目○番地
第　三　債　務　者　　有限会社○○
代表者代表取締役　　○　○　○　○

担保権・被担保債権・請求債権目録

1　担保権
下記２記載の売買契約に基づく動産売買の先取特権（物上代位）

2　被担保債権及び請求債権
債権者が令和○○年○月○日から同年○月○日までの間、債務者に対し売却した別紙１記載の各商品についての各売買代金債権（消費税相当額を含む。）
なお、債務者は、令和○○年○月○日午後○時東京地方裁判所の破産手続開始決定を受け、約定により期限の利益を喪失したものである。

（注）　1　担保権は各動産（物件）ごとに発生するので、被担保債権及び請求

債権額は別紙１の「売買代金（各請求債権、消費税相当額を含む）」欄記載の各金額になる。したがって、その合計額の記載はしない。

2　被担保債権の弁済期が到来したことの主張及び立証を要する。

差押債権目録

債務者が令和○○年○月○日から同年○月○日までの間、第三債務者に対し売却した別紙２記載の各商品についての各売買代金債権のうち、それぞれ別紙１の「売買代金（各請求債権、消費税相当額を含む）」欄記載の金額に満つるまで

（注）担保権は各動産（物件）ごとに発生するので、差押債権額は、請求債権ごとにそれぞれ別紙１の「売買代金（各請求債権、消費税相当額を含む）」欄記載の金額に満つるまでとなる。したがって、その合計額の記載はしない。

（別紙１）

物件番号	注文日	伝票番号	商品名	数量	単価	売買代金（各請求債権、消費税相当額を含む）
1	3.2.1	××××	○○○-246	3	500	1,650
2	3.2.1	×○××	△△△-146	10	270	2,970
3	3.2.6	×○○×	○○○-246	7	500	3,850

（別紙２）

物件番号	納入日	伝票番号	商品名	数量	単価	売買代金（各差押債権、消費税相当額を含む）	納入場所
1	3.2.6	あ013	○○○-246	3	600	1,980	A工場
2	3.2.6	あ828	△△△-146	10	300	3,300	A工場
3	3.2.9	B203	○○○-246	7	600	4,620	B工場

（注）1　売買の目的物を特定するための項目であって、目的物によってはより多くの特定要素が必要となる。

2　売買代金（各請求債権、消費税相当額を含む）欄の合計額の記載は

要しない。

3　売買代金の表示は、別紙１は「請求債権」、別紙２は「差押債権」である。

【書式例２】

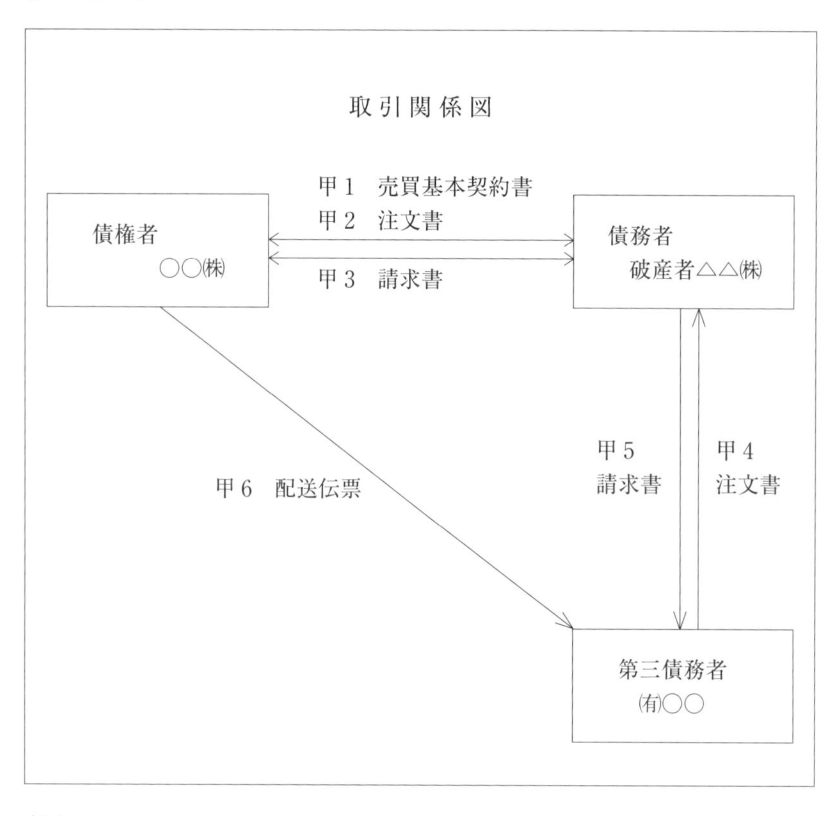

（注）　上記取引関係のほかに、債権者の子会社又は取引先から第三債務者に直接納入されている場合、第三債務者が指定する現場又はエンドユーザーに直接納入されている場合等があり、その場合には、その契約関係に沿った取引関係図を作成する。

【書式例３】

書　証　対　照　表

		債権者と債務者間の売買契約が成立した事実						債務者と第三債務者間の売買契約が成立した事実						商品が第三債務者に引き渡された事実
物件番号	商品名	日付	数量	単価	合計	書証番号	備考	日付	数量	単価	合計	書証番号	備考	書証番号
1	○○○-246	3.2.1	3	500	1,650	甲１、甲２の１、甲３	説明書３頁	3.2.6	3	600	1,980	甲４の１、甲５	説明書４頁	甲６の１
2	△△△-146	3.2.1	10	270	2,970	甲１、甲２の１、甲３	同５頁	3.2.6	10	300	3,300	甲４の１、甲５	同６頁	甲６の２
3	○○○-246	3.2.6	7	500	3,850	甲１、甲２の２、甲３	同７頁	3.2.9	7	600	4,620	甲４の２、甲５	同８頁	甲６の３

（注）１　各商品と書証との対応関係を一覧表形式にしており、**【書式例１】**の（別紙１）及び（別紙２）に記載した物件番号と対応させて作成する。
２　見やすさ、分かりやすさ等の観点から、適宜、用紙を横方向にするなどして作成する。

Q 30 給料等の先取特権に基づく債権差押えの要証事実と証明資料

給料等の先取特権に基づき債権差押えをしたい場合、申立債権者が立証すべき事実は何か。また、どのような資料により立証すべきか。

1 はじめに

被用者は、その給料債権等について、使用者の総財産の上に先取特権を有する（民306条2号、308条）。実務上、給料等の先取特権に基づき、使用者の有する売掛債権、預金債権等に対する債権差押命令の申立てがされることはまれではない。そして、給料等の先取特権は、一般債権者に優先する効力を有するため（民303条）、債権差押命令が発令されると、被用者にとっては有用な債権回収手段となり得る。本設例では、債権執行手続において給料等の先取特権を実行する場合の問題点について説明する。

2 被担保債権の範囲

被担保債権の範囲は、「債務者と使用人との間の雇用関係に基づいて生じた債権」（民308条）である。使用人とは、典型的には雇用契約に基づいて労務を提供する者であるが、他人に使用され、その労務の対価を得ている者であれば、委任、請負等の契約に基づいて労務を提供する者も含まれると解される（改正担保・執行法の解説13頁以下）。雇用関係に基づいて生じた債権には、給料、退職金等のほか、身元保証金、雇用関係に関して生じた損害の賠償請求権、解雇予告手当等も含まれると解される。先取特権が成立する範囲について、期間による制限はない。

実務上問題となるのは、社内預金債権である。強制的社内預金は労基法18条1項により無効であり、この返還請求権については先取特権の成立が認められるが、任意性が認められる限りは、消費寄託上の請求権であるというほかなく、先取特権の成立を認めるのは困難と考えられる。下級審の裁判例は判断が分かれており、労働契約との関連性の濃淡、雇用関係への影響の程度等が考慮されているようである（先取特権の成立を否定した裁判例として、札幌高判平10.12.17判タ1032号242頁、東京高判昭62.10.27判タ671号218頁。先取特権が認められた裁判例として、札幌地判平10.6.26（上記札幌高判の原審）判タ1032号244頁）。仮に成立する余地があるとしても、このような事情の立証は、後記3のとおり証拠方法が書面に制限される担保権実行としての債権執行手続にはなじまないと思われる。

なお、遅延損害金も併せて請求される場合があるが、遅延損害金について他の債権者に優先権を有するのは、最後の2年分に限られる点に注意を要する（民341条、375条2項）。

また、被担保債権及び請求債権としての未払賃金から、所得税等や社会保険料を控除する必要はないものと解されている（東京高決平21.6.29判タ1312号310頁）。もっとも、東京地裁民事執行センターにおいては、申立債権者が、申立書において、未払賃金から所得税等の税金や社会保険料を控除した額を被担保債権及び請求債権の債権額としているような場合には、当該申立額のまま発令する取扱いである。

3　立証すべき事実と立証方法

(1)　準名義説と書証説

給料等の先取特権に基づく債権差押えは、担保権実行であるから、申立てに当たっては、担保権の存在を証する文書を提出しなければならない（法193条1項）。ここにいう「担保権の存在を証する文書」については、先取特権の存在を直接かつ高度の蓋然性をもって証明する債務名義に準ずる文書に限定する準名義説と、文書の数、種類、内容等を問わない書証説との対立があるが、実務上は、書証説、すなわち、担保権の存在を証明する文書として複数の文書を総合して担保権が存在することについて心証を得られれば足りるとする運用が確立している。しかしながら、書証説に立つ場合にも、先取特権は、債務者の反論反証を待つことなく債権差押命令が発令され（法193条2項、145条2項）、しかも、一般債権者に優先して配当等を得られるという強い効力を有すること、他の債権者が知らないうちに執行が完了してしまい、これらの者に不服申立ての機会がない場面が多いこと等から、証明の程度としては、疎明では足りないことはもちろんのこと、「高度の蓋然性」をもって立証されることが必要である（動産売買の先取特権について、大阪高決昭60.8.12判タ570号71頁、東京高決平10.1.23判タ1103号194頁参照。〔Q29〕参照）。また、私文書であれば、一般の民事訴訟におけるのと同様に、その成立の真正の証明が必要となる。もっとも、債権者は、担保権の発生原因事実について証明すれば足り、担保権が現存していることは証明する必要がなく、担保権の消滅の事実は、執行障害事由として債務者が執行抗告（法193条2項、145条6項、182条）において争うことになろう。

なお、弁済期の到来についての主張及び立証が必要であるかは争いがある（吉野孝義「一般の先取特権実行の要件」裁判実務大系⑺451頁、前澤功「動産売買先取特権」山﨑＝山田「民事執行法」325頁）。東京地裁民事執行センターにおいては、先取特権について高度の蓋然性をもった立証を求めている趣旨にも鑑み、これを必要とする運用である（前澤・前掲も同旨）。

⑵　一般的な立証資料

ア　書証の証明力一般

実務上比較的よくみられる未払給料、退職金及び解雇予告手当金に関する先取特権に基づく債権差押命令の申立てにおける要証事実及びその立証のために提出される一般的な書証は、後記**イ**ないし**エ**のとおりであるが、書証の証明力を考える上で留意すべきは、債権差押命令の申立てに当たり作成された資料は、債権者作成のものはもちろん、債務者側が作成したものでも、証拠価値が低く評価される傾向にあることである。以下、実務上提出されることが少なくない資料について、その証明力を検討する。

㈠　業務担当者作成の証明書

例えば、後記**イ**ないし**エ**を通じて、実務上、申立ての直前に使用者の業務担当者が作成した未払給料等に関する証明書が立証資料として提出されることがある。この点、給料等の先取特権の実行が問題となるのは、多くは、使用者が倒産したときであって、倒産時における業務担当者の権限、業務担当者と被用者との関係等からみて、その信憑性に疑問が生ずる場合があるとの指摘がある（吉野・前掲464頁）。

そのような場合でなくても、使用者が長年勤めた債権者（被用者）に報いるためあえて過大な給料債権の証明をしている事例もある。このほか、実務上、偏頗弁済、使用者の財産保全、債権回収等を図るために、先取特権の存在を仮装するなどして、債権差押命令の申立てがされることも見受けられる（使用者である会社の債権回収を図るため被用者の給料先取特権に基づく債権差押命令申立てがされた事案として、東京地判平7.11.13判タ912号183頁）。

したがって、このような証明書は、実務上、後記**イ**ないし**エ**に掲記の資料を補完するものにはなり得ても、通常、単独で要件事実を立証するものとはなり難いとされている。

(イ) 判決、和解調書等の債務名義

債権者が未払給料について債務名義を有している場合、これを担保権実行の証明文書として利用することはもちろん可能であるが（吉野・前掲464頁）、このような債務名義が、欠席判決、債務者の自白に基づく認容判決、認諾調書、全額の支払義務を認める和解調書等の場合には、別途の考察が必要であるとする見解がある。すなわち、先の証明書の事例等に現れているように、使用者が、これまで尽くしてきた被用者に優先的に満足を得させたいとの思いや、使用者（代表者）と近い関係にある債権者に対し優先的に満足を得させる目的を有していることも少なくないことから、これらのみによっては担保権の存在を証する文書が提出されたとみることはできず、認定の一資料としての意味しかもたないとする見解である。

他の提出資料に現れた事情から、被用者と使用者とが対立関係ないし係争関係にあることが明らかな場合には、欠席判決等により先取特権の成立を肯定してよい場合もあろうが、東京地裁民事執行センターにおいては、使用者が倒産状態にあるような事案においては使用者と被用者とが必ずしも利害対立の関係になく、かえって、通謀等もみられないではないという実情のほか、前記(1)のとおり、他の債権者が不服を申し立てる機会がないまま執行が終了してしまう場合が多いこと等のこの種事件の特殊性を考慮し、欠席判決等のみでは足りず、別個の立証を求めるのが一般的な取扱いである（強制執行と担保権実行とを明確に峻別している裁判例として、東京高

判平12.3.16判タ1103号207頁、東京地判平11.11.24（上記東京高判の原審）金判1082号35頁）。

なお、債権者が、欠席判決等の債務名義を取得している場合には、これらに基づき債権執行（法143条）を申し立てることが可能である。この場合、申立債権者には他の一般債権者との関係で配当手続における優先権はなく（前記東京高判平12.3.16）、差押えの競合が生ずると、債権全額の満足を得ることは困難となるが、例えば、あらかじめ仮差押命令を得て仮差押債権が供託され、かつ、競合が生じていないような場合には、本執行をすることにより他の債権者の配当加入が遮断され（法165条１号）、早期に債権の満足が得られることもあるから、債権者としては、先取特権の立証の容易性、他の債権者との競合の可能性等を考慮しつつ、債権執行の方法により債権回収を図ることも視野に入れるとよい。

イ　未払給料の立証資料

未払給料を請求する場合、①雇用契約の存在、②給料の定め、③労務の提供の各事実について立証が必要である。

①については、労働者名簿（労基107条で調製が義務付けられている。）が考えられるが、②を立証すべき賃金台帳、過去の給料明細書、給料辞令等の資料の記載を総合して立証できることもある。

②については、賃金台帳（労基108条で調製が義務付けられている。）、過去の給料明細書、給料の明細の記載がある給料袋、過去の銀行振込の事実が記載されている預金通帳、所得税源泉徴収票、就業規則等の賃金規程（労基89条２号で、一定の規模以上の使用者に対し、作成、届出が義務付けられている。）、給料辞令等が考えられる。給料が未払であることの立証は不要であるが、証拠上、支払済みであることがうかがわれる場合（例えば、請求債権である未払給料分について、給料明細書に「振込金額」等として記載されている場合、源泉徴収票等に請求に係る未払分を含めた金額が記載されている場合等）には、未払の事実についての証拠が要求されることもある。

③については、出勤簿、タイムカード、勤務日程表、労務日報の類、パソコンの履歴、電子メールの送受信記録等が考えられ、①及び②の立証のための書証がこれらを補完するものと位置付けられる場合も多い。

ウ　退職金の立証資料

退職金を請求する場合は、㋐雇用契約の存在、㋑退職の事実、㋒退職金の定めの各事実について立証が必要である。

㋐については、前記イのとおりであるが、㋑については、解雇通知、離職証明書等が、㋒については、就業規則、退職金規程、過去の退職金明細書等が考えられる。申立てに当たっては、退職金規程等の定めから請求金額が算定可能となる資料を提出する必要があり、例えば、退職金規程において職種、勤労年数等により退職金額が定められている場合には、これらの事実を立証する資料を提出する必要がある（なお、近時の事例としては、東京高決平19.10.9労判959号173頁、東京高決平21.11.16判タ1323号267頁がある。）。

エ　解雇予告手当の立証資料

解雇予告手当を請求する場合は、ⓐ雇用契約の存在、ⓑ即時解雇の事実、ⓒ平均賃金の額の各事実について立証が必要である。

ⓐについては、前記イのとおりであるが、ⓑについては、解雇通知等が、ⓒについては、過去３か月分の賃金台帳、給料明細書等が考えられる。

〈参考文献〉

秋吉仁美「賃金等の先取特権に基づく債権執行」債権管理33号22頁、秋吉仁美「先取特権に基づく差押えとその優先関係」債権執行の諸問題368頁、家近正直「一般の先取特権をめぐる実務上の問題点」担保法大系⑵395頁、改正担保・執行法の解説13頁

【申立書書式例】（差押債権目録省略、一般的な差押債権目録は〔Q13〕参照）

債権差押命令申立書
（雇用関係に基づく一般先取特権）

東京地方裁判所民事第21部　御中
　令和○○年○月○日

債権者　　　○　○　○　○
電　話　○○－○○○○－○○○○
ＦＡＸ　○○－○○○○－○○○○

当事者
担保権・被担保債権・請求債権　｝別紙目録記載のとおり
差押債権

債権者は、債務者に対し、別紙請求債権目録記載の債権を有するが、債務者がその支払をしないので、別紙担保権目録記載の一般先取特権（雇用関係）に基づき、債務者が第三債務者に対して有する別紙差押債権目録記載の債権の差押命令を求める。

第三債務者に対する陳述催告の申立て（民事執行法第193条２項、147条１項）をする。

添　付　書　類

1　書証
　雇用契約書（甲１）、給与明細書（甲２）、出勤簿写し（甲３）、就業規則（甲４）
2　証拠説明書
3　資格証明書

当事者目録

〒□□□-□□□□　東京都○○区○○町○丁目○番○号
　債　権　者　○　○　○　○

〒□□□-□□□□　東京都○○区○○町○丁目○番○号　○○ビル
　債権者代理人弁護士　○　○　○　○
　　電　話　○○－○○○○－○○○○
　　ＦＡＸ　○○－○○○○－○○○○

〒□□□-□□□□　東京都○○区○○町○丁目○番○号

債　　務　　者　　○○株式会社
代表者代表取締役　　○　○　○　○

〒□□□-□□□□　東京都○○区○○町○丁目○番○号
第　三　債　務　者　　○○株式会社
代表者代表取締役　　○　○　○　○

担保権・被担保債権・請求債権目録

1　担保権
債権者と債務者間の雇用契約に基づく下記２記載の債権にして、民法306条２号に基づく一般先取特権

2　被担保債権
(1)　給与債権　　合計金　　○○○,○○○円
ただし、債権者の債務者に対する給料債権にして令和○年○月支払分から令和○年○月支払分までの未払分の合計額
（毎月○○日締切、毎月○○日払い）
各月支払分の内訳は次のとおり
令和○年○月支払分　　金　　○○○,○○○円
令和○年○月支払分　　金　　○○○,○○○円

(2)　退職金債権　　金　　○○○,○○○円
ただし、債権者の債務者に対する就業規則○○条に基づく退職金債権の未払分
（支払期日　令和○年○月○日）

3　請求債権
上記２記載の債権及び執行費用　合計金　　○,○○○,○○○円
執行費用　金　　○,○○○円
（内訳）本申立手数料　　金　　○,○○○円
本申立書作成及び提出費用　　金　　○,○○○円
差押命令正本送達費用　　金　　○,○○○円
資格証明書交付手数料　　金　　○,○○○円

Q 31　責任保険契約についての先取特権に基づく債権差押え

責任保険契約についての先取特権に基づいて保険金支払請求権の差押えを申し立てる場合に留意すべき事項は何か。

1　はじめに

保険法22条１項は、「責任保険契約の被保険者に対して当該責任保険契約の保険事故に係る損害賠償請求権を有する者は、保険給付を請求する権利について先取特権を有する。」とし、責任保険契約についての先取特権について規定する。ここで、「責任保険契約」とは、損害保険契約のうち、被保険者が損害賠償の責任を負うことによって生ずることのある損害をてん補するものをいう（保険17条２項）。

これは、被保険者（加害者）に対して責任保険契約の保険事故に係る損害賠償請求権を有する者（被害者）に対して、保険給付を請求する権利について法律上の優先権を付与するものであり、債権差押命令が発令されると、有効な被害回復のための手段となり得るものである。本設例では、この責任保険契約についての先取特権に基づく債権差押えについて、説明する。

なお、保険法は、同法の施行日（平成22年４月１日）以後に締結された保険契約について適用されるが（附則２条本文）、同法22条１項の規定は、同法の施行日前に締結された損害保険契約であっても、当該契約の保険事故が施行日以後に発生した場合には、適用される（附則２条ただし書、３条３項）。

2　経緯等

保険契約に関する規定は商法に定められていたが、責任保険契約一般についての特別な規定はなかった。被害者としては、その被害回復のために被保険者の責任保険契約に基づく保険金支払請求権に期待するところ、当該保険金支払請求権は被保険者の責任財産の一部であるから、被保険者が破産等した場合には、被害者は、他の一般債権者と同様に債権額に応じた案分弁済しか受けることができなかった。

しかしながら、責任保険契約に基づく保険金支払請求権は、本来、被保険者の被害者に対する損害賠償に充てられるべきものであり、他の一般債権者が当該保険金から弁済を受けることは不合理であるなどとして、保険金について被害者の優先的な地位を確保するための立法的な手当の必要性が従来から指摘されていた（萩本修ほか「保険法の解説(1)」NBL883号17頁、同「同(4)」NBL887号86頁参照）。

そこで、保険法22条１項において、責任保険契約に基づく保険金支払請求権について被害者に特別の先取特権を認めることとされ、被害者に法律上の優先権が付与された。特別の先取特権であるから別除権に該当し、被害者は、被保険者について破産手続等が開始したとしても、当該手続によらないでその権利を行使することができる（破産２条９項、65条１項、民再53条１項、２項）。なお、保険法22条１項の規定は、その性質上、強行規定であると解される。

また、被害者が先取特権を実行する前に被保険者自身が保険金を受領したり、保険金支払請求権を第三者に譲渡したりすると、被害者は先取特権を実行することができなくなり、被害者に優先権を認めたことの実効性が失われることになる。

そこで、保険法では、被保険者が保険者に対し行使できる保険金支払請求権の範囲を、被害者に対する損害賠償債務について弁済をした金額又は被害者の承諾があった金額のみに限ることとし（保険22条２項）、また、責任保険契約に基づく保険金支払請求権の譲渡、質入れ及び差押えを原則として禁止することとして（同条３項）、被害者に特別の先取特権を付与して責任保険契約における被害者の優先的地位を確保しようとした趣旨が没却されないように規律している。

3　申立債権者が立証すべき事実等

⑴　担保権の存在を証する文書（準名義説と書証説）

被害者が責任保険契約についての先取特権を実行する場合には、法193条１項前段に基づき「担保権の存在を証する文書」を提出して、保険金支払請求権に対する債権差押命令の申立てをする。

この「担保権の存在を証する文書」の意義については、先取特権の存在を直接かつ高度の蓋然性をもって証明する債務名義に準ずる文書に限定する準名義説と、文書の数、種類、内容等を問わないとする書証説との対立があるが、実務上は書証説に立ち、担保権の存在を証明する複数の文書を総合して担保権が存在することについて心証を得られれば足りるとする運用が確立されており、ただし、担保権の存在が高度の蓋然性をもって立証されることが必要であると解されている（〔Q29〕、〔Q30〕参照）。

⑵　責任保険契約についての先取特権の存在の事実

担保権の存在、すなわち責任保険契約についての先取特権の存在の事実は、債権者である被害者が加害者である債務者に対して、債務者を被保険者とする責任保険契約の保険事故に係る損害賠償請求権を有する事実である。

このうち、当該損害賠償請求権が債務者を被保険者とする責任保険契約の保険事故に係るものであることについては、保険証券、契約書類等の保険契約に関する文書によって立証することが可能である。

他方、被害者（債権者）が被保険者（債務者）に対して損害賠償請求権を有することについては、責任保険契約の対象となる損害賠償請求権が被保険者に不法行為責任、債務不履行責任、製造物責任等があることを前提とするものであり、その責任原因が事案によって様々であるから、動産売買先取特権や給与先取特権の場合と異なり、定型的・類型的な立証が困難な場合が多い。当該事案における責任原因に応じて、それらを基礎付ける要件事実について、文書によって立証することが求められる。その際には、損害が発生したことやその額のみならず、その損害について被保険者が賠償責任を負うことをも文書によって立証することを要するため、被害者が一方的に作成した文書では立証が足りないと判断され、被保険者や第三者判定機関の関与の下に作成された文書が必要とされることも多いと思われる。

この点に関し、責任保険契約についての先取特権の場合には、差押えの対象となる保険金支払請求権は、保険事故の発生と同時に発生するものではあるが、被害者と被保険者の間の損害賠償額の確定を停止条件とするものと解されるので（最判昭57.9.28民集36巻8号1652頁参照）、差押債権者である被害者が保険者に対し取立訴訟を提起した場合に紛争が蒸し返される余地を減じるためにも、損害賠償請求権の存在及びその額を具体的に証明する確定判決又はこれと同一の効力を有する和解調書等をもって、「担保権の存在を証する文書」とするべきであるとする見解がある（大串淳子ほか編『解説保険法』（弘文堂）242頁など）。他方、「担保権の存在を証する文書」には、典型的には、被保険者から被害者に対する損害賠償についての判決や和解調書等が含まれるものの、必ずしも債務名義（法22条参照）に限定されるものではないとする見解がある（萩本修『一問一答保険法』（商事法務）134頁注4）。

立法の過程においては、判決、裁判上の和解等により被保険者の損害賠償責任が確定したことやその確定が保険者の関与の下で行われたことを要件とすることなども検討されたようであるが、特別の立法措置はとられておらず、その判断は「担保権の存在を証する文書」の解釈、運用に委ねられているといえる。東京地裁民事執行センターでは、被害者（債権者）と被保険者（債務者）との間の確定判決や和解調書等が提出されることがほとんどである。

4　差押債権の特定

差押債権目録には、「債務者が第三債務者に対して有する下記責任保険契約に基づく保険金支払請求権にして、頭書金額に満つるまで」などと記載した上で、①保険証券番号、②契約日、③保険の種類、④保険期間、⑤保険金額、⑥保険者（第三債務者）、⑦被保険者（債務者）、⑧契約者、⑨保険の目的、⑩保険金請求権発生の内容などを記載することによって、差押債権を特定する。責任保険契約の種類・内容により、その記載内容は異なることとなる。なお、〔Q13〕の【書式13】も参照されたい。

〈参考文献〉

萩本修ほか「保険法の解説⑷」NBL887号86頁、萩本修『一問一答保険法』（商事法務）133頁、大串淳子ほか編『解説保険法』（弘文堂）235頁〔大串淳子〕、古笛恵子「責任保険における被害者の特別先取特権」落合誠一・山下典孝編『新しい保険法の理論と実務〔別冊金融・商事判例〕』（経済法令研究会）223頁、遠山聡「責任保険契約」甘利公人・山本哲生編『保険法の論点と展望』（商事法務）175頁

Q32 譲渡担保と物上代位

動産の譲渡担保権者が物上代位権を行使することができるのは、どのような場合か。

1　譲渡担保と物上代位

譲渡担保とは、債務者又は物上保証人（設定者）が担保の目的たる権利（特に所有権）を債権者に移転し、債務が弁済されると目的たる権利が設定者に復帰するが、債務不履行が生ずると、権利は確定的に債権者に帰属するという形式をとる担保である。

この譲渡担保権の法的性質については、大きく分けると、譲渡担保権設定契約が所有権を債権者に移転することとなっていることを重視する所有権的構成と、所有権の移転の形式がとられるのはあくまで被担保債権の担保のためであるという実質を重視して、所有権は設定者に残り、債権者は一種の制限物権（担保物権）を取得するにすぎないとする担保権的構成とに分けられる。担保権的構成からは、目的物の価値支配権の現れとしての物上代位性を認めやすく、学説上、譲渡担保権について担保権的構成に立った上で物上代位に関する民法304条の適用ないし類推適用を認めるものが圧倒的多数である（我妻栄『新訂担保物権法』（岩波書店）621頁、高木多喜男『担保物権法〔第４版〕』（有斐閣）343頁）。これに対し、譲渡担保権者は、所有権を譲り受けるという形式を自らの意思で選択したのであるから、少なくとも所有権者以上の権利を認められるべきではないことなどを理由に、譲渡担保権について物上代位を否定する説もみられる（道垣内弘人『担保物権法〔第４版〕（現代民法Ⅲ）』（有斐閣）314頁）。もっとも、従来の議論で念頭に置かれていたのは目的物滅失による損害保険金請求権に対する物上代位であり（我妻・前掲、高木・前掲）、目的物の売買代金についてまで物上代位を無条件で認める趣旨であったのかについては、疑問もないではない。

また、集合物譲渡担保については、構成部分の変動する集合動産であっても、その種類、所在場所及び量的範囲を指定するなどの方法により目的物の範囲が特定されれば、1個の集合物として譲渡担保の目的とすることができるが（最判昭54.2.15民集33巻1号51頁、最判昭62.11.10民集41巻8号1559頁）、その特質に照らして、特定動産譲渡担保とは別個の考慮が必要となる（後記4(2)参照）。

判例は、譲渡担保の法的性質を明言してはいないものの、基本的には所有権的構成に立ちながら（例えば、最判昭62.11.12集民152号177頁は、不動産譲渡担保において、被担保債務の弁済等により譲渡担保権が消滅した後に譲渡担保権者から目的不動産を譲り受けた者が民法177条の第三者に該当するとした。）、担保という実質に即した処理をも行っている（例えば、最判昭41.4.28民集20巻4号900頁は、設定者と債権者との間の債権債務関係が存続している間に設定者について会社更生手続が開始された場合に、譲渡担保権者について、所有権に基づく目的物の取戻権を否定し、他の担保権者と同じく更生担保権者としての処遇しか与えなかった。）と理解されている（高木・前掲336頁、338頁）。

本設例で問題としている譲渡担保権に基づく物上代位権の行使の可否については、従前、これに触れた判例が存しなかったが、後記2、3の各決定において最高裁の判断が示された。

2　最高裁平成11年5月17日決定

(1)　事案及び判旨

前記のように、判例は、譲渡担保権の法的性質につき、単純な所有権的構成又は担保権的構成のいずれにも立っていなかったので、譲渡担保権に基づく物上代位を認めるか否かが明らかではなかったところ、平成11年に事例判断ではあるがこれを認める判断が示された（最決平11.5.17民集53巻5号863頁）。事案は、A銀行が輸入業者Bの行う商品の輸入について信用状を発行し、約束手形の振出しを受ける方法によりBに輸入代金決済資金相当額を貸し付け、その担保としてBから輸入商品に譲渡担保権の設定を受け、Bに前記商品の貸渡しを行ってその処分権限を与えたが、Bは、前記商品を第三者に転売した後、破産したというものであった。最高裁は、この事実関係の下においては、譲渡担保権者は、輸入商品に対する譲渡担保権に基づく物上代位権の行使として、転売された輸入商品の売買代金債権を差し押さえることができると判示した。

⑵ 射　　程

前記最決平11.5.17には、譲渡担保権の物上代位一般について論ずるところは全くなく、また、本事例においてどの点を決め手として物上代位を認めるに至ったのかを明確に説明していない。ただし、①特定動産を目的とする譲渡担保であること、②譲渡担保の目的物と被担保債権との間に相当程度の牽連性が存在すること、③被担保債権について履行期が到来していること、④貸渡しにより譲渡担保権設定者が譲渡担保の目的物について処分権限を有する結果、第三者が目的物の所有権を取得し、担保権者は追及権を有しないことが、本事例の特徴として指摘されている（最判解平成11年度㊤462頁〔河邉義典〕）。

これらの指摘を順に検討すると、譲渡担保の目的が特定動産であり、かつ、被担保債権と目的物とに相当程度の牽連性があるならば、担保目的物の価値代替物に対して行使する物上代位権の趣旨を及ぼしやすいといえよう（前記①、②）。また、被担保債権の債務不履行がないのに物上代位を認めるのは、被担保債権の債務不履行なくして担保権を実行して満足を得るに等しく、目的物滅失のようにやむにやまれぬ場合を除けば、譲渡担保権者に過剰な利益を与えるものといえよう（前記③）。

さらに、譲渡担保権設定者が目的物の処分権限を有する結果、第三者が目的物の所有権を取得し、譲渡担保権者が追及権を有しない場合（前記④）には、譲渡担保権者としては第三者に対しては何らの主張もできないばかりか、譲渡担保権設定者に対して目的物の処分権限を与えていた以上、損害賠償請求もできない。譲渡担保権者としては、目的物の売買代金からの優先弁済を受けるためには、物上代位権の行使を除けば、その代金債権に譲渡担保権や債権質の設定を受けることも考えられるが、そのためには譲渡担保権設定者や目的物の買主（第三者）の協力が不可欠であり、必ずしも迅速かつ確実な方法とはいえない（星野英一ほか編『民法判例百選

Ⅰ〔第５版新法対応補正版〕』（有斐閣）203頁〔山野目章夫〕参照）。したがって、このような場合には、譲渡担保権に基づく物上代位権の行使を認める必要性が高かったものといえよう。

前記最決平11.5.17は、このような利益状況を十分勘案し、前記のような判断をするに至ったものと思われる。

なお、最決平29.5.10（民集71巻５号789頁・金判1518号８頁）も、同種の事案であり、特定動産の転売代金債権に対する物上代位権の行使が可能であることを前提に、譲渡担保権者が占有改定の方法による引渡しによって対抗要件を具備したものと判断したものである。

3　最高裁平成22年12月２日決定

さらに、最高裁において、構成部分の変動する集合動産を目的とする集合物譲渡担保権に基づく損害保険金請求権に対する物上代位を認める判断がされた（最決平22.12.2民集64巻８号1990頁・金法1917号102頁）。

事案は、養殖業を営んでいたＹが、Ｘを譲渡担保権者として、Ｙの所有する養殖施設一式及び養殖魚を目的物とする集合物譲渡担保権を設定していたが、赤潮被害により養殖していた魚が大量に死滅したため、加入していた漁業共済契約に基づいて養殖魚が死滅したことによる損害をてん補する漁業共済金請求権を取得し、また、その後、養殖業を廃業したところ、Ｘが、前記譲渡担保権に基づき、Ｙに対する貸金返還請求権を被担保債権として、前記漁業共済金請求権の差押えを求めたものである。

最高裁は、まず「構成部分の変動する集合動産を目的とする集合物譲渡担保権は、譲渡担保権者において譲渡担保の目的である集合動産を構成するに至った動産（以下「目的動産」という。）の価値を担保として把握するものであるから、その効力は、目的動産が滅失した場合にその損害をてん補するために譲渡担保権設定者に対して支払われる損害保険金に係る請求権に及ぶと解するのが相当である。もっとも、構成部分の変動する集合動産を目的とする集合物譲渡担保契約は、譲渡担保権設定者が目的動産を販売して営業を継続することを前提とするものであるから、譲渡担保権設定者が通常の営業を継続している場合には、目的動産の滅失により上記請求権が発生したとしても、これに対して直ちに物上代位権を行使することができる旨が合意されているなどの特段の事情がない限り、譲渡担保権者が当該請求権に対して物上代位権を行使することは許されないというべきである。」と一般論を述べた上、原審認定の事実関係によれば、Xが差押えを申し立てた時点においてYは営業を廃止しており、Yにおいて目的動産を用いた営業を継続する余地はなかったとして、漁業共済金請求権に対して物上代位権を行使することができると判示した。

4　動産譲渡担保権者が物上代位権を行使することができる場合

⑴　特定動産譲渡担保権の場合

特定動産である目的物が滅失した場合に譲渡担保権設定者が取得する損害保険金請求権に対する物上代位については、前記1のとおり、学説の支配的立場がこれを肯定していたところ、前記最決平22.12.2が集合動産についてであるがこれを肯定したことから、上記学説の立場が是認されたものといえよう。なお、譲渡担保権者は、譲渡担保権設定者と並び、目的物について被保険利益を有するので（最判平5.2.26民集47巻2号1653頁参照）、自らを被保険者として保険契約を締結すれば、保険契約の効果として保険金請求権を取得することができる。

他方、特定動産である目的物の売買代金債権に対する物上代位については、基本的には、前記最決平11.5.17の射程を検討する上で述べたとおりであり、物上代位を認めることができるか否かは、個々の具体的事例において、譲渡担保の目的物である特定動産と被担保債権との牽連性等を考慮して、譲渡担保権者の利益の保護と関係者間の衡平を図るために物上代位制度の趣旨を及ぼすべきか否かを判断することになると思われる。

⑵　集合物譲渡担保権の場合

集合動産である目的物が滅失した場合に譲渡担保権設定者が取得する損害保険金請求権に対する物上代位については、前記最決平22.12.2が一般論を示したところである。もっとも、同最決は、譲渡担保権設定者が「通常の営業を継続している場合」には譲渡担保権者が物上代位権を行使することは許されないとするところ、いつの時点まで物上代位権を行使することができないかの基準時に関しては、「通常の営業を継続している場合」にはできないと述べるのみで、後の解釈に委ねている（最判解平成22年度㈦736頁ないし738頁〔柴田義明〕）。個々の事案ごとの判断が求められよう。

他方、集合動産である目的物の売買代金債権に対する物上代位については、前記最決平22.12.2の射程は及ばず、その可否等は別途検討されるべき旨が指摘されている（最判解平成22年度㈦735頁〔柴田義明〕。同旨のものとして、今尾真「損害保険金債権に対する流動動産譲渡担保に基づく物上代位の可否」登記情報599号115頁、印藤弘二「集合物譲渡担保に基づく物上代位権の行使を認めた最高裁の新判断」金法1921号５頁。なお、損害保険金請求権以外の代替物についても射程が及ぶとするものとして、門口正人「集合物譲渡担保と物上代位」金法1930号53頁）。

この点に関する学説は分かれており、譲渡担保権設定者が集合物について譲渡担保権を設定するのは、担保権の対象となる集合物（を構成する個々の動産）の売買代金を収受して事業を継続することを目的とするから、集合物の中の個々の物の売却代金に対して譲渡担保の効力が及ぶことについては原則として否定されるべきであるが、弁済期が到来し、譲渡担保権者が担保権の実行に着手するときは、譲渡担保権の効力は同売却代金の上にも及ぶものとする見解（我妻・前掲665頁、668頁）、売却処分が通常の営業の過程で行われた場合には物上代位を認めないが、通常の営業の過程外で行われた場合には、民法423条及び304条を類推し、被担保債権の保全に必要な範囲で、かつ、差押えを要件として、物上代位が認められるとする見解（山野目章夫「流動動産譲渡担保の法的構成」法時65巻９号24頁）などがある。

なお、集合物を内容の変動し得る状態にしたままで集合物譲渡担保権を実行することはできず、集合物譲渡担保権の実行に当たっては、集合物の構成要素を固定化することが必要であるとされているところ（道垣内・前掲347頁、田原睦夫『実務から見た担保法の諸問題』（弘文堂）274頁）、物上代位権の行使も担保権実行にほかならないことなどを根拠として、集合物動産譲渡担保権に基づく物上代位権を行使するためにも、目的物である集合物の固定化が必要であるとする見解と（森田浩美「譲渡担保と物上代位」山﨑＝山田「民事執行法」314頁以下）、設定者の営業活動に伴う目的動産の変動は、設定者に対する処分授権によって統一的に説明することが可能であるなどとして、そのような固定化の概念自体を不要とする見解がある（山野目・前掲25頁、26頁、森田宏樹「集合物の「固定化」概念は必要か」金判1283号１頁）。この点につき、前記最決平22.12.2の原審は、譲渡担保権の目的物が実質的に固定化したものといえ、物上代位の行使は固定化によって当然許される旨判示したのに対し、前記最決平22.12.2は、固定化の要否について言及しなかった。

Q 33 動産競売開始許可の手続と留意点

動産競売開始許可制度の手続とその留意点はどのようなものか。

1 制度の概要

動産を目的とする担保権の実行としての競売を申し立てるには、従来、債権者は、執行官に対して、当該目的動産を提出するか、あるいは、動産の占有者が差押えを承諾することを証する文書を提出する必要があった。執行官は、債務者の住居等において当該目的動産を捜索する権限を有しないものとされていたからである。ところが、もともと先取特権は、質権とは異なり、債権者が目的物を占有することを予定していないこともあり、債務者の任意の協力が得られない限り、事実上その担保権の実行をすることができない状態にあるという問題が指摘されていた。そこで、平成15年改正法は、債務者の任意の協力が得られない場合であっても、債権者が、執行裁判所に担保権の存在を証する文書を提出し、執行裁判所の許可を受けることにより、動産を目的とする担保権の実行を可能にする制度を創設し（法190条１項３号、２項)、この許可に基づく動産競売（動産を目的とする担保権の実行としての競売をいう。）に限り、執行官は、債務者の住居等において目的動産を捜索することができることとした（法192条、123条２項)。

2 動産競売開始許可の申立て

⑴ 管　轄

動産競売開始許可は、「執行官が行う執行処分に関するもの」であるから、差し押さえるべき動産が所在する場所を職務執行区域とする執行官（執行官４条）の所属する地方裁判所（法３条）が専属管轄裁判所となる。

⑵ 担保権・被担保債権

債権者は、申立てに当たり、当該動産を目的とする「担保権の存在を証する文書」を執行裁判所に提出する必要がある（法190条2項本文）。「担保権の存在を証する文書」とは、基本的には、法193条1項のそれと同義である。先取特権に基づく動産競売開始許可は、債権者から提出された一方的な証拠によって、債務者等を審尋せず、債務者が知らないうちに、債務者の財産を強制的に競売することを許可するものであり、また、その権利内容は一般債権者に優先するものであり、通常一般債権者の知らないうちに執行が完了してしまう強力なものであることから、その立証は高度の蓋然性をもって証明する必要があると解される（〔Q29〕、〔Q30〕参照）。特に動産売買の先取特権に基づく動産競売開始許可の申立てを行う場合、差押対象としようとする動産が、債権者と債務者との間の売買契約の目的物と同一であることを立証する文書が必要であり、当該動産が種類物であるときには、製造番号等（すなわち、当該物品のみに刻印ないし貼付されている番号）で特定可能な動産が売買対象であったことを立証することができるような事案を除けば、この同一性の立証は相当困難である。

⑶　被担保債権の期限の到来

担保権実行の開始要件である被担保債権の期限の到来の主張立証は、執行官が動産競売開始に当たり判断すべき事項であるので、理論的には不要と考えられるが、東京地裁民事執行センターにおいては、執行官による判断を容易にするため、債権者に対し、期限の到来について主張すること（担保権・被担保債権・請求債権目録に記載すること）を求めている。

⑷　第三者が占有する動産の競売

動産競売開始許可は、当該目的動産を債務者が占有している場合にのみ認められている（法190条2項ただし書。なお、動産が債務者の占有する場所又は債務者の占有する金庫その他の容器にないことが債務者の不服申立事由になると解されている。）。したがって、倉庫業者等の第三者が当該目的動産を占有している場合には、従来の方法である動産の占有者が差押えを承諾することを証する文書を執行官に提出する（法190条1項2号）ことにより、動産競売の手続を開始することになる。

3　差し押さえるべき動産の特定の程度

申立書（**【書式】**参照）には、差し押さえるべき動産を記載するとともに、差し押さえるべき動産が所在する場所を記載しなければならない（規178条２項、１項、170条１項３号）。

⑴　一般先取特権の場合

先取特権の成立は物件との関わりがなく、債務者の占有下にある全ての動産が執行対象になることから、動産目録の記載としては、「債務者の占有に属する一切の動産」というような包括的な記載で足りる。

⑵　動産売買先取特権の場合

動産売買先取特権に基づく動産競売の場合、債権者と債務者との間で成立した売買契約に基づき引き渡された当該目的動産が差押えの対象となる。例えば、対象物が大型機械等の場合には、製造番号等が当該目的動産に打刻され、契約書、発注書等にも製造番号等の記載があれば、その旨を記載することにより、差押えの際の動産の特定は比較的容易に行うことができると考えられる。これに対し、対象物が反復継続して売買される種類物の場合、「○月○日に納入した○○３個」というような記載では、執行官が執行するに際して「○月○日に納入した」ものがどれであるかという権利関係の判断ができない。執行官は執行に当たり権利関係について実質的判断をしないのが本来であり、執行現場においてできるだけ円滑に執行が行われるべきことや、当該目的動産をかつて支配下に置いていた債権者に詳細な記載を求めても必ずしも酷ではないことから、「伝票番号×××の表示されたシールが貼付された段ボールに梱包された○○３個」というように、保管状況等も含めた記載が必要であると考えられる。

なお、執行官が執行するに際し、当該梱包状態での物件の特定に疑義が生ずる場合（梱包されていた箱等が開封されて内容物に変動が生じている場合等）があり得るが、これは執行官が執行する段階で差押対象物の同一性を判断する事項となるので、執行裁判所が開始許可をするに当たって債権者に当該動産の保管状態まで立証を求める必要はないと考えられる。

⑶　区分所有法７条の先取特権の場合

区分所有法７条の先取特権の場合には、区分所有建物に備え付けた動産が執行対象となるので、動産目録の記載としては、「債務者が所有する下記区分所有建物に備え付けた一切の動産」というような記載となる。

4　動産競売開始許可決定に基づく動産競売の開始

債権者は、執行裁判所から動産競売開始の許可を受けた場合には、執行官に対し、動産競売開始許可決定謄本を提出して、動産競売を申し立てることになる（法190条１項３号）。

執行官が動産競売を開始するには、その執行に先立って又は同時に動産競売開始許可決定が債務者に送達されていることを要する（法190条１項３号）。債権者が債務者に対する動産競売開始許可決定の送達と同時に執行の着手を希望する場合には、債権者は、動産競売開始許可の申立てに際し、執行官送達の上申書を執行裁判所に提出しておくのが相当であろう。

5　動産競売開始許可決定に対する執行抗告

動産競売開始許可決定に対して、債務者は、担保権の不存在又は消滅や、対象動産が法123条２項に規定する場所又は容器にないことを理由として、執行抗告をすることができる（法190条４項）。執行官による動産競売に係る差押えに対しては執行異議を申し立てることができるが（法191条）、動産競売開始許可決定に基づく動産競売の場合には、担保権の存否は開始許可決定時の判断事項になるので、開始許可決定時における担保権の不存在又は消滅を理由とする執行異議を申し立てることはできないと解される（開始許可決定後の担保権の消滅を理由とする執行異議の申立ては可能である。）。なお、動産競売の開始を許可しない裁判に対しては、債権者が執行抗告をすることができる（法190条４項）。

執行抗告に執行停止の効力はないが、許可決定に対する執行抗告に際し、抗告人から執行停止の上申があるなどして、執行裁判所が動産競売手続を停止することが相当であると認める場合には、その停止を命ずることができる（法10条６項）。執行停止を命じた場合には、債務者が執行停止決定正本を執行官に提出することになる。

〈参考文献〉

東京地裁民事執行センター「さんまエクスプレス第24回」金法1701号23頁、改正担保・執行法の解説129頁

【書式】（動産売買先取特権に基づく申立ての場合）

動産競売開始許可申立書
（動産売買先取特権）

東京地方裁判所民事第21部　御中

令和○○年○○月○○日

債権者　○○株式会社

上記代理人弁護士　○　○　○　○　印

当事者
担保権・被担保債権・請求債権
動産
} 別紙目録記載のとおり

債権者は、債務者に対し、別紙担保権目録記載の動産売買の先取特権を有しているので、別紙動産目録記載の動産の競売開始許可を求める。

添　付　書　類

1　書証　各○通

売買基本契約書（甲１）、注文書（甲２）、請求書（甲３）、配送伝票（甲４）、納品書（甲５）、受領書（甲６）、破産手続開始決定通知書（甲７）

2　証拠説明書　○通

3　取引関係図　○通

4　書証対照表　○通

5　資格証明書　○通

6　破産管財人選任証明書　○通

7　委任状　○通

当事者目録

〒□□□-□□□□　東京都○○区○○町○丁目○番○号
債　権　者　　○○株式会社
代表者代表取締役　○ ○ ○ ○

〒□□□-□□□□　東京都○○区○○町○丁目○番○号　○○ビル
債権者代理人弁護士　○ ○ ○ ○
電　話　－　－
ＦＡＸ　－　－

〒□□□-□□□□　東京都○○区○○町○丁目○番○号　○○ビル
○○法律事務所
（破産会社の住所　東京都○○区○○町○丁目○番○号）
債　務　者　△△株式会社破産管財人
○ ○ ○ ○

担保権・被担保債権・請求債権目録

1　担保権
下記２記載の売買契約に基づく動産売買の先取特権

2　被担保債権及び請求債権
債権者が令和○年○月○日から同年○月○日までの間、債務者に対し売却した別紙動産目録記載の各商品についての各売買代金債権（消費税相当額を含む。）

なお、債務者は、令和○年○月○日午後○時東京地方裁判所の破産手続開始決定を受け、約定により期限の利益を喪失したものである。

（別紙）

動産目録

物件番号	注文日	伝票番号	商品名	数量	単価	売買代金（各請求債権、消費税相当額を含む）	納入場所	所在する場所
1	3.2.1	××××	○○○－246	3	500	1,650	A工場	東京都○○区○○町○丁目○番○号所在の債務者占有のA工場 本件商品は、伝票番号の表示されたシールが貼付された段ボールに梱包されている。
2	3.2.1	×○××	△△△－146	10	270	2,970	A工場	東京都○○区○○町○丁目○番○号所在の債務者占有のA工場 本件商品は、伝票番号の表示されたシールが貼付された段ボールに梱包されている。

第 3 節

差押命令の効力

Q 34　差押命令の効力

差押命令にはどのような効力があり、いつその効力が発生するのか。継続的給付債権に対する差押命令の場合はどうか。また、消滅時効との関係はどのようになるか。

1　債権差押命令の効力の発生時期

債権差押命令の効力は、差押命令が第三債務者に送達された時に発生する（法145条5項）。第三債務者とは、差し押さえるべき債権（差押債権）の債務者（法144条2項）、すなわち、執行債務者に対して債務を負う者である。債務者への送達の有無は、差押えの効力の発生に何ら影響しない。

2　差押命令の効力の内容

(1)　差押債権者に対する効力

差押債権者は、債務者に差押命令が送達された日から原則として1週間が経過すれば、差押債権を第三債務者から取り立てることができる（法155条1項）。ただし、差押債権が給与等の債権で、かつ、請求債権に法151条の2第1項各号に掲げる義務（扶養義務等）に係る金銭債権が含まれていない場合、この期間は4週間となる（法155条2項）。取立権の発生に差押命令の確定は要件となっていないから、執行抗告があっても取立権は発生する。取立権の行使を阻止するには、執行停止決定を得て、その正本を執行裁判所に提出する必要がある（法39条1項7号、8号、規136条2項）。第三債務者が取立てに応じないときは、取立訴訟を提起することができる（法157条）。取立権が発生すると、差押債権者は、自己の名で、第三債務者に対し、差押債権の取立てに必要な裁判上及び裁判外の一切の行為をすることができる。取立権の範囲は、差押えの効力の及ぶ範囲全部であり、差押命令が差し押さえるべき債権の全部について発令された場合（法146条1項）には、請求債権額にかかわらず、その効力は差押債権全額に及ぶ。もっとも、差押債権者が、現実に支払を受けることができるのは、その請求債権と執行費用の額が限度となる（法155条１項ただし書）。差押債権者が第三債務者から支払を受けると、請求債権と執行費用は、支払を受けた額の限度で弁済されたものとみなされ（法155条３項）、第三債務者からの支払が請求債権と執行費用の全額に満たない場合は、執行費用、請求債権利息、請求債権元本の順に充当される（民489条）。差押債権者は、第三債務者から支払を受けたときは、直ちに、執行裁判所に対し、その旨の取立届を提出しなければならない（法155条４項）。

また、差押債権者は、差押命令の申立てと同時又はその後に、転付命令その他の換価命令（法159条、161条）を申し立てることができるが、この命令が効力を生ずるには、差押命令が効力を生ずることが前提となる。転付命令が確定した後、第三債務者が支払に応じないときは、転付債権者は、取立訴訟ではなく、給付訴訟を提起することとなる（〔Q48〕参照）。

差押債権者は、差押命令の送達前に、差押債権の存否等に関し、第三債務者の陳述を求める申立てをすることができる（法147条１項、規135条。後記(3)参照）。

このほか、差押債権が登記等のされた抵当権等によって担保されている場合には、差押債権者は、執行裁判所に対し、被担保債権につき差押えがされた旨の登記等の嘱託の申立てをすることができる（法150条。〔Q16〕参照）。

(2) 債務者に対する効力

債務者は、差押え後も差押債権の債権者であることには変わりがないが、差押債権について取立てはもとより、譲渡、放棄、免除、相殺、期限の猶予等の差押債権者の利益に反する一切の行為が許されない（法145条１項）。これが差押えの処分禁止効である。この処分禁止効に抵触する債務者の処分は、差押債権者のほか、その差押えに基づく強制執行手続が存する限り、この手続に参加する全ての債権者に対して、その効力を対抗することができない。もっとも、債務者は、差押債権の基礎となる法律関係自体の処分（給料債権の差押え後の退職、建物賃料債権差押え後の建物所有権譲渡、売買代金債権差押え後の契約解除等）をすることは妨げられない。このほか、性質上、債務者の意思に委ねられるべき相続放棄、遺贈の放棄等は、仮に債権者を害することがあったとしても、これをすることができる。また、賃料債権に対する差押えの効力発生後に目的物が賃借人に譲渡されたために賃貸借契約が終了した場合には、特段の事情がない限り、差押債権者は、第三債務者である賃借人から、当該譲渡後に支払期の到来する賃料債権を取り立てることができなくなる（最判平24.9.4集民241号63頁）。

債務者は、差押債権について債権証書があるときは、これを差押債権者に引き渡さなければならない（法148条１項）。この債権証書とは、第三債務者に対し権利行使をするのに必要な証書であり、借用証、契約書、預金証書、保険証書等がその代表例である。債務者が所持する債権証書を任意に引き渡さないときは、差押債権者は、差押命令を債務名義として、動産の引渡しの強制執行の方法によりこの債権証書の引渡しを受けることができる（同条２項）。

債務者は、差押命令に対し、執行抗告をすることができる（法145条６項）。抗告の理由は、差押命令に関する手続上の瑕疵である。ただし、債権等についての担保権の実行等においては、担保権の不存在又は消滅といった実体上の瑕疵も理由とすることができる（法193条１項、２項、145条６項、182条。〔Q８〕参照）。

差押えは、差押債権の消滅時効の完成猶予・更新事由にはならない（平成29年民法改正法による改正前のものとして、大判大10.1.26民録27輯108頁、東京地判昭56.9.28判時1040号70頁。なお、物上代位に基づく債権差押えについて、最判昭63.7.15集民154号333頁参照）。債務者は、差押えがされていても、第三債務者に対しては債権者の地位にあるので、第三債務者に対し、時効の完成猶予・更新のための訴えの提起、破産債権としての届出等の保存行為をすることができる。

⑶　第三債務者に対する効力

第三債務者は、差押命令送達後、債務者に対し差押債権を弁済することが禁止される（法145条１項）。債務者に弁済した場合、差押債権者に対抗することができず、その後、差押債権者から取立てを受ければ、差押債権者が受けた損害の限度においてこれに応じなければならない（民481条１項）。もっとも、このように二重払いを余儀なくされた第三債務者は、その債権者である債務者に対し、求償権を行使することができる（民481条２項）。

第三債務者は、差押え時に債務者に対して主張することができた全ての抗弁を差押債権者に対抗することができる。したがって、第三債務者は、差押え前から有していた債権を自働債権とする場合には、差押え後の相殺をもって差押債権者に対抗することができる（最判昭45.6.24民集24巻６号587頁。民511条１項）。他方、第三債務者は、差押命令の効力が発生した後に取得した債権を自働債権とする相殺をもって差押債権者に対抗することはできないことが本則であるが、差押え後に取得した債権であっても、差押え前の原因に基づいて生じた債権（ただし、差押え後に取得した他人の債権を除く。）を自働債権とする相殺をもって差押債権者に対抗することはできる（民511条１項,2項。契約等の債権の発生原因となる行為が差押え前に生じている場合、相殺により自己の債権を消滅させることができるという第三債務者の期待は保護に値すると考えられることによる。第三債務者の抗弁権については〔Q46〕参照）。

第三債務者は、裁判所書記官から差押債権についての陳述の催告を受けたときは、陳述すべき義務を負い（法147条１項、規135条）、故意又は過失により、陳述をせず、又は不実の陳述をしたときは、これにより差押債権者に生じた損害を賠償しなければならない（法147条２項。〔Q35〕参照）。第三債務者の陳述は、事実の報告の性質を有するにすぎないので、第三債務者が差押債権の存在を認めた上で、その有する抗弁権について言及することなく弁済の意思がある旨陳述しても、債務の承認、抗弁権の喪失等の実体上の効果は生じない（最判昭55.5.12集民129号637頁）。

第三債務者は、差押債権について、差押債権の全額（債務額）を供託して、債務を免れることができ（法156条１項。いわゆる権利供託）、差押えが競合し、又は配当要求があった旨を記載した文書の送達を受けたときは、供託する義務を負う（同条２項。いわゆる義務供託。なお、供託については〔Q51〕参照）。供託をした第三債務者は、その事情を執行裁判所に届け出なければならない（同条３項）。この事情届は、供託書正本を添付してすることを要する（規138条１項、２項）。

3　継続的給付債権に対する差押命令の効力

⑴　継続的給付債権（〔Q14〕参照）

継続的給付債権とは、同一の法律関係に基づいて継続される給付に関して、ある程度の周期性及び規則性をもって発生する債権である。継続的給付債権には、給料債権（賞与等の債権を含む。）、取締役等の役員報酬債権、議員報酬債権、賃料債権、弁護士・公認会計士・税理士等の顧問料債権等がこれに該当する。保険医の社会保険診療報酬支払基金等に対する診療報酬債権は、最決平17.12.6（民集59巻10号2629頁）が、診療報酬債権も基本となる同一の法律関係に基づき継続的に発生するものと認められる旨判示したことを踏まえ、東京地裁民事執行センターでは、継続的給付債権として差押えが可能であるとする取扱いである（東京地裁民事執行センター「さんまエクスプレス第34回」金法1786号87頁参照）。

⑵　差押命令の効力

給料その他の継続的給付に係る債権に対する差押えの効力は、差押債権者の請求債権及び執行費用の額を限度として、差押えの後に受ける給付にも及ぶ（法151条）。

本来、給料債権、賃料債権等の継続的給付債権は、１回の給付ごとに別々の債権になるので、個別に差し押さえる必要があるが、これでは、債権者にとって煩わしいし、債務者が将来分を処分することにより執行潜脱のおそれもある。他方、このような継続的給付債権について、将来分も含めた包括的な差押えを認めたとしても、第三債務者にとって、さほど負担となるわけではない。このようなことから、継続的給付債権について、将来分も含めた包括的な差押えが認められているのである。

なお、継続的給付債権の差押えは、基礎となる法律関係、すなわち、差押債権の発生原因が同一であれば、法律関係の具体的内容に変更があっても、差押命令の効力はその後発生する給付債権にも及ぶ。したがって、給料債権について債務者の昇給、昇任、配置転換、転勤等があっても、賃料債権について賃料改定等があっても、差押命令の効力は変更後の給付債権に及ぶ。これに対し、基礎となる法律関係が変われば、差押えの効力はその後の給付債権には及ばない。したがって、賃料債権について、賃貸借契約が解除され、不法占拠に基づく損害賠償債権に変われば、差押えの効力は及ばないし、給料債権について、いったん退職して再就職した場合も同様である。ただし、賃料債権について、抵当権に基づく物上代位の場合、東京地裁民事執行センターでは、賃料債権とともに賃貸借終了後の賃料相当損害金債権を継続的給付債権として差し押さえることを認めている（東京地裁民事執行センター「さんまエクスプレス第12回」金法1658号91頁参照）。また、給料債権について、退職後の再就職であっても、個々の事案における具体的な事情によっては、当初の雇用契約と同一のものとみなし、差押命令の効力が及ぶと解すべき場合がある。なお、債務者は、既に発生した差押債権を処分しても差押債権者に対抗することができないが、基礎となる法律関係自体の処分までが禁止されるわけではないことは、前記２(2)のとおりである。

4　債権執行と時効の完成猶予・更新

平成29年民法改正法による改正前は、差押えが請求債権についての時効中断事由とされ（同改正前の民147条２号）、差押えによる時効中断の効力は、差押命令の申立て時に生ずるものと解されていた（不動産執行について大決昭13.6.27民録26輯949頁、動産執行について最判昭59.4.24民集38巻６号687頁）。また、最判令元.9.19（民集73巻４号438頁）は、差押えによる請求債権の消滅時効の中断の効力が生ずるためには、その債務者が当該差押えを了知し得る状態に置かれることを要しない旨判示した。

平成29年民法改正法による改正により、時効の中断の概念が整理され、強制執行又は担保権の実行は、その手続が終了するまでの間、請求債権（被担保債権）に係る時効の完成が猶予され（完成猶予）、手続が終了した時から新たに時効が進行する（更新）という効力が認められることとなった（民148条。ただし、申立ての取下げ又は法律の規定に従わないことによる取消しによってその手続が終了した場合には、更新の効力は認められず、終了時から６か月間が経過するまでの時効の完成猶予が認められるにとどまる。)。この時効の完成猶予の効力の発生時期は、上記改正前の時効の中断のそれと同じく、差押命令の申立て時であって、債務者が差押命令の送達等によって当該申立てがされたことを了知し得る状態に置かれることを要しないものと解される。債務者の所在不明により差押命令を送達することができない場合には、執行裁判所から補正命令が出され、申立債権者において送達すべき場所の申出等をしない限り、差押命令が取り消されることになるから（法145条７項、８項)、そのときは、取消決定の確定から６か月間が経過するまで時効の完成が猶予されるにとどまることになる（なお、時効の完成猶予及び更新に関する詳細は、民事執行の実務－不動産(上)〔Q23〕参照)。

〈参考文献〉

注解民事執行法(4)400頁、411頁、445頁、479頁〔稲葉威雄〕、中野＝下村「民事執行法」712頁、深沢利一「民事執行の実務(中)」576頁

第 3 章

第三債務者に対する陳述催告

Q35 第三債務者に対する陳述催告

債権執行における第三債務者に対する陳述催告の制度及びその効果は、どのようなものか。

1　制度の趣旨と目的

債権執行においては、その目的物が有体物ではなく公示の制度もないため、債権者は、債権差押命令申立て前に、差押債権の存否や内容について確実に知り得るわけではない。また、執行裁判所も差押債権の存否等について実質的な判断をすることなく差押命令を発する。したがって、確実に差押命令が功を奏するとは限らず、債権者にとって差押えが成功したか否かは重大な関心事である。差押債権が存在しないため差押えが空振りに終わった場合や債権差押えが競合した場合は、債務者の他の財産に対する強制執行を検討する必要があるし、差押えが功を奏した場合でも、差押債権者が請求債権の満足を得る方法には、取立権に基づく差押債権の第三債務者からの取立て（法155条）、転付命令（法159条）又は譲渡命令（法161条）による差押債権の取得、売却命令による差押債権の売却その他相当な方法による換価（同条）があり、これらの方法を適切に選択しなければならない。

そこで、債権執行においては、債権差押えによって執行の目的を達することができるのかどうか、以後の手続をどのように進行させるかについて、差押債権者に判断資料を与えるため、第三債務者に対する陳述催告の制度がある。

すなわち、法147条１項は、差押債権者の申立てにより、第三債務者に対し、差押債権の存否等について陳述すべき義務を負わせ、同条２項は、故意又は過失による不陳述や不実の陳述によって生じた損害について第三債務者に賠償責任を負わせている。

なお、電話加入権に対する執行（規146条）については、規則147条が職権で陳述催告する旨を定めており、法147条の規定の例によらない（したがって、不陳述等による制裁規定は働かない。条解民事執行規則(下)580頁注(1)参照）。また、振替社債等及び電子記録債権に関する執行においては、いずれも、職権で陳述催告をするものとして法147条及び規則135条を準用している（規150条の８、150条の15。いずれも法147条２項を準用していることから、不陳述等による制裁規定が働く。）。

2　陳述催告の手続

(1)　申立ての方法

陳述催告の申立権を有するのは差押債権者である。この申立ては、民事執行の基本申立てではないから、規則１条の適用がない。しかし、実務では、債権執行の申立てと同時に行われることから、書面により申立てがされている。債権差押命令と同時に転付命令の申立てを行う場合にもすることができる。また、民保法に基づく債権の仮差押命令においても陳述催告の申立てをすることができる（民保50条５項による法147条の準用）。

(2)　申立ての時期

陳述催告は、差押命令正本を送達する際に行われるものであるから（法147条１項）、陳述催告の申立ては、差押命令正本を第三債務者に送達するのに間に合うようにする必要がある。実務上は、債権差押命令の申立てと同時に陳述催告の申立てがされているが、遅くとも差押命令正本が第三債務者に対し発送されるまでに申立てがされなければならない。この時期に後れて申立てがされたときは、裁判所書記官は、申立てを拒絶する処分をすべきである。その方式は、申立書の余白に、その理由を示して拒絶する旨を記載し、記名押印する程度で足りるであろう。

(3)　陳述催告の方法

実務上は、裁判所書記官が第三債務者に対して差押命令正本を郵便で送達する時に催告書を同封し、さらに、陳述書を作成する労を軽減させるために司法サービスとして陳述書の用紙も同封する取扱いをしている。

裁判所書記官は、陳述催告をしたときは、その旨及びその方法を記録上明らかにしなければならない（規３条１項、民訴規４条２項）。通常は、第三債務者に送達する差押命令正本の送達報告書に併記することによって明らかにしている。

⑷ 陳述の時期と方法

陳述催告を受けた第三債務者は、差押命令正本の送達の日から2週間以内に差押えに係る債権の存否その他の規則で定める事項について書面で陳述しなければならない（法147条1項、規135条）。陳述は、この期間内に裁判所に到達することを要する（民97条参照。注解民事執行法⑷437頁〔大橋寛明〕、注釈民事執行法⑹179頁〔近藤崇晴〕）。もっとも、2週間を過ぎてから裁判所に到達した場合でも、その陳述は有効な陳述である。ただし、その遅延により差押債権者に損害が生じたときは、損害賠償責任を負う（法147条2項。後記4参照）。陳述は、差押命令正本の送達の際に同封された陳述書の用紙に記載する方法で作成して送付すれば足りる。陳述書は本来執行裁判所に1通送付すれば足りるものであるが、陳述内容は差押債権者が最も関心を有している事項であることから、東京地裁民事執行センターでは、第三債務者に陳述書を2通作成してもらい、1通は執行裁判所に書留郵便により送付し（これは事件記録に綴る。）、他の1通は差押債権者に直接普通郵便により郵送するよう第三債務者に求めている（差押債権者宛ての封筒を同封する取扱いである。）。裁判所が同封する陳述書の用紙は、司法サービスとして第三債務者の便宜を図ったものであり、この用紙を使用する義務を課すものではないから、規則135条1項所定の事項が記載されていれば、第三債務者が独自の用紙を使用しても差し支えない。

なお、第三債務者は、陳述をすれば足り、陳述内容を証明する義務は負わない。

⑸ 陳述の内容

裁判所書記官から陳述催告を受けた第三債務者は、規則135条1項に定める次の事項について陳述する義務を負う。

① 差押えに係る債権の存否並びにその債権が存在するときは、その種類及び額（金銭債権以外の債権にあっては、その内容）（1号）

② 弁済の意思の有無及び弁済する範囲又は弁済しない理由（2号）

③ 当該債権について差押債権者に優先する権利を有する者があるとき

は、その者の氏名又は名称及び住所並びにその権利の種類及び優先する範囲（3号）

④　当該債権に対する他の債権者の差押え又は仮差押えの執行の有無並びにこれらの執行がされているときは、当該差押命令、差押処分又は仮差押命令の事件の表示、債権者の氏名又は名称及び住所並びに送達の年月日並びにこれらの執行がされた範囲（4号）

⑤　当該債権に対する滞納処分による差押えの有無並びに差押えがされているときは、当該差押えをした徴収職員等の属する庁その他の事務所の名称及び所在、債権差押通知書の送達の年月日並びに差押えがされた範囲（5号）

⑹　陳述内容の訂正又は追完

第三債務者は、陳述書を提出した後に、誤りや欠落等の不備を発見した場合は、陳述内容を訂正又は追完することができる。当初の陳述内容に不備があるならば、後日の紛争防止のためにも早期に訂正又は追完をするべきであり、それをすることによって、その限度で損害賠償責任（法147条2項）を免れ又は軽減されることもある。

裁判所書記官は、訂正又は追完の陳述書が提出された場合は、これを記録に綴っておけば足り、差押債権者に通知する義務は負わない。東京地裁民事執行センターでは、前記のとおり第三債務者から差押債権者に対して直接陳述書を送付してもらう取扱いをしていることから、訂正又は追完がなされた場合も同様に、第三債務者に対し、執行裁判所だけではなく差押債権者に対しても送付するよう求めている。

3　陳述の法的効果

差押債権について第三債務者が陳述をしても何ら実体法上の効果は生じない。第三債務者は、債務を承認する陳述をしても、後に債権の存在を否認することができる。また、債権の不存在の陳述があっても、差押債権者は、転付命令の申立てをしたり、取立訴訟を提起したりすることができ、執行裁判所も転付命令を発することができる（転付命令発令後の再執行における陳述の位置付けについて〔Q49〕参照）。

判例は、第三債務者が執行裁判所に対してする陳述は、事実の報告としての性質を有するにすぎないもので、第三債務者が差押債権の存在を認めて支払の意思を表明したり、将来において相殺する意思がある旨を表明しなかったりしたとしても、これによって債務の承認あるいは抗弁権の喪失というような実体上の効果を生ずることはなく、その後、相殺や消滅時効の完成による債権の消滅等の主張をすることを妨げるものではないとしている（最判昭55.5.12集民129号637頁）。もっとも、第三債務者が不実の陳述をした場合は、取立訴訟において、その事実が第三債務者に不利な証拠になり得るであろうし、不実の陳述が、故意又は過失によるときは、第三債務者は、これによって生じた損害の賠償責任を負う（法147条２項。後記**4**参照）。

4　第三債務者の損害賠償責任

⑴　意　　義

陳述催告を受けた第三債務者が、故意又は過失により、陳述をしなかったとき、又は不実の陳述をしたときは、これによって生じた損害を賠償する責任を負わなければならない（法147条２項）。

⑵　要　　件

ア　陳述催告の存在

第三債務者が裁判所書記官から陳述催告を受けたことを要する。単に有効な催告を受けるだけではなく、差押命令が手続的に有効であることが必要である。

イ　陳述義務の不履行

第三債務者が、陳述をしなかったこと、又は不実の陳述をしたことを要する。「陳述をしなかったとき」とは、全く陳述しなかった場合のほかに、陳述すべき事項が一部欠落している場合や２週間の期間を徒過した場合も含む。「不実の陳述」とは、陳述すべき事項の全部又は一部が虚偽である場合をいう。従業員の退職金債務に関して、使用者たる第三債務者は、裁判所の同封する陳述書記載の所定の質問に回答していれば、その余の事実に関し殊更に回答をしなくても「不実の記載」に該当しないとした裁判例

（東京高判平17.6.16判タ1192号293頁）がある。

ウ　故意又は過失の存在

陳述をしなかったことや不実の陳述をしたことが、第三債務者の故意又は過失に基づくことを要する。

第三債務者が個人である場合に、その個人が、個人名義ではなく自己が代表者である法人名義の陳述書を法定期間内に送付し、所定の陳述をした場合に、陳述の不履行責任が問われるか争われた事案について、たとえ個人名義で陳述の義務を負うとしても、法人の代表者として上記の個人名の表示と捺印のされた陳述書が法定期間内に送付されているのであれば、第三債務者としての陳述の義務は尽くされたものと認められ、法147条２項に定める「故意又は過失により、陳述をしなかったとき」には該当しない、として第三債務者の損害賠償責任を否定した原審の判断を是認した判例（最判昭63.1.19金法1184号38頁）がある。

エ　損害の発生と因果関係

第三債務者が陳述をしなかったこと又は不実の陳述をしたことによって、差押債権者に損害が発生したことを要する。第三債務者が責任を負うのは、陳述義務の不履行と相当因果関係のある差押債権者が受けた損害についてである。

不実の陳述による損害の具体例としては、存在しない債権を存在すると陳述したことによって、差押債権者が債権の満足を得られるものと考え、転付命令の申立て（法159条）、取立訴訟の提起（法157条）等の無駄な手続を追行するのに要した費用、債務者の他の財産に対する強制執行の機会を失ったことによる損害等が考えられる。また、逆に存在する債権を存在しないと陳述したことによって、差押債権者が債権執行の申立てを取り下げたが、他の財産による満足を受けることができず、その間に他の債権者の当該債権に対する債権執行によって債権が消滅し、結局、当初の執行債権の満足を得ることができなかったことによる損害等が考えられる。

⑶　効　　果

前記⑵の各要件が満たされると、差押債権者の第三債務者に対する損害賠償請求権が発生する。第三債務者が任意の支払に応じない場合は、差押債権者は第三債務者を被告として損害賠償請求訴訟を提起するなどし、債務名義を得た上で、強制執行の手続によって損害賠償請求債権の満足を得ることになる。

〈参考文献〉

注釈民事執行法⑹170頁〔近藤崇晴〕、園部厚「第三債務者の陳述回答に関する問題」債権執行の諸問題127頁、東京地裁民事執行センター「さんまエクスプレス第61回」金法1916号76頁

第 4 章

債務者への送達と手続教示

Q36 債務者への送達

債務者への債権差押命令の送達がされない場合、債権執行手続の進行はどのようになるか。

1 債務者への差押命令の送達

債権差押命令が発せられたときは、債務者及び第三債務者に対して職権で送達される（法145条3項、20条、民訴98条）。この送達は、当該債権差押命令申立事件における初めての送達であるから、その送達方法については、法16条の送達の特例の適用はない。債務者が所在不明の場合には、債務者に対する送達は、公示送達（民訴110条以下）の方法によって行うことができる。

実務においては、まず、第三債務者に対して差押命令を送達し、これが完了した後、債務者に対する送達をするという取扱いがされている。差押命令の効力は、差押命令が第三債務者に送達された時に生ずるところ（法145条5項）、第三債務者に対して送達される前に債務者に対して送達されると、差押えの効力が発生する前に差押債権が処分されてしまう可能性があるからである。

また、裁判所書記官は、債務者に対して差押命令を送達する際、差押禁止債権の範囲変更の申立てをすることができる旨及びその申立てに係る手続の内容を書面で教示しなければならない（法145条4項、規133条の2。〔Q37〕参照）。

債務者及び第三債務者に差押命令が送達されたときは、裁判所書記官は、差押債権者に対し、その旨及び送達の年月日を通知する（規134条）。これにより、差押債権者は、差押えの効力の発生（法145条5項）の事実や取立権発生の時期（法155条1項、2項）を知ることができる（差押命令の効力の発生時期については〔Q34〕参照）。

2　債務者への送達がされない場合の差押命令の取消し

実務上、第三債務者に対して差押命令が送達されたものの、債務者の所在不明などの理由により、債務者に対して差押命令が送達されず、裁判所書記官からの求め（規10条の3）にもかかわらず、差押債権者が債務者の所在調査を行わないことがある。このような事態が生じる背景としては、先に差押命令の送達を受けた第三債務者の陳述（法147条1項）により、差押債権の額が僅少であることが判明したため、差押債権者が、債務者に対して差押命令を送達するための所在調査を行う意欲を失うといった事情が考えられる。この場合、差押命令が債務者に送達されていない以上、取立権は発生していないため（法155条1項、2項）、換価・満足の段階に手続を進行させることができず、債権が差し押さえられたまま、漫然と長期間が経過することとなりかねない。

このような場合の対処として、令和元年改正法により、執行裁判所は、債務者に対する差押命令の送達ができない場合には、差押債権者に対し、相当の期間を定め、その期間内に債務者の住所、居所その他差押命令の送達をすべき場所の申出（送達をすべき場所が知れないとき等には公示送達の申立て。以下同じ。）をすべきことを命じることができ（補正命令。法145条7項）、差押債権者がその申出をしないときは、差押命令を取り消すことができることとされた（同条8項）。もっとも、東京地裁民事執行センターでは、従前から、民訴法の規定を類推して、債務者の送達場所の補正を命じた上で、所定の期間内に補正がない場合には差押命令を取り消す運用を行っており、令和元年改正法は、この運用を明文化したものと解している。

差押命令の取消決定がされると、差押債権者に対して告知され（規2条1項2号）、差押命令の送達を受けた第三債務者に対して通知される（規136条3項）。差押命令の送達をすることができない債務者については、実質的な抗告の利益を有していないから、告知は不要と解される。取消決定に対しては、1週間の不変期間内に執行抗告をすることができ（法10条2項、12条1項）、取消決定は確定しなければ効力を生じない（同条2項）。

なお、この送達未了の差押命令の取消しに係る手続の規定は、少額訴訟債権執行、振替社債等執行及び電子記録債権執行についても準用される(法167条の5第2項、規150条の3第8項、150条の10第11項)。

東京地裁民事執行センターでは、債務者に差押命令を送達することができない場合には、差押債権者に対し、電話又は普通郵便により、債務者の住所、居所その他差押命令の送達をすべき場所の申出、不足する送達費用の予納及び取下げの検討等を促す裁判所書記官からの事務連絡をした上で、これらに対する応答も取下げもなかった場合には、2週間の期間を定めて、法145条7項に基づき補正命令を発し、これに応じた申出がない場合は、同条8項に基づき差押命令を取り消すとの運用を行っている。また、再送達の費用が不足する場合には、補正命令と同時に、不足分について費用の予納を命ずる処分(法14条1項)を発し、差押債権者が送達すべき場所の申出はしたものの、費用を予納しない場合は、同条4項に基づき差押命令を取り消している。

〈参考文献〉

伊藤＝園尾「条解民事執行法」1259頁〔下村眞美〕、園部厚「民事執行の実務(下)」295頁、条解民事執行規則(上)7頁、内野宗揮ほか「法令解説・運用実務」82頁〔内野宗揮・山本翔・吉賀朝哉・松波卓也〕

Q 37　債務者への手続教示

債務者への差押命令の送達に際して行われる手続教示の内容はどのようなものか。

1　債務者への手続教示の趣旨

法152条は、債務者が国及び地方公共団体以外の者から生計を維持するために支給を受ける継続的給付に係る債権（同条１項１号）並びに給料、賞与等の債権及びこれらの性質を有する給与に係る債権（同項２号）については、原則としてその支払期に受けるべき給付の４分の３に相当する部分を、退職手当及びその性質を有する給与に係る債権（同条２項）については、原則としてその給付の４分の３に相当する部分を、いずれも差し押さえてはならないものとしている（〔Q22〕参照）。その上で、個別具体的な事案における不都合を回避する観点から、債務者及び債権者は、差押禁止債権の範囲変更の申立てをすることができるとしている（法153条１項。〔Q43〕参照）。また、例えば生活保護費等、生活保障的要素が強いものについては特別法上に差押禁止規定が置かれているが、これらがいったん預貯金口座に振り込まれると、当該口座に係る預貯金債権は差押禁止債権には該当しないため、これが差し押さえられた場合の債務者の救済としては、法153条による差押禁止債権の範囲変更の申立てによるとするのが実務の運用である（〔Q24〕参照）。

しかしながら、近時、差押禁止債権の範囲変更の制度が十分に活用されておらず、その原因の一つとして、差押えを受ける債務者の中には、法的知識に不案内な者が多数含まれており、そもそもこの制度の存在が十分に認知されていないのではないかとの指摘がされていた。

そこで、この制度をより利用しやすくするという観点から、令和元年改正法により、裁判所書記官は、差押命令を債務者に送達するに際し、差押禁止債権の範囲変更（減縮）の申立てをすることができる旨及びその申立てに係る手続の内容を、債務者に対して書面で教示しなければならないものとされた（法145条4項、規133条の2）。この債務者に対する教示は、差押債権の種類や債務者の属性にかかわらず、一律に要求される。この手続教示に係る規定は、少額訴訟債権執行及び電子記録債権執行についても準用される（法167条の5第2項、規150条、150条の10第11項。なお、債権に対する仮差押え等にも準用されている。民保50条5項、民保規41条、42条の2第2項）。

2　教示の方法・内容

債務者に対する教示の方式は、その実効性を考慮して、書面でするものとされている（規133条の2第1項）。具体的には、債務者に対して差押命令を送達する際に、教示内容が記載された書面を同封し、あるいは、差押命令正本の備考欄に教示内容を記載することなどが想定される。なお、差押えの効力は、差押命令が第三債務者に送達された時に生ずるから（法145条5項）、債務者に対する教示を欠いた場合であっても、差押えの効力には影響がないと解される。

また、債務者に対して教示すべき事項は、差押禁止債権の範囲変更の申立てをすることができる旨及びその申立てに係る手続の内容であるとされている（法145条4項、規133条の2）。具体的な教示内容としては、差押禁止債権の範囲変更の制度の概要、申立てをすべき裁判所、申立てをすべき時期及び申立ての方法（申立書と併せて提出する書類等）などが考えられる。

東京地裁民事執行センターでは、債務者に対して差押命令を送達する際に、「債権差押命令を受けた債務者の方へ」と題する差押禁止債権の範囲変更手続教示文書（**【書式1】**）を同封することとしている。同文書には、前記教示内容に加え、債権差押命令の概要や今後の手続の流れのほか、取立権の発生時期（〔**Q44**〕参照）についても、併せて記載している。また、差押命令の正本下部の備考欄にも、念のため、差押禁止債権の範囲変更の制度の概要や提出資料について記載することとしている（**【書式2】**）。

〈参考文献〉

条解民事執行規則(下)531頁、内野宗揮ほか「Q＆A」334頁、内野宗揮ほか「法令解説・運用実務」72頁〔内野宗揮・山本翔・吉賀朝哉・松波卓也〕、110頁〔谷藤一弥〕

【書式1】差押禁止債権の範囲変更手続教示文書

表面（債務者用）

債権差押命令を受けた債務者の方へ

弁護士等の専門家に相談したい場合は、お近くの弁護士会や法テラス等にお問い合わせください。

1　債権差押命令とは

(1)　今回あなたが受領された債権差押命令の当事者の関係は下の図のとおりですから、命令書の「当事者目録」に書いてある名前をそれぞれ当てはめて内容を確認してください。

(2)　債権者は、あなたが金銭を支払わないと主張し、あなたが第三債務者に対して有すると思われる金銭債権等からその回収を図るために、その債権等の差押えを裁判所に申し立てました。そして、裁判所の審査の結果、今回の債権差押命令が出されたため、第三債務者は、あなたに対する金銭の支払を禁止されています。

2　これからの手続

あなたが債権差押命令を受領した後、次のア又はイの期間が経過すると、債権者は、差し押さえた金銭債権を第三債務者から取り立てることができます。債権者が第三債務者から支払を受けると、債権者の金銭債権は、支払を受けた額の限度で弁済されたものとみなされます。

ア　差し押さえられた金銭債権が、①国及び地方公共団体以外の者から生計を維持するために支給を受ける継続的給付に関する債権、②給料、賃金、俸給、退職年金及び賞与並びにこれらの性質を有する給与に関する債権、又は、③退職手当及びその性質を有する給与に関する債権である場合⇒４週間

※　ただし、請求債権目録に記載された請求債権に、夫婦間の協力扶助義務、婚姻費用分担義務、養育費支払義務、親族間の扶養義務に関する金銭債権が含まれているときは、１週間となります。

イ　差し押さえられた金銭債権が、上記ア以外の金銭債権である場合⇒１週間

－１－

裏面（債務者用）

3　差押えの範囲の変更（以下「範囲変更」といいます。）について

裁判所は、申立てにより、あなたと債権者の生活の状況その他の事情を考慮して、差押命令の全部又は一部を取り消す（差押えの範囲を減縮する）ことができます（民事執行法153条１項）。また、債権者の申立てにより差押えの範囲が拡張された後に、事情の変更があったときは、裁判所は、申立てにより、差押命令の全部又は一部を取り消すことができます（同条２項）。

これは、差押えによってあなたの生活に著しい支障が生じる場合（例えば、生活保護費や年金の振込口座が差し押さえられ、生活が成り立たなくなる場合）などに、差押えの範囲を変更（減縮）する制度です。

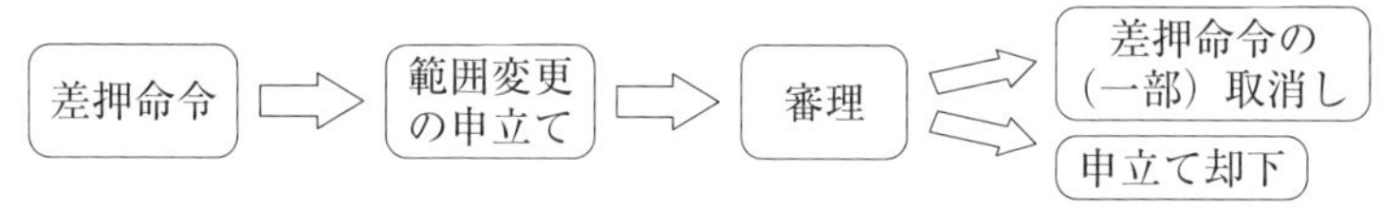

あなたが範囲変更の申立てをすると、裁判所は、あなたや債権者から提出された資料をもとに、申立てを認めるかどうかを判断します。したがって、申立てがあれば、必ず範囲変更が認められるわけではありません。なお、範囲変更が認められても、あなたの債務が減るわけではありません。

範囲変更の申立ての手続は、次のとおりです。

(1)　申立てをする裁判所

東京地方裁判所民事第21部（債権差押命令を発令した裁判所）となります。

⑵　申立時期

債権者が、第三債務者から差し押さえた金銭債権の支払を受ける前に、申立てをする必要があります。

⑶　申立てに必要な書類等

①　申立書（正本１通、副本（債権者の数分））

申立書には、対象となる債権差押命令の事件番号、申立ての趣旨（差押範囲をどのように変更したいのか）及び理由（範囲変更を必要とする事情）を記載してください。

②　範囲変更を必要とする事情を裏付ける資料（収入・支出がわかる資料等）

それぞれの資料（マイナンバーの記載が無いもの）につき、各コピー１通を併せて提出してください。

なお、裁判所から追加の資料を求められる場合もあります。

③　郵便切手

郵便切手5010円分（内訳：500円×８枚、100円×４枚、84円×５枚、20円×５枚、10円×５枚、５円×５枚、２円×５枚、１円×５枚）

〈お問い合わせ先〉

東京地方裁判所民事第21部　換価・取下係（○○○○-○○○○）

―２―

【書式２】債権差押命令正本

令和　　年（ル）第　　　　号

債権差押命令

当 事 者　別紙当事者目録記載のとおり
請求債権　別紙請求債権目録記載のとおり

1　債権者の申立てにより、上記請求債権の弁済に充てるため、別紙請求債権目録記載の執行力ある債務名義の正本に基づき、債務者が第三債務者に対して有する別紙差押債権目録記載の債権を差し押さえる。
2　債務者は、前項により差し押さえられた債権について、取立てその他の処分をしてはならない。
3　第三債務者は、第１項により差し押さえられた債権について、債務者に対し、弁済をしてはならない。

令和　　年　　月　　日
東京地方裁判所民事第21部
裁 判 官

これは正本である。
令和　　年　　月　　日
東京地方裁判所民事第21部
裁判所書記官

〈差押範囲変更の申立てについて〉
裁判所は、申立てにより、債務者及び債権者の生活の状況その他の事情を考慮して、差押命令の全部又は一部を取り消す（差押えの範囲を減縮する）ことができる（民事執行法153条１項）。差押えの範囲の拡張後に事情の変更があったときは、裁判所は、申立てにより、差押命令の全部又は一部を取り消すことができる（同法153条２項）。
申立ては、差押命令を発令した裁判所に対し、差押債権者が第三債務者から支払を受ける前にしなければならない。その際、①申立ての趣旨及び理由を記載した申立書、②申立ての理由を裏付ける資料（収入・支出が分かる資料等）、③郵便切手（関係者への通知等の費用）を提出しなければならない。

第 5 章

本執行移行

Q 38　本執行移行

本執行移行とは、どのような意味であり、どのような場合に認められるか。

1　本執行移行の意味

保全処分の執行がされた後に、保全債権者が被保全債権につき本案の勝訴判決その他の債務名義を得て、その債務名義による強制執行（これを「本執行」という。）が可能となった場合に、保全処分の執行の効力を本執行においてどのように取り扱うかが、「本執行移行」の問題である。不動産や動産に対する執行においても問題となるが、債権に対する執行における本執行移行については、次の三つの事象が挙げられる。

①　金銭債権に対する仮差押命令の送達を受けた第三債務者は、仮差押債権者との関係において被差押債権につき債務者への弁済を禁止される（民保50条１項）。仮差押債権者が、仮差押えの被保全債権と同一の請求債権で本案の債務名義を取得し、これに基づいて被差押債権につき債権執行（本執行）をした場合には、当該仮差押えと本執行とは競合関係に立たない。この場合、第三債務者は、供託義務（法156条２項）を負わず、差押債権者は、債務者への差押命令送達の日から１週間（ただし、給料債権等の差押えの場合で、請求債権に扶養義務等に係る金銭債権が含まれない場合は４週間）を経過したときは、第三債務者に対し、当該本差押えの効力の及ぶ債権を取り立てることができる（法155条１項、２項）。この仮差押債権者とは別の債権者が同一の被差押債権につき債権執行をした場合には、仮差押えの執行と競合関係となり、第三債務者は供託義務を負い（民保50条５項、法156条２項）、執行裁判所において配当等の手続がされる（〔Q53〕参照）。

②　仮差押命令においては、仮差押えの執行の停止を得るため、又は既にした仮差押えの執行の取消しを得るために債務者が供託すべき金銭の額

が定められ（民保22条１項）、債務者がこの額に相当する金銭（これを「仮差押解放金」という。）を供託したときには、仮差押えの執行が取り消される（民保51条１項）。仮差押解放金の供託により、債務者は仮差押解放金取戻請求権を有することとなり、仮差押えないし仮差押執行の効力はその取戻請求権の上に及ぶ（最判昭45.7.16民集24巻７号965頁参照）。仮差押債権者が、債務者の有する上記取戻請求権について本執行としての債権執行をした場合には、仮差押債権者は、差押命令の取立権に基づいて供託金の払渡請求をすることができる。一方、仮差押債権者とは別の債権者が債権執行をした場合には、仮差押えの執行と競合し、供託官の事情届に基づく執行裁判所の配当等の手続がされる。

③　仮差押命令の送達を受けた第三債務者は、供託義務を負わない場合でも、その仮差押額に相当する金銭を供託することができ（民保50条５項、法156条１項）、そのうち民保法22条１項の規定により仮差押命令に記載された金額（仮差押解放金額）に相当する部分は、債務者が仮差押解放金額に相当する金銭を供託したものとみなされる（民保50条３項。これを「みなし解放金」という。）。みなし解放金の供託により、債務者は、みなし解放金について還付請求権を有することとなり、仮差押えないし仮差押執行の効力はその還付請求権の上に及ぶ。仮差押債権者が、債務者の有する上記還付請求権について本執行としての債権執行をした場合には、前記供託は純然たる法156条１項による供託に転化し、やはり執行裁判所の配当等が実施される。この場合、配当表等には差押債権者（仮差押債権者でもある。）１名が記載される（仮差押債権者と差押債権者が別個に記載されることはない。）。一方、仮差押債権者とは別の債権者が債権執行をした場合には、仮差押えの執行と競合関係となり、供託官の事情届に基づく執行裁判所の配当等の手続がされる。

以上のとおり、仮差押えの本執行としての差押えであるか、仮差押えとは別個の差押えであるかによって、第三債務者や執行裁判所の対応は異なってくる。仮差押えの本執行としての差押えであるのか、仮差押えとは別個の差押えであるのかは、仮差押命令の被保全債権の記載と差押命令の請求債権の記載を照合すれば判断できることが多いが、仮差押えにおける当事者や執行対象物と差押命令におけるそれらとが異なっていたり、仮差押命令の被保全債権の記載と差押命令の請求債権のそれとが厳密に一致しない点があることなどから、必ずしも明確でない場合もある。そこで、執行裁判所が、仮差押えの本執行としての差押えであると認める場合には、本執行の差押債権目録において、「本件は東京地方裁判所令和○年(ヨ)第○○○号債権仮差押命令申立事件からの本執行移行である。」などと付記する取扱いが多い。東京地裁民事執行センターでは、債権差押命令申立書の差押債権目録に上記本執行移行文言が記載されているときは、㋐仮差押命令正本の写し及び㋑仮差押命令の第三債務者に対する送達証明書又は当該仮差押命令申立事件における第三債務者の陳述書の写しの提出を求め、本執行移行文言の付記の可否を判断している（ただし、〔Q13〕【書式1－2】のように差押債権目録に仮差押決定正本の送達日が記載されるときは、上記送達証明書の提出は必須である。）。

2　本執行移行として認められる場合

仮差押えの本執行としての差押えであると認められるためには、ⓐ当事者の同一性、ⓑ請求債権の同一性、ⓒ執行対象物の同一性が認められる必要がある。

⑴　当事者の同一性

差押命令における債権者と債務者が仮差押命令におけるものと同一であれば問題がない。相続や合併による承継があった場合は、戸籍謄本、商業登記事項証明書等によって、また、債権譲渡等により仮差押債権者に特定承継が生じた場合には、債権譲渡契約書やその譲渡に係る通知・承諾に係る書面等、承継を主張する債権者の提出する資料によって確認することになる（仮差押命令に承継執行文の付与を受けることによっても、当該承継人を債権者とする債権執行をもって本執行として扱われる。）。

⑵　請求債権の同一性

仮差押えの被保全債権と債務名義で認められた権利との間に請求の基礎の同一性が認められれば足りると解するのが多数説であり（山内敏彦「保全執行の終了」『吉川大二郎博士還暦記念・保全処分の体系上巻』（法律文化社）

442頁、『注解強制執行法⑷』（第一法規出版）227頁〔上谷清〕、富越和厚「仮差押から本執行への移行」幾代通ほか編『不動産登記講座Ⅳ各論⑵』（日本評論社）112頁)、実務の取扱いである。保全命令は、将来の強制執行を念頭に置いた暫定的、仮定的な措置であり、債務名義との厳格な同一性を求めることは妥当でないからである。この点に関し、最判平24.2.23（民集66巻3号1163頁・金判1387号14頁）は、上記多数説及び実務の取扱いと同様の視点から、「保全命令は、一定の権利関係を保全するため、緊急かつ必要の限度において発令されるものであって、これによって保全される一定の権利関係を疎明する資料についても制約があることなどを考慮すると、仮差押命令は、当該命令に表示された被保全債権と異なる債権についても、これが上記被保全債権と請求の基礎を同一にするものであれば、その実現を保全する効力を有するものと解するのが相当である」とした上、「債務者に対する債務名義を取得した仮差押債権者は、債務名義に表示された金銭債権が仮差押命令の被保全債権と異なる場合であっても、上記の金銭債権が上記の被保全債権と請求の基礎を同一にするものであるときは、仮差押命令の目的財産につき他の債権者が申し立てた強制執行手続において、仮差押債権者として配当を受領し得る地位を有しているということができる。」としている。

仮差押えの被保全債権と本執行における請求債権とがいずれも内金請求である場合には、内金部分の同一性があると判断できなければ本執行移行として取り扱うことはできないが、仮差押命令における被保全債権の記載と差押命令の基礎となる債務名義における債権の記載が符合し、仮差押命令における被保全債権の記載と差押命令の請求債権の記載に照らして内金部分の同一性が認められる場合は、本執行移行として取り扱っている。

⑶　執行対象物の同一性

例えば仮差押えの対象が不動産であっても、仮差押えの効力が仮差押解放金の取戻請求権に移行し、供託金取戻請求権に対する差押えが本執行としての差押えと認められることがあることは、前記１のとおりである。

3　本執行がされた後に仮差押えが取り下げられた場合

仮差押えは、その本執行としての差押えがされた後でも、取り下げることができる。仮差押えの取下げは本執行の効力に影響を与えないものの、取下げにより、当該仮差押えに基づく弁済禁止の効力は遡って消滅する（民保7条、民訴262条1項）。この結果、第三債務者は、仮差押えの執行後本執行前にした被差押債権の弁済をもって、債権者に対抗することができることとなる（最判平14.6.7集民206号413頁。なお、この結論は、仮差押えの取下げと本差押えの執行との先後を問わない。）。

本執行の取下げ又は取消しは、仮差押えの執行の効力に影響を与えないものと解される。

〈参考文献〉

立花「執行供託の理論と実務」229頁、田中宏朋「本執行移行」山﨑＝山田「民事執行法」347頁

第 6 章

他の手続との競合

Q 39 破産手続と債権執行

債務者に関する破産手続は、債権に対する強制執行手続及び担保権実行手続にどのような影響を及ぼすか。

1 債権に対する強制執行手続への影響

(1) 破産法における強制執行手続の位置付け

破産手続は、支払不能又は債務超過にある債務者の財産等の清算に関する手続であり、債権者その他の利害関係人の利害及び債務者と債権者との間の権利関係を適切に調整し、もって債務者の財産等の適正かつ公平な清算を図るとともに、債務者について経済生活の再生の機会の確保を図ることを目的とする手続である（破産１条）。

そして、破産法においては、このような目的を達するため、破産手続が開始した後は、同法に特別の定めがある場合を除いて破産手続によらなければ破産債権（破産２条５項）を行使することができないとされており（破産100条１項）、また、破産手続開始決定があったときは、破産債権及び財団債権（破産２条７項）に基づく破産財団に属する財産に対する強制執行を申し立てることはできず、破産債権又は財団債権に基づいて破産財団に属する財産に対して既にされている強制執行手続は効力を失うものとして（破産42条１項、２項本文）、個別執行手続が禁止されている。

また、破産手続開始の申立てがあった後、破産手続開始決定があるまでの間に、債務者の財産の散逸を防止し、債権者の権利行使を制限する必要がある場合もあるため、破産法は、個別の強制執行事件について中止命令制度（破産24条１項）及び取消命令制度（同条３項）を設けているほか、中止命令では賄いきれない場合の対処として包括的禁止命令制度（破産25条）を設けている。

⑵　破産手続開始前の中止命令、取消命令及び包括的禁止命令と債権に対する強制執行手続

破産手続開始の申立てがあった後、破産手続開始決定があるまでの間、個別の強制執行手続について中止命令（破産24条１項）があると当該強制執行手続は停止し、さらに取消命令（同条３項。保全管理命令が発せられている場合に限る。）があると当該強制執行手続は取り消されることになる。また、包括的禁止命令（破産25条）があると、債務者の財産に対する強制執行の申立てをすることができず、既にされている強制執行手続は停止することとなる。

このように、破産法上の保全処分があると、強制執行手続が停止又は取消しになるが、執行裁判所がこれを当然に知る仕組みにはなっていない。したがって、現実に強制執行等の手続に所定の効果を発生させるには、これらの裁判の正本が執行裁判所に提出される必要がある。詳細については、民事再生手続の場合と同様である（〔**Q40**〕参照）。

⑶　管財事件における破産手続開始決定と債権に対する強制執行手続

ア　破産手続が開始してから終了するまでの間の債権に対する強制執行の申立て

破産債権は、破産手続によらなければ権利行使することができず（破産100条１項）、破産手続開始決定があった場合には、破産財団に属する財産に対する破産債権に基づく強制執行をすることはできないため（破産42条１項）、強制執行開始前に債務者に破産手続開始決定があれば、破産債権に基づく強制執行の申立ては却下される。

また、財団債権について、破産法151条は、破産管財人の財団債権弁済義務を定めているが、同法42条１項は、破産債権と同様に、破産手続開始決定があった場合には、破産財団に属する財産に対する財団債権に基づく強制執行をすることはできないと定めているため、強制執行開始前に破産者に破産手続開始決定があれば、財団債権に基づく強制執行の申立ては却下される。

これに対し、後記**イ**㈡で述べるとおり、破産手続開始後の原因に基づいて生じた債権であって、財団債権又は破産法97条の定める破産債権のいず

れにも該当しないもの（以下「新債権」という。）に基づき、破産者が破産手続開始後に新たに取得した財産（新得財産）に対して強制執行をすることについては、破産手続開始決定の影響を受けない。そして、扶養義務等に係る定期金債権のうち破産手続開始後に支払時期が到来する破産手続開始決定日後の分については破産債権に該当しない（新債権）と解するのが相当であるため、新債権を請求債権とした新得財産に対する強制執行の申立ては可能である。

イ　債権に対する強制執行開始後の破産手続の開始

(ア)　破産債権に基づく破産財団に属する財産に対する強制執行

破産法42条２項本文は、破産手続開始決定があった場合、破産財団に属する財産に対して既にされている強制執行は破産財団に対してはその効力を失うと定めている。これは、破産財団に対する関係においてのみ無効である（相対的無効）という趣旨であり、破産管財人による破産財団に属する財産の管理及び換価に対する制約を除去するために必要な限度で個別執行手続の効力を否定するものである（竹下守夫編集代表『大コンメンタール破産法』（青林書院）171頁〔菅家忠行〕）。

破産手続開始決定があった場合、破産財団に属する財団に対して既にされている強制執行については、これを停止すべきであるという考え方（停止説）と、これを取り消すべきであるという考え方（取消説）とがある。東京地裁民事執行センターでは、債権執行の場面においては、第三債務者の立場にも配慮して、権利関係を明確にする必要があること、不動産の強制競売の場合（この場合においては停止説をとっている。）と比較して新たな申立てに伴う負担も少ないと考えられることなどの理由により、債権執行事件については、取消説を採用している。

ただし、破産管財人は、破産財団のためにその手続を続行することも可能であることなどからすれば（破産42条２項ただし書）、破産手続開始決定があるからといって当然に債権差押命令を取り消すことは相当ではなく（法40条の適用はない。）、破産管財人による強制執行の取消しの上申がある場合に債権差押命令を取り消すという取扱いである（東京高決平21.1.8判タ1302号290頁参照。なお、後記最決平30.4.18民集72巻２号68頁も、論旨外ではあるが、債権執行の場面におけるこのような取扱いを肯定した原審の判断を是認した（最判解平成30年度124頁〔林史高〕参照）。

そこで、破産管財人は、債権差押命令の取消しを相当と考える場合、執行裁判所に対し、破産手続開始決定の正本（破産管財人資格証明が提出されている場合は写しでもよい。）を提出し、強制執行の取消しの上申をする必要がある。この上申については、債権差押命令ごとに個別に行う（**【書式1】**）。なお、破産手続開始決定の効力は直ちに生ずることから（破産30条2項）、東京地裁民事執行センターでは、破産管財人による上申があれば、同決定の確定を待たずに、強制執行の取消しをしている。また、この取消決定に対しては執行抗告をすることができる（すなわち、法40条の適用はない）ものと解していることから、債権者に対しては特別送達をしており、取消決定確定後に第三債務者や滞納処分庁（滞納処分がある場合）に対して通知をする扱いをしている。

なお、最決平30.4.18（民集72巻2号68頁）は、株券が発行されていない株式（振替株式を除く。）に対する強制執行に関し、当該株式につき売却命令による売却がされた後、配当表記載の債権者の配当額について配当異議の訴えが提起されたために上記配当額に相当する金銭の供託がされた場合において、その供託の事由が消滅して供託金の支払委託がされるまでに債務者が破産手続開始の決定を受けたときは、当該強制執行の手続につき、破産法42条2項本文の適用があるものとして、執行裁判所が職権により差押命令を取り消すことができるとした原審の判断を正当として是認した。この最決の説示からすると、債権に対する強制執行手続においても、配当手続において配当異議の訴えが提起されたときは、供託金の支払委託がされるまでは強制執行手続は終了しておらず、それまでの間に債務者について破産手続開始決定があれば、同条項の適用があることになろう。

⑷　破産債権に基づく新得財産に対する強制執行

破産財団を構成する財産は、破産者が破産手続開始の時において有する財産であり（破産34条1項）、破産手続開始後に新たに取得した財産（新得財産）は破産財団に含まれない。このほか、破産手続開始時の破産者の財産のうち、差押禁止財産、破産管財人が破産財団から放棄した財産、自由財産の範囲の拡張の裁判がされた財産等は破産財団に含まれない。このように、破産財団に属さず、破産者が自由に管理処分できる財産を自由財産という。

ところで、破産法100条1項は、同法に特別の定めがある場合を除き、破産債権は破産手続によらなければ行使することができないと定める。これは、破産手続開始時を基準時として破産債権者に対する責任財産の範囲を固定するという固定主義の観点や、免責手続中の破産者の財産に対する強制執行等の権利行使が禁止されている（破産249条1項）こととの均衡からすれば、破産財団に属する財産に対する個別執行を禁止するという趣旨のみならず、新得財産を含む自由財産に対する個別執行を禁止するという趣旨を含むものと解される（竹下・前掲419頁〔堂薗幹一郎〕、伊藤眞ほか著『条解破産法〔第3版〕』（弘文堂）772頁。なお、平成16年法律第75号により廃止された破産法（大正11年法第71号）下の事件であるが、「破産手続中、破産債権者は破産債権に基づいて債務者の自由財産に対して強制執行をすることなどはできないと解されるが、破産者がその自由な判断により自由財産の中から破産債権に対する任意の弁済をすることは妨げられない」とした最判平18.1.23民集60巻1号228頁がある。)。

そこで、新得財産についても、破産財団に属する財産に対する強制執行と同様に、破産管財人は強制執行の取消しを求めるために、その旨の上申をする必要がある。ただし、この上申は、前記(ア)の破産財団に属する財産に対する強制執行の取消しの上申と区別される必要はないので、一通の強制執行の取消しの上申により、破産財団に属する財産及び新得財産に対する強制執行のいずれもが取り消されることになる。

(ウ)　財団債権に基づく強制執行

破産法151条は、破産管財人の財団債権弁済義務を定めているが、その弁済は法定の順位に従った破産管財人による弁済に委ねられており、その表れとして、同法42条1項は、財団債権に基づく破産財団に属する財産に対する強制執行を禁止し、同条2項により、既に開始されている強制執行は効力を失うとされている。そこで、東京地裁民事執行センターでは、前記(ア)と同様、破産管財人の上申により債権差押命令を取り消す扱いをしている。

財団債権に基づく自由財産に対する強制執行については、破産法100条1項のような規定はない。しかし、同法249条1項の「破産者の財産」という文言等によれば破産手続中の財団債権に基づく自由財産に対する強制執行等も禁止されると解される（竹下・前掲170頁〔菅家忠行〕）ことから、前記(イ)と同様の扱いをしている。

(エ)　新債権に基づく新得財産に対する強制執行

破産手続開始後の原因に基づいて生じた新債権に基づく新得財産に対する個別執行については、固定主義の観点から破産手続の影響を受けない。

この点に関し、扶養義務等に係る定期金債権については、確定期限の到来していないものであっても、これを請求債権として継続的給付に係る債権を差し押さえることができるとされているところ（法151条の2）、破産手続開始前に、扶養義務等に係る定期金債権による差押えがされていた場合、破産手続開始に伴い取り消すべき強制執行手続の範囲をどのように考えるかという問題がある。第三債務者の立場を考慮し、手続及び権利関係を明確にすることを重視して全部取り消すべきとの考え方もある。しかし、東京地裁民事執行センターでは、扶養義務等に係る定期金債権の性質につき、所定の親族関係の存続や要扶養状態という事実関係に基づき日々新たに発生する性質の権利であるから、破産手続開始後に支払時期が到来する破産手続開始決定があった日以降の分については破産債権ではなく新債権であると解した上で、破産手続開始前にされた扶養義務等に係る定期金債権による差押えについては、新債権を請求債権とする新得財産に対する差押えの部分を除いた部分につき一部取消しとする取扱いである。この場合、取消決定に添付する請求債権目録及び差押債権目録において取り消されない部分を明示し、第三債務者にとって疑義が生じないようにしている。

破産管財人は、破産手続開始決定の正本（破産管財人資格証明が提出されている場合は写しでもよい。）を提出し、強制執行の一部取消しの上申をする必要がある（**【書式2】**）。

(オ)　第三債務者が供託している場合の供託金の処理

以上のとおり、東京地裁民事執行センターでは、債務者について破産手続開始決定があったときに、破産管財人による強制執行の取消しの上申があれば、破産債権や財団債権に基づく債権差押命令を取り消す取扱いをしているが、前記(ア)のとおり、取消決定確定後に第三債務者に取消しの通知をしているため、それまでの間に、第三債務者が差押えに係る債権を供託することがある。

当該供託金の払渡しは、新得財産（破産手続開始決定日以降の給料債権が典型である。）が含まれているか否かにより扱いが異なる。

当該供託金に新得財産が含まれない場合には、破産財団に属する財産の管理処分権を有する破産管財人に交付すべきことになる。そこで、供託金の払渡しを求める破産管財人は、その旨の上申書、資格証明書、破産管財人本人の印鑑登録証明書を執行裁判所に提出する必要がある。

他方、当該供託金に新得財産が含まれている場合、本来、新得財産については破産管財人の管理処分権が及ばないため、新得財産部分を債務者に交付すべきことになるが、東京地裁民事執行センターでは、債務者の同意があれば新得財産部分も含めて破産管財人に交付することを認める扱いをしている。そこで、破産管財人は、新得財産部分も含めて破産管財人に交付することを求めるときには、その旨の上申書、資格証明書、破産管財人本人の印鑑登録証明書のほか、債務者の同意書と印鑑登録証明書を執行裁判所に提出する必要がある。これとは異なり、新得財産部分について債務者に交付することを求めるときは、その旨の債務者の上申書と印鑑登録証明書を執行裁判所に提出する必要がある。

ウ　破産手続の終了と債権に対する強制執行手続

(ア)　破産手続の終了事由

管財事件における破産手続終了事由の主なものは、異時廃止決定の確定と破産手続終結決定である。

異時廃止とは、破産手続開始の決定があった後、破産財団をもって破産手続の費用を支弁するのに不足すると認めるときに、破産手続廃止の決定をすることをいう（破産217条１項）。異時廃止決定は、確定により破産手続が終了する（破産217条８項）。また、破産手続終結決定は、最後配当

（又は簡易配当、同意配当）が終了した後、任務終了計算報告集会が終結したとき、又は任務終了計算報告書の提出から所定の期間が経過したときに、裁判所が行うものである（破産220条１項）。破産手続終結決定があった場合、公告によって破産手続が終了する（破産220条２項、10条２項）。

破産手続開始の時点で破産管財人からの上申により個別執行の手続が既に取り消されている場合には、破産手続の終了が強制執行手続に及ぼす影響は問題となり得ない。

他方、破産手続開始決定の時点で個別執行の手続が取り消されないまま破産手続が終了した場合には、破産法42条の個別執行禁止の効力がなくなるため、破産法は、自由財産や新得財産を持ち得る個人について、免責許可の申立てについての裁判が確定するまでの間の強制執行を禁止するための規定を置き（破産249条１項）、破産者の経済的再生に配慮している（なお、免責許可決定確定後は、後記(5)の適用場面となる。）。

(ｲ) 免責許可の申立てがある場合

免責許可の申立てがある場合、破産債権に基づく強制執行はすることはできず、既にされている強制執行の手続は中止する（破産249条１項）。破産債権が免責債権であるか非免責債権であるかよって差異はない。したがって、この場合、債務者は、①破産手続開始決定の正本、②破産手続廃止決定の正本及び破産手続廃止決定の確定証明書（廃止のとき）、又は、破産手続終結の証明書（終結のとき）、③免責許可の申立ての係属証明書を提出して、執行手続の停止の上申をする必要がある。

上記③については、免責許可の申立ては破産手続開始の申立ての際に反対の意思を表示しなければこれをしたものとみなされるが（破産248条４項）、破産手続開始の申立てから破産手続の終了までの間に免責許可の申立てが取り下げられることがあり得るため、東京地裁民事執行センターでは、免責許可の申立てがあることを明らかにするために、上記③の免責許可の申立ての係属証明書の提出を求めている（**【書式３－１】**、**【書式３－２】**、**【書式３－３】**）。

(ｳ) 免責許可の申立てがない場合

これに対し、免責許可の申立てがない又は同申立てがあったが取り下げられた場合には、破産手続が終了すると法42条の個別執行禁止の効力がなくなり、債権者が債務者の自由財産等につき新たに強制執行の申立てをすることは妨げられない。なお、法人の場合、破産管財人が全ての財産を処分し、破産手続が終了することにより、法人格が消滅する（仮に残余財産があれば、その清算が必要となる。）。

⑷ 同時廃止事件における破産手続開始決定・同時廃止決定と債権に対する強制執行手続

同時廃止とは、破産財団をもって破産手続の費用を支弁するのに不足すると裁判所が認めたときに、破産手続開始の決定と同時に破産手続廃止の決定をすることをいう（破産216条１項）。

同時廃止の場合、破産手続開始の決定と廃止決定が同時にされることから、破産手続開始による個別執行禁止の効力が生ずる余地はなく、また、免責許可決定の確定まで時間を要することから、管財事件に比べ、免責許可の申立てがあることを理由とする個別執行禁止の適用場面が多くなる。

すなわち、破産法249条１項は、免責許可の申立てがあり、同時廃止決定があった場合には（なお、異時廃止決定とは異なり、同時廃止決定の確定は不要である。）、免責許可の申立てに対する裁判が確定するまでの間、破産者の財産に対する破産債権に基づく強制執行の申立てはすることができず、既にされている破産者の財産に対する破産債権に基づく強制執行は中止するとしている。そのため、強制執行開始後に同時廃止決定があった場合には、破産債権が免責債権であるか非免責債権であるかの区別なく、当該強制執行の手続が停止されることになる。もっとも、執行裁判所は、免責許可の申立てがあったことや、同時廃止決定があったことを当然に知るわけではないため、個別執行の停止を求める債務者は執行裁判所に執行手続停止の上申をする必要がある。

この上申に当たり、債務者は、執行裁判所に対し、㋐破産手続の開始及び同時廃止決定がされていること、㋑免責許可の申立てをしていることを明らかにする必要がある。㋐についてはその決定正本を提出する。㋑については、破産手続開始の申立ての際に反対の意思を表示しなければ免責許可の申立てをしたものとみなされるから（破産248条４項）、債務者は、破産手続開始の申立てをした際に同反対の意思を表示していないことを明らかにする必要がある。東京地裁民事執行センターでは、同時廃止事件においては債務者が反対の意思表示をすることはほとんど考えられず、破産手続開始の申立てから同時廃止決定までの間に、免責許可の申立てが取り下げられることもほとんど想定されないことから、上申書に反対の意思表示をしていない旨の申述を記載すれば足りるとしている（**【書式４】**）。

なお、扶養義務等に係る請求権は、前記⑶イ㈤で述べたとおり、破産手続開始決定があった日以降の分の請求権は新債権であることから、その部分につき手続は停止しないため、債務者は執行裁判所に執行手続の一部停止の申立てをすることになる。

以上に対し、免責許可の申立てがない場合には、同時廃止決定後に債権者が新たに強制執行の申立てをすることは妨げられないし、既にされている強制執行の手続が停止する理由もない。

⑸　免責許可の申立てに対する裁判と債権に対する強制執行手続

ア　強制執行開始後に免責許可決定が確定した場合

破産手続開始決定の時点で破産管財人の上申により債権執行手続を取り消していた場合にはその後の手続の進行は問題とならない。

免責許可の申立てがあるため、異時廃止決定の確定や同時廃止決定により強制執行手続が停止した場合について、破産法249条２項は、免責許可決定が確定したときには、同条１項により中止した破産債権に基づく強制執行の手続は、その効力を失うとしている。そこで、東京地裁民事執行センターでは、債務者からの執行手続取消しの上申を受けて取り消すこととしている。この上申に当たっては、免責許可決定の正本、同決定の確定証明を提出する必要がある（**【書式５】**）。また、東京地裁民事執行センターでは、この取消決定については、破産手続開始決定がされたことを理由とする取消決定の場合と同様に法40条の適用はなく、執行抗告をすることができるものと解していることから（前記⑶イ㈠参照）、債権者に対しては特別送達をしており、取消決定確定後に第三債務者や滞納処分庁（滞納処分がある場合）に対して通知をする扱いをしている。

イ　免責許可の申立ての却下決定又は免責不許可決定が確定した場合

この場合には、破産法249条１項により中止されていた強制執行手続は続行されることになる。もっとも、執行裁判所は、上記却下決定や免責不許可決定がされたことを当然に知るわけではないので、破産債権者がそれらの決定の確定証明書を添付して、執行裁判所に上申することになる。

ウ　免責許可決定の確定後の強制執行申立て

破産法253条１項は、免責許可決定が確定したときは、破産者は、破産手続による配当及び非免責債権を除き、破産債権についてその責任を免れる旨規定している。この規定に関し、破産手続及び免責手続の終了後、債務名義を有する破産債権者が当該債務名義に基づいて新たに強制執行の申立てをすることができ、免責許可決定が確定していることは請求異議事由に当たるとするのが多数説であり（伊藤ほか・前掲1741頁）、免責許可決定が確定したことは、執行手続の開始を妨げる事由には当たらないものと考えられる。

なお、管財事件の場合、異時廃止決定が確定したとき又は破産手続終結決定があったときは、破産手続において確定した破産債権については破産者が破産手続中で異議を述べていない限り、破産債権者表の記載が確定判決と同一の効力を有し、破産債権者はその記載により強制執行することができる（破産221条１項）。したがって、破産債権者は、破産債権者表を債務名義とし、これに執行文の付与を受けて強制執行をすることができることになる。もっとも、免責許可決定が確定すると、破産債権者表にはその旨が記載されていることから（破産253条３項）、破産債権者はどのような方法により執行文の付与を受けることができるかが問題となる。この点に関し、最判平26.4.24（民集68巻４号380頁）は、執行文付与の訴えの提起の許否につき、法33条１項は、執行文付与の訴えにおける審理の対象を債権者の証明すべき事実の到来（いわゆる条件成就）又は承継の事実の存否のみに限っており、破産債権者表に記載された確定した破産債権が非免責債権に該当するか否かを審理することを予定していないものと解されるから、免責許可決定確定後に、破産債権が非免責債権に該当することを理由として破産債権者表について執行文付与の訴え（法33条１項）を提起することは許されないとした上で、このように解しても、破産事件の記録の存する裁判所の裁判所書記官は、破産債権者表に免責許可決定が確定した旨の記載がされている場合であっても、破産債権者表に記載された確定した破産債権がその記載内容等から非免責債権に該当すると認められるときには法26条の規定により執行文を付与することができるのであるから、債権者に殊更支障が生ずることはないとした。したがって、破産債権者は、破産債権表につき裁判所書記官に対して執行文の付与を申し立て、その付与を受けて強制執行をすることができるのであり、付与が拒絶された場合には、執行文付与拒絶処分に対する異議申立てをすることができると解される（最判解平成26年度218頁〔成田晋司〕）。

2　債権に対する担保権実行手続への影響

破産財団に属する財産に係る担保権（特別の先取特権、質権及び抵当権）は、破産法上、別除権（破産２条９項）として扱われ、破産手続によらずに権利行使をすることができる（破産65条１項）。

したがって、債務者について破産手続が開始しても、抵当権に基づく物上代位としての賃料債権の差押え、動産売買先取特権に基づく物上代位としての転売代金の差押え等の担保権実行手続には何らの影響も及ばない。ただし、破産財団の管理処分権が破産管財人に専属するため（破産78条１項）、破産手続開始後は同手続が終了しない限り破産管財人が執行手続上の債務者となる（当該不動産が破産財団から放棄された場合、破産者が個人の場合は所有者としての当事者適格を有することになる。また、破産者が法人の場合、所有者の代表者に関し、実務上は特別代理人を選任する取扱いである。詳細は、民事執行の実務－不動産㊤〔Q38〕参照）。

これに対し、一般の先取特権は別除権には該当しないとされており、破産債権又は財団債権に基づく強制執行と同様に、破産財団に属する財産についての一般の先取特権の実行を申し立てることはできず、既にされている一般の先取特権の実行手続は効力を失うこととされている（破産42条１項、２項本文）。そのため、一般の先取特権の実行手続と破産手続との関係については、前記１と同様に取り扱われることとなる。

〈参考文献〉

東京地裁民事執行センター「さんまエクスプレス第28回」金法1728号54頁、民事執行実務の論点219頁、永谷典雄・谷口安史・上拂大作・菊池浩也編『破産・民事再生の実務〔第４版〕破産編』（金融財政事情研究会）86頁、129頁、608頁、中山孝雄＝金澤秀樹編『破産管財の手引〔第２版〕』（金融財政事情研究会）110頁

【書式１】強制執行取消上申書（破産手続開始決定用）

強制執行取消上申書

東京地方裁判所民事第21部　御中

当　事　者　　　別紙当事者目録記載のとおり

上記当事者間の東京地方裁判所令和　　年(ﾙ)第　　　　　号債権差押命令申立事件について、債務者が申し立てた破産手続開始申立事件（東京地方裁判所令和　　年(ﾌ)第　　　　号）において、令和　　年　　月　　日、破産手続開始決定があったので、上記差押命令を取り消されたく上申する。

令和　　年　　月　　日

破産者○○○○破産管財人　　　　　　　　　　　　　印

添付書類

破産手続開始決定正本　　　　　　　１通

破産管財人資格証明及び印鑑証明書　１通

（注）取消対象となる差押命令に基づき、既に取立てや配当等がされている場合、当該部分については取消しの効力は及ばないため、そのような場合には、第三債務者らの混乱を避けるために、同部分を除く旨の文言を明記する（**【書式２】**参照）。

【書式２】強制執行取消上申書（破産手続開始決定・一部取消用、破産手続開始決定前の期間の分の養育費に係る部分について取消しを求める場合の例）

強制執行取消上申書

東京地方裁判所民事第21部　御中

当　事　者　　　別紙当事者目録記載のとおり

上記当事者間の東京地方裁判所令和３年(ル)第　　　　　号債権差押命令申立事件について、債務者が申し立てた破産手続開始申立事件（東京地方裁判所令和　　年(フ)第　　　　　号）において、令和３年６月16日、破産手続開始決定があったので、上記債権差押命令のうち、請求債権及び差押債権について、別紙請求債権目録及び別紙差押債権目録記載の部分を除き、その余を取り消されたく上申する（ただし、既に取り立てた部分及び既に配当等を受けた部分を除く。）。

令和３年７月５日
破産者○○○○破産管財人　　　　　　　　　　　印

添付書類
破産手続開始決定正本　　　　　　　１通
破産管財人資格証明及び印鑑証明書　１通

請求債権目録

東京家庭裁判所令和　　年(家イ)第　　　　　号事件の調停調書正本に表示された下記金員

1　確定期限が到来している債権　　　　　　　金２万5000円
令和３年６月16日から同月末日までの、債権者、債務者間の長男○○についての養育費未払分（支払期６月末日）（注１）

2　確定期限が到来していない定期金債権

令和３年７月から令和７年５月（債権者、債務者間の長男○○が満20歳に達する日の属する月）まで、毎月末日限り金５万円ずつの養育費

差押債権目録

1　金２万5000円（請求債権目録記載の１）
2　令和３年７月から令和７年５月まで、毎月末日限り金５万円ずつ（請求債権目録記載の２）

債務者（○○支店勤務）が第三債務者から支給される、債権差押命令送達日以降支払期の到来する下記債権（ただし、令和３年６月16日（注２）以降の勤務に対するものに限る。）にして、頭書１及び２の金額に満つるまで

ただし、頭書２の金額については確定期限の到来後に支払期が到来する下記債権に限る。

記

(1)　給料（基本給と諸手当、ただし通勤手当を除く。）から所得税、住民税、社会保険料を控除した残額の２分の１（ただし、前記残額が月額66万円を超えるときは、その残額から33万円を控除した金額）
(2)　賞与から(1)と同じ税金等を控除した残額の２分の１（ただし、前記残額が66万円を超えるときは、その残額から33万円を控除した金額）

なお、(1)、(2)により弁済しないうちに退職したときは、退職金から所得税、住民税を控除した残額の２分の１にして、(1)、(2)と合計して頭書金額に満つるまで

〔説明〕

○　この書式例は、債権者・債務者間の長男の養育費について令和３年２月から令和７年５月まで１か月５万円を毎月末日限り支払う内容の債務名義に基づき、令和３年２月分及び３月分につき確定期限到来後未払であるとして、令和３年４月５日に、債務者の給与債権を差押債権として債権差押命令を発令した事例において、令和３年６月16日午後５時に破産手続開始決定があったとして一部取消しの上申をする場合の一例を示したものである。

（注）　1　新債権となる養育費は、破産手続開始後に支払時期が到来する破産手続開始決定日以降の分であるので、令和３年６月分については日割計算をする。上記事例において、支払日が毎月末日払いではなく毎月

10日払いであった場合は、破産手続開始時に令和３年６月分の支払時期（同月10日）が到来しているので、同月分全部が破産債権となる。

２　新得財産となる給与債権等及び退職金請求権は、破産手続開始決定の日（上記事例では令和３年６月16日）以降の勤務に対する分である（給与等の支給日が基準となるものではない。）。

【書式３－１】強制執行停止上申書（異時廃止決定用）

強制執行停止上申書

東京地方裁判所民事第21部　御中

当　事　者　　　別紙当事者目録記載のとおり

上記当事者間の東京地方裁判所令和　　年(ル)第　　　　　号債権差押命令申立事件について、債務者が申し立てた破産手続開始申立事件（東京地方裁判所令和　　年(フ)第　　　　　号）において、免責許可の申立てがあり、かつ、破産法217条１項の破産手続廃止の決定が確定したので、上記差押命令手続を停止されたく上申する。

令和　　年　　月　　日

債　務　者　　　　　　　　　　　　印

添付書類

破産手続開始決定正本	１通
破産手続廃止証明書（破産手続廃止決定正本）	１通
破産手続廃止決定確定証明書	１通
免責許可申立係属証明書	１通

【書式3－2】強制執行停止上申書（破産手続終結決定用）

強制執行停止上申書

東京地方裁判所民事第21部　御中

当　事　者　　別紙当事者目録記載のとおり

上記当事者間の東京地方裁判所令和　　年(ル)第　　　　号債権差押命令申立事件について、債務者が申し立てた破産手続開始申立事件（東京地方裁判所令和　　年(フ)第　　　　号）において、免責許可の申立てがあり、かつ、破産法220条1項の破産手続終結の決定があったので、上記差押命令手続を停止されたく上申する。

令和　　年　　月　　日

債　務　者　　　　　　　　　　　　印

添付書類

破産手続開始決定正本　　1通

破産手続終結決定証明書　　1通

免責許可申立係属証明書　　1通

【書式3－3】破産裁判所に対する免責許可申立ての係属証明の申請書

証明申請書

東京地方裁判所民事第20部　御中

令和　　年　　月　　日

申請人　住　所

氏　名　　　　　　　　　　　　印

東京地方裁判所令和　　年(フ)第　　　　号破産手続開始申立事件につ

いて、現在、免責許可の申立てが係属していることを証明されたく申請する。

【書式4】強制執行停止上申書（同時廃止決定用）

強制執行停止上申書

東京地方裁判所民事第21部　御中

当　事　者　　　別紙当事者目録記載のとおり

上記当事者間の東京地方裁判所令和　　年(ル)第　　　　　号債権差押命令申立事件について、債務者が申し立てた破産手続開始申立事件（東京地方裁判所令和　　年(フ)第　　　　　号）において、免責許可の申立てがあり、かつ、破産法216条１項の破産手続廃止の決定があったので、上記差押命令手続を停止されたく上申する。

なお、債務者は、破産手続開始の申立ての際に、免責許可の申立てをしない旨の意思を表示していない。

令和　　年　　月　　日

債　務　者　　　　　　　　　　　　　印

添付書類

破産手続開始及び破産手続廃止決定正本　　　１通

【書式5】強制執行取消上申書（免責許可決定用）

強制執行取消上申書

東京地方裁判所民事第21部　御中

当　事　者　　　別紙当事者目録記載のとおり

上記当事者間の東京地方裁判所令和　　年(ル)第　　　　　号債権差押命令申立事件について、債務者が申し立てた東京地方裁判所令和　　年(フ)第　　　　　号破産手続開始申立事件において、免責許可決定が確定したので、上記差押命令を取り消されたく上申する。

令和　　年　　月　　日

債　務　者　　　　　　　　　　　　　　印

添付書類

免責許可決定正本　　　　　1通

免責許可決定確定証明書　　1通

Q 40　民事再生手続と債権執行

債務者に関する民事再生手続は、債権に対する強制執行手続及び担保権実行手続にどのような影響を及ぼすか。

1　債権に対する強制執行手続への影響

(1)　民事再生法における強制執行手続の位置付け

再生手続は、経済的に窮境にある債務者について、その債権者の多数の同意を得、かつ、裁判所の認可を受けた再生計画を定めること等により、当該債務者とその債権者との間の民事上の権利関係を適切に調整し、もって当該債務者の事業又は経済生活の再生を図ることを目的とする手続（民再1条）である。そして、民再法においては、債権者間の平等な満足を確保するため、再生手続開始後は、同法に特別の定めがある場合を除いて再生計画の定めるところによらなければ債権者が個別に権利行使をすることはできない旨が定められている（民再85条1項）。債権執行手続との関係では、再生手続開始決定があったときは、再生債務者の財産に対する再生債権に基づく強制執行手続を申し立てることはできず、また、既にされている再生債権に基づく強制執行手続は中止する（民再39条1項）ものとして個別執行手続が禁止され、さらに、再生計画認可決定の確定により、中止した強制執行手続は失効するものとされている（民再184条本文）。破産手続においては手続開始とともに強制執行手続が失効するとされている（破産42条2項前段）のとは異なる。

また、再生手続開始の申立て後、再生手続開始決定があるまでの間に、再生債務者の財産の散逸を防止し、円滑な事業遂行を図る必要がある場合について、民再法は、個別の強制執行事件について中止命令（民再26条1項）及び取消命令（同条3項）の制度を設けているほか、中止命令では再生手続の目的を十分に達成することができない場合の対処として包括的禁止命令制度（民再27条）を設けている。

さらに、共益債権又は一般優先債権（民再122条１項）に基づく強制執行については、原則として再生手続の開始によって影響を受けないが（民再121条２項、122条２項）、別途、中止命令及び取消命令の制度が規定されている（民再121条３項から６項、122条１項、４項）。

また、開始後債権（再生手続開始後の原因に基づいて生じた財産上の請求権で、共益債権、一般優先債権又は再生債権であるものを除くもの）に基づく強制執行の申立ては、再生手続が開始された時から再生計画で定められた弁済期間が満了する時（再生計画認可の決定が確定する前に再生手続が終了した場合にあっては再生手続が終了した時、その期間の満了前に、再生計画に基づく弁済が完了した場合又は再生計画が取り消された場合にあっては弁済が完了した時又は再生計画が取り消された時）までの間は、することができない（民再123条３項）。

⑵　再生手続開始決定前の中止命令、取消命令及び包括的禁止命令と債権に対する強制執行手続

ア　中止命令

㈠　中止命令の要件

強制執行についての中止命令は、中止の必要があると再生裁判所が認めるときに（民再26条１項本文）、強制執行を申し立てた再生債権者等に不当な損害を及ぼすおそれがない場合に限って発令される（同項ただし書）。

㈡　中止命令の効力

中止命令が発令されると、その対象となった手続はそれ以上進行しない状態になるが（このような状態について「凍結する」と表現されることもある。）、既にされた手続の効力には影響はない。すなわち、債権執行手続について中止命令があったときは、それのみでは強制執行手続が取消しになるわけではなく、債権差押命令の効力は維持され、後記㈢のとおり手続が停止されるにとどまる。

また、中止命令の効力は、再生手続開始の申立てに対する決定があるまでの間、存続する（民再26条１項本文）。再生手続開始の申立てに対し、これを認容して再生手続開始決定がされると、強制執行手続は当然に中止し（民再39条１項）、却下又は棄却決定がされると、中止されていた強制執行

手続は再度進行を開始する。

(ウ) 中止命令による債権執行手続の停止

中止命令は、強制執行の一時の停止を命ずる旨を記載した裁判といえるから、法39条1項7号書面に該当する（中野＝下村「民事執行法」332頁）。しかし、執行裁判所は、中止命令の存在を当然に知り得るわけではないから、中止命令があったからといって直ちに強制執行手続が停止されることにはならない。そのため、再生債務者等（再生債務者又は管財人をいう（民再2条2号）。以下、本設例において同じ。）は、執行裁判所に対し、中止命令の正本を提出して強制執行手続停止の上申をする必要がある（上申書につき**【書式1】**参照。なお、中止命令正本の提出により強制執行手続が停止した後、再生手続開始申立てが却下又は棄却された場合にも、同様の理由から、債権者から強制執行手続続行を上申する必要がある。）。

中止命令の正本が提出された場合、執行裁判所は強制執行手続を停止しなければならず（法39条1項）、裁判所書記官は、債権差押命令が第三債務者に送達されていれば、中止命令の正本が提出された旨及び執行停止が効力を失うまで、差押債権者は取立て等をしてはならず、第三債務者は支払等をしてはならない旨を債権者及び第三債務者に通知しなければならない（規136条2項）。停止通知がされた後は、債権者は強制執行（差押命令）に基づく取立てはできなくなるが、第三債務者がする供託については停止前と同様に可能と解される（条解民事執行規則(下)540頁）。

イ　取消命令

(ア) 取消命令の要件

中止命令の対象となった強制執行手続に対する取消命令は、「再生債務者の事業の継続のために特に必要があると認めるとき」に、発令される（民再26条3項）。

(イ) 取消命令による債権執行手続の取消し

取消命令は、再生債務者の事業又は経済生活の再生を図るという民事再生法の目的（民再1条）を実現するために、強制執行等の個別執行を許さない旨の裁判と考えられるから、法39条1項1号の文書に該当すると解される（注釈民事執行法(2)570頁〔田中康久〕参照）。しかし、執行裁判所は取消命令の存在を当然に知り得るわけではないから、取消命令があったからといって直ちに強制執行手続が取り消されることにはならない。そのため、再生債務者等は、執行裁判所に対し、取消命令の正本を提出して強制執行手続取消しの上申をする必要がある（上申書につき**【書式２】**参照）。取消命令の正本が提出された場合、執行裁判所は、既にした執行処分を取り消さなければならない（法40条１項）。なお、この取消決定に対しては執行抗告をすることができない（同条２項）。

ウ　包括的禁止命令

(ア)　包括的禁止命令の要件

包括的禁止命令は、再生手続開始決定の申立てがあった場合で、中止命令（民再26条１項）によっては再生手続の目的を十分に達成することができないおそれがあると認めるべき特別の事情があるときに発令される（民再27条１項本文）。ただし、事前に又は同時に、保全処分（民再30条１項）、監督命令（民再54条１項）又は保全管理命令（民再79条１項）が発令されている場合に限られる（民再27条１項ただし書）。

(イ)　包括的禁止命令の効力

包括的禁止命令は、再生手続開始の申立てに対する決定があるまでの間、全ての再生債権者に対し、再生債務者の財産に対する再生債権に基づく強制執行等の禁止を命ずるものである（民再27条１項）。同命令が発令されると、再生債権に基づく新たな強制執行等ができなくなり、既にされている再生債権に基づく強制執行等の手続は中止する（同条１項、２項）。

また、再生債務者の事業の継続のために特に必要があるときは、この中止した強制執行等について取消命令が発令されることがある（同条４項）。

(ウ)　債権執行手続との関係

まず、既に差押命令が発令されている場合に包括的禁止命令が発令されたときは、中止命令の場合（前記ア(ウ)）と同様に、再生債務者は、執行裁判所に対し、包括的禁止命令の正本を提出して強制執行手続停止の上申をする必要があり、執行裁判所は債権執行手続を停止するとともに、第三債務者に差押命令が送達されていれば、第三債務者及び債権者に通知をする。また、包括的禁止命令発令後に取消命令が発令された場合、取消命令の場合（前記イ(イ)）と同様に、再生債務者等は、執行裁判所に対し、取消命令の正本を提出して強制執行手続取消しの上申をする必要があり、執行裁判所は既にした執行処分を取り消すことになる（なお、この取消決定に対しては執行抗告をすることができない（法40条２項）。）。

次に、既に包括的禁止命令が発令されている場合、債権者は、新たに強制執行の申立てをすることはできないため、債権差押命令を発令することは許されない。しかし、執行裁判所は、包括的禁止命令の存在を当然に知り得るわけではないので、これを知らずに債権差押命令を発令してしまう場合もある。この場合、包括的禁止命令の存在を執行裁判所が了知した段階で中止命令の場合と同様に停止の措置をとるとの考え方と、そもそも包括的禁止命令発令後の債権差押命令の発令はできないことから、停止ではなく取消しをすべきとの考え方がある。いずれにせよ、再生債務者等は、包括的禁止命令の正本を速やかに執行裁判所に提出し、強制執行手続の停止又は取消しを上申する必要がある。

⑶　再生手続開始決定と債権に対する強制執行手続

再生手続開始の決定があったときは、再生債務者の財産に対する再生債権に基づく強制執行の申立てはすることができず、既にされている再生債権に基づく強制執行の手続は中止する（民再39条１項）。具体的な強制執行手続との関係は包括的禁止命令の場合と同じであり、執行停止を求める再生債務者等は、執行裁判所に対し、再生手続開始決定の正本を添えて上申をする必要があり（上申書につき**【書式１】**参照）、これを受けた執行裁判所は、中止命令の場合と同様に停止の措置をとる。また、再生のため必要があると認めるときは、再生手続開始決定により中止した強制執行について取消命令が発令されることがあり（同条２項）、この場合、開始決定前の取消命令と同様に、再生債務者等は、執行裁判所に対し、取消命令の正本を提出して強制執行手続取消しの上申をする必要があり、執行裁判所は既にした執行処分を取り消すことになる（なお、この取消決定に対しては執行抗告をすることができない（法40条２項）。）。再生に支障を来さないときは、中止した強制執行の続行が命じられることもある（民再39条２項）。

再生手続開始決定についても、包括的禁止命令と同様に、その存在が執行裁判所に明らかでなかったために債権差押命令が発令されてしまったときの対応が問題となるが、東京地裁民事執行センターにおいては、再生債務者の上申に基づき差押命令を取り消した例がある。

なお、強制執行手続が、法151条の2の扶養義務等に係る定期金債権を請求債権とするものである場合、再生手続開始決定を理由とする停止の範囲については破産手続廃止決定があった場合と同様の問題がある（〔Q39〕参照）。東京地裁民事執行センターでは、扶養義務等に係る定期金債権は、所定の親族関係の存続や要扶養状態という事実関係に基づき日々新たに発生する性質の権利であることから、再生手続開始前の分は再生債権、開始後の分は共益債権（民再119条2号）であると解した上で（鹿子木康ほか『個人再生の手引〔第2版〕』（判例タイムズ社）317頁〔石田憲一＝土屋毅〕参照）、再生手続開始前にされていた扶養義務等に係る定期金債権による差押えについては、共益債権を請求債権とする差押えの部分を除いた部分につき一部停止とする取扱いである。

(4) 再生計画認可決定確定と強制執行手続

再生計画認可決定が確定したときは、民再法39条1項（再生手続開始決定による手続の中止）により中止した手続は、その効力を失う（民再184条）。他方、民再法39条2項前段により続行された手続は、再生計画認可によっても影響を受けない（民再184条ただし書）。強制執行手続は同法39条1項により中止する手続に該当するから、続行されていない限り、再生計画認可決定の確定により効力を失う。ここでいう「効力を失う」の意義は、単に手続の続行が禁止されるだけでなく、遡及的に手続がなかったものとなることを意味すると解されている（才口千晴ほか監修『新注釈民事再生法〔第2版〕下』（金融財政事情研究会）155頁〔馬杉榮一〕、園尾隆司＝小林秀之編著『条解民事再生法〔第3版〕』（弘文堂）971頁〔畑宏樹〕）。したがって、執行裁判所は、再生債務者等から差押命令の取消しの上申があり、再生計画認可決定正本及びその確定証明書により再生計画認可決定の確定を確認することができれば（上申書につき**【書式2】**参照）、既にした債権差押命令を取り消すことになる。なお、東京地裁民事執行センターでは、この取消決定については、破産手続開始決定がされたことを理由とする取消決定の場合と同様に法40条の適用はなく（〔Q39〕参照）、執行抗告をすることができるものと解しており、債権者に対して特別送達をしている。

なお、強制執行手続が扶養義務等に係る定期金債権を請求債権とするものであった場合の取消しの範囲の問題は前記(3)と同様である。

(5) 小規模個人再生手続及び給与所得者等再生手続の場合

強制執行手続の債務者が小規模個人再生手続又は給与所得者等再生手続（民再13章）における再生債務者である場合も、前記(1)ないし(4)の議論は妥当する（民再238条及び245条参照。これらの手続でも、中止命令、取消命令、包括的禁止命令、再生手続開始決定及び再生計画認可決定確定の効果に関する各条文は適用除外とされていない。）。

2 債権に対する担保権実行手続への影響

(1) 民事再生法における担保権実行手続の位置付け

担保権（特別の先取特権、質権、抵当権又は商法若しくは会社法の規定による留置権）を有する債権者は、別除権の行使として、再生手続によらないで担保権の実行をすることができる（民再53条）。したがって、債務者について再生手続が開始しても、これにより担保権実行手続には何ら影響が及ばない。もっとも、当該債務者の事業又は経済生活の再生を図るという民事再生法の目的（民再１条）に照らし、一定の要件の下に担保権実行が実体的又は手続的に制約される場合がある。実体的制約としては、担保権消滅制度（民再148条）が、手続的制約としては、担保権実行の中止命令（民再31条）がある。

また、一般先取特権の実行も再生手続によらないですることができるが、その実行については中止命令及び取消命令の制度がある（民再122条１項、４項、121条３項から６項）。

(2) 担保権消滅の許可

ア 意 義 等

債務者の事業継続に不可欠な財産の上に設定された一定の担保権を、債務者等が、担保物件の価額に相当する金銭を裁判所に納付することによって消滅させる制度（民再148条）である。ここでいう担保権とは、民再法53

条所定の担保権、すなわち、特別の先取特権、質権、抵当権又は商法若しくは会社法の規定による留置権である。

イ　要　　件

再生債務者の財産で、かつ、債務者の事業の継続に不可欠なものに担保権が設定されている場合でなければならない（民再148条１項）。

ウ　担保権消滅許可の効力等

再生債務者等は、財産の価額に相当する金銭を、裁判所の定める期限までに裁判所に納付しなければならず（民再152条１項）、この金銭が納付された時に、担保権者の有する担保権は消滅する（同条２項）。この場合、裁判所書記官は、消滅した担保権に係る登記又は登録の抹消を嘱託しなければならない（同条３項）。

エ　担保権実行としての債権執行手続との関係及び取消しのための具体的手続

裁判所書記官の嘱託により担保権が抹消された登記事項証明書は、法193条２項が準用する法183条２項、１項４号所定の文書に該当するので、再生債務者等は、これを執行裁判所に提出して手続の取消しを上申することになり、その提出を受けた執行裁判所は、担保権実行手続を取り消さなければならない。なお、この取消決定に対しては執行抗告をすることができない（法183条３項）。

なお、担保権抹消登記の完了を待つ暇がない場合に、再生債務者等が、担保権消滅許可決定が確定するとともに適法な価額決定請求（民再149条）がなかったこと（適法な価額決定の請求があった場合には、担保権消滅許可決定及び価額決定が確定したこと）のほか、再生裁判所の定めた期限までに所定の金銭を納付したことを証する複数の文書を「担保権のないことを証する確定判決（確定判決と同一の効力を有するものを含む。）の謄本」（法183条１項１号）として提出して、執行裁判所に対し手続の取消しを求め得るかという問題がある。しかし、担保権消滅許可決定は法律上「確定判決と同一の効力を有するもの」と規定されておらず、法183条１項１号にいう「担保権のないことを証する確定判決（確定判決と同一の効力を有するものを含む。）の謄本」に当たると解することはできないことから、消極に解される。

⑶ 担保権の実行手続の中止命令

ア 意 義 等

担保権の実行手続により再生債務者の事業継続に必要な資産が換価されてしまうと事業の再生が困難になる場合もある。そこで、再生手続開始の申立てがされた後に、裁判所は、一定の要件の下に担保権の実行手続の中止を命ずることができるとされている（民再31条）。

中止命令の対象となるのは、再生債務者の所有する財産の上に存する担保権の実行手続である。抵当権に基づく物上代位としての債権執行のように、競売の方法による担保権実行ではない場合に中止命令をなし得るかが文言解釈上問題となるが、東京地裁倒産部では、一定の事情がある場合に類推適用を認め、中止命令の対象になると解している（永谷典雄・谷口安史・上拂大作・菊池浩也編『破産・民事再生の実務〔第４版〕民事再生・個人再生編』（金融財政事情研究会）88頁）。

イ 要 件

中止命令は、再生債権者の一般の利益に適合し、かつ、競売申立人に不当な損害を及ぼすおそれがないと認められるときに発令される（民再31条１項）。

ウ 中止命令の効力等

中止命令が発令されると、その対象となった担保権実行手続はそれ以上進行しない状態になるが、既にされた手続の効力には影響はない。また、強制執行の場合には中止命令に加えて取消命令をすることができる場合があるが（民再26条）、担保権実行手続の中止命令に関しては取消命令の制度はない。担保権実行手続の中止命令に対して債権者は即時抗告をすることができるが、これは執行停止の効力を有しない（民再31条４項、５項）。

エ 中止命令による担保権実行手続の停止

中止命令は、再生手続の円滑な進行のために担保権実行手続を一時停止するものであるから、法193条２項が準用する法183条１項６号の停止文書に該当すると解される。しかし、執行裁判所は、中止命令の存在を当然に知り得るわけではないから、再生債務者等は、執行裁判所に対し、中止命令の正本を提出して担保権実行手続停止の上申をする必要がある。中止命令の正本が提出された場合は、執行裁判所は手続を停止しなければならず（法193条２項、183条１項）、第三債務者に差押命令が送達されていれば、第三債務者及び債権者に通知をする（規179条２項、136条２項）。

⑷　住宅資金貸付債権に関する特則

以上のほか、住宅資金貸付債権（住宅ローン）を被担保債権とする抵当権については、特則があり、要件が緩和された抵当権の実行手続の中止命令（民再197条）及び住宅資金特別条項を定めた再生計画の制度（民再198条以下）がある（始関正光『一問一答個人再生手続』（商事法務研究会）55頁）。もっとも、再生債務者の居住の用に供する住宅の建設等に必要な資金等の貸付けに関する再生債権であるという住宅資金貸付債権の定義（民再196条）からすると、これらの制度が第三者への住宅の賃貸を前提とする担保権実行としての債権執行手続に影響を及ぼすことはあまり想定されない。

【書式１】

強制執行手続停止上申書

東京地方裁判所民事第21部　御中

当事者の表示　別紙当事者目録記載のとおり

上記当事者間の東京地方裁判所令和　　年(ル)第　　　　　号債権差押命令申立事件の債務者について、令和　　年　　月　　日付けで、民事再生法上の（強制執行中止命令／再生手続開始決定）があったので、上記債権差押命令事件についての強制執行手続を停止されたく上申する。

令和　　年　　月　　日

債務者　　　　　　　　　　　　印

添付書類　中止命令正本　　　　　　　　　1通
　　　　　再生手続開始決定正本　　　　　1通

【書式2】

強制執行手続取消上申書

東京地方裁判所民事第21部　御中

当事者の表示　別紙当事者目録記載のとおり

上記当事者間の東京地方裁判所令和　　年(ル)第　　　　　号債権差押命令申立事件の債務者に対し、令和　　年　　月　　日付けで、民事再生法上の（強制執行取消命令があった／再生計画認可決定が確定した）ので、上記債権差押命令を取り消されたく上申する。

令和　　年　　月　　日

債務者　　　　　　　　　　　　　　印

添付書類　　強制執行取消命令正本　　　　　　　　　　　1通
　　　　　　再生計画認可決定正本及び同決定確定証明書　1通

Q 41　会社更生手続及び特別清算と債権執行

債務者（株式会社）に関する更生手続及び特別清算は、債権に対する強制執行手続及び担保権実行手続にどのような影響を及ぼすか。

1　会社更生手続と債権執行

会社更生法は、窮境にある株式会社について、更生計画の策定及びその遂行に関する手続を定めること等により、債権者、株主その他の利害関係人の利害を適切に調整し、もって当該株式会社の事業の維持更生を図ることを目的とする（会更１条）。

⑴　更生手続開始決定と強制執行手続・担保権実行手続

会更法に基づく更生手続の開始決定は、決定の時から効力を生じ（会更41条２項）、同開始決定があった場合には、更生会社の財産の管理処分権は管財人に専属する（会更72条１項）。更生会社に対し更生手続開始前の原因に基づいて生じた財産上の請求権は、原則として更生債権となり（会更２条８項）、質権、抵当権等で担保された範囲のものは更生担保権となる（同条10項）。更生手続開始決定がされると、更生債権等（更生債権又は更生担保権をいう。会更２条12項）については、更生手続によらなければ弁済を受けられず（会更47条１項）、強制執行・担保権実行等（更生債権等に基づく強制執行、仮差押え、仮処分若しくは担保権の実行又は更生債権等を被担保債権とする留置権による競売をいう。会更24条１項２号）の申立てはすることができなくなるし、既にされているこれらの手続は中止する（会更50条１項）。手続開始の時点で中止にとどまる点において、破産手続の場合と異なり、民事再生手続の場合と同じであるが、担保権実行手続も中止する点において、破産手続及び民事再生手続の場合と異なる。

したがって、更生手続開始決定後に債権を目的とする強制執行及び担保権実行の申立てがあっても却下されるし、これらの申立て後発令のための審査中に更生手続開始決定があった場合も同様である（動産売買先取特権に基づく物上代位による債権差押命令申立てについて、東京高決平9.11.13判タ974号239頁・金法1515号46頁、東京高決平10.6.19判タ1039号273頁、東京高決平10.7.10判タ1003号305頁・金法1526号50頁)。既にされている強制執行・担保権実行の手続は、執行裁判所に対する上申により停止されることになることについては、民事再生手続において述べたところと同様である(〔Q40〕参照)。

また、更生手続開始決定により中止した強制執行・担保権実行等の手続について、続行命令(会更50条5項)、取消命令(同条6項)、担保権実行禁止の解除(同条7項)、担保権消滅許可(会更104条以下)の各制度がある。上記続行命令や担保権実行の禁止解除は、更生手続の利益のためのものであるから、執行手続が進められたとしても、配当等を実施することはできないとされる(会更51条1項本文)。

なお、債務者について更生手続が開始しても、更生会社の保証人、第三者が更生会社のために提供した担保等に影響はないので、債権者がこれら保証人等に対し、強制執行等の申立てをすることは妨げられない(会更203条2項参照)。

(2) 更生手続開始決定前の中止命令、取消命令及び包括的禁止命令

民事再生手続の場合と同様に、会更法においても、更生手続開始申立て後、更生手続開始決定がされるまでの間に会社の財産が散逸し、事業の維持更生に支障が生じることを防止するため、強制執行等の手続の中止命令(会更24条1項2号)及び包括的禁止命令(会更25条1項)並びに中止された強制執行等の手続の取消命令(会更24条5項、25条5項)の各制度があり、これらの裁判があると、既にされている強制執行等の手続が中止ないし取り消されることになる(包括的禁止命令の発令後は、債権者が新たに債権執行の申立てをすることはできず、債権差押命令を発令することは許されない。)。これらについても、執行裁判所に対する上申が必要であることは、民事再生手続において述べたところと同様である(〔Q40〕参照)。

(3) 更生計画認可決定確定と強制執行手続・担保権実行手続

更生手続が進行し、更生計画認可の決定(会更199条)がされると、更生会社は、更生計画の定めによって認められた権利等を除き、更生債権及び

更生担保権につき免責され（会更204条）、中止されていた強制執行・担保権実行等の手続は効力を失う（会更208条本文）。更生計画は認可決定の時から効力を生じる（会更201条）。これについても、執行裁判所への上申が必要となることは、再生計画認可決定が確定した場合と同様である（〔Q40〕参照）。

2　特別清算と債権執行

特別清算（会社510条以下）とは、株式会社の清算中に、清算の遂行に著しい支障を来すべき事情又は債務超過の疑いがある場合に行われる会社清算のための手続である。債権者等の申立て等により開始されるものであり、原則として債権者の法定多数の同意を得て、さらに裁判所の認可を受けて成立した協定に基づいて清算を行うものである。

特別清算開始の申立てがあった場合、債権者等の申立て又は職権で、裁判所は、同申立てにつき決定があるまでの間、清算株式会社の財産に対して既にされている強制執行の手続の中止を命ずることができる（会社512条１項２号）。そして、特別清算開始の命令があったときは、強制執行の申立てはすることができず、既にされている強制執行手続は中止し（会社515条１項）、特別清算開始の命令が確定したときは、中止したこれらの手続は、特別清算の手続の関係においてその効力を失う（同条２項）。したがって、特別清算開始の命令後の強制執行の申立ては、却下されることになる。

他方、特別清算開始の命令があっても、担保権の実行ができなくなるわけではない。裁判所は、債権者の一般の利益に適合すること等の要件を満たすときには、清算人等の申立て又は職権により、相当の期間を定めて、担保権の実行の手続等の中止を命じることができる（会社516条）。

なお、協定の認可の決定が確定したときは、協定債権者の権利が協定の定めに従って変更されるが（会社571条３項）、債権者が清算会社の財産について有する担保権（質権、抵当権等）には影響を及ぼさない（同条２項）。

Q 42 国税等の滞納処分と債権執行

国税等の滞納処分による差押えと債権執行とが競合した場合、債権執行手続はどのようになるか。

1 滞納処分による差押えと民事執行としての差押えとが競合した場合の調整の概要

滞納処分による差押えのされた債権に対しても民事執行としての差押えをすることができる（滞調20条の3第1項）。逆に、民事執行としての差押えのされた債権に対しても滞納処分による差押えをすることができる（滞調36条の3第1項）。したがって、これらの各差押えが競合すること（一方の差押えに係る金銭債権のうち差し押さえられていない部分を超えて他の差押えがされること）がある（滞調20条の4、36条の4）。

民事執行法の施行（昭和55年10月1日）前は、これらの差押えが競合した場合の調整規定がなかったが、民事執行法施行時に滞調法及び滞調規則も改正され、債権執行についても調整する規定が設けられた（滞調20条の3ないし20条の11、36条の3ないし36条の14。なお、同改正の概要については、宇佐見隆男「滞納処分と強制執行等との手続の調整」金法937号57頁参照）。

以下、滞調法の内容を中心に、上記各差押えが競合する場合の処理について説明する。

なお、執行裁判所からすると、民事執行としての差押えをした債権について滞納処分による差押えがされたとの事実は、先行する滞納処分による差押えについては第三債務者から提出される陳述書（法147条1項、規135条）によって、後行する滞納処分による差押えについては徴収職員等からの差押通知書（滞調36条の3第2項）又は第三債務者からの事情届（滞調36条の6第2項）によって、知ることとなる。

2 競合しない場合の手続の進行

同一の金銭債権に対して滞納処分による差押えと民事執行としての差押えがされていることが判明した場合には、まず、両差押えが競合しているかどうかを確かめる必要がある。すなわち、金銭債権の一部について滞納処分による差押え又は民事執行としての差押えがされている場合に、その残余の範囲内で民事執行としての差押え又は滞納処分による差押えがされたとしても、両差押えは競合関係にない。したがって、第三債務者は、そのまま徴収職員等（滞調2条2項の定義による。国徴2条11号、地税1条1項3号参照）及び差押債権者からの取立てに応じて支払うことができる。また、法156条1項に基づき、その債権のうち、滞納処分による差押えのされていない部分に相当する金額又は民事執行としての差押金額に相当する金額を供託することもできる（昭和55.9.6法務省民四第5333号民事局長通達（以下「執行供託通達」という。）第三・三・1・(一)・(3)ア）。この場合、法156条1項を根拠として債権全額を供託することはできない。なぜなら、同項の規定は、民事執行としての差押債権者及び債務者に対する関係で第三債務者の免責の効果を認めたものにすぎず、滞納処分による差押えについては供託による免責は認められていないからである（稲葉威雄「民事執行法における供託(三)」金法934号6頁）。

なお、このような場合は差押えの競合はないから、滞調法の適用はない。

(1) 取立てに応じる場合

民事執行としての差押えは、差押命令が債務者に送達されてから原則として1週間を経過すると、差押債権者は、直接第三債務者から差押えの範囲内で差押債権を取り立てることができ（法155条1項。ただし、差押債権が給与等の債権で、かつ、請求債権に扶養義務等に係る金銭債権が含まれていない場合、この期間は4週間となる。同条2項）、第三債務者から支払を受けた限度で債務者の債務が消滅する（同条3項）。他方、徴収職員等は、滞納処分による差押えの通知が第三債務者に届いた後直ちに差押債権の取立てをすることができ（国徴67条1項）、取立てに応じて第三債務者が支払った限度で滞納者の滞納税を徴収したものとみなされる（同条３項）。

⑵　供託する場合

前記のとおり、第三債務者は、差押債権のうち、滞納処分による差押えのされていない部分に相当する金額又は民事執行としての差押金額に相当する金額を供託することができるが、その場合の法律関係は以下のとおりである。

ア　民事執行としての差押金額に相当する金額を供託する場合

この供託は、民事執行としての差押えの部分に相当する金額のみを法156条１項により供託するものである。滞納処分による差押えのされた部分については、徴収職員等の取立てに応じて支払い、民事執行としての差押えと滞納処分による差押えの部分を除く部分については、別途、執行債務者に対して弁済することを要する。

この供託をした第三債務者は、供託書正本を添付して（規138条２項）、執行裁判所に対し事情届を提出しなければならない（法156条３項）。供託により配当加入遮断効が発生するから（法165条１号）、事情届を受理した執行裁判所は、弁済金交付の手続を行う。

イ　滞納処分による差押えのされていない部分に相当する金額を供託する場合

この供託は、民事執行としての差押えのされた部分及びいずれによっても差押えのされていない部分を併せて供託するものである（執行供託通達第三・三・１・㈠・⑶ア）。この供託は、差押えのされていない部分について弁済供託（民494条参照）の性質を有するものであるから、その範囲を明らかにして供託をする必要があり、供託に際しては、債務者宛ての供託通知書及び通知のための郵便切手を添付することを要する（供託規16条参照）。その結果、供託しなかった残余は滞納処分による差押えのされた部分であるから、第三債務者は、この部分について徴収職員等の取立てに応じて支払うと、執行債務者に対して負っている全債務（差押事件の債務者に対して負っている債務である。）について免責される。

この供託をした第三債務者は、供託書正本を添付して（規138条２項）、執行裁判所に対し事情届を提出しなければならない（法156条３項）。この供託により配当加入遮断効が発生するから（法165条１号）、事情届を受理した執行裁判所は、民事執行としての差押えのされた部分については、弁済金交付の手続を行う。民事執行としての差押えのされていない部分については、債務者が供託を受諾して供託所に対し還付請求をすることができる（執行供託通達第二・四・１・㈠・⑷）。

3　競合する場合の手続の進行

滞納処分による差押え又は民事執行としての差押えの範囲が重なり合い、両差押えが競合する場合には、両手続を調整する必要が生じる。滞調法は、この調整のために、原則として、先行する手続が優先し、後行の手続は、先行の手続が存在する限り、手続を進めることができないという先着手主義を採用している。以下、⑴滞納処分による差押えが先行する場合と⑵民事執行としての差押えが先行する場合に分けて、詳述する。

⑴　滞納処分による差押えが先行する場合

債権の一部について滞納処分による差押えがされた後、その残部を超えて民事執行としての差押えがされた場合には、民事執行としての差押えの効力は、その債権の全額に及ぶ。また、債権の全部について滞納処分による差押えがされた後、その債権の一部又は全部について民事執行としての差押えがされた場合も同様である（滞調20条の４、担保権のとき滞調20条の10）。この場合の手続は次のとおりである。

ア　債権差押えの通知

滞納処分による差押えのされた債権について民事執行としての差押命令が発せられた場合において、第三債務者の陳述等により、執行裁判所が滞納処分による差押えの存在を知ったときは、裁判所書記官は、当該滞納処分による差押えをした徴収職員等に対して、差押命令が発せられた旨を通知しなければならない（滞調20条の３第２項、20条の10）。ただし、徴収職員等が第三債務者から供託した旨の事情届を受け、執行裁判所にその旨の通知をしている場合（滞調20条の６第３項、20条の10）は裁判所書記官の通知は不要となる（滞調20条の３第２項ただし書、20条の10）。

イ　徴収職員等の取立て及び残余金の処理

滞納処分による差押えが先行しているので、滞納処分による差押えをした徴収職員等は、差し押さえた債権の取立てをすることができる（国徴67条１項）。なお、滞納処分による差押えにおいては、金銭債権の一部を差し押さえることによってその差押えに係る国税の全額を徴収することが確実であると認められるときなど全額を差し押さえる必要がないと認められる場合を除き、その全額を差し押さえなければならないとされており（国徴63条）、全額の差押えがされた場合には、徴収職員等は、原則として差押債権の全額を取り立てる運用がされている（昭和56.2.7国税庁長官通達（以下「滞調法逐条通達」という。）20条の６関係３・⑴）。

取り立てた金銭は、国税その他の債権に配当される（国徴128条１項２号、129条１項）。この場合、滞納処分による差押えの前に差押財産に登記された抵当権等の被担保債権には配当されるが（同項３号）、担保を徴していない強制執行の差押債権者及び仮差押債権者は、滞納者に交付すべき残余金が生じた場合に限り、執行裁判所を通じて配当を受けることになる（滞調20条の８第１項、６条１項、20条の７、20条の10）。そのため、徴収職員等は、次のとおり残余金の交付等をしなければならない。

⑺　残余金の交付

徴収職員等は、第三債務者から取り立てた金銭につき配当が行われた結果、滞納者（差押事件の債務者）に交付すべき残余が生じたときは、これを執行裁判所に交付しなければならない（滞調20条の８、６条１項、20条の10）。徴収職員等は、残余金交付通知書及び残余金計算書を添えて、残余金（現金）を執行裁判所に交付する。執行裁判所は、残余金を保管金として受け入れる。

交付された残余金に対する配当加入遮断効は、実際に執行裁判所が残余金の交付を受けた時に発生する（滞調20条の７第３項、法165条３号、滞調20条の10）。

配当等事件は、残余金交付通知書により立件される（事件符号は㈸である。）。

なお、滞納処分による差押えと保全裁判所による仮差押えが競合する場合に取立金の残余が生じたときも、徴収職員等は残余金を執行裁判所に交付しなければならないが、この場合、残余金を交付すべき裁判所は、その債権に対する強制執行について管轄権を有する地方裁判所である（滞調20条の9第1項、18条2項）。残余金に対する配当加入遮断効は、残余金が執行裁判所に交付された時に生じ（滞調20条の9第2項、20条の7第3項、法165条3号）、仮差押債権者のために配当等手続が行われる（配当留保供託がされる。）ことになる。

(イ) 残余金皆無通知

徴収職員等は、第三債務者から取り立てた金銭の配当の結果、滞納者（執行債務者）に交付すべき残余が生じなかったときは、執行裁判所にその旨を通知（残余金皆無通知）しなければならない（滞調20条の8第1項、6条3項、20条の10）。

残余金皆無通知を受けた執行裁判所は、差し押さえた債権が存在しないことになるので、債権差押命令申立事件の取下勧告等を行い、事件を終局させることになる。

ウ　差押債権者の取立て

差押債権者は、滞納処分による差押えのされた部分については、滞納処分による差押えが解除された後でなければ取り立てることができない（滞調20条の5、20条の10）。滞納処分による差押えのされていない部分については、滞納処分による差押えと競合した場合であっても滞納処分による差押えの効力の拡張はないので、債務者に対して差押命令が送達されてから原則として1週間（4週間の例外あり）が経過すると、これを取り立てることができる（法155条1項、2項）。

エ　第三債務者の供託

第三債務者は、滞納処分による差押えのされた債権について、民事執行としての差押えがされたときは、前記**イ**及び**ウ**の取立てに応じる代わりに、差押債権の全額に相当する金銭を供託することができる（権利供託。滞調20条の6第1項、20条の10）。そして、この供託をしたときは、供託書正本を添付して、徴収職員等に対して事情届を提出しなければならない（滞調20条の6第2項、20条の10）。

事情届の提出を受けた徴収職員等は、執行裁判所に対して、その旨の通知をしなければならない（滞調20条の6第3項、20条の10）。徴収職員等による事情届通知の手続等は、次のとおりである。

⑺　債権の全部について滞納処分による差押えがされている場合

徴収職員等は、供託金のうち滞納処分による差押えの額に相当する部分（債権の全部）について還付請求をすることができる（執行供託通達第三・三・1・㈠・⑵イ）。徴収職員等は、還付金につき国税その他の債権への配当が行われた結果、滞納者（執行債務者）に交付すべき残余金が生じたときは、これを執行裁判所に交付しなければならない（滞調20条の8第1項、6条1項、20条の10）。残余金の交付を受けた執行裁判所は、直ちに民事執行法に基づく配当等の手続を実施する（滞調20条の7、20条の10）。この配当等手続については、前記イ⑺と同じである。

徴収職員等は、滞納処分による差押えをした債権の全額に相当する供託金のうちの一部について還付を受けることもできるが、その場合は、残余について滞納処分による差押えの解除処理をし、執行裁判所に対して、その旨を通知しなければならない（滞調法逐条通達20条の6関係6・⑵）。また、この通知の際には、供託官から還付を受けた供託書正本（内払処理のされているもの）を添付しなければならない（滞調令12条の7第3項）。

執行裁判所は、この通知を受けた場合、後記⑼のとおり、直ちに配当等手続を実施しなければならない。

⑴　滞納処分による差押えが債権の一部についてされている場合

徴収職員等は、事情届が提出された旨を執行裁判所に通知する場合に、債権の一部について滞納処分をしているときは、供託書正本の保管を証する書面を添付しなければならない（滞調令12条の6第2項）。

徴収職員等からこの通知を受けた執行裁判所は、供託された金額のうち、滞納処分による差押えの効力の及ばない部分について直ちに配当等の手続を実施しなければならない（滞調20条の7第1項、20条の10）。これは、供託時に配当加入遮断効が生ずるからである（滞調20条の7第2項）。実務では、この通知書に基づき配当事件を立件する（事件符号は(ヲ)である。）。

⑼　滞納処分による差押えが解除された場合

供託された金銭のうち滞納処分による差押えのされた金額に相当する部分であっても、滞納処分による差押えが解除されたときは、その解除された額に相当する部分について、執行裁判所において配当等の手続が実施される。滞納処分による差押えを解除した場合には、徴収職員等は、その旨を書面をもって執行裁判所に通知しなければならない（滞調20条の8第1項、14条、20条の10、滞調令12条の7第1項）。この通知には、滞納処分の差押えの全部を解除したときは供託書正本を、一部を解除したときは供託書正本の保管を証する書面を添付しなければならない（滞調令12条の7第3項）。実務では、この解除通知書に基づき配当事件を立件する（事件符号は、前記(イ)と同様に(ヲ)である。）。

(2) 民事執行としての差押えが先行する場合

ア　滞納処分による差押えをした旨の通知

徴収職員等は、滞納処分による差押えをした債権について、既に民事執行としての差押えがされていて、差押えが競合することを知ったときは、滞納処分による差押えをした旨を執行裁判所に通知しなければならない（滞調36条の3第2項、36条の13）。執行裁判所の裁判所書記官が第三債務者から供託した旨の事情届を受理して、滞納処分による差押えをした徴収職員等にその旨を通知した場合は、徴収職員等の通知は不要となる（滞調36条の3第2項ただし書、36条の6第3項、36条の13）。

先行の民事執行としての債権差押えが債権の一部についてされている場合であっても、その残余の部分を超えて滞納処分による差押えがされたときは、民事執行としての差押えの効力は債権の全額に及ぶ（滞調36条の4、36条の13）。また、既に転付命令又は譲渡命令が発令されていても、これが第三債務者に送達されるまでに滞納処分としての差押えがされたときは、転付命令又は譲渡命令はその効力を生じないことになるので（滞調36条の5、36条の13）、差押えの競合が生ずることになる。したがって、これらの場合も、滞納処分による差押えをした徴収職員等は、執行裁判所に対しその旨を通知しなければならない。

ただし、民事執行としての差押えが債権の一部についてされている場合に、その残余の部分の範囲内で滞納処分の差押えをした場合には、差押えの競合はないので（前記２参照）、徴収職員等には執行裁判所に対する通知義務はない。

イ　第三債務者の供託及び配当等の手続

第三債務者は、取立訴訟の訴状の送達を受ける時までに、差押えがされている金銭債権について滞納処分による差押えがされたときは、その債権の全額（強制執行による差押えの前に他の滞納処分による差押えがされているときは、その滞納処分による差押えがされた部分を差し引いた残額）に相当する金銭を供託しなければならず（義務供託。滞徴36条の６第１項、36条の13）、さらに、供託書正本を添付して（滞調規43条２項）、執行裁判所に事情届を提出しなければならない（滞調36条の６第２項、36条の13）。この届出があったときは、執行裁判所の裁判所書記官は、その旨を徴収職員等に通知しなければならない（滞調36条の６第３項、36条の13）。

この供託は、法156条２項による供託とみなされ（滞調36条の９、36条の13）、配当加入遮断効が生ずるから、執行裁判所は直ちに配当等の手続を実施しなければならない。

なお、徴収職員等は、民事執行としての差押えと競合する債権を取り立てることができないが（滞調36条の６、36条の７参照）、滞納処分による差押えの時に交付要求があったものとみなされ（みなし交付要求）、執行裁判所における配当等の手続においては、配当等を受ける債権者として取り扱われる（滞調36条の10第１項、36条の13）。

ウ　差押事件が取下げ等により終局した場合

民事執行としての差押えが取下げ等により終局し、執行裁判所の配当等の手続をする根拠がなくなった場合は、裁判所書記官は徴収職員等にその旨を通知しなければならない（滞調31条、36条の11第１項）。その際、裁判所書記官は執行裁判所に提出されている供託書正本を添付して滞納処分による差押えをしている徴収職員等に引き渡す（滞調規44条）。

4　続行決定等の手続

前記３のとおり、滞納処分による差押えと民事執行としての差押えの手続の優先順位は、原則として、その差押えの効力が先に発生した方が手続を優先的に進めることができるが、先に差押えをした方の手続が進行しないときには、後に差押えをした方が不利益を被る場合がある。このような場合のために滞調法により強制執行続行決定（滞調20条の8第1項、8条、9条、20条の10）及び滞納処分続行承認決定（滞調36条の11第1項、25条、26条）の手続が定められている。

これらの決定は、執行裁判所によってされるが、これらの決定がされると、先行する差押えは後行の差押えの後にされたものとみなされる（滞調20条の8第1項、10条1項、36条の11第1項、27条1項）。

(1) 強制執行続行決定

滞納処分による差押えが先行している場合に行われる決定である。

滞納処分による差押えのされた債権について民事執行としての差押えがされて競合した場合には、徴収職員等は、滞納処分による差押えをした債権の取立てをすることができる一方、民事執行としての差押えをした差押債権者は、取り立てることができない（滞調20条の5、20条の10）。しかし、徴収職員等が取立て等の換価手続を進めないときは、差押債権者は、執行裁判所に対して、民事執行手続を進行させるよう申請することができる。

この申請を受けた執行裁判所が続行決定することにより、民事執行手続を進行させることが可能になる。続行の手続は、次のとおりである。

ア 続行決定の申請

差押債権者は、滞調法8条各号に定める事由がある場合には、執行裁判所に対して民事執行の続行決定を申請することができる（滞調20条の8第1項、8条、20条の10）。実務では、滞調法8条3号に定める事由に基づいて申請されることが多い。

イ 執行裁判所による審査、決定

続行決定の申請があったときは、執行裁判所は、あらかじめ徴収職員等の意見を聴き（滞調20条の8第1項、9条2項、20条の10。その同意までは不要である。）、相当と認めるときは、続行決定をする。続行決定は、徴収職員等に告知することによってその効力が生じ（滞調20条の8第1項、9条3項、20条の10）、これに対して不服申立てをすることができない（滞調20条

の８第１項、９条４項、20条の10）。

ウ　続行決定の効果

民事執行の続行決定があったときは、滞調法の適用については、滞納処分による差押えは、民事執行としての差押え後にされたものとみなされる（滞調20条の８第１項、10条１項、20条の10）。その結果、民事執行としての差押えによる手続が続行されることになる。

他方、徴収職員等は、差押債権を取り立てることができなくなる（滞調36条の６、36条の７参照）。しかし、民事執行の続行決定があったときは、滞納処分による差押えについては、滞調法36条の３第２項本文による通知があったものとみなされるから（滞調20条の８第２項、20条の10）、執行裁判所における配当等の手続においては、滞納処分による差押えの時に交付要求があったものとみなされ（みなし交付要求）、配当等を受ける債権者として取り扱われる（滞調36条の10第１項、36条の13）。また、続行決定の後は、第三債務者は、差押えに係る債権の全額を供託し（滞調36条の６第１項、36条の13）、供託書正本を添付して（滞調規43条２項）、執行裁判所に対し、事情届を提出しなければならない（滞調36条の６第２項、36条の13）。この届出があったときは、執行裁判所の裁判所書記官は、その旨を徴収職員等に通知しなければならない（滞調36条の６第３項、36条の13）。この供託は、法156条２項による供託とみなされ（滞調36条の９、36条の13）、配当加入遮断効が生ずるから、執行裁判所は直ちに配当等の手続を実施しなければならない。

続行決定前に既に滞調法20条の６第１項の権利供託（前記**3**⑴**エ**）がされている場合であっても、その供託は同法36条の６第１項の義務供託（強制執行による差押えが滞納処分による差押えに先行している場合における義務供託）として取り扱われる（滞調法逐条通達20条の６関係１（注）２）。なお、第三債務者が既に先行の滞納処分による差押えをした徴収職員等に事情届を提出している場合、徴収職員等は、続行決定の通知を受けたときは、手持ちの供託書正本を執行裁判所へ送付する（滞調令12条の９第１項）。

⑵　滞納処分続行承認決定

民事執行としての差押えが先行している場合に行われる決定である。

ア　続行承認決定の請求

続行承認決定は、後行する滞納処分による差押えをした徴収職員等の請求により行われる（滞調25条、36条の11第１項）。

イ　続行承認決定の効果

続行承認決定があったときは、滞調法の適用については、滞納処分による差押えが民事執行としての差押えに先行しているものとみなされるから（滞調27条１項、36条の11第１項）、民事執行としての差押えと滞納処分による差押えが競合している場合において、第三債務者がまだ供託していないときは、滞調法36条の６第１項の供託義務は解除され、徴収職員等の取立てに応じるか、又は、同法20条の６第１項により権利供託することができる。既に全額を供託している場合は、その供託は同項の権利供託として取り扱われる。

なお、第三債務者が、既に執行裁判所に事情届の提出をしている場合は、続行承認決定をした執行裁判所の裁判所書記官は、決定の通知（滞調規45条、36条）とともに保管している供託書正本を滞納処分による差押えをしている徴収職員等に引き渡す（滞調規44条）。

第 7 章

範囲変更

Q 43 差押禁止債権の範囲変更

差押禁止債権の範囲変更は、どのような要件の下、どのような手続でされるか。

1 差押禁止債権の範囲変更の趣旨

民事執行法は、債権執行について、形式的かつ画一的な基準により、給料債権等の差押禁止の範囲を定めているが（法152条）、債務者及び債権者の具体的な状況によっては、社会的観点あるいは債権者と債務者との公平の観点から、この形式的かつ画一的な差押禁止の範囲が相当でない場合があり得る。また、法152条所定の債権以外は、原則として全額の差押えが可能であるが、これら債権についても、債務者及び債権者の具体的な状況によって、その差押範囲を制限するのが相当な場合があり得る。法153条は、このような場合に執行裁判所が差押禁止範囲を拡張し又は減縮することができるとして、債権者と債務者との利益調整等を図る規定である。

具体的には、執行裁判所は、差押禁止範囲を拡張する場合は、既に発した債権差押命令の全部又は一部の取消決定を、逆に、差押禁止範囲を減縮する場合には、新たに債権を差し押さえる旨の決定をする。

2 手続の教示

令和元年改正法により、差押禁止債権の範囲変更の制度を利用しやすくする観点から、裁判所書記官は、差押命令を送達するに際し、債務者に対し、差押禁止債権の範囲変更の申立てをすることができる旨及び同申立てに係る手続の内容を、書面で教示しなければならないものとされた（法145条４項、規133条の２）。

東京地裁民事執行センターでは、債務者に対して債権差押命令の送達をする際に、差押禁止債権の範囲変更の申立てに関する手続内容を記載した手続教示文書を同封しており、その具体的な記載内容は、差押禁止債権の範囲変更の制度の概要、申立てをする裁判所、申立時期及び申立てに必要な書類等である。なお、同書面にはこれに加え、債権差押命令の概要や今後の手続の流れのほか、取立権の発生時期についても併せて記載している。また、差押命令正本下部の備考欄にも、念のため、差押禁止債権の範囲変更の申立ての制度概要や提出資料について記載している（内野宗輝ほか「法令解説・運用実務」233頁〔前田亮利・満田智彦・國原徳太郎〕。〔Q37〕参照）。

3　差押禁止債権の範囲変更の申立て

⑴　申立権者

債権者は、差押禁止範囲の減縮（差押範囲の拡張。新たな債権差押命令の発令）の申立てができ、債務者は、差押禁止範囲の拡張（差押範囲の減縮。債権差押命令の全部又は一部の取消し）の申立てができる。

債務者と生計を共にする債務者の家族及び第三債務者も、差押範囲について重大な利害関係を有するから、差押禁止範囲の拡張の申立てをすることができるとする考え方もあるが（松丸伸一郎「給料債権等の差押禁止と差押禁止範囲の変更」債権執行の諸問題86頁）、法律的には、これらの者が受ける利益は反射的利益といわざるを得ず、同人らを申立権者とする見解は採用し難い（注釈民事執行法⑹402頁〔宇佐見隆男〕）。

⑵　申立てをすべき裁判所

債権差押命令を発令した執行裁判所に申立てをする。

⑶　申立時期

債権者は、債権差押命令申立事件が係属中は、いつでも申立てをすることができる。債権差押命令申立てと同時に差押禁止範囲の減縮の申立てをすることもできるが、現実には、範囲変更の裁判をするため債務者を審尋することがほとんどであり、債権差押命令が第三債務者に送達された後に、債務者を審尋した上で決定することになるため、差押禁止範囲の変更の決定が債権差押命令の発令と同時にされることはない。

債務者は、債権差押命令発令後、債権差押命令申立事件の係属中は、いつでも申立てをすることができる（取立ての完了後、又は転付命令の確定後は範囲変更の余地はない。このため、給料等に対する差押えにおいては、令和元年改正法において、取立権の発生時期等が原則として１週間後から４週間後へと後ろ倒しされた（〔**Q44**〕参照））。

(4) 申立書の記載事項等

申立書には、申立ての対象となる債権差押命令申立事件の事件番号を特定した上、申立ての趣旨及び理由を記載し、それとともに申立書副本を相手方の数だけ提出する。手数料は不要である。

申立ての趣旨は、差押禁止範囲の減縮と拡張の２種類に分けられる。差押禁止範囲の減縮の申立ては、法152条所定の債権に限定されるが、差押禁止範囲の拡張の申立ては、これに限定されない（法153条１項）。

範囲変更の申立ての理由としては、債務者及び債権者の生活の状況その他の事情を具体的に記載する。これらの事情については、これを証明する資料を添付する必要がある。

(5) 差押範囲変更（減縮）の申立書等の書式

東京地裁民事執行センターでは、範囲変更の制度をより利用しやすくするという令和元年改正法の趣旨を踏まえ、債務者からの差押範囲の減縮の申立てについて、従来からある差押範囲変更（減縮）の申立書等の書式を改訂した。書式は、提出書類や申立書の記載方法についての説明書面（**【書式１】**参照）、申立ての趣旨及び理由を記載する申立書（**【書式２】**参照）、収入や資産、生活状況等を記載する陳述書（**【書式３】**参照）、申立前２か月分の家計表（**【書式４】**参照）で構成されており、申立人は、**【書式２】**ないし**【書式４】**に記入した上、**【書式２】**の末尾で例示されている資料（預貯金通帳の写し、源泉徴収票及び住民票等）とともに提出することになる。

4　相手方の審尋

差押禁止債権の範囲変更の申立てを受けた執行裁判所は、相手方、すなわち、債権者の申立ての場合は債務者、債務者の申立ての場合は債権者を審尋し（法５条）、双方の生活の状況その他の事情について主張立証の機会を与えて、資料を収集した上で、決定することが多い。審尋の方法としては、相手方に申立書の副本を送付し、期限を定めて意見書及び証拠資料を提出させること（書面審尋）が多いが、審尋期日を指定し、相手方を裁判所に呼び出して審尋することもできる。第三者を審尋することもできるが、実務上、第三者審尋がされることはあまりない。

5　範囲変更の要件

⑴　考慮要素

法153条１項は、範囲変更に際し、「債務者及び債権者の生活の状況その他の事情」を考慮するとしている。

ア　債務者の生活の状況

給料債権を例にとると、「債務者の生活の状況」としては、債務者の家族構成及びその生活に必要な費用、債務者の給料以外の家族全体としての収入や支出及び資産等が問題になる。「債務者の生活の状況」については、「債権者の生活の状況」との相関関係にはなるが、民事執行法制定前の「差押えにより債務者が生活上回復することができない窮迫の状態に陥るおそれがあるか否か」との基準よりは緩やかに解すべきであり、「現在の一般的な生活水準に比較して、債務者が差押えによって著しい支障を生じない程度の生活水準を確保し得るか否か」（注解民事執行法⑷539頁〔五十部豊久〕）が一応の基準になると考えられる。また、「債務者の生活の状況」として、債務者が多重債務者であり、他の債権者に弁済したい旨が差押禁止範囲を拡張すべき理由として主張されることがあるが、一般的には、差押債権者に対する弁済と他の債権者に対する弁済とは、債務者の自由意思で一方を他方に優先させてよいというものではなく、民事執行手続（債権配当手続）において調整が図られるべきであるから、原則として、このような事情は斟酌することができないと解される。

イ　債権者の生活の状況

「債権者の生活の状況」としては、債権者の生活又は営業の状態、他の収入や支出及び資産、請求債権額等が問題となるが、実務上、扶養請求権を請求債権とする債権差押命令申立ての場合や、不法行為に基づく損害賠償請求権等を請求債権とする債権差押命令につき債権者が差押禁止範囲の減縮（差押範囲の拡張）を求める場合に、その中心的な主張となることが多い。

ウ　その他の事情

「その他の事情」としては、債務者の誠実性、任意履行の意思等がこれに当たるといわれるが、その多くは、「債務者の生活の状況」又は「債権者の生活の状況」に還元されると考えられる。

また、実務上、預貯金債権が差し押さえられた場合で、その原資が年金や生活保護費等の差押禁止債権であることを理由に、債務者から範囲変更が申し立てられる事案が少なくない。この点については、原資が差押禁止債権であるからといって、預貯金債権が直ちに差押禁止債権になるものではないから（最判平10.2.10金法1535号64頁。〔Q24〕参照）、それだけの理由で範囲変更の申立てが認容されるわけではないが、「その他の事情」の一つとして、相応に重視されるものと考えられる。

なお、債権差押命令申立ての手続が違法な目的に基づくものであることは、「その他の事情」には当たらないと考えられる（東京高決令2.8.26金法2163号67頁①事件）。

エ　比較衡量

そして、これらの事情を比較衡量して、範囲変更の必要性の有無及び程度が決定される（したがって、例えば、債務者が生活保護基準以下に生活に困窮しているとしても、必ず差押禁止債権の範囲が拡張されるわけではなく、債権者も同様に生活に困窮していれば、申立てが認められないことがあり得る。）。

⑵　裁 判 例

裁判例として、債務者の給料収入額、家族構成及びその年齢、健康状態、就労状況等、他の収入、支出等の「債務者の生活の状況」を中心に詳細に認定した上で差押禁止範囲の拡張を認めた事例（札幌高決昭60.1.21判タ554号209頁）、債務者の同居者の収入を考慮して差押禁止範囲の拡張を認めなかった事例（東京高決令2.9.11金法2163号67頁②事件）、債務者が独身であり被扶養者がおらず、かつ、債務者が行方不明となり約１年経過するも給料債権を受領していないことから、債務者は、他に収入を得て生活を維持しているものと考えられ、過去の給料は債務者の現在の生活を維持するのに必ずしも必要ないとして、給料（及びその供託金）債権の全額まで差押えを認めた事例（東京地決平3.8.16判タ765号241頁）、債務者が行方不明となり約５年経過したが、その間給料の支払を請求せず、他方で他の資金から自己の損害賠償義務を履行していることから、過去の給料は債務者の現在の生活を維持するのに必ずしも必要であるとはいえないとして、やはり給料債権全額まで差押えを認めた事例（東京地決平4.2.4金法1347号29頁）がある。

また、地方公務員である債務者の給与の差押えにおいて、債務者が共済組合に対して借入金等の債務の支払としての償還金が給与から控除されている事実は、差押禁止範囲の変更の判断に当たり考慮すべき事情に該当しないとした事例（大阪高決平7.4.17判タ893号281頁、東京高決平22.3.3判タ1328号237頁）、手取り月額約100万円の給料を得ている債務者の給料の差押えにおいて、債務者が極めて長時間に及ぶ残業をし、交際費・タクシー代等を自己負担するなどして多額の収入を得ていることを指摘し、交際費・タクシー代を債務者の生活費に含めて考慮した上で、差押禁止債権の範囲の拡張を認めた事例（東京高決平12.3.2判タ1050号275頁）がある（なお、東京地裁民事執行センターにおける近時の裁判例について、「さんまエクスプレス第107回」金法2174号32頁）。

⑶　扶養義務等に係る金銭債権の場合

平成15年改正法により、法151条の２第１項各号所定の扶養義務等に係る金銭債権を請求する場合においては、給料債権等についての差押禁止範囲を支払期に受けるべき給付の「４分の３」に相当する部分から「２分の１」に相当する部分に減縮するとの差押禁止債権の範囲の特例が定められている（法152条３項）。これは、扶養義務等に係る金銭債権はその性質上法152条において差押えが禁止されている部分をも対象として実現されるべきものであると考えられること、扶養義務等に係る金銭債権の額は、その額の算定に当たり、差押禁止債権の範囲変更において考慮すべき事情が既に織り込まれていると考えることもできることから、差押禁止債権の範囲変更の申立てと立証に要する手続上の負担を軽減するため、一律に差押禁止の範囲を縮減したものであるとされる。具体的な事例において不当な結果になる場合は、差押禁止債権の範囲変更の申立てができるが（改正担保・執行法の解説104頁以下）、範囲変更の申立てに対する判断においては、上記のとおり、扶養義務等に係る金銭債権の額は、その額の算定に当たり、差押禁止債権の範囲変更において考慮すべき事情が既に織り込まれていると考えられること、債権者の側の生活にも余裕がない事例が少なくないことなどから、東京地裁民事執行センターにおいては、債務者による範囲変更（差押禁止債権の範囲の拡張）の申立てが認容される例はほとんどないのが実情である。

6　範囲変更の裁判の効力

差押禁止債権の範囲変更の裁判については、その効力は他の債権者には及ばないとする相対的効力説と他の債権者にも及ぶとする絶対的効力説があるが、一般的に裁判の効力は相対的であることが原則である上、差押禁止債権の範囲変更の裁判は、債務者及び債権者双方の事情を衡量してされるものであるから、事情を異にする他の債権者にも及ぶとするのは、実質的にも相当でなく、実務上は、相対的効力説が採用されている。

したがって、複数の債権者から差押えを受けた債務者は、それぞれの債権者を相手方として、差押禁止債権の範囲変更の申立てをする必要がある。

相対的効力説の趣旨からすると、例えば、給料債権の差押えが競合した場合において、債権者の中に、範囲変更（差押禁止債権の範囲の拡張）がされた者と範囲変更がされていない者がいるときには、第三債務者は、範囲変更がされていない額の執行供託をすることになるが、範囲変更に相当する部分の金銭については、範囲変更がされていない債権者のみの配当原資となると考えられ、東京地裁民事執行センターでも、そのように取り扱われている。

7　事情変更による差押禁止債権の範囲変更

債務者及び債権者の生活の状況その他の事情は、差押禁止債権の範囲変更の裁判後にも変わり得るから、事情の変更があれば、執行裁判所は、申立てにより、債権差押命令が取り消された債権を再度差し押さえ、又は新たに発せられた債権差押命令の全部又は一部を取り消すことができる（法

153条2項)。

8　仮の支払禁止命令

差押禁止債権の範囲変更又は事情変更による差押禁止債権の範囲変更の申立てがあった場合には、執行裁判所は、その裁判の効力が生じるまでの間、担保を立てさせ、又は立てさせないで、第三債務者に対して支払その他の給付の禁止を命ずることができる(法153条3項)。仮の支払禁止命令は職権で発令されるものであるため、当事者に申立権はないが、東京地裁民事執行センターの範囲変更申立書の書式においては、申立ての趣旨欄に仮の支払禁止命令の発令上申の項目を設けており(**【書式2】**参照)、発令の要否の判断の参考としている。

仮の支払禁止命令の発令の要否については、範囲変更の申立てが認容される見込みや取立てにより債務者に生ずる不利益の程度等の諸事情を考慮して判断されることになるが、東京地裁民事執行センターでは、差押債権が預貯金債権である場合の方が、給与債権の場合より、仮の支払禁止命令の発令が多い傾向にある。これは、差押債権が預貯金債権である場合、1回で全額が取り立てられて基本事件(債権差押命令申立事件)が終局してしまうため、仮の支払禁止命令を発令しておかないと、範囲変更の申立て自体の意味が失われてしまうことなどが考慮された結果であると考えられる。なお、範囲変更の申立てに対する審理は迅速に行われること、高額の債権が差し押さえられる事案は少ないことなどから、仮の支払禁止命令により債権者に大きな損害が生じるものと予測される事案は少ないため、担保を立てさせないで発令している事例が多い(劔持淳子・谷藤一弥・満田智彦「東京地方裁判所民事執行センターにおける令和元年改正民事執行法の施行後半年間の概況」判例秘書ジャーナル(HJ100093) 6頁以下)。

仮の支払禁止命令は、範囲変更の裁判が効力を生じるまでの間の暫定的な処分であるから、これに対して不服を申し立てることはできない(法153条5項)。

仮の支払禁止命令は、法39条1項7号の執行停止文書に該当すると解される。もっとも、仮の支払禁止命令は、転付命令の確定を遮断する効力はないため、既に転付命令が発令されているときは、仮の支払禁止命令の発令を理由として転付命令に対する執行抗告をしておく必要がある（〔Q24〕参照）。

範囲変更の申立てに対する裁判の効力が生じたときは、仮の支払禁止命令は当然に効力を失うと解されること（法153条3項）、請求異議の訴え等の終局判決において執行停止の裁判の取消し等をする旨の法37条1項の準用はなく、同旨の規定もないことから、東京地裁民事執行センターでは、仮の支払禁止命令がされた後に範囲変更の申立てに対する裁判をする際には、仮の支払禁止命令の認可や取消し等の裁判は行っていない。

9　不服申立て

差押禁止債権の範囲変更又は事情変更による差押禁止債権の範囲変更の申立てのうち、債権差押命令の取消しの申立てを却下する決定に対しては、申立人（債務者）は執行抗告をすることができる（法153条4項）。

これらの申立てによる債権差押命令の取消決定に対する債権者の執行抗告、新たな債権差押命令申立ての却下決定に対する債権者の執行抗告及び新たな債権差押命令の発令に対する債務者の執行抗告も可能である（法12条、145条6項）。

〈参考文献〉

さんまエクスプレス第107回（金法2174号32頁）

【書式1】債務者に対する差押範囲変更（減縮）についての説明書面

差押範囲変更（減縮）の申立てをする方へ

東京地方裁判所民事第21部

裁判所は、提出いただいた資料をもとに、あなた及び債権者の生活の状況その他の事情を考慮して、差押命令の全部若しくは一部を取り消す必要があるかを判断します。

提出を求める主な書類等は以下のとおりですが、提出された資料の内容や事情によっては追加提出を求める場合もあります。

また、裁判所から債権者に対して、申立書副本及び添付資料のコピーを送付して意見を求める場合もありますので、その場合には判断に時間を要することをご承知置き下さい。

なお、申立てがあれば必ず範囲変更や第三債務者への給付の禁止が認められるわけではありませんし、範囲変更が認められても、あなたの債務が減るわけではありません。

1　申立ての際に必要な書類

差押範囲の変更を申し立てる場合には、次の書類が必要になります。

①　申立書正本（裁判所提出用）

②　郵便切手5010円分（内訳：500円×８枚、100円×４枚、84円×５枚、20円×５枚、10円×５枚、５円×５枚、２円×５枚、１円×５枚）

③　申立人及び同居者の生活に必要な費用、それらの者の収入、資産等、生活状況が分かる書類（通帳以外は原本を提出してください。陳述書・家計表以外の原本は、コピーとの照合後に返還します。）

【例：陳述書、家計表〔申立前２か月分〕、源泉徴収票、課税証明書（又は非課税証明書）、確定申告書〔税務署の受領印が押されたもの〕、公的扶助の受給証明書、給与明細書〔申立前２か月分〕、預貯金口座の通帳のコピー〔過去１年分〕、その他資産及び家計表に記載した収入・支出が分かる資料など】

④　世帯全員及び同居者全員が記載された住民票〔申立前３か月以内に取得したもの〕（原本を提出してください。）

※住民票はマイナンバー（個人番号）の記載のないものをお願いします。

⑤　申立書副本及び③・④のコピー（各２通）

2　申立書の記載について

⑴　申立人（債務者）の欄にあなたの名前を記載した上で、あなたの印鑑を押してください（申立書副本、陳述書も同様です。）。

連絡先の欄には、あなたと日中連絡の取れる連絡先（電話番号、FAX番号）を必ず記載してください。今後連絡する際には、その連絡先にさせていただきます。

また、取消しを求める差押命令の債権者名を記入してください。

⑵　申立ての趣旨の欄には、取消しを求める差押命令の事件番号・第三債務者名を記入し、差押命令の取消しを求める範囲について、該当する□に✓印を記入してください。

また、この申立てに対する結果が出るまでの間、第三債務者に対して、支払その他の給付の禁止（債権者に支払を行わず、第三債務者がその分を取り置いておくこと）を希望する場合には、該当する□に✓印を記入してください。

⑶ 申立書の理由の欄には、後記３の記載例を参考に、差押命令の取消しを求める理由を記載してください。

⑷ 添付書類の欄には、あなたが本申立てのために提出した資料について、該当する□に✓印を記入してください。

3　申立ての理由の記載例

⑴ 生活保護受給者の場合

「申立人は、生活保護法の被保護者であるが、同居者も含めた１か月の収入は、申立人の生活保護費と○○との合計○万○○○○円であり、申立人及び同居者に不動産や預貯金等の資産もない。本件差押えによって、申立人らの生活に著しい支障が生じている。よって、本件差押命令の取消しを求めるため、本申立てに及ぶ。」

⑵ 給与所得者の場合

「申立人は給与所得者であるが、１か月の収入及び支出は家計の状況に記載したとおりであり、他にめぼしい資産等はない。本件差押えは給料、賞与及び退職金から所得税、住民税及び社会保険料を控除した残額の○分の○を対象とするものであるが、申立人の生活に著しい支障が生じている。よって、本件差押えの範囲を上記給料、賞与及び退職金の○分の○に変更することを求めるため、本申立てに及ぶ。」

以　上

【書式２】差押範囲変更（減縮）申立書

差押範囲変更（減縮）申立書

東京地方裁判所民事第21部　御中

令和　　年　　月　　日

申立人（債務者）　　　　　　　　　　　　印

電話　　　－　　　－

FAX　　　－　　　－

債　権　者

債　務　者

1　申立ての趣旨

上記当事者間の御庁令和　　年(ル)第　　　　号債権差押命令申立事件の第三債務者　　　　　　　（　　　　　扱い）に対する債権差押命令について、

□　差押えを取り消す。

□　金　　　　　円を超える部分を取り消す。

□　給料・賞与・退職金の差押範囲を各　　分の　　に変更する。

□　別紙差押債権目録記載の範囲に変更する。

との裁判を求める。

□　本申立てに対する裁判が効力を生ずるまでの間、第三債務者に対し、支払その他の給付を禁止することを命ずる旨の決定をされたい。

（該当する□に✓印を記入してください。）

2　申立ての理由

____

____

____

____

____

____

____

____

添付書類（該当する□に✓印を記入してください。）

□　公的扶助（生活保護・年金等）受給証明書

□　給与明細書（申立前２か月分）

□　源泉徴収票（最新のもの）

□　課税証明書（非課税証明書）（最新のもの）

□　確定申告書（税務署の受領印のある最新のもの）

□　預金・貯金の各通帳のコピー（過去１年分の取引明細が分かるもの）

□　世帯全員及び同居者全員の住民票（申立前３か月以内に取得したもの）

□　陳述書（申立人の印鑑を押したもの）

□　家計表（申立前２か月分）

□　上記の各添付書類のコピー（各２通）

□　申立書副本（申立人の印鑑を押したもの）

【書式3】陳 述 書

陳　述　書

令和　　年　　月　　日
申立人　　　　　　　　　印

1　現在の就業状況（該当する□に✓印を記入してください。）

□勤め　□パート・アルバイト　□自営
□無職　□その他（　　　　　　　　）

就業先（会社名）

____

地位・業務の内容

____

2　家族関係等

氏　名	続柄	年齢	職　業	同居

＊申立人の家計の収支に関係する範囲で書いてください。
＊続柄は申立人からみた関係を記入します。
＊世帯全員及び同居者全員が記載された住民票を提出してください。
＊同居の有無を○・×で記入してください。

3　申立人及び同居者の収入の状況

⑴　公的扶助（生活保護、年金、各種扶助など）の受給

種　類	金　額	開始時期	受給者の氏名
	円／月		

＊受給証明書の原本を提出してください。
＊金額は1か月に換算してください。

⑵ 給料・賞与等

種　類	支給額	支給日	収入を得ている者

＊給与所得者の方は申立前2か月分の給与明細書及び最新の源泉徴収票（又は課税証明書）を提出してください。
＊自営業者の方は最新の確定申告書（税務署の受領印のあるもの）を提出してください。
＊収入のない方は非課税証明書を提出してください。

4　現在の住居の状況
ア　申立人が賃借　イ　親族・同居者が賃借　ウ　申立人が所有・共有
エ　親族が所有　オ　その他（　　　　　　　　　　　　）
＊ア、イの場合は、次のうち該当するものに○印を付けてください。
a　民間賃借　b　公営賃借　c　社宅・寮・官舎
d　その他（　　　　　　　　　　　　）

5　預金・貯金口座の状況

金融機関・支店名	口座の種類	口座番号	残高	生活保護・年金等	差押

＊各通帳の表紙を含め過去1年分の取引明細が分かるように写しを提出してください。
＊生活保護費・年金等の振込口座である場合はその旨を記入してください。

＊差押の有無を○・×で記入してください。

6　預貯金以外の主要な資産の状況（例：自動車、保険、株式、不動産等）

項　　　目	金　額（評価額）	備　　考

＊不動産については、評価額欄に固定資産税評価額を記入してください。

7　差押えにより生活に著しい支障が生じる具体的な事情

8　その他
（裁判所に連絡したいことがあれば記入してください。）

【書式4】家 計 表

家　計　表

（家計を同じくする世帯単位で記入する）
令和　　年　　月分（原則　申立前2か月分の提出が必要）

	科　目　※	金　額	内容説明・必要書類　※
収入	給与（申立人）		□給与明細
	給与（　　　　）		
	生活保護（申立人）		□受給証明
	失業保険（申立人）		□受給証明
	失業保険（　　　　）		
	年金（申立人）		□受給証明
	年金（　　　　）		
	その他の公的給付（　　　　）		（公的給付の種類　　　　）※
	援助者からの援助		（援助者氏名　　　　）
	サラ金等からの借入れ（借金）		（借入目的　　　　）
	その他		（内容　　　　）
			（内容　　　　）
			（内容　　　　）
	合　　計		
支出	住宅費（家賃・地代）		□賃貸借契約書
	駐車場代		
	食費		
	被服（衣料）費		
	水道・電気・ガス料金		
	交通費（ガソリン代を含む）		
	電話料金		
	教育費		
	医療費		
	交際費		
	保険料		（保険の種類　　　　）□保険証書
	養育費その他の送金		（送金先・送金目的　　　　）
	借金の返済		（返済先　　　　）
	家族のローン返済（住宅ローンを含む）		（内容　　　　）
	その他		（内容　　　　）
			（内容　　　　）
			（内容　　　　）
			（内容　　　　）
	合　　計		

※　科目欄の（　　）内には収入・給付を受けている者の氏名を記載する。
※　提出書類の□に✓を入れる。
※　申立人が「その他の公的給付」を受けている場合には受給証明を提出する。

第 8 章

取立てと取立末了 2 年経過取消し

Q 44　取立ての方法

差押命令によって差し押さえた債権を取り立てるには、どのようにすればよいか。その際、どのような点に留意すべきか。取り立てた後にすべきことは何か。

1　債権執行における換価方法

債権差押命令は、第三債務者に送達されると差押えの効力を生ずるが（法145条5項）、債務者に対し差押債権の取立て等の処分を禁止し、第三債務者に対し債務者への弁済を禁止する（同条1項）効力が生ずるにとどまる。差押債権者は、請求債権の満足を得るため、さらに差押債権を換価する手続をとる必要がある。

債権執行における換価方法としては、転付命令（〔Q47〕参照）、譲渡命令、売却命令等（〔Q50〕参照）があるが、最も原則的な換価方法が取立てである。

2　取立権の発生時期

(1)　原則（差押債権が給与等債権以外の場合）

取立権は、差押命令がその効力を生じた後、差押命令が債務者に送達された日から1週間経過した時に発生し、差押債権者は、これ以降、差押債権について、第三債務者から直接取立てをすることができるのが原則である（法155条1項本文）。期間の計算は、原則として初日不算入であるから、例えば、債務者に送達された日が令和3年10月12日であった場合、取立権発生日は同月20日となる。なお、東京地裁民事執行センターでは、法155条1項に規定する1週間の期間の計算にも民訴法95条3項が準用され、1週間の経過する日が、日曜日、土曜日、国民の祝日に関する法律に規定する休日、1月2日、3日、12月29日から12月31日までの日に当たるときは、その翌日に期間が満了するものと解している。転付命令とは異なり、取立権の発生には差押命令の確定は要件とされていないから、差押命令が債務者に送達された日から１週間が経過すれば、差押命令に対し執行抗告が提起されていても取立権が発生する。

⑵　差押債権が給与等債権であり、請求債権に扶養義務等債権を含まない場合

令和元年改正法により、令和２年４月１日以降に申し立てられた事件について、差押債権が、私的年金等、給料等又は退職金等債権（給与等債権）の場合で、請求債権に扶養義務等債権（後記⑶）を含まない場合には、取立権の発生日は、債務者への差押命令送達後４週間を経過したときとされた（法155条２項）。

これは、債権執行事件において、差押禁止債権の範囲変更の申立て（法153条）を試みようとする債務者にとっての実質的な準備期間は、差押命令の債務者への送達日から債権者が第三債務者から直接取り立てることができるようになる時までとなるが、給与等債権が差し押さえられた場面における差押禁止債権の範囲変更に関する近時の裁判実務の傾向に照らすと、この期間が１週間では事実上同申立てが困難であるとの指摘があったことによる。すなわち、近時の裁判実務においては、同申立てを受けた執行裁判所は、債務者の給与等の額のほか、債務者の他の収入及び資産の状況、債務者の家計の状況や浪費の有無、同居者の収入及び資産の状況等を総合的に考慮して判断する傾向にあるが（〔Q43〕参照）、これらの考慮要素に関する資料収集等の準備のためには相応の期間を要することが考えられる。そこで、差押えの対象が給与等債権である場合には、取立権の発生時期を後ろ倒しにし、給与等債権を差し押さえられた債務者が差押禁止債権の範囲変更の申立てをするための準備期間を確保することによって、債務者が同申立てをしやすくなるよう整備したものである。

なお、令和元年改正法により、差押債権が給与等債権であり、かつ、請求債権に扶養義務等債権を含まない場合には、転付命令の効力発生時期、譲渡命令等の効力発生時期及び配当等の実施時期についても、債務者への差押命令の送達日から４週間経過したことを要することとされた（法159条６項、161条５項、166条３項）。差押債権者による取立て以外の方法によ

る換価の場面においても、取立ての場面と同様に、債務者が差押禁止債権の範囲変更の申立てをする機会を実質的に保障するためである。

(3) 差押債権が給与等債権であるが、請求債権に扶養義務等債権を含む場合

差押債権が給与等債権である場合であっても、請求債権に夫婦間の協力扶助義務、婚姻費用分担義務、子の監護費用分担義務、扶養義務に係る金銭債権（扶養義務等債権）が含まれる場合には、取立権の発生時期を後ろ倒しにせず（法155条２項括弧書）、同場面における取立権の発生時期は、原則どおり、債務者に対して差押命令が送達された日から１週間を経過した時とされている。

これは、①扶養義務等債権は、その権利実現が債権者の生計維持に不可欠なものであり、速やかにその実現を図る必要があるため、その取立権の発生時期を後ろ倒しにすべきではないと考えられる一方で、②扶養義務等債権の額の算定に当たっては、差押禁止債権の範囲変更において考慮すべき事情が既に織り込まれていると考えられるため、これを請求債権とする差押えがされた場面においては、一般的に債務者に対して差押禁止債権の範囲変更の申立ての機会を保障する実質的な必要性が乏しいといえることによるものである。

差押命令に係る請求債権のうちに扶養義務等債権とそれ以外の一般の金銭債権の双方が含まれている場合について、法155条２項は、請求債権のうち扶養義務等債権に基づく差押えに対応する部分のみならず、それ以外の一般の金銭債権に基づく差押えに対応する部分をも含め、当該請求債権全部についての取立権の発生時期を、債務者に対して差押命令が送達された日から１週間が経過した時としている。

3　取立権行使の要件

取立権を行使するための要件としては、①差押債権が条件付き又は期限付きのものは、現実に支払期が到来していること、②他に競合する差押債権者又は配当要求債権者がいないこと（ただし取立訴訟の提起につき後記５参照）、③執行停止文書（法39条１項。〔Ｑ４〕参照）が執行裁判所に提出さ

れていないことが挙げられる。

①の要件については、差押債権が条件付き又は期限付きの場合には、条件成就又は期限到来を待って取り立てるか、そのままの状態で譲渡命令等（法161条１項）の方法で換価をすることが考えられる。

なお、このほか、第三債務者は、差押債権者に対し、差押債権について有していた債務者に主張できる抗弁を主張することができる（〔Q46〕参照）。

②の要件については、競合する差押債権者又は配当要求債権者がいる場合には、第三債務者は、差押債権の全額を供託する義務を負い（法156条２項）、差押債権者の取立てに応じたとしても、他の差押債権者に対抗することができず、免責されない。

なお、債権質権者は、目的債権が他の債権者により差し押さえられても、直接、取立てをすることができる（民366条１項）。また、滞納処分による差押えがされている債権に対し民事執行による差押えがされた場合には、滞納処分の効力が及んでいる部分については、滞納処分が解除された後に限り取立てをすることができる（滞調20条の５、20条の10。〔Q42〕参照）。

③の要件については、執行裁判所に執行停止文書が提出された場合には、裁判所書記官から、差押債権者及び第三債務者に対し、執行停止文書が提出された旨と執行停止が効力を失うまで取立てや支払をしてはならない旨の通知がされる（規136条２項）。第三債務者は、この場合でも、供託（法156条１項）をすることが可能である（条解民事執行規則(下)540頁）。

4　取立権行使の方法及び範囲

差押債権者は、取立権に基づき、自己の名において差押債権の取立てに必要な裁判上・裁判外の一切の行為（例えば、催告、弁済の受領、取立訴訟の提起など）をすることができるし、取立てに必要な限度で債務者の有する解除権等を行使することができるが、取立目的を超える行為（例えば、差押債権の譲渡、放棄、期限の猶予など）をすることはできない。

差押債権者は、取立てをするに当たり、第三債務者に対し、差押命令の正本及び差押命令の送達通知書（規134条）を提示し、自己に取立権が存在することを証明する必要がある。第三債務者は、取立権行使の障害となる事由がなければ、取立てに応じることになるが、実際の支払方法については、明示の規定がないので、差押債権者と第三債務者との間で協議して決せられることになる。取立権は、差押債権者が第三債務者から取り立てる権能であるので、第三債務者は取立てに応じることで足り、自ら差押債権者へ持参する必要はない。そのため、第三債務者が差押債権者に対し振込の方法により支払う場合には、反対の協議が成立しない限り、振込手数料は差押債権者の負担になる。

取立権行使の範囲は、差押命令に表示された差押債権全額に及ぶが、現実に支払を受けられるのは、差押債権者の請求債権及び執行費用の合計金額が限度となる（法155条１項ただし書）。

5　取立訴訟

第三債務者が、差押債権者の取立てに任意に応じなかったとき、又は差押え等が競合したのに供託をしないときは、差押債権者は、第三債務者に対し、取立訴訟を提起することができる（法157条）。差押えをしていたところ、後に滞納処分による差押えが競合した場合も同様である（滞調36条の７）。取立訴訟において差押債権者の請求を認容する場合、その訴状送達時までに差押え等の競合がなければ、単純な給付判決となるが、競合があれば、金銭の支払を供託の方法によりすべき旨を掲げた給付判決となる（法157条４項）。差押債権者は、取立訴訟において上記の単純な給付判決を取得すれば、それを債務名義として、第三債務者の責任財産に対して強制執行をすることができる。なお、供託の方法により支払をすべき旨の判決に基づき供託がされた場合には、配当が実施されることになる（法166条１項）。

取立訴訟は、裁判上の取立ての一手段であり、支払督促及び調停申立ての手段により取立てをすることも許される。

取立訴訟の管轄は、差押債権を基準として、民事訴訟法の一般原則により定まる。第三債務者に対し請求できる範囲は、差押命令に表示された差押債権全額であると解する考え方が一般的であるが、現実に支払（強制執行による弁済を含む。）を受けられるのは、裁判外の取立ての場合と同じく、差押債権者の請求債権及び執行費用の額を限度とする（法155条1項ただし書）。受訴裁判所は、競合する差押債権者がいる場合には、第三債務者の申立てによりこの取立訴訟に参加させる参加命令（法157条1項）を発することができ、これを命じられた差押債権者は、取立訴訟に参加したか否かにかかわらず、判決の効力を受ける（同条3項）。また、競合する差押債権者は、取立訴訟に共同訴訟参加（民訴52条）をすることができるが、独立して訴訟提起はできない。滞納処分による差押えとの競合については、滞納処分による差押えが先行している場合（滞調20条の3第1項）には、差押債権者は、滞納処分による差押えがされている部分については、滞納処分が解除されなければ取立訴訟を提起することができず（滞調20条の5、20条の10）、民事執行による差押えが先行している場合（滞調36条の3第1項）には、受訴裁判所は、第三債務者の申立てにより滞納処分庁に対し取立訴訟への参加を命ずることができ（滞調36条の7前段、36条の13、法157条1項）、滞納処分庁は独立して取立訴訟を提起することはできない。

差押債権者が当該差押命令申立事件を取り下げ、差押命令申立事件が終了すると、取立訴訟の原告適格はなくなる。

6　取立て後の処理

差押債権者は、第三債務者から差押債権者の債権及び執行費用の全部又は一部の支払を受けた場合には、支払を受けた額の限度で請求債権の弁済があったとみなされ（法155条3項）、直ちにその旨を執行裁判所に書面で届け出なければならない（同条4項、規137条）。継続的給付に係る債権の支払を受けた場合も、その都度その旨を執行裁判所に届け出るべきである。実務上、この届出をする書面を「取立届」（**【書式】**参照）という。取立届により請求債権全額が弁済されたとみなされ、又は差押債権全額が弁済されたことが判明した場合、執行裁判所は事件を終了させることになるところ、実務上、このような事件を終了させる取立届を「取立完了届」

と、それ以外を「一部取立届」という。現実に差し押さえた債権の額が、差押命令に表示された差押債権額に満たない場合（一部空振りの場合）には、差押債権者は、現実に差し押さえた債権の額を取り立てた段階で、一部取立届を提出した上、取立不能に終わった残部を取り下げることになり、これにより事件が終了する。

取立届（取立完了届、一部取立届）には、㋐事件の表示、㋑債務者及び第三債務者の氏名又は名称、㋒第三債務者から支払を受けた額及び年月日、㋓第三債務者から支払を受けた旨を記載しなければならない（法155条４項、規137条）。継続的給付に係る債権のように弁済期が複数ある場合には、どの弁済期の分であるかを明記しなければならない。また、債務者又は第三債務者が複数いる場合は、どの債務者又は第三債務者に関するものかを特定しなければならない。

実務上、取立届とは別に、第三債務者から支払届の提出を受ける運用がされていたことがあったが、東京地裁民事執行センターでは、現在、特にその提出を求めない扱いである。

なお、令和元年改正法により、債権執行事件の終了に関する規定が見直され、金銭債権の差押えがされた後、差押債権者が長期間にわたって取立ての届出等をせずに事件を放置している場合に、執行裁判所が職権で差押命令を取り消して事件を終了させることができる仕組みが設けられた（法155条５項ないし８項）。すなわち、差押債権者は、差押えに係る金銭債権を取り立てることができることとなった日等から第三債務者からの支払を受けることなく２年を経過したときは、その後４週間以内にその旨を執行裁判所に届け出なければならず（法155条５項）、差押債権者がこの届出や一部取立届の提出を怠った場合、執行裁判所は差押命令を取り消すことができることとされた（同条６項）。詳細については〔Q45〕を参照されたい。

上記改正の結果、差押債権者は、一部取立届の提出により差押命令の取消決定を免れることになるため（法155条６項、７項）、一部取立届はその提出により執行手続を続行させる書面に該当する（規15条の２で準用する民訴規３条１項２号）と解される。そこで、東京地裁民事執行センターでは、令和２年４月１日以降、一部取立届をファクシミリで提出することはできず、原本により提出することが必要であるものとして運用している。

〈参考文献〉

浅生重機「取立訴訟」債権執行の諸問題137頁、書式執行の実務329頁、民事執行実務講義案361頁、原啓一郎「取立訴訟の審理と判決」民事執行の基礎と応用314頁、内野宗揮ほか「法令解説・運用実務」73頁〔内野宗揮・山本翔・吉賀朝哉・松波卓也〕、235頁〔前田亮利・満田智彦・國原徳太郎〕

【書式】取 立 届

令和　　年（ル・ナ）第　　　　号

取立（□完了）届

東京地方裁判所民事第21部　御中

令和　　年　　月　　日

申立債権者　　　　　　　　　　　印

債　権　者
債　務　者
第三債務者

→上記事件の各当事者が複数いる場合、本取立てに対応する当事者を特定して記載してください。

1　上記当事者間の債権差押命令に基づき、債権者は第三債務者から次のとおり取り立てました。

□　令和　　年　　月　　日　　金　　　　　　　　円
□　令和　　年　　月　　日　　金　　　　　　　　円
□　令和　　年　　月　　日　　金　　　　　　　　円
□　別紙取立一覧表のとおり　→本書面と取立一覧表を左側２ヶ所でステープラーで止めてください。

2　なお、上記債権差押命令における第三債務者について

□　取立ては継続して行います。

差押債権額　　円
取立累計額　　円
残　　額　　円

□　差押債権額全額の取立てを完了しました。

□　差押債権額全額の取立ては完了していませんが、今回の差押命令申立事件に関しては以降の取立ての予定はありません。**→今回の差押命令申立事件について取下げをご検討ください（※新たな申立てを制限するものではありません）。**

※　該当する部分の□にチェックを入れてください。

※　取立完了の場合（債権差押命令の各当事者が複数いる場合は、その全ての取立てが完了した場合）には、2の「□差押債権額全額の取立てを完了しました。」だけではなく、標題の「(□完了)」にもチェックを入れてください。

（別紙）

取立一覧表

取　　立　　日	取　立　金　額	備　　　　考

合　計　額	金　　　　円	

Q45 取立未了2年経過による債権差押命令の取消し

長期間取立てが行われていない債権差押命令が取り消されるのはどのような場合か。また、差押債権者は、取消しを免れるためにはどのような届出をしなければならないか。

1 改正の経緯

債権執行事件では、差押債権者による取立てを通じて換価・満足が行われるのが通常であるが、令和元年改正法による改正前の民事執行法においては、このような債権執行事件の終了は、取立てが完了した旨の届出（取立完了届）や申立ての取下げといった差押債権者の事後的活動に依存しており、執行裁判所が職権によって事件を終了させる方法はなかった。そのため、実際には、差押債権者による取立届の提出がされず、また、差押債権者が取立ての意欲を失ったにもかかわらず取下げがされないまま、長期間にわたって漫然と放置されている事件が多数に及んでおり、第三債務者にとって、長期間にわたって差押えの拘束を受け続けるということが負担となっていた（例えば、預貯金債権の差押えの場面では、第三債務者（銀行等）は、差押えの対象となっている預貯金口座を、通常の預貯金口座とは別に管理し、各支店の窓口やATMで預貯金を引き出せないようにする措置を講じなければならないことになるが、このような特別の口座管理には様々な事務的な負担が伴うとされる。）。加えて、事件の進行・管理の職責を負う執行裁判所にとっても、将来に向かって係属している事件の数が増え続けることになりかねないとの問題が指摘されていた。

こうした状況を踏まえ、令和元年改正法では、以下のとおり、債権者に対し、従前から提出が義務付けられていた（一部）取立届（法155条4項。〔Q44〕参照）のみならず、取立てが行われずに一定期間が経過した場合には支払を受けていない旨の届出（同条5項）をしなければならないこととし、これらの届出がされない場合には、執行裁判所が職権で差押命令を取り消すことにより（同条６項ないし８項）事件を終了させることを可能にする仕組みが新設された。

2　2年経過取消制度の概要

(1)　支払を受けていない旨の届出（５項届。【書式】参照）

差押債権者は、差押えに係る金銭債権を取り立てることができることとなった日（取立権の発生日）から起算して、第三債務者から支払を受けることなく２年を経過したとき、又は、最後に一部取立届若しくは支払を受けていない旨の届出を執行裁判所に提出した日から、第三債務者からの支払を受けることなく２年を経過したときは、その旨を執行裁判所に届け出なければならない（法155条５項。以下、同項に基づく支払を受けていない旨の届出を「５項届」という。）。５項届は、上記の２年が経過する前に提出することもできるが（同条８項）、その場合も、最後に５項届を提出した日から、第三債務者からの支払を受けることなく２年を経過したときには、執行裁判所に再度５項届を提出しなければならない。なお、令和２年３月31日までに取立権が発生した債権差押命令事件の場合は、令和元年改正法施行の日である令和２年４月１日が、上記２年の期間の起算日となる（令和元年改正法附則３条２項）。

これらは、差押債権者に、取立権発生日以降、少なくとも２年ごとに第三債務者からの支払の有無を報告させることで、事件の進行管理の職責を負う執行裁判所において、差押債権者が取立てを継続する意思を有しているか否かを確認することができるようにしたものである。なお、差押債権に期限が付されていても、期限は取立権の行使を妨げるにすぎず、取立権の発生を妨げるものではないから、上記２年の期間は、差押債権の期限が到来していなくても進行する。

５項届の必要的記載事項は、①事件の表示、②債務者及び第三債務者の氏名又は名称、③第三債務者から支払を受けていない旨である（規137条の２第１項）。また、執行裁判所としては事件の進行管理の見通しを把握でき、差押債権者にとっても債権管理に資するものと考えられるため、５項届には、第三債務者から支払を受けていない理由（同条２項）も記載することとされている（**【書式】**参照）。ただし、第三債務者から支払を受けていない理由は、法155条５項が要求するものではなく、あくまで任意の協力を求めるものなので、この記載を欠いたからといって届出が無効になるものではない。なお、５項届は、一部取立届とともに、その提出により執行手続を続行させる書面に該当する（規15条の２、民訴規３条１項２号）と解されるので、これらの書面はファクシミリではなく原本により提出する必要がある。したがって、差押債権者から一部取立届又は５項届がファクシミリにより提出された場合、有効な届出があったとはいえないため、２年経過による取消決定の対象になり得る。

(2)　取消予告通知及び債権差押命令の取消決定

ア　取消予告通知

差押債権者が取立権の発生日（法155条１項、２項）又は最後に一部取立届若しくは５項届を執行裁判所に提出した日から２年を経過した後、４週間以内に一部取立届又は５項届を提出しないときは、執行裁判所は、職権で、差押命令を取り消すことができるが（同条６項、５項括弧書）、一部取立届又は５項届の提出を失念している差押債権者への注意喚起として、取消決定に先立ち、裁判所書記官は、差押債権者に対し、一部取立届又は５項届を提出しないときは差押命令が取り消されることとなる旨を通知する必要がある（規137条の３。以下「取消予告通知」という。）。

取消予告通知の方法は、相当と認める方法によることになるところ（規３条１項、民訴規４条１項）、東京地裁民事執行センターでは、裁判所書記官による通知書の普通郵便による送付又は電話により、申立債権者に通知する運用としている。

また、取消予告通知を受けてから一部取立届又は５項届の準備をする差押債権者もいると考えられることから、東京地裁民事執行センターでは、取消予告通知から取消決定までに４週間の猶予を設けることとし、差押債権者に対し、同期間内に一部取立届又は５項届の提出がない場合は差押命令が取り消される旨を通知している。その際、既に事件を継続させる意思を失っている差押債権者も少なくないことが想定されるから、取下げ（〔Q72〕参照）についても併せて案内している。

取消予告通知の時期については、規則上特段の規定がないが、東京地裁民事執行センターでは、上記のとおり、取消予告通知から取消決定まで4週間の猶予を設けるため、取消決定が可能となる時期（法155条6項、5項括弧書）から逆算し、取立権の発生日又は最後の一部取立届若しくは5項届の提出日から2年以上が経過したものについて、順次、取消予告通知を行っている。

イ　債権差押命令の取消決定

取立権発生日又は最後の一部取立届若しくは5項届の提出日から2年を経過した後、4週間以内に一部取立届又は5項届を提出しないときは、執行裁判所は、職権で、差押命令を取り消すことができる（法155条6項、5項かっこ書）。具体的には、前記アの取消予告通知で定めた期間（4週間）内に一部取立届又は5項届の提出がない場合に、差押命令を取り消すことになる。なお、事件の進行管理又は差押えの継続に不熱心な差押債権者により放置されている差押えについて取り消す制度であるから、たとえ取消予告通知で定めた期間（4週間）を徒過したとしても、取消決定前に一部取立届又は5項届が提出された場合には、取消決定をすべきではないと考えられる。

取消決定は、債権者に送達する方法により告知する（規2条1項2号）。取消決定は、債権者に告知された日から1週間以内に一部取立届又は5項届が提出されなかった場合に確定するので（法155条7項、12条1項、10条2項）、取消決定の確定後、債務者に告知がされ（規2条1項2号）、第三債務者に通知（規136条3項）がされる（東京地裁民事執行センターでは、これらは普通郵便によることとしている。）。一部取立届又は5項届の提出により取消決定が失効した場合は、債務者への告知及び第三債務者への通知は不要と解される。

⑶　取消決定の対象となる事件

ア　配当実施中の事件

第三債務者が差押債権に相当する金銭を供託所に供託した（法156条1項、2項）ときは、第三債務者はその事情を執行裁判所に届け出なければならず（同条3項）、この供託がされたときは、執行裁判所は配当等を実施することとなり（法166条１項１号）、差押債権者による取立てはできない。したがって、配当等の手続が続いている場合、差押債権者から一部取立届は提出されないことになるが、当該債権執行事件に係る債権が行使されていることは執行裁判所に明らかであるため、東京地裁民事執行センターでは、たとえ５項届の提出がなくても、最後の配当期日等から２年が経過しない限り、原則として取消対象事件とはしない（取消予告通知を行わない）こととしている。

イ　当事者が複数の場合

(ア)　第三債務者が複数のとき

東京地裁民事執行センターでは、第三債務者が複数の債権執行事件で、差押債権者がいずれかの第三債務者から支払を受けた旨の一部取立届を提出した場合には、差押債権者は当該債権執行事件全部の進行管理を行っていると評価し、支払を受けていない第三債務者との関係でも、当該取立届を提出した日から２年と４週間が経過するまでは取消決定をしないこととしている。また、第三債務者が複数いる場合に差押債権者が５項届を提出するべき場合とは、いずれの第三債務者からも支払を受けていない場合ということになるので、第三債務者ごとに５項届を提出する必要まではないと解される。そこで、第三債務者が複数ある事案における５項届の第三債務者の氏名又は名称については、「第三債務者　甲ら」など、少なくとも当該事件の第三債務者１名の氏名又は名称及び第三債務者が複数ある事案であることが明らかになる記載がされていれば足りるものとして運用している。

(イ)　債務者又は債権者が複数のとき

債務者が複数の事案の場合、取立権の発生時期は各債務者に対して差押命令が送達された日を基準に各別に決せられること（法155条１項参照）、差押債権者が第三債務者から支払を受けたときは、その債権及び執行費用は支払を受けた限度で弁済されたものとみなされる（法155条３項）とされていることに照らせば、事件管理（及び債権管理）は債務者ごとに行われるものと考えられ、そうすると、取立権発生日又は最後に一部取立届若しくは５項届の提出がされた日から２年間という法155条５項所定の期間は、債務者ごとに進行するものと解される。そのため、例えば、債務者Ａとの関係では一部取立届が提出されたが、同一の債権執行事件の債務者Ｂとの関係では取立可能日から２年と４週間が経過しても一部取立届も５項届も提出されていないという事案では、債務者Ａとの関係では上記一部取立届の提出から２年４週間の間は差押命令は取り消されないが、債務者Ｂとの関係では差押命令が取り消され得ることとなる。

債権者が複数の場合も同様に、債権者ごとに取り消され得ることなる。

⑷　不服申立て等

民事執行法上、差押命令を取り消す決定に対しては執行抗告をすることができるとされているが（法12条１項）、法155条６項に基づく取消決定については、差押債権者が取消決定の告知を受けてから１週間の不変期間内（執行抗告期間内）に一部取立届又は５項届を提出したときは失効する（同条７項）。これは、取立てを継続する意思を有していたのに届出を失念していた差押債権者に、執行抗告に代わる簡易な救済手段を与えるものである。したがって、差押債権者としては、執行抗告を申し立てる必要まではないことになる。なお、取消決定がされた後、差押債権者に告知されるまでの間に一部取立届又は５項届の提出があった場合も、法155条７項の類推適用により、取消決定は失効するものと解される（山本和彦「論点解説」175頁〔阿多博文〕）。

また、取消決定をするか否かは執行裁判所の裁量に委ねられており、取消決定を求める申立権が債務者や第三債務者に与えられているわけではないから、執行裁判所が取消決定をしないことに対する不服申立てはできない。

⑸　振替社債等差押命令等への準用

２年経過による取消しの規定は、金銭債権を差し押さえた場合にのみ適用があるが（法155条６項）、振替債等の取立可能な振替社債等（〔Q80〕参照）及び電子記録債権（〔Q81〕参照）については準用される（規150条の５第４項、150条の15第１項）。また、少額訴訟債権執行についても準用され、この場合における差押処分の取消しは、裁判所書記官の処分によって行われる（法167条の14第１項。〔Q83〕参照）。

〈参考文献〉

内野宗揮・山本翔・吉賀朝哉・松波卓也「民事執行法等の改正の要点（5・完）」金法2126号34頁、東京地裁民事執行センター「さんまエクスプレス第101回」金法2134号52頁、条解民事執行規則(下)543頁、内野宗揮ほか「Q＆A」349頁、山本和彦「論点解説」163頁〔阿多博文〕、内野宗揮ほか「法令解説・運用実務」78頁〔内野宗揮・山本翔・吉賀朝哉・松波卓也〕、107頁〔谷藤一弥〕

【書式】支払を受けていない旨の届出（5項届）

ファクシミリによる提出はできません。

令和　　年（ル・ナ）第　　　　　号

支払を受けていない旨の届出

東京地方裁判所民事第21部　御中

令和　　年　　月　　日

申立債権者　　　　　　　　　　　　印

債　権　者
債　務　者
第三債務者

上記事件の債権者又は債務者が複数いる場合、本届出に対応する当事者ごとに記載して、本書面を作成してください。
第三債務者が複数の場合、いずれの第三債務者からも支払を受けていない場合に本書面を作成してください。

1　上記当事者間の債権差押命令に基づき、金銭債権を取り立てることができることとなった日（又は最後に一部取立届若しくは支払を受けていない旨の届出をした日）から、債権者は第三債務者から支払を受けていません。

2　第三債務者から支払を受けていない理由

該当する部分の□にチェック、下線部に該当する第三債務者名を入れてください。

□　第三債務者＿＿＿＿＿＿＿＿＿＿＿＿＿＿＿につき、差押債権が、支払期限が到来していない。（支払期限　令和　　年　　月　　日）

□　第三債務者＿＿＿＿＿＿＿＿＿＿＿＿＿＿＿に対し、取立訴訟係属中である（訴訟提起予定である）。

□　その他→**具体的な理由を以下の欄に記載してください。**

（　　　　　　　　　　　　　　　　　　　　　　　　）

※　民事執行法155条5項により、金銭債権を取り立てることができることとなった日（一部取立届又は支払を受けていない旨の届出をした場合にあっては、最後に当該届出をした日）から支払を受けることなく2年を経過したときは、支払を受けていない旨の届出をする必要があります。この届出をしない場合は、差押命令が取り消されることがあります（民事執行法155条6項）。

Q46 第三債務者の抗弁

第三債務者は、差押債権者の取立てに対して、相殺等の抗弁を主張することができるか。

1 差押債権者の取立て（〔Q44〕参照）

金銭債権の差押債権者は、債務者に差押命令が送達された日から原則として１週間を経過したときは、差押債権を取り立てることができる（法155条１項）。ただし、令和元年改正法により、差押債権が給与等の債権（法152条１項、２項）である場合には、請求債権に扶養義務等に係る債権（法151条の２第１項各号）が含まれる場合を除き、この期間は４週間とされている（法155条２項。〔Q44〕参照）。

取立権が発生すると、以後、差押債権者は、自己の名で、第三債務者に対し、差し押さえられた債権の取立てに必要な一切の行為（取立訴訟、支払命令、催告等）をすることができるようになる。もっとも、差押債権について競合が生じた場合には、第三債務者は供託の義務を負い（法156条２項）、供託がされた後、執行裁判所の配当手続（同条３項、166条）で差押債権の満足が図られるので、差押債権者は取立てをすることができない（第三債務者が供託をしない場合は、取立訴訟において供託を命じる判決を求めることになる（法157条４項）。）。

2 差押債権に関する抗弁の主張

第三債務者は、差押債権者が取立権を有していれば、その取立てに応じなければならないが、この場合でも、差押債権の性質及び内容には変化がないから、当然、債務者に対するのと同一の義務を履行すれば足りる。したがって、第三債務者は、債務者に対して主張することができる抗弁で差押えの効力に抵触しないものを差押債権者に対して主張することができることになる。例えば、第三債務者に対する差押命令の送達より前に生じた弁済、債権譲渡等の事由を主張できるほか、差押債権に付着した同時履行の抗弁も主張できる。しかし、相殺の抗弁については、差押債権自体に付着した抗弁ではないため、検討を要する。

3　第三債務者の債務者に対する相殺の抗弁

⑴　債務名義に基づく強制執行としての債権差押えの場合

まず、第三債務者は、差押え後（正確には、差押命令の送達を受けた後）に取得した債権を自働債権とし差押債権を受働債権として相殺をしても、これを差押債権者に対抗することができない（民511条１項前段）。差押え後に取得した債権については、相殺の担保権的な機能に対する当事者の期待はないはずであり、かえって、これを認めると、債務者と第三債務者が通謀して容易に差押えを免れることが可能になるからである。

第三債務者が差押え前に取得した債権について、これによる相殺を無制限に対抗することができるかについては、平成29年民法改正法による改正前の民法511条の文言上明確ではなかったため、学説上争いがあった。判例（最判昭45.6.24民集24巻６号587頁）は、自己の有する債権が差押え前に取得されたものである限り、第三債務者は、自働債権と受働債権の弁済期の前後を問わず、相殺を対抗することができるとする見解（いわゆる無制限説）に立っており、この判例に基づく実務が確立していたところ、平成29年民法改正法により、差押え前に取得した債権による相殺をもって差押債権者に対抗することができることが条文上明確化された（民511条１項後段）。

また、平成29年民法改正法により、第三債務者が差押え後に自働債権を取得した場合であっても、それが差押え前の原因に基づいて生じた債権であるときは、相殺をもって差押債権者に対抗できることとされた（民511条２項本文）。同規定は、平成29年民法改正法による改正前の民法511条の趣旨からすれば、差押えの時点で実際に自働債権が発生していなくても、契約等の債権の発生原因となる行為が差押え前に生じていれば、債権発生後に相殺をすることにより自己の債務を消滅させることができるという期待は合理的なものとして保護するのが相当であること、そして、包括的な執行手続である破産手続においても自働債権の発生原因の生じた時点を基準として相殺の可否を決しているところ、類似の機能を果たす手続相互間では（執行手続は個別の財産を換価・配当する手続である。）、同様の基準とするのが合理的であることから、新設されたものである。これに対し、第三債務者が差押え後に他人の債権を取得したものであるときは、第三債務者が差押えの時点で相殺の期待を有していたとはいい難いことから、この場合には相殺を対抗することができないとされている（民511条２項ただし書）。

⑵　（根）抵当権に基づく物上代位としての債権差押えの場合

抵当権に基づく物上代位としての債権差押えの場合について、最判平13.3.13（民集55巻２号363頁）は、「抵当権者が物上代位権を行使して賃料債権の差押えをした後は、抵当不動産の賃借人は、抵当権設定登記の後に賃貸人に対して取得した債権を自働債権とする賃料債権との相殺をもって、抵当権者に対抗することはできない」として、差押え前に相殺の意思表示がされていない場合には（差押え前に相殺の意思表示がされた場合には、民372条により準用される民304条所定の「払渡し」の前の「差押え」の要件を欠くとするものと解される。）、相殺と物上代位の優劣を、自働債権の取得と抵当権設定登記の先後で決することを明らかにした。

したがって、（根）抵当権に基づく物上代位としての債権差押えの場合、第三債務者は、（根）抵当権設定登記前に既に自働債権を取得していた場合、又は自働債権の取得は（根）抵当権設定登記後であるが、差押え前に既に相殺の意思表示をしていた場合について、差押債権者に相殺の抗弁（正確には、後者については相殺済みの抗弁）を主張することができることとなる。

なお、物上代位による差押債権が敷金の授受された賃貸借契約の賃料債権であり、第三債務者が目的物を明け渡した場合に取得する敷金返還請求権との関係について、最判平14.3.28（民集56巻３号689頁）は、抵当権設定登記後に賃貸借契約が締結された場合でも、敷金返還請求権は、目的物の返還時に未払賃料債権等の被担保債権を控除した残額につき発生するものであって、賃料債権は、敷金の充当によりその限度で当然に消滅し、相殺のように当事者の意思表示を必要とするものではないから、民法511条（平成29年民法改正法による改正前のもの）によって賃料債権の当然消滅の効果が妨げられるものではない旨を判示した（なお、敷金返還請求権の上記性質については、平成29年民法改正法により明文化された（民622条の２）。）。

したがって、前記最判平13.3.13の射程は、物上代位権の行使と敷金の賃料への充当との優劣関係に及ぶものではなく、敷金の賃料への当然充当は、抵当権者の物上代位権の行使によって妨げられない。

4　第三債務者の差押債権者に対する相殺の抗弁

第三債務者が差押債権者に対して有する債権を自働債権とする相殺の主張が許されるか否かについては、見解が対立する。

競合債権者や配当要求債権者がいる場合には、第三債務者は供託義務を負い、その供託金について配当等の手続を実施しなければならないから、相殺は許されない。

他方、競合債権者や配当要求債権者がいない場合については、差押債権者が第三債務者に対して直接債権を有しているわけではないことを理由に相殺を否定する見解と（消極説。注釈民事執行法(6)469頁〔富越和厚〕）、これに対し、差押債権者は競合する債権者がいない場合に取立てをすることができるところ、差押債権の取立てによって請求債権が弁済されたものとみなされることを理由に相殺を肯定する見解（積極説。田中康久「新民事執行法の解説」335頁、中野＝下村「民事執行法」764頁、注解民事執行法(4)587頁〔三ケ月章〕）がある。

なお、積極説に対しては、取立訴訟において、配当要求債権者の存在が明らかにされないまま被告（第三債務者）から相殺の主張がされ請求が棄却された場合、被告は免責されるのか否か等の問題があることが指摘されている（執行関係等訴訟に関する実務上の諸問題360頁）。

5　手続上の事由に係る抗弁の主張

差押債権者の取立権は有効な差押命令を基礎として発生するものであるから、第三債務者は、差押債権者に対し、差押命令の無効、執行停止、取消し等の手続上の事由を抗弁として主張することができる。

なお、請求債権又は担保権の不存在、消滅等のような実体的に取消しの原因となるべき事由があるにすぎず、現実に差押命令が取り消されていない場合には、その事由は、債務者が、請求異議の訴え（強制執行の場合）、執行抗告（担保権実行の場合）等によって主張して争うべきであるから、第三債務者はこのような事由を抗弁として主張することはできない（最判昭45.6.11民集24巻6号509頁）。

〈参考文献〉

淺生重機「取立訴訟」債権執行の諸問題137頁、筒井健夫・村松秀樹編著『一問一答民法（債権関係）改正』（商事法務）204頁

第 9 章

転付命令

Q 47　転付命令

次のような債権は、転付命令の対象となるか。

⑴　将来債権（継続的給付債権、停止条件付債権等）

⑵　他人の優先権の目的となっている債権

⑶　譲渡禁止債権

1　転付命令の概要

執行裁判所は、差押債権者の申立てにより、支払に代えて、差し押さえられた金銭債権をその券面額で差押債権者に転付する命令を発することができる（法159条1項）。これを転付命令という。転付命令の実体的効果として、差押命令と転付命令の確定により、転付命令が第三債務者に送達された時に遡って、転付命令に係る金銭債権（被転付債権）がその同一性を保ちながら債務者から差押債権者（転付債権者）に移転し、差押債権者の請求債権及び執行費用は、被転付債権が存在する限り、その券面額（名目額）に相当する範囲で弁済されたものとみなされて（法160条）消滅する。他の債権者は、第三債務者に転付命令が送達された後は、被転付債権を差し押さえることや配当加入することができなくなるため、被転付債権の弁済が確実なものであれば、差押債権者は、他の債権者に優先して債権の弁済を受けられることとなる。一方、第三債務者が無資力又は不誠実なため、現実に弁済が受けられない場合でも、請求債権は消滅してしまうので、事実上、債権回収ができない危険性を伴う。

2　転付命令の要件

⑴　積極要件

転付命令の要件は、大きく分けて、①差押えが有効であること、②被転付債権が譲渡可能なものであること、③被転付債権が券面額を有するものであること、④被転付債権について債権者の競合がないことである。

①の差押えが有効であることについては、転付命令は、有効な差押えを前提として発令されるものであるから、転付の効果が生じるためには、差押命令が第三債務者に送達されて差押えの効力が生じていること及び同差押命令が確定していることが必要である。ただし、差押命令は転付命令の事前又は転付命令と同時に発令されれば足り、転付命令の発令の時点で差押えの効力が生じていることはその申立て及び発令の要件ではない。

②の被転付債権が譲渡可能なものであることについては、転付命令は、被転付債権を券面額で債権者に強制的に移転させるものであるので、被転付債権が譲渡可能であることを要する。なお、譲渡禁止債権の被転付適格等については、後記**5**を参照されたい。

③の被転付債権が券面額を有するものであることの要件については、実務上問題となることが多い。券面額とは、一定の額で表示される金銭債権の名目額であり、債権の実質的な価額又は現存額ではなく、第三債務者の資力の有無、債権回収の難易等を問わない。被転付債権に券面額が要求されているのは、転付命令が、被転付債権を請求債権及び執行費用の支払に代えて転付債権者に移転させ、転付の効力発生時に請求債権及び執行費用の弁済を擬制して消滅させることにより、債権者と債務者間の債権債務関係を即時に決済しようとする換価方法なので、その消滅の範囲を画するためである。後記**3**以下では、券面額の有無が問題になる債権を中心に説明する。

④の被転付債権について債権者の競合がないことについては、転付命令は、転付債権者に被転付債権の独占的満足を認めることになるので、転付命令が第三債務者に送達される時までに、被転付債権について、他の債権者が差押え、仮差押えの執行又は配当要求をしたときは、転付命令は、その効力を生じない（法159条３項。ただし、転付命令を得た債権者が競合債権者に対する優先権を有する債権者であるときは、転付命令は効力を有すると解されている。最判昭60.7.19民集39巻５号1326頁）。また、転付命令が第三債務者に送達される時までに転付命令に係る債権について滞納処分による差押えがされたときは、転付命令は効力を生じない（滞調36条の５）。

⑵ 消極要件

前記⑴の①ないし④の要件がある場合でも、破産、会社更生等の手続が開始される等の執行障害事由が発生している場合には、転付命令を発することはできない（ただし、倒産法上の特殊保全処分（破産28条など）として弁済禁止命令が発せられていても、それは債務者に対して任意の弁済を禁止するにすぎず、その命令によっても強制執行を阻止することはできないから転付命令の発令を妨げない。東京高決昭59.3.27金法1082号42頁）。

また、差押命令について、強制執行停止文書（法39条）が執行裁判所に提出された後に転付命令の申立てがあったときも、転付命令を発することはできない。

⑶ 要件を欠く転付命令の効力

執行裁判所は、執行事件の一件記録に基づいて要件の存否を調査し、要件を充足すれば転付命令を発令することになるが、要件を欠くにもかかわらず発せられた転付命令は、被転付債権の移転、請求債権の消滅等の実体的効力を生じない（新基本法コンメンタール民事執行法385頁〔渡部美由紀〕）。

3 将来債権（継続的給付債権、停止条件付債権等）（設例⑴）

いまだ発生していない債権や停止条件付きの債権については、その発生が確実に見込まれる限度で差押えの対象とはなるが（〔Q14〕参照）、発生及び金額が未確定であるから請求債権の弁済に充てるべき金額を確定することができず、券面額を有しないものであって、被転付適格を有しないのではないかという問題がある。以下、検討する。

⑴ 将来の賃料債権、給料債権、退職金債権、診療報酬請求権

これらは、継続的給付債権として差し押さえること自体は可能であるが、将来の賃料債権は賃貸物の使用収益の履行に係る債権であり、将来の給料債権及び退職金債権は労務の提供の履行に係る債権であるから、その発生及び金額が未確定であり、いずれも券面額はないとされ、被転付適格を有しない。なお、既に発生した給与債権及び退職金債権には券面額があり、譲渡性もあるが、直接払の原則（労基24条）が適用されるため、転付命令が発せられても転付債権者は第三債務者（使用者）に支払を求めるこ

とができない（深沢利一「民事執行の実務㈥」733頁）。

また、保険医の診療報酬請求権は、将来の賃料債権等よりもさらにその発生及び金額が未確定といえるから、被転付適格を有しない。

⑵　賃貸借の目的物返還前の敷金返還請求権

賃貸借の敷金返還請求権は、賃貸借が終了し、目的物を返還したときに賃貸借に基づいて生じた賃借人の賃貸人に対する金銭債務の額を控除してなお残額があることを条件として、その残額について発生するので（民622条の２）、賃貸借の目的物返還前は、その発生及び金額が未確定であって、券面額はないとされ、被転付適格を有しない（最判昭48.2.2民集27巻１号80頁）。

賃貸借の目的物返還後は、返還すべき金額が確定し、券面額があるといえ、被転付適格を有することになると解されるが、実務では、返還後の申立てであることを明らかにするため、契約が解約され又は終了して目的物が明け渡された旨の主張がされた場合に限って、転付命令の発令を認める取扱いが一般的であり（書式執行の実務494頁）、その場合には、差押債権目録に明渡年月日を表示している（書式執行の実務193頁）。

⑶　保険事故発生前の保険金請求権

保険事故が発生する前の保険金請求権については、その発生及び金額が未確定であるから、被転付適格を有しない。

他方、保険事故が発生して既に具体化した保険金請求権であれば、被転付適格を有する。火災保険金請求権について、その保険事故（火災）が発生している以上、その存否及び金額が具体的に確定されていなくても被転付適格を有するとした裁判例がある（東京高決昭60.12.5判タ599号72頁）。後記⑹の係争中の損害賠償請求権と同様に考えられよう。

⑷　保険事故発生後の自賠責保険金請求権

自賠責保険の被保険者が保険者に対して有する保険金請求権（自動車損害賠償保障15条）は、被保険者の被害者に対する賠償金の支払を停止条件とする債権であるから、保険事故が発生したのみでは被転付適格を有しないと解されるが、同法３条による損害賠償請求権を請求債権とし、その賠償義務の履行によって発生すべき同法15条の自賠責保険金請求権に対して差押・転付命令の申立てがされたときは、転付命令の発効によって請求債権の弁済の効果が生じ、そのことによって停止条件が成就する関係にあるから、被転付適格が肯定される（最判昭56.3.24民集35巻2号271頁）。

⑸ 生命保険契約の解約返戻金請求権

生命保険契約の解約返戻金請求権は、契約者が保険契約の解約権を行使することを停止条件として発生する条件付権利であり、券面額がないから、被転付適格を有しない（最判解平成11年度㈦556頁〔高部眞規子〕）。

⑹ 係争中の損害賠償請求権

損害賠償請求権は、客観的には損害の発生及び金額が確定した現在債権であって、ただ、その存否及び額について当事者間に争いがあり、事実上確定していないにすぎないものと解されるから（厳密には、第三債務者に責任原因がなければ、債権は発生していないが、それはいわゆる空振り（〔Q49〕参照）の問題になるだけである。）、被転付適格を有する（大判昭8.7.15民集12巻19号1897頁、札幌高決昭55.6.2判タ421号112頁、東京高決平10.12.15判タ998号265頁）。

なお、転付命令を得ることで民法509条の相殺禁止規定を潜脱することになる場合（例えば、悪意による不法行為の加害者（債権者）が被害者（債務者）に対して有する債権を請求債権として、自己に対する被害者の損害賠償請求権について転付命令を得る場合）は、被転付適格がないと解される（最判昭54.3.8民集33巻2号187頁参照。新基本法コンメンタール民事執行法383頁〔渡部美由紀〕参照）。

⑺ 工事完成前の請負代金債権

判例及び裁判例（大判明44.2.21民録17輯62頁、大判昭5.10.28民集9巻12号1055頁、仙台高決昭56.1.14判タ431号103頁）は、請負代金債権は、請負契約成立と同時に発生し、支払期が仕事の完成後とされているにすぎないから券面額は確定しているとして、被転付適格を肯定する。他方、請負代金債権は、請負契約の成立と同時に債権として発生するものではあるが、被転付適格については、その金額が未確定であることなどを理由として否定されるとする見解もある（兼子一『増補強制執行法』（酒井書店）204頁、中務俊昌「取立命令と転付命令」民事訴訟法講座⑷1188頁、中野＝下村「民事執行法」771頁など)。

なお、仮差押えの本執行移行の事案や差押命令が先行する事案において、第三債務者から提出された陳述書の内容から請負代金債権についてその発生及び金額が確定していると判断できる場合は、被転付適格を有すると解することができよう(東京地裁民事執行センターでは発令例がある。)。

⑻ 委任事務終了前における委任者の受任者に対する前払費用についての返還請求権

受任者は、委任者に対して、委任事務を処理するについて要する費用の前払を求めることができるが(民649条)、残金が生じたときは、委任者に対し、前払費用の残金を返還する義務を負う。

この委任者の受任者に対する前払費用の返還請求権について、判例(最決平18.4.14民集60巻4号1535頁)は、㋐前払費用は、受任者が委任事務を処理するために費用を支出するたびに当該費用に充当されることが予定されており、受任者は、委任事務が終了した時に残金相当額を委任者に返還すべきであるから、前払費用の返還請求権は委任事務の終了時に初めてその債権額が確定するものというべきであること、㋑同請求権が差し押さえられた場合であっても、受任者が委任事務の処理のために費用を支出したときは、前払費用を充当することができるものと解されることを理由として、委任事務の終了前においては、その債権額を確定することができないのであるから、転付命令の対象とする適格を有しないとした。

⑼ 不動産執行手続における配当金等交付請求権

不動産執行手続における配当金等交付請求権については、東京地裁民事執行センターでは、売却許可決定がされれば、その発生の基礎となる法律関係が存在して、近い将来における発生が確実に見込めるといえ、将来債権として差し押さえることができるとする取扱いであるが(〔Q13〕【書式10－1】参照)、配当期日又は弁済金交付日までは、その発生や金額が未確定であるから、券面額を有せず、被転付適格がないものと解される。

⑽ 宅建業法に基づく弁済業務保証金分担金返還請求権

債務者が宅建業法64条の9により宅地建物取引業保証協会に納付した弁済業務保証金分担金の返還請求権については、その被転付適格を肯定した裁判例があり（東京高決平26.4.24判タ1421号133頁）、東京地裁民事執行センターにおいても、同様の取扱いである。

⑾ 保釈保証金還付請求権

保釈保証金は、還付事由（刑訴規91条１項）が生じたときに、没取されなかった部分について提出者に還付されるものであり、その発生及び金額が未確定であるから、還付事由が生じた後を除き、被転付適格が否定される。

4 他人の優先権の目的となっている債権（設例⑵）

⑴ 質権が設定された債権、訴訟上の担保のための供託金取戻請求権、執行上の担保のための供託金取戻請求権

従前の裁判例は、他人の優先権の目的となっている債権について、被転付適格を肯定するものが多かったのに対し、学説は、仮に転付命令を発令した場合には、後に不当利得等の問題を残すことになり、簡明な法律関係の決済という趣旨に沿わないとして被転付適格を否定するものが多かった。しかし、最決平12.4.7（民集54巻４号1355頁）は、「質権が設定されている金銭債権であっても、債権として現に存在していることはいうまでもなく、また、弁済に充てられる金額を確定することもできるのであるから、右債権は、法159条にいう券面額を有するものというべきである。」として、質権が設定された金銭債権について被転付適格を認めた。同最決の内容に鑑みると、他人の優先権の目的となっている債権であっても、原則として券面額を有するものと考えられるため、東京地裁民事執行センターにおいては、他人の優先権の目的となった債権について、質権が設定された債権に限らず、訴訟上の担保のための供託金取戻請求権、執行上の担保のための供託金取戻請求権等についても、転付命令を発令する取扱いである。ただし、これは、他人の優先権の目的となっていることのみを理由として券面額が否定されることはないという限度の運用であって、具体的にある差押債権が、券面額が確定した債権なのか、それとも券面額が未確定の将来債権なのかについては、必ずしも判然としないものも少なくないので、具体的な事案ごとに判断することになる。

⑵　弁済供託における取戻請求権、還付請求権

弁済供託における取戻請求権及び還付請求権は、いずれも、その発生及び金額が客観的に確定している現在債権であるが、一方の権利が行使されると他方が消滅する関係にあり、ある意味で他人の優先権の対象となっているといえるところ、供託者の債権者は供託者の取戻請求権について、被供託者の債権者は被供託者の還付請求権について、それぞれ転付命令を求めることができるとするのが判例である（大判昭12.6.16新聞4145号12頁、最判昭37.7.13民集16巻8号1556頁）。この場合、供託金取戻請求権に対して転付命令が発令された後でも被供託者が供託を受諾すると取戻請求権は消滅してしまうし、また、供託金還付請求権の転付債権者が払渡しを請求する前であれば供託者が取戻しをすることは妨げられないため、いずれの場合においても、転付債権者は直ちに権利行使をする必要がある。

⑶　仮差押解放金取戻請求権

仮差押解放金は、裁判上の損害を担保するためのものではなく、仮差押えの執行の目的物に代わるものであり、仮差押えの執行の効力は、供託者である仮差押債務者の有する供託金取戻請求権の上に移行する（最判昭45.7.16民集24巻7号965頁）。したがって、当該仮差押えをした債権者がその本執行において転付命令を求める場合を除き、仮差押えと差押えの競合が生じるため、転付命令は効力を生じない。

なお、仮差押債権者が仮差押解放金から満足を受けるためには、仮差押解放金の取戻請求権につき差押命令を得れば、取立権に基づき供託金（仮差押解放金）の払渡請求をすることができるから、転付命令を得る必要はないのが通常である。もっとも、他の債権者との競合を避ける目的で仮差押えの被保全債権と同一の請求債権による差押・転付命令を得た場合には、当該仮差押えと本差押えとの間では差押えの競合が生じないため、仮差押債権者は仮差押解放金（供託金）取戻請求権を取得することができる。

5　譲渡禁止債権（設例⑶）

前記1のとおり、転付命令は被転付債権を券面額で転付債権者に移転さ

せるものであるから、被転付債権が譲渡性を有するものでなくてはならない。したがって、法律上又は性質上、譲渡が禁止されている債権（一身専属的なものが多い。）は被転付適格を有しない。法律上、譲渡が禁止されている債権としては、例えば、本人が行使する前の扶養請求権（民881条）、公的扶助に基づく請求権（生活保護58条、児童福祉57条の５等）、社会保険に基づく請求権（健康保険61条、国民健康保険67条、雇用保険11条等）、災害補償等に基づく請求権（労基83条２項、国家公務員災害補償７条２項等）等があるが、これらの多くは、同時に明文で差押えも禁止され、又は解釈上そのように解されているため（〔Q22〕参照）、その点においても、転付命令の発令の要件を欠いている。

これに対し、当事者間で譲渡禁止の特約がされているにすぎない債権については、〔Q23〕で説明したとおり、差押・転付債権者の善意、悪意を問わず差押・転付命令を発することができる（民466条の４第１項、466条の５第２項）。平成29年民法改正法により、判例（最判昭45.4.10民集24巻４号240頁）・実務の運用が明文化されたものである。

〈参考文献〉

注解民事執行法⑷600頁〔稲葉威雄〕、注釈民事執行法⑹630頁〔富越和厚〕、深沢利一「民事執行の実務㈦」426頁、書式執行の実務491頁以下、齋藤＝飯塚「民事執行」300頁

Q 48 転付命令の効力

転付命令には、どのような効力があるか。

1 転付命令の概要（〔Q47〕参照）

執行裁判所は、差押債権者の申立てにより、支払に代えて、差し押さえられた金銭債権をその券面額で差押債権者に転付する命令を発することができる（法159条1項）。これが転付命令である。転付命令の実体的効果として、被転付債権はその同一性を保ちながら債務者から差押債権者（転付債権者）に移転し、差押債権者の請求債権及び執行費用は、被転付債権が存在する限り、その券面額（名目額）に相当する範囲で、転付命令が第三債務者に送達された時に代物弁済されたものとみなされる（法160条）。

2 転付命令の効力

(1) 転付債権者に対する関係

ア 被転付債権の移転

被転付債権は同一性を維持したままで債務者から転付債権者に移転し、転付後の利息、遅延損害金、保証債務、担保権等の従たる権利も被転付債権に随伴して移転する。これらの権利は法定の債権譲渡たる転付命令の効力として法律上当然に移転し、第三債務者への通知又は承諾（民467条）がなくても、転付債権者はこれらの権利の移転を第三債務者及び第三者に対抗することができる。ただし、被転付債権に随伴して移転した担保権については、当該担保権自体の処分との関係で対抗要件を具備する必要がある。そして、登記又は登録のされた先取特権、質権又は抵当権によって担保される債権について、転付命令が確定したときは、裁判所書記官は、差押債権者の申立てにより、上記先取特権等の移転の登記等を嘱託し、また、既に差押えの登記等がされているときはその抹消を嘱託しなければならない（法164条1項）。このとき、裁判所書記官は、転付命令が確定したことや（同項)、他の差押え及び仮差押えの執行がないことを確認し（規144条)、嘱託書に転付命令の正本を添付しなければならない（法164条2項)。なお、嘱託に要する登録免許税その他の費用は差押債権者が負担する（同条4項。抵当権付債権の転付命令に伴う登記嘱託につき、〔Q16〕参照)。

転付命令の確定により執行手続は完了し、転付債権者は執行手続外で自己が取得した債権の現実の取立てを行うことになる。この取立てに対し第三債務者が支払を拒絶したときは、転付債権者は、取立訴訟ではなく、自己の債権の行使として給付訴訟を提起することになる。

イ　執行債権（請求債権）の消滅

転付命令は一種の優先弁済効を有し、被転付債権が存在する限り、代物弁済により券面額の範囲で請求債権は消滅するから、第三債務者に券面額に相応する資力がある場合には強力な債権回収手段となるが、第三債務者に十分な支払能力がない場合、回収が困難な場合等には、転付債権者がその危険を負担することになる。このようなことから、転付命令は、第三債務者からの支払が確実と見込まれる債権（銀行預金債権、供託金還付請求権等）に対する差押えについて申し立てられるのが通例である。

なお、転付命令は、被転付債権が不存在であった場合や、事後に遡及的に消滅した場合には、実体上無効であり、請求債権の消滅の効果は生じない。このような場合に再執行をしようとする債権者は、転付命令の確定による形式的効果として前の事件の申立てを取り下げることができないから、再執行が過剰執行にならないことを証明する必要があるところ、その証明が必ずしも容易とは限らないことに留意する必要がある（〔Q49〕参照)。

⑵　債務者に対する関係

債務者は、転付命令の確定により、被転付債権につき債権者としての地位を失う。その結果、被転付債権につき訴訟が係属していたときは、転付債権者は当該訴訟手続に権利承継人として参加し（民訴47条)、又は第三債務者において転付債権者に訴訟を引き受けさせる（民訴51条、50条）ことができる。

(3) 第三債務者に対する関係

第三債務者は、被転付債権が存在する限り、債務者に対して負担していた債務を転付債権者に対して負担することになり、転付債権者の支払請求に対して弁済すればよいことになる。転付命令が無効であったとしても、第三債務者が善意で弁済すれば、債権の受領権者としての外観を有する者に対する弁済としての効力を生ずる余地がある（民478条）。

なお、第三債務者としては、債務者に対して主張することができた被転付債権に関する取消し、解除、相殺等の全ての実体上の抗弁をもって転付債権者に対抗することができる。また、相殺については、転付債権者に対する債権を自働債権とし、被転付債権を受働債権とする相殺も当然にできるし、債務者に対する債権を自働債権とし、被転付債権を受働債権とする相殺もできる（後者の場合、被転付債権が相殺適状時に遡って消滅する（民506条２項）ため、転付命令は実質的に無効となる。）。ただし、転付債権者と第三債務者との間の債権債務の相殺適状が第三債務者と債務者との間の債権債務の相殺適状より後に生じたとしても、転付債権者による転付債権者と第三債務者との間の債権債務に関する相殺の意思表示が、第三債務者による第三債務者と債務者との間の債権債務に関する相殺の意思表示より先にされた場合は、第三債務者による相殺の意思表示はその効力を生じない（最判昭54.7.10民集33巻５号533頁）。相殺の遡及効（民506条２項）といえども、先にされた相殺の効果として消滅した債権を復活させることはできないからである。

転付命令が発令された場合においても、供託書の記載上、転付命令が確定していることが明らかなときを除き、第三債務者による法156条に基づく供託の申請は受理される（〔Q51〕参照）。

3　効力の発生時期等

(1) 転付命令の確定

転付命令に対しては執行抗告をすることができ、転付命令は確定しなければその効力を生じない（法159条４項、５項）。

したがって、債務者が転付命令の送達を受けた日から１週間以内（法10

条２項）に執行抗告をすれば、執行抗告についての裁判があるまで転付命令は確定せず、その効力も生じない。転付命令が確定した場合は、転付命令が第三債務者に送達された時に遡ってその効力を生ずることになる（法160条）。

⑵　差押債権が給与等の債権である場合の特則

前記⑴の特則として、給料債権等の差押えの場合で、請求債権に扶養義務等に係る金銭債権が含まれない場合には、転付命令は、確定し、かつ、債務者に対して差押命令が送達された日から４週間を経過するまでは、効力を生じない（法159条６項、５項）。

給与等の債権を差し押さえられた債務者が差押禁止債権の範囲の変更の申立てをするための準備期間を確保するためである。

⑶　差押命令及び取立権と転付命令の関係

転付命令は、差押えにより把握した差押債権の処分権に基づく換価方法であるから、転付命令の効力が生ずるためには、有効な差押命令の確定が必要である（法159条１項、160条）。

なお、差押命令に基づく取立権（法155条）と転付命令の関係について、取立権の発生と転付の効果の発生の各要件を定め、両者の調整を特に図っていない法の立場等に鑑みれば、両者は相互に排斥し合うものではなく、取立権が発生していても転付命令の効力は生じ、転付命令の確定までは転付申立債権者の取立ては許容され（中野＝下村「民事執行法」757頁）、転付命令の効力が生じたときには、執行の目的が達成されるため、取立権の行使を問題とするまでもなく、執行手続は終了するものと解される。

⑷　執行停止文書の提出と執行抗告

執行停止文書の提出（法39条１項７号、８号）は、差押命令に基づく取立権能を停止する効力を有するが、転付命令に関する執行抗告期間の進行が停止されるものではなく、転付命令の確定を妨げる効力は有しないと解されるため、他の発効要件を満たしているときは、転付の効力が生じ、執行停止の目的を達することができない。そこで、法は、執行停止文書を提出するとともに、その執行停止文書を提出したことを理由として転付命令に対して執行抗告をすることにより、転付命令の確定を遮断することを認めることとした。そして、この場合に、執行停止文書の提出を理由として転付命令を取り消すこととすると、執行停止が解かれて執行の続行が許された場合には、改めて転付命令を得る必要が生じ、執行停止中に他の債権者からの差押え等により債権者の競合が生じて差押債権者が転付命令により独占的満足を受ける機会を奪ってしまうという不都合が生ずることから、法は、他の理由により転付命令を取り消す場合を除き、本案の裁判の結果が出された上で執行が取消しになるか、続行になるかの結論が決するまで、執行抗告に対する裁判を留保しなければならないものとした（法159条7項）。

なお、差押命令に対する執行抗告がされた場合は、差押命令に基づく取立権の行使を阻止することはできないものの、差押命令の確定は遮断される。差押命令の確定は転付命令の効力発生要件であるから、この場合、転付命令は、形式上確定するものの、実体的効力は生じていない状態にある。

⑸ 競合債権者と転付命令

転付命令は、債権者平等主義の例外として転付債権者に独占的な満足を与える制度であるから、転付命令が第三債務者に送達される時までに差押え等の競合が生じた場合は、原則である平等主義の要請が働き、転付命令はその効力を生じない（法159条3項）。ただし、転付債権者が競合する債権者に優先する権利（質権、抵当権等）を有している場合は、転付債権者に独占的満足を与えることができるので、転付命令は有効となる（最判昭60.7.19民集39巻5号1326頁）。

⑹ 債権譲渡と転付命令

債権の譲受人と、同一債権につき差押・転付命令を得た転付債権者との間の優劣は、確定日付のある譲渡通知が債務者に到達した日時又は確定日付のある債務者の承諾の日時と、差押・転付命令が第三債務者に送達された日時の先後によって決定される（最判昭58.10.4集民140号1頁）。なお、同最判の判示内容からすると、同最判にいう「差押・転付命令が第三者に送達された日時」とは、転付命令が別途発令された場合においては転付命令の送達時ではなく、差押命令の送達時をいうものと解される。

〈参考文献〉

注釈民事執行法⑹630頁〔富越和厚〕、注解民事執行法⑷600頁〔稲葉威雄〕、田中康久「新民事執行法の解説」347頁

Q49 被転付債権の不存在と転付命令の効力、再執行の方法

転付命令が発令されたが、差押債権（被転付債権）が不存在であった場合、又は相殺等により事後的に消滅した場合、転付命令の効力はどうなるか。また、このような場合、再執行はどうすればよいか。

1　転付命令の効力と差押債権の不存在又は消滅

転付命令が確定すると、第三債務者への送達時に遡ってその効力を生じ、差押債権者の請求債権及び執行費用は、被転付債権が存する限度において、その券面額（名目額）で弁済されたものとみなされる（法160条）。しかし、転付命令のこの実体的効果は、被転付債権が存在する限りで生ずるものであるから、そもそも被転付債権が不存在であったり（いわゆる「空振り」）、事後に遡及的に消滅したりした場合には、転付命令の実体的効果が生じず、請求債権は消滅しないことになる（転付命令の発令に際し、被転付債権の存否は審理の対象とならない。）。

差押債権（被転付債権）が存在しない場合としては、例えば、そもそも預金債権につき該当する口座がなかった場合、預金債権につき該当口座はあったが残高が零であった場合、売買代金債権につき差押えの効力発生前に既に債務者に対する弁済がされていた場合、転付命令正本が第三債務者に送達される前に債権譲渡の対抗要件が具備された場合等があり、事後に遡及的に消滅した場合としては、例えば、相殺（民505条１項。第三債務者は差押え前から有していた債務者に対する債権による相殺を債権者に対抗することができる（民511条１項、２項）。）、取消し（民96条１項等）、解除（民541条等）等の場合がある。

2　転付命令が確定した場合

実務上、債権差押・転付命令が確定した場合、執行裁判所は、規則145条、62条３項の取扱いに準じて、債務名義正本に奥書（転付奥書）を付記

している。転付奥書の方法について、東京地裁民事執行センターでは、転付命令正本が債務者及び第三債務者に送達された日、請求債権、転付が確定した差押債権（転付命令が差押債権の一部についてのみ発令されている場合や、転付命令確定前の一部取下げの結果、差押債権の一部しか転付命令が確定しなかった場合は注意を要する。）を記載した書面を債務名義正本の末尾に編綴した上で契印する方法をとっている。

そして、被転付債権の不存在等により転付命令の実体的効力が生じなかった場合には転付奥書を付さないという扱いも考えられるが、執行裁判所は被転付債権の存否を確認する立場にないことから、実体的効果の有無にかかわらず、転付命令が確定すれば一律に転付奥書を付すのが一般的な取扱いである（差押えの競合により転付命令が効力を生じないことが判明し、配当を実施した場合には、先に付された転付奥書に無効である旨を付記した上で配当奥書を付す取扱いをしている。）。

したがって、仮に、債務名義に表示された債権の全額を請求債権として転付命令が発令され確定していたとしても、直ちに債務名義に表示された債権の全額について転付命令の実体的効果が生じて執行力が失われたと断定することができるものではないため、債務者が転付奥書の付された債務名義の正本の交付を求めることはできず、他方、債権者は、その交付を受けることができる（規145条、62条１項、２項）。結局、転付奥書の趣旨は、転付命令により請求債権が消滅したことを公証するものではなく、請求債権が消滅している可能性を公証することにより、過剰執行を防止しようとするものと位置付けられる。

3　再 執 行

前記１のとおり、被転付債権の不存在又は事後的消滅により転付命令の実体的効力が生じないときは、請求債権は消滅せず、いまだ請求債権の満足が得られていないことになる。したがって、債権者は、仮に債務名義に表示された債権と同額の被転付債権が記載された転付奥書が付されていても、その債務名義により、債務者の他の財産に対し強制執行（再執行）をすることができるが、このような場合に再執行をしようとする債権者は、転付命令の確定による形式的効果として前の事件の申立てを取り下げることができないから、再執行が過剰執行にならないことを証明する必要がある。この場合、債権者がとり得る方法としては、執行文の再度付与を受ける方法（法28条）と、前の事件で使用した債務名義正本を用いる方法とが考えられる。以下、これらの方法等について、前記2の転付命令確定時の転付奥書を前提として説明する。

⑴　執行文の再度付与を受ける方法

これは、債務名義作成機関と執行機関とを分離し、執行機関は債務名義の実質的内容に立ち入ることなく、形式的な審査により、迅速に債権者の権利を実現しようという民事執行法の理念を強調し、債務名義正本に転付奥書が付され、債務名義正本の執行力が失われている可能性がある以上、これをそのまま執行機関で利用することはできず、債務名義について再度執行力の存在が公証される必要があるとする考え方に基づく方法である。具体的には、債権者は、執行力が残存していることを証明して、執行文付与機関（具体的には、裁判所書記官又は公証人）から執行文の再度付与を受けなければならないこととなる。

例えば、銀行預金債権について差押命令と転付命令とが同時に申し立てられる事例を想定すると、債権者は、差押債権の存否及び額を確知しない状態において、とりあえず、債務者の住所等の周辺の銀行（支店）を第三債務者にして申立てをする場合があり、被転付債権の全部又は一部が存在しないこともままある。こうした実情を踏まえ、執行文の再度付与に際して求められる立証は、執行債権（請求債権）の存在を立証する一般的な場合より少ないもので足りると考えることもできる。この場合の証明資料としては、前の債権差押・転付命令の申立ての際にされた第三債務者に対する陳述催告（法147条１項）に対する第三債務者の陳述書の写し、第三債務者作成の実印が押捺された被転付債権不存在証明書（印鑑登録証明書を添付する。）等が想定される。もっとも、これらによっても再度付与が受けられない場合には、別途確定判決を得て、これにより被転付債権の不存在を証明する必要が生ずることもあろう。

⑵ 前の事件で使用した債務名義正本を用いる方法

これは、債務名義正本に転付奥書が付されていても、執行力が失われていない可能性がある以上、あえて迂遠な方法である執行文の再度付与までは求める必要はないとする考え方に基づく方法であり、東京地裁民事執行センターにおいても、このような方法を許容している。具体的には、執行機関にその正本自体を提出して再執行を申し立てるとともに、再執行が過剰執行にならないことを明らかにするために、執行機関に対して、直接、被転付債権の不存在と債務名義の執行力が残存していることを証明することになる。

被転付債権の不存在の証明のための資料としては、前記⑴と同様、前の事件における第三債務者の陳述書の写し、第三債務者作成の実印が押捺された被転付債権不存在証明書（印鑑登録証明書付き）のほか、場合によっては確定判決等が想定される。具体的にどのような資料をもって証明があったものとするかについては、画一的な取扱いがあるわけではなく、個別具体的な事案により判断することとなる（なお、被転付債権の存否や額は、最終的に債権者、債務者及び第三債務者間における訴訟等により決着すべき事柄であり、上記の証明は再執行を行うという目的の下でされるものにすぎないこと、その証明には後述のとおり問題点も多く、容易にできるとは限らないことに留意する必要がある。）。新たに債権差押命令等の申立てを受けた執行裁判所においては、非協力的な第三債務者からの回収が困難であると考えた債権者が被転付債権に代えて別の債権を差し押さえようとしているにすぎない可能性や、無資力の第三債務者が虚偽の陳述をしている可能性等を念頭に置きつつ、前の事件における被転付債権の性質（例えば、被転付債権が請負代金債権の場合、第三債務者が請負工事の契約不適合を主張し請負代金の支払を免れようとすることがある。）、第三債務者の陳述の信用性（例えば、第三債務者が規則10条の定める「銀行等」であれば、財産的信用性が高く、預金債権等の存否や額について虚偽の陳述等をする可能性も低いと考えられる。）、陳述書等における具体的な記載（例えば、陳述書において結論的に被転付債権は存在していないと陳述していても、その理由として、契約の取消原因等を縷々主張している場合は、第三債務者が支払を免れようとしているにすぎない可能性があるし、第三債務者が銀行で相殺予定である旨主張している場合でも、未相殺で被転付債権はなお存在している可能性がないわけではない。)、その他関係記録に現れた諸般の事情を踏まえ、判断することになろう。

第三債務者作成に係る陳述書よりも実印が押捺された被転付債権不存在証明書を重視する考え方もあり得るが、上記陳述書は、差押命令送達直後に債権者とは無関係に作成されるものであり、法147条2項がこれに関して第三債務者に一定の責任を課しているのに対し、被転付債権不存在証明書は、再執行に際して債権者の依頼を受けて作成されるものであり、必ずしも後者が前者より証明力が高いとはいえない。そのため、東京地裁民事執行センターでは、文書の形式、内容等を総合判断しており、陳述書と被転付債権不存在証明書のいずれか一方が他方より証明力が高いとか、いずれか一方があれば他方は不要であるといった画一的な取扱いはしていない(事案により、いずれか一方による証明で足りる場合もあるし、双方による証明が必要な場合もある。また、双方による証明でも十分ではない場合もある。債権者の立場としては、陳述書等により被転付債権が存在しないことを認識し、その証明の困難が予想される場合には、転付命令の確定前に差押命令の申立てを取り下げておけば、再執行の申立てに支障は生じないことになるので、そのような対応も検討する必要があるものといえよう。)。

なお、このように前の事件で使用した債務名義正本を用いる方法は、全国的に確立した取扱いとまではいい難いから、再執行の申立てをしようとする債権者としては、執行裁判所がこのような方法による申立てを認めているか、どのような資料の提出が必要かといった点を事前に確認することが必要である。

(3) 転付奥書に記載された被転付債権の金額が債務名義に表示された金額に満たない場合

以上とは異なり、被転付債権が存在して転付命令の実体的効果が生じているが、債務名義に表示された債権の全部を消滅させるに足りない場合に残額について再度強制執行を申し立てる際には、超過判断のため、請求債権の表示において前件で転付を受けて消滅した債権の範囲と充当関係を明示すべきである。

〈参考文献〉

注釈民事執行法(6)666頁〔富越和厚〕、注解民事執行法(4)620頁〔稲葉威雄〕、債権執行の諸問題519頁〔久保田三樹〕

第10章

その他の換価手続

Q 50 転付命令以外の換価手続

転付命令以外の換価手続には、どのようなものがあり、どのような場合に利用されるか。

1 概　　要

債権執行における換価は、原則として、差押債権者による取立て（法155条１項）、第三債務者の供託に基づく配当等（法156条、166条１項１号）又は転付命令（法159条）によりされる。しかし、差し押さえられた債権が、条件付き若しくは期限付きであること、又は反対給付に係ることその他の事由により取立てが困難である等の場合には、この原則的な換価手続では換価ができないことになる。

そこで、民事執行法は、取立てが困難な場合に備えて、譲渡命令、売却命令、管理命令及びその他相当な方法による換価を命ずる命令の特別な換価手続を定めている（法161条）。なお、その他の財産権（法167条）については、取立てが可能なものは少なく（取立ては金銭債権に固有の概念である。）、譲渡命令や売却命令等の特別な換価手続が妥当する場合が多い。

2 譲渡命令

⑴ 意 義 等

譲渡命令とは、差押債権等（差し押さえられた債権又はその他の財産権。以下、本設例において同じ。）を執行裁判所が定めた価額で請求債権及び執行費用の支払に代えて差押債権者に譲渡する命令である。転付命令が差押債権を券面額で差押債権者に移転するのに対し、譲渡命令は差押債権等をその実質価額で差押債権者に移転するものであるが、両者とも差押債権者が被差押債権をいわば代物弁済として取得して、独占的満足を得る点で共通しているため、譲渡命令には転付命令に関する規定（法159条２項、３項、160条）が準用されている（法161条７項）。知的財産権（〔Q75〕参照）、ゴルフ会員権（〔Q78〕参照）、株券未発行の株式（〔Q79〕参照）、振替社債等（〔Q80〕参照）、賃借権等が、譲渡命令により換価される差押債権等の代表例である。

⑵ 発令手続

ア 申立て

譲渡命令は、差押債権者の申立て（債権差押命令の申立てと同時でもよい。）により発令されるものであり、差押債権等の一部についても発令することができる。差押債権等について、法律上その帰属主体が一定の者に制限され又はその譲渡につき第三債務者の承諾を必要とする場合には、実務上、第三債務者等が作成した同意書（印鑑登録証明書添付）の提出を求めている。例えば、賃借権（民612条1項）、持分会社の社員持分（会社585条）、信用金庫の会員の持分（信金15条1項）、知的財産権の持分（著作権65条1項、特許73条1項）等がある（例外として、譲渡制限株式（会社2条17号）については換価手続上特段の考慮をしていない。〔Q79〕参照）。

イ 債務者の審尋

譲渡命令は、通常の換価方法に比すると適正額での換価が図られない可能性もあるため、その発令に際しては、原則として換価方法につき重大な利害関係を有している債務者を審尋しなければならない（法161条2項）。実務上は、審尋書を送達して一定期間内に意見書の提出を求める方法により書面審尋を行っている。

ウ 評 価

執行裁判所が譲渡価額を定めるに当たって評価を行うことは必要的とはされていないが（規139条1項）、譲渡価額の適正を図るため、実務上は専門家を評価人に選任して評価を行うのが通常である。評価人を選任するに際しては、例えば、ゴルフ会員権についてはゴルフ会員権取引業協同組合（〔Q78〕参照）に、知的財産権については弁理士会（〔Q75〕参照）に、社員権については日本公認会計士協会（〔Q76〕参照）に、それぞれ推薦依頼をすることが考えられる。なお、評価命令の発令に先立ち、差押債権者は評価に要する費用を予納する必要がある。

エ　差額納付

差押債権等の一部譲渡が困難で、譲渡価額が請求債権及び執行費用の額を超える場合には、差押債権者はその超過額相当の金銭を支払わなければならず、執行裁判所は、譲渡命令発令前に差押債権者に差額を納付させる（納付命令。規140条1項）。差押債権者が納付をしなければ、譲渡命令の申立ては却下される。譲渡命令が確定すると、納付された差額は債務者に交付される（同条2項）。

オ　無剰余判断

執行裁判所の定めた譲渡価額で執行費用に充当して剰余を生じない場合に譲渡命令を発令することが許されるか否かについては、明文の規定がないため考え方は分かれるが、東京地裁民事執行センターでは、債権者が執行費用を放棄すれば、譲渡命令を発令することが可能であるとして取り扱っている。なお、最決平13.2.23（集民201号207頁）は、零円での譲渡命令が許されないとしたが、その理由として、譲渡命令が、差押債権者の債権ないし執行費用の支払に代えて、財産権を執行裁判所の定めた価額で差押債権者に譲渡することにより、執行の目的を達しようとするものであるから、その結果、上記債権等の全部又は一部の消滅の効果が発生することを必要とすると解すべきところ、零円での譲渡命令はそのような効果の発生をもたらさないことを挙げており、譲渡命令に無剰余執行禁止の原則が適用されるか否かについては触れられていない。

カ　発　　令

差押債権者の申立てを相当と認めるときは、執行裁判所は、譲渡価額を定めて譲渡命令を発令する。譲渡命令は、債務者及び第三債務者にその正本を送達する（法161条7項、159条2項）。なお、東京地裁民事執行センターでは、差押債権者から評価料について執行費用として認めるよう求める上申書があった場合には、評価料を執行費用に含めて譲渡命令を発令している。

譲渡命令の申立てに対する決定に対しては（却下又は棄却の場合も含めて）執行抗告をすることができる（法161条3項）。また、債務者が譲渡命令の送達を受けた日から1週間以内に執行抗告の申立て（法10条2項、3

項）をすれば、執行抗告についての裁判があるまで譲渡命令は確定せず、その効力を生じない（法161条4項）。そして、譲渡命令が発せられた後に執行停止文書（法39条1項7号、8号）を提出したことを理由とする執行抗告がされたとき、抗告裁判所は、他の理由により譲渡命令を取り消す場合を除き、執行停止の原因となった事由について本案判決がされるまで、執行抗告についての裁判を留保することとしている（法161条7項、159条7項）。

⑶　譲渡命令の効力

譲渡命令は、確定すると、対象となった差押債権等が存在することを条件に、第三債務者への送達時に遡って効力を生じる。譲渡命令を発令しても、第三債務者に譲渡命令が送達される前に他の債権者の差押え等があると、譲渡命令は効力を生じないため（法161条7項、159条3項）、東京地裁民事執行センターでは、この点を確認するため、第三債務者に対し、譲渡命令正本を送達する際に照会書を同封している。

譲渡命令の効力が生じると、請求債権及び執行費用がその譲渡価額で弁済されたものとみなされ（法161条7項、160条）、差押債権者は譲渡命令の対象になった差押債権等を取得する。差押債権等が担保権付きであれば、その効力はその担保権にも及ぶので、執行裁判所の裁判所書記官は、差押債権者の申立てにより、抵当権等の移転登記、差押登記（法150条）の抹消登記等を嘱託する（法164条）。

令和元年改正法において、債権者の請求債権に扶養義務等に係る債権が含まれず、給料債権等が差し押さえられた場合につき、債務者が差押禁止債権の範囲変更の申立てをするための準備期間を確保するため、取立権の発生時期が後ろ倒しされたことに伴い（法155条2項、詳細は〔Q44〕参照）、この場合における譲渡命令についても、譲渡命令が確定し、かつ、債務者に対して差押命令が送達された日から4週間（ただし、請求債権に扶養義務等に係る債権が含まれている場合は1週間）を経過するまでは、譲渡命令の効力が生じないものとされた（法161条5項）。

3　売却命令

⑴　意 義 等

売却命令とは、取立てに代えて、執行裁判所の定める方法により差押債権等の売却を執行官に命ずる命令であり、その売却代金で請求債権及び執行費用の弁済に充当するものである。債権者の競合があっても発令することができる点及び買受希望者の競争により価額が形成される点で、譲渡命令と異なる。知的財産権（〔Q75〕参照)、ゴルフ会員権（〔Q78〕参照）等が売却命令により換価される差押債権等の代表例である。なお、振替社債等については、一般的な売却命令とは別の振替社債等売却命令（規150条の7第1項2号）により換価されることが多いが、これについては〔Q80〕参照。

⑵　発令手続

ア　申立て、債務者の審尋、評価

申立て、債務者の審尋及び評価については、譲渡命令の場合と同様であるが、後記イのとおり、無剰余換価が禁止されているため、実務上、評価を行うことが多い。

イ　無剰余判断

執行裁判所は、差押債権等の売得金で差押債権者の債権に優先する債権及び手続費用を弁済して剰余を生ずる見込みがないと認めるときは、売却命令を発令することができず（規141条1項)、執行官は、優先債権及び手続費用を弁済して剰余のある価額でなければ、差押債権等を売却することができない（同条2項)。無益執行の禁止及び優先債権者保護のために無剰余換価が禁止されたものであるが、発令段階と売却段階との2段階で無剰余換価の禁止が規定されたのは、不動産執行のような売却基準価額の定めがなく、配当要求終期も執行官が売得金の交付を受けた時とされているため（法165条3号)、発令段階では正確な無剰余判断ができないことがあるためである。

ウ　発　　令

差押債権者の申立てを相当と認めるときは、執行裁判所は、売却方法を

定めて執行官に対し差押債権等の売却を命ずる。なお、執行官の売却手数料は差押債権者が予納しなければならない。売却方法については、実務上、「動産執行の売却の手続により売却することを命ずる。」とされることが多い。債務者及び第三債務者は、売却命令に対して執行抗告をすることができるから（法161条3項）、その告知の相手方となる。告知の方法は、明文の規定はないが、送達によるのが一般的である。

売却命令に対して執行抗告ができること、確定しなければ売却命令の効力を生じないこと等は、譲渡命令と同様である。

(3) 売却命令の効果（売却の実施等）

売却命令が確定すると、執行裁判所の裁判所書記官は執行官に対し命令を告知し、執行官はそれにより売却を実施する。具体的な売却手続は、競り売りの方法によることが多い。

執行官は、売却後、買受人から代金の支払を受けると、第三債務者に確定日付のある証書により差押債権等の譲渡通知をし（法161条6項）、執行裁判所に債権証書が提出されている場合には、それを買受人に引き渡す（規141条3項）。買受人は、執行官に代金を支払った時に差押債権等を取得する。

執行官は、売却手続終了後、売得金及び売却調書を執行裁判所に提出し（規141条4項）、執行裁判所は、配当等の手続を実施する（法166条1項2号）。なお、東京地裁民事執行センターでは、売却命令に先立って評価を実施した場合には、配当等の手続において、評価料を共益費用として認めている。差押債権等が担保権付きのものであるときは、買受人の申立てにより、執行裁判所の裁判所書記官は、抵当権等の移転登記及び差押登記（法150条）の抹消登記等を嘱託する（法164条）。

4 管理命令

(1) 意 義 等

管理命令とは、執行裁判所が管理人を選任して差押債権等の管理を命じ、その収益をもって請求債権及び執行費用の弁済に充当するものである。差押債権等自体は債務者に帰属したまま、管理人が差押債権者に代わって差押債権等からの収益の収取を行う点に特徴がある。不動産の強制管理と類似するので、その規定が多く準用されている（法161条７項、規145条）。

管理命令は、管理人に対する報酬及び管理費用を要するため、収益が確実かつ高額と見込まれる差押債権等に適した換価方法と考えられる。したがって、多数の賃料債権、知的財産権等の換価についての利用が想定されるが、現実には、適切な管理人を選任し難いためか、実務上、管理命令の申立ては極めてまれである。

(2) 発令手続

ア 申立て、債務者の審尋、評価

申立て及び債務者の審尋については、譲渡命令等の場合と同じである。評価は、性質上、通常は考えられない。

なお、収益の給付義務を負う第三債務者がある場合には、申立書に、その第三債務者を表示するとともに、給付義務の内容を記載しなければならない（規145条、63条）。

イ 発　　令

執行裁判所は、管理命令において、管理人を選任して差押債権等の管理を命じ、収益の給付義務を負う第三債務者に対し収益を管理人に給付すべき旨を命ずる（法93条１項参照）。管理命令は債務者及び第三債務者にその正本が送達される（法161条７項、159条２項）。

(3) 管理命令の効果（管理、配当等）

管理命令が確定すると、執行裁判所の裁判所書記官は管理人に対し命令を告知し、管理人は、第三債務者から収益を収取し（法161条７項、95条１項）、これを原資として執行裁判所が定めた期間ごとに配当等を実施し（法161条７項、107条）、債権者の協議が調わないときその他で管理人が配当等を実施できず事情届を提出したときは、執行裁判所が配当等を実施する（法161条７項、109条）。配当要求の終期は、執行裁判所が定める期間ごとの期間満了日である（法161条７項、107条４項）。

5 その他相当な方法による換価命令

その他相当な方法による換価命令としては、①特定の第三者に対し評価額相当代金を納付させ差押債権等を譲渡する命令、②差押債権者又は第三者にその売却の実施を委託する命令、③差押債権者の換価機能を取立権に限定し、その代わりに、差押債権者と第三債務者との間で支払条件その他について合意することを認める命令、④知的財産権を実施させて対価を取得させる命令等が考えられるが、実務上はあまりない。⑤暗号資産交換業者である第三債務者に対し、差し押さえた暗号資産移転請求権の売却を命ずる売却命令も、これに該当する（〔Q82〕参照)。

〈参考文献〉

注解民事執行法⑷626頁〔黒田直行・安間龍彦〕、中野＝下村「民事執行法」761頁、注釈民事執行法⑹686頁〔田中康久〕、新基本法コンメンタール民事執行法385頁〔武村重樹〕、久保田三樹「債権執行における特別な換価方法」債権執行の諸問題184頁、民事執行実務講義案375頁、民事書記官事務の手引（執行手続—債権編）197頁、内野宗揮ほか「法令解説・運用実務」75頁〔内野宗揮・山本翔・吉賀朝哉・松波卓也〕、230頁〔前田亮利・満田智彦〕

事 項 索 引

※Q1～Q50は〈**上巻**〉，**Q51～Q100**は〈**下巻**〉所収。

〔英数字〕

1号要件……Q86
2号要件……Q86
2年経過取消制度……Q45
5項届……Q45
BことA……Q20

〔あ 行〕

預り金返還請求権の差押え……Q13，Q82
暗号資産……Q82
――の売却代金返還請求権……Q82
暗号資産（仮想通貨）移転請求権……Q6，Q82
暗号資産移転請求権等差押命令……Q82
暗号資産交換業者……Q82
移行決定（少額訴訟債権執行）……Q83
遺言執行者……Q6
遺産債務の管轄裁判所……Q6
遺産分割審判に基づく形式的競売の管轄裁判所……Q6
遺産分割前の預貯金の払戻請求権の差押え……Q17
意匠権……Q75
移送（債権執行手続）……Q6
移送（財産開示手続）……Q87
一時還付（債務名義正本）……Q2
一部請求……Q12
一部取下げ……Q72
一部取立届……Q44，Q45
一部認可決定……Q10
一部認可判決……Q10
一部不受理……Q60
一般承継……Q2
違法執行……Q8
ヴァーチャル口座……Q13
ヴァーチャル支店……Q13
閲覧（債権執行事件）……Q5

閲覧（財産開示事件）……Q91
閲覧（情報取得事件）……Q99
押収物還付請求権の差押え……Q73
奥書……Q12，Q49

〔か 行〕

外貨建債権に基づく差押え……Q18
外貨建債権の円貨換算……Q18
外観主義……Q20
開示義務者……Q84，Q89
――に対する罰則……Q89
会社更生手続と債権執行手続……Q41
会社更生手続と財産調査手続……Q100
会社分割……Q3
解約返戻金請求権の差押え……Q19
貸金庫の内容物引渡請求権の差押え……Q74
家事審判と執行文……Q10
仮想通貨……Q82
株券発行請求権……Q79
株券引渡請求権の差押え……Q79
株券引渡しの申立て（対執行官）……Q79
株券不発行会社の株式の換価……Q79
株式等振替制度……Q79
株主会員制ゴルフ会員権の差押え……Q78
空振り……Q8，Q49
仮差押えの競合……Q52
仮執行宣言付支払督促……Q10
仮処分命令……Q10
仮の支払禁止命令……Q43
仮払仮処分命令に基づく財産開示の申立て……Q87
簡易生命保険に基づく配当金請求権等……Q19
換価可能性……Q1
管轄違背……Q6
管轄裁判所（債権執行手続）……Q6
管轄裁判所（財産開示手続）……Q87
管轄裁判所（情報取得手続）……Q85
換価手続……Q50
管財事件と債権執行手続……Q39
管財事件と財産調査手続……Q100
監査役設置会社……Q9

管理命令……Q50
期限付債権の差押え……Q14
期限の利益の喪失……Q12
義務供託……Q34, Q51, Q53
吸収分割……Q3
休眠預金……Q13, Q97
給与債権（勤務先）に係る情報取得手続……Q85, Q93
給与債権に係る情報提供命令……Q96
給料等の先取特権に基づく債権差押え……Q30
共益費用……Q67
強制執行等の不奏功又はその見込み……Q86
供託書の訂正……Q60
供託に要する費用……Q51
供託を命じる判決……Q46
協同組合の組合員の持分権……Q76
共同相続された被相続人名義の振替口座……Q80
共同相続された預貯金債権……Q17
共有物の賃料に対する物上代位……Q26
勤務先情報……Q85
ぐるぐる廻り……Q67
経営者保険……Q19
形式的競売の管轄裁判所……Q6
継続的給付債権に対する差押え……Q14, Q34
減額の審判・調停……Q21
検察官の執行命令……Q10
券面額……Q47, Q48
権利供託……Q34, Q51, Q53
権利の性質上差押えができない債権……Q22
合意配当……Q67
公課債権……Q67
合資会社……Q76
更正決定……Q9
更生手続開始決定……Q41, Q100
合同会社……Q76
交付要求……Q64
交付要求先着手主義……Q67
合名会社……Q76
国際執行管轄……Q7
国際的債権執行……Q7
ゴルフ会員権……Q78

混合解消文書……Q71
混合供託……Q55，Q56，Q71

〔さ 行〕

サービサー……Q5，Q9
債権計算書……Q66
債権差押命令申立書……Q9
債権者の表示……Q9
債権者不確知供託……Q55，Q56
債権証書の返還……Q72
債権譲渡……Q2，Q56
債権譲渡通知……Q55，Q56
財産開示期日……Q84，Q89
——の変更……Q89
財産開示期日実施証明書……Q86，Q95
財産開示期日調書……Q89
財産開示事件記録の閲覧，謄写等……Q91
財産開示手続……Q84
——の実施決定……Q88
——の前置……Q92，Q93，Q95
——の申立権者……Q87
財産開示手続申立書……Q87
財産調査結果報告書……Q86
財産分与請求権……Q21
財産目録……Q89
財産目録提出期限……Q89
再施制限……Q84，Q88
再執行……Q49
再生手続開始決定と債権執行手続……Q40
——と財産調査手続……Q100
裁判の留保（執行抗告）……Q8，Q24，Q48，Q50
債務者に対する密行性（情報取得手続）……Q95
債務者の財産状況の調査……Q84
債務者の死亡（債権執行手続）……Q2
債務者の死亡（財産開示手続）……Q90
債務者の表示……Q9
債務者への手続教示……Q37
債務名義等の還付申請（財産調査）……Q87，Q94
債務名義の還付（債権執行）……Q72
債務名義の表示……Q12

差額納付……Q50
差押禁止債権……Q22, Q24
――の範囲についての特例……Q21
――の範囲変更の申立て……Q24, Q37, Q43
――の範囲変更の申立てと転付命令……Q24
差押え後の相殺……Q34
差押債権の特定……Q13
差押債権目録……Q9, Q13
差押処分……Q83
差押通知書（滞調法）……Q42
差押登記等の抹消嘱託……Q72
差押登記の嘱託……Q16
差押えと仮差押えの競合……Q53
差押えと債権譲渡との競合……Q55
差押えと配当要求との競合……Q54
差押えの競合……Q42
差押えの処分禁止効……Q34
差押範囲変更（減縮）の申立書……Q43
サブリース契約……Q28
残余金皆無通知……Q42
残余金の交付……Q42
事業保険……Q19
時効の完成猶予・更新……Q6, Q34
事実到来執行文（条件成就執行文）……Q10
事情届……Q34, Q51, Q52, Q60
――の不受理決定……Q60
――の補正……Q60
事情届通知書……Q64
質権……Q1
執行異議……Q8
執行供託……Q51, Q56
執行抗告……Q8
執行実施費用……Q9
執行準備費用……Q9
執行停止の通知……Q4
執行停止文書……Q4, Q90, Q98
――の提出と執行抗告……Q8, Q24, Q48
執行取消文書……Q4, Q90, Q98
執行費用……Q9, Q12, Q67
執行文……Q10

——の再度付与……Q49
——の数通付与……Q9
執行命令（裁判官）……Q10
実施決定（財産開示手続）……Q84，Q88
実用新案権……Q75
私的年金契約……Q22
支払届……Q44
支払を受けていない旨の届出（５項届）……Q45
死亡保険金請求権の差押え……Q19
集合債権譲渡担保……Q55
集合物譲渡担保権……Q32
充当の記載……Q12
出資持分権に対する執行……Q76
出版権……Q75
少額訴訟債権執行……Q45，Q83
少額訴訟判決……Q10
承継執行文……Q2，Q10
承継を証する文書……Q2
条件成就執行文（事実到来執行文）……Q10
条件付債権の差押え……Q14
証券投資信託……Q77
証券保管振替制度……Q79
証拠金返還請求権の差押え……Q13，Q82
使用借権……Q1
上場株式の差押え……Q79，Q80
譲渡可能性……Q1
譲渡禁止債権……Q47
譲渡禁止特約……Q23
譲渡制限特約（譲渡制限の意思表示）……Q1，Q23
譲渡担保権に基づく物上代位……Q32
譲渡命令……Q50，Q79
商標権……Q75
情報取得手続（第三者からの情報取得手続）……Q85
情報提供書……Q95，Q96，Q97
情報提供通知（対債務者）……Q96，Q97
情報提供命令……Q95
——の告知……Q96，Q97
将来債権……Q1，Q14，Q47
——の差押え……Q14
所在地目録……Q92

所有者としての当事者適格……Q39
新株引受権……Q1
新設分割……Q3
信託財産……Q77
信託受益権の差押え……Q77
信託の独立性……Q77
審判前の保全処分……Q10
信用金庫の会員の持分権……Q76
スポットレート……Q18
請求異議の訴え……Q8, Q65
請求債権額の拡張……Q66
請求債権の表示……Q12
請求債権目録……Q9, Q87, Q92, Q93, Q94
製作物供給契約における代金債権……Q29
成年年齢引下げ……Q21
生命保険契約に基づく債権の差押え……Q19
責任財産……Q1
責任保険契約についての先取特権……Q31
専属管轄……Q6
船舶及び航空機の引渡請求権……Q1
増額の審判・調停……Q21
総合ディジタル通信サービス利用権……Q1
相殺の抗弁……Q46
相続財産管理人……Q6
送達先……Q9
送達場所……Q9
送達未了の差押命令の取消し……Q36
租税債権の配当の順位……Q67
続行決定（滞調法）……Q42

〔た 行〕

第一次管轄……Q6
第三債務者に対する陳述催告……Q35
第三債務者の抗弁……Q46
第三債務者の債務者に対する相殺の抗弁……Q46
第三債務者の差押債権者に対する相殺の抗弁……Q46
第三債務者の表示……Q9
第三者が提供すべき情報……Q96, Q97
第三者からの情報取得事件記録の閲覧，謄写等……Q99
第三者からの情報取得手続……Q84, Q85

第二次管轄……Q6
滞納処分続行承認決定……Q42
滞納処分による差押え……Q42
代用暗号資産……Q82
建物所有権譲渡に伴う賃料債権移転……Q57
他人名義の預金債権……Q20
単位未満株式……Q97
団体保険……Q19
「担保権の存在」の証明度……Q29
担保権・被担保債権・請求債権目録……Q12, Q94
知的財産権に対する執行……Q75
——の管轄裁判所……Q6
知的財産権の換価……Q75
中断・受継……Q2
超過差押え……Q15
超過差押禁止……Q9
調停調書……Q10
著作権……Q75
著作隣接権……Q75
賃借権……Q1
陳述義務の一部免除……Q89
陳述催告の申立て……Q35
陳述内容の訂正又は追完……Q35
陳述の催告……Q34
賃料債権の差押え……Q57
通称……Q20
つながり証明……Q6
定期金債権についての特例……Q21
抵当権……Q1
抵当権譲渡……Q2
抵当権付債権の差押え……Q16
抵当権付債権の転付命令に伴う登記嘱託……Q48
手続費用……Q67
電子記録債権……Q45, Q81
電子記録債権譲渡命令……Q81
電子記録債権に関する担保権の実行等……Q81
電子記録債権売却命令……Q81
電子債権記録機関……Q81
転貸賃料に対する物上代位……Q27
転売の事実についての立証……Q29

転付奥書……Q49
転付命令……Q47
——と執行停止文書……Q4
——に対する執行抗告……Q8，Q24
——の効力……Q48，Q49
——の申立ての取下げ……Q72
転付命令発令後の執行停止……Q8
電話加入権……Q1
——に対する執行……Q35
登記嘱託……Q50
登記又は登録を要するその他の財産権……Q6
動産競売開始許可……Q33
動産の譲渡担保権……Q32
動産売買先取特権……Q29
——に基づく物上代位……Q29
動産引渡執行の申立て……Q73
動産引渡請求権……Q1
——の換価……Q73
——の差押え……Q73
当事者承継……Q2
当事者目録……Q9，Q87，Q92，Q93，Q94
投資信託受益権……Q80
——に対する執行……Q77
同時破産廃止事件と債権執行手続……Q39
同時破産廃止事件と財産調査手続……Q100
謄写（債権執行事件）……Q5
謄写（財産開示事件）……Q91
謄写（情報取得事件）……Q99
特定承継……Q2
特定動産譲渡担保権……Q32
特別口座……Q80
特別清算……Q100
——と債権執行手続……Q41
——と財産調査手続……Q100
特別清算開始命令……Q41
独立行政法人郵便貯金簡易生命保険管理・郵便局ネットワーク支援機構……Q13，Q19
独立財産性……Q1
特許権……Q75
取消予告通知……Q45
取下げ……Q72，Q90，Q98

取下書……Q72
取下通知書……Q72
取立完了届……Q44
取立権……Q34，Q44
取立訴訟……Q44
取立届……Q44，Q45
取立未了２年経過による債権差押命令の取消し……Q45

〔な 行〕

認可決定……Q10
認可判決……Q10
（根）抵当権付債権の差押え……Q16
納付命令……Q50，Q79，Q80

〔は 行〕

売却の実施……Q50
売却命令……Q50，Q79，Q80
配当異議……Q70
――の訴え……Q65
――の申出……Q65，Q70
配当加入遮断効……Q51，Q62
配当期日呼出状……Q65
配当財団……Q65
配当手続……Q65
配当要求……Q54
――の終期……Q62
売得金の配当……Q73
破産手続開始決定……Q39，Q100
破産手続と債権執行……Q39
破産手続と財産調査手続……Q100
引換給付……Q11
非上場株式……Q79
被転付債権の不存在……Q49
被転付債権不存在証明書……Q49
被転付適格……Q47
被振込専用支店……Q13
不受理証明書……Q60
不受理申請……Q60
附帯請求……Q12
物上代位……Q61

──による差押えと債権譲渡との優劣……Q58
──による配当要求……Q63
不動産情報……Q85
不動産信託受益権に対する執行……Q77
不動産に係る情報提供命令……Q96
不当執行……Q8
扶養義務等債権（扶養義務等に係る金銭債権）……Q21，Q59，Q88，Q95
扶養義務等債権差押えにおける配当……Q69
扶養義務等に係る定期金債権……Q21，Q88，Q95，Q100
振替株式……Q79，Q80
振替機関……Q77，Q79，Q80
振替債……Q80
振替社債等……Q80
──に係る情報……Q85
──に係る情報取得……Q94
──に係る情報提供命令……Q97
──に関する執行手続……Q45，Q80
振替社債等譲渡命令……Q80
振替社債等情報……Q85
振替社債等売却命令……Q80
振替受益権……Q77
振替投資信託受益権……Q80
別段預金……Q13，Q97
弁済期の到来……Q12
弁済供託……Q51
弁済金交付手続……Q65
弁済による代位……Q2
法人格否認の法理……Q20
法人保険……Q19
保証債務……Q1
保振制度……Q79
本執行移行……Q38

〔ま 行〕

抹消登記等の嘱託の申立て……Q72
マンション管理組合……Q9
未登記抵当権に基づく物上代位……Q68
みなし交付要求……Q42，Q64
ミニ株……Q97
民事再生手続と債権執行……Q40

民事再生手続と財産調査手続……Q100
民法上の組合の組合員の持分権……Q76
免責許可決定……Q39，Q100
申立手数料……Q9，Q87，Q92，Q93，Q94
目的外利用……Q84，Q85
目的動産の同一性……Q29
持分会社……Q76

〔や 行〕

屋号……Q20
養育費……Q21，Q59，Q88，Q95
預託金会員制ゴルフ会員権の差押え・換価……Q78
預貯金債権……Q97
――に係る情報……Q85
――に係る情報取得手続……Q94
――に係る情報提供命令……Q97
預貯金情報……Q85

〔ら 行〕

利害関係を有する者……Q5
連帯債権としての差押え……Q26

民事執行の実務【第5版】
債権執行・財産調査編（上）

2022年9月20日　第1刷発行

2003年6月30日　初版発行
2007年11月19日　第2版発行
2012年6月12日　第3版発行
2018年11月12日　第4版発行

編著者　中村　さとみ
　　　　劔持　淳子
発行者　加藤　一浩

〒160-8520　東京都新宿区南元町19
発行所　一般社団法人 金融財政事情研究会
企画・制作・販売　株式会社きんざい
出版部　TEL 03(3355)2251　FAX 03(3357)7416
販売受付　TEL 03(3358)2891　FAX 03(3358)0037
URL https://www.kinzai.jp/

校正：株式会社友人社／印刷：株式会社太平印刷社

ISBN978-4-322-14142-9